Дэн Браун
Код да Винчи

DAN BROWN
THE DA VINCI CODE

Дэн Браун

КОД ДА ВИНЧИ

ИЗДАТЕЛЬСТВО act МАТАДОР

МОСКВА 2006

УДК 821.111(73)
ББК 84 (7Сое)-44
Б87

Dan Brown
THE DA VINCI CODE

Перевод с английского Н.В. Рейн

Дизайн М.Ю. Евстигнеева и Е.Г. Райцеса

Печатается с разрешения автора и литературных агентств
Sanford J. Greenburger Associates и Andrew Nurnberg.

ISBN 5-17-038831-4 (ООО «Издательство АСТ»)
(С.: Детектив(У)(кино 1, пазлы))

ISBN 5-17-038830-6 (ООО «Издательство АСТ»)
(С.: Детектив(У)(кино 2, огонь))

ISBN 5-17-038829-2 (ООО «Издательство АСТ»)
(С.: Детектив(У)(кино 3, лицо без маски))

ISBN 5-17-027386-X (С.: Детектив(У))

И снова посвящается Блит...
Еще в большей степени, чем всегда

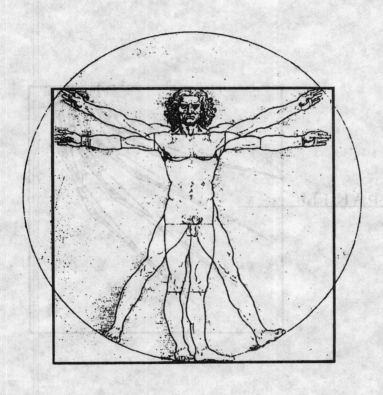

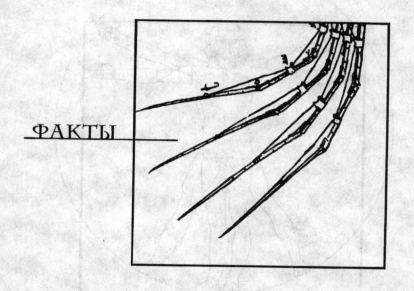

ФАКТЫ

Приорат* Сиона —
тайное европейское общество, основанное в 1099 году,
реальная организация. В 1975 году в Парижской
национальной библиотеке обнаружены рукописные
свитки, известные под названием «Секретные досье»,
где раскрывались имена многих членов Приората Сиона,
в их числе сэр Исаак Ньютон, Боттичелли, Виктор Гюго
и Леонардо да Винчи.

Личная прелатура Ватикана, известная как «Опус Деи»,
является католической сектой, исповедующей глубокую
набожность. Заслужила печальную известность
промыванием мозгов, насилием и опасными ритуалами
«умерщвления плоти». Секта «Опус Деи» только что
завершила строительство своей штаб-квартиры
в Нью-Йорке, на Лексингтон-авеню, 243, которое
обошлось в 47 миллионов долларов.

В книге представлены точные описания произведений
искусства, архитектуры, документов и тайных ритуалов.

---

*   Приорат, или синьория, — орган городского управления ряда средневековых городов-коммун. В масонской традиции Великий приорат —
подразделение в системе руководства одной из деноминаций масонства
(Храм, Госпиталь). — *Примеч. ред.*

ПРОЛОГ

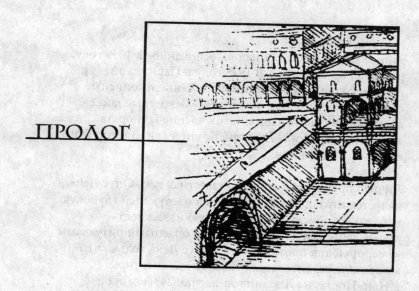

Париж, Лувр
21.46

наменитый куратор Жак Соньер, пошатываясь, прошел под сводчатой аркой Большой галереи и устремился к первой попавшейся ему на глаза картине, полотну Караваджо. Ухватился руками за позолоченную раму и стал тянуть ее на себя, пока шедевр не сорвался со стены и не рухнул на семидесятилетнего старика Соньера, погребя его под собой.

Как и предполагал Соньер, неподалеку с грохотом опустилась металлическая решетка, преграждающая доступ в этот зал. Паркетный пол содрогнулся. Где-то завыла сирена сигнализации.

Несколько секунд куратор лежал неподвижно, хватая ртом воздух и пытаясь сообразить, на каком свете находится. *Я все еще жив.* Потом он выполз из-под полотна и начал судорожно озираться в поисках места, где можно спрятаться.

Голос прозвучал неожиданно близко:

— Не двигаться.

Стоявший на четвереньках куратор похолодел, потом медленно обернулся. Всего в пятнадцати футах от него, за решеткой, высилась внушительная и грозная фигура его преследователя. Высокий, широкоплечий, с мертвенно-бледной кожей и редкими белыми волосами. Белки розовые, а зрачки угрожающего темно-красного цвета. Альбинос достал из кармана пистолет, сунул длинный ствол в отверстие между железными прутьями и прицелился в куратора.

— Ты не должен бежать, — произнес он с трудно определимым акцентом. — А теперь говори: где оно?

— Но я ведь уже сказал, — запинаясь пробормотал куратор, по-прежнему беспомощно стоявший на четвереньках. — Понятия не имею, о чем вы говорите.

— Ложь! — Мужчина был неподвижен и смотрел на него немигающим взором страшных глаз, в которых поблескивали красные искорки. — У тебя и твоих братьев есть кое-что, принадлежащее отнюдь не вам.

Куратор содрогнулся. *Откуда он может знать?*

— И сегодня этот предмет обретет своих настоящих владельцев. Так что скажи, где он, и останешься жив. — Мужчина опустил ствол чуть ниже, теперь он был направлен прямо в голову куратора. — Или это тайна, ради которой ты готов умереть?

Соньер затаил дыхание.

Мужчина, слегка запрокинув голову, прицелился.

Соньер беспомощно поднял руки.

— Подождите, — пробормотал он. — Я расскажу все, что знаю. — И куратор заговорил, тщательно подбирая слова. Эту ложь он репетировал множество раз и всегда молился о том, чтобы к ней не пришлось прибегнуть.

Когда он закончил, его преследователь самодовольно улыбнулся:

— Да. Именно это мне говорили и другие.

Другие? — мысленно удивился Соньер.

— Я их тоже разыскал, — сказал альбинос. — Всю троицу. И они подтвердили то, что ты только что сказал.

Быть того не может! Ведь истинная личность куратора и личности трех его sénéchaux* были столь священны и неприкосновенны, как и древняя тайна, которую они хранили. Но тут Соньер догадался: трое его sénéchaux, верные долгу, рассказали перед смертью ту же легенду, что и он. То была часть замысла.

Мужчина снова прицелился.

— Так что, когда помрешь, я буду единственным на свете человеком, который знает правду.

Правду!.. Куратор мгновенно уловил страшный смысл этого слова, весь ужас ситуации стал ему ясен. *Если я умру, правды уже никто никогда не узнает.* И он, подгоняемый инстинктом самосохранения, попытался найти укрытие.

---

* Старые слуги, прислужники *(фр.)*. — *Здесь и далее примеч. пер.*

Грянул выстрел, куратор безвольно осел на пол. Пуля угодила ему в живот. Он пытался ползти... превозмогая страшную боль. Медленно приподнял голову и уставился сквозь решетку на убийцу. Теперь тот целился ему в голову.

Соньер зажмурился, страх и сожаление терзали его.

Щелчок холостого выстрела эхом разнесся по коридору.

Соньер открыл глаза.

Альбинос с насмешливым недоумением разглядывал свое оружие. Хотел было перезарядить его, затем, видно, передумал, с ухмылкой указал на живот Соньера:

— Я свою работу сделал.

Куратор опустил глаза и увидел на белой льняной рубашке дырочку от пули. Она была обрамлена кольцом крови и находилась несколькими дюймами ниже грудины. *Желудок!* Жестокий промах: пуля угодила не в сердце, а в живот. Куратор был ветераном войны в Алжире и видел немало мучительных смертей. Еще минут пятнадцать он проживет, а кислоты из желудка, просачиваясь в грудную полость, будут медленно отравлять его.

— Боль, знаете ли, на пользу, месье, — сказал альбинос. И ушел.

Оставшись один, Жак Соньер взглянул на железную решетку. Он был в ловушке, двери не откроют еще минут двадцать. А ко времени, когда подоспеет помощь, он будет уже мертв. Но не смерть страшила его в данный момент. *Я должен передать тайну.*

Пытаясь подняться на ноги, он видел перед собой лица трех своих убитых братьев. Вспомнил о поколениях других братьев, о миссии, которую они выполняли, бережно передавая тайну потомкам.

Неразрывная цепь знаний.

И вот теперь, несмотря на все меры предосторожности и все ухищрения, он, Жак Соньер, остался единственным звеном этой цепи, единственным хранителем тайны. Весь дрожа, он наконец поднялся. *Я должен найти какой-то способ...*

Он был заперт в Большой галерее, и на свете существовал лишь один человек, которому можно было передать факел знаний. Соньер разглядывал стены роскошной темницы. Их украшала коллекция знаменитых на весь мир полотен, казалось, они смотрят на него сверху вниз, улыбаясь, как старые друзья.

Поморщившись от боли, он призвал на помощь все силы и сноровку. Задача, предстоявшая ему, потребует сосредоточенности и отнимет все отпущенные ему секунды жизни до последней.

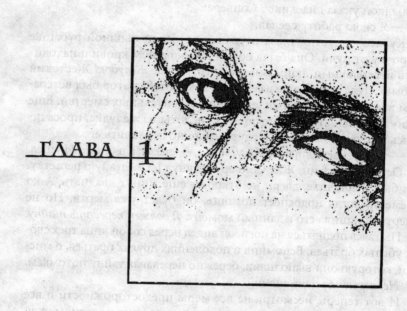

ГЛАВА 1

Роберт Лэнгдон проснулся не сразу.

Где-то в темноте звонил телефон. Вот только звонок звучал непривычно резко, пронзительно. Пошарив на тумбочке, он включил лампу-ночник. И, щурясь, разглядывал обстановку: обитая бархатом спальня в стиле Ренессанса, мебель времен Людовика XVI, стены с фресками ручной работы, огромная кровать красного дерева под балдахином.

Где я, черт побери?

На спинке кресла висел жаккардовый халат с монограммой:

«ОТЕЛЬ «РИТЦ», ПАРИЖ».

Туман в голове начал постепенно рассеиваться.

Лэнгдон поднял трубку:

— Алло?

— Месье Лэнгдон? — раздался мужской голос. — Надеюсь, я вас не разбудил?

Щурясь, Лэнгдон посмотрел на настольные часы. Они показывали 12.32 ночи. Он проспал всего час и был еле живым от усталости.

— Это портье, месье. Извините за беспокойство, но к вам посетитель. Говорит, что у него срочное дело.

Лэнгдон все еще плохо соображал. *Посетитель?* Взгляд упал на измятый листок бумаги на тумбочке. То была небольшая афишка.

АМЕРИКАНСКИЙ УНИВЕРСИТЕТ ПАРИЖА
имеет честь пригласить
на встречу с Робертом Лэнгдоном,
профессором религиозной символики
Гарвардского университета

Лэнгдон тихонько застонал. Вечерняя лекция сопровождалась демонстрацией слайдов: языческий символизм, нашедший отражение в каменной кладке собора в Шартре, — и консервативной профессуре она наверняка пришлась не по вкусу. А может, самые религиозные ученые даже попросят его вон и посадят на первый же рейс до Америки.

— Извините, — ответил Лэнгдон, — но я очень устал и...

— Mais, monsieur*, — продолжал настаивать портье, понизив голос до интимного шепота. — Ваш гость — весьма влиятельная персона.

Лэнгдон ничуть не сомневался в этом. Книги по религиозной живописи и культовой символике сделали его своего рода знаменитостью в мире искусств, только со знаком минус. А в прошлом году скандальная слава Лэнгдона лишь приумножилась благодаря его участию в довольно двусмысленном инциденте в Ватикане, который широко освещался прессой. И с тех пор его просто одолевали разного рода непризнанные историки и дилетанты от искусства, так и валили толпой.

— Будьте добры, — Лэнгдон изо всех сил старался говорить вежливо, — запишите имя и адрес этого человека. И скажите, что я постараюсь позвонить ему в четверг, перед отъездом из Парижа. О'кей? Спасибо! — И он повесил трубку прежде, чем портье успел что-либо возразить.

Он сел в кровати и, хмурясь, уставился на лежавший на столике ежедневник для гостей отеля, на обложке которого красовалась казавшаяся теперь издевательской надпись: «СПИТЕ КАК МЛАДЕНЕЦ В ГОРОДЕ ОГНЕЙ, СЛАДКАЯ ДРЕМА В ОТЕЛЕ «РИТЦ», ПАРИЖ». Он отвернулся и устало взглянул в высокое зеркало на стене. Мужчина, отразившийся там, был почти незнакомцем. Встрепанный, усталый.

Тебе нужно как следует отдохнуть, Роберт.

---

*　Но, месье *(фр.)*.

Особенно тяжелым выдался последний год, и это отразилось на внешности. Обычно такие живые синие глаза потускнели и смотрели уныло. Скулы и подбородок с ямочкой затеняла щетина. Волосы на висках серебрились сединой, мало того, седые волоски проблескивали и в густой черной шевелюре. И хотя все коллеги женского пола уверяли, что седина страшно ему идет, подчеркивает ученый вид, сам он был вовсе не в восторге.

Видели бы меня сейчас в «Бостон мэгазин»!

В прошлом месяце, к изумлению и некоторой растерянности Лэнгдона, журнал «Бостон мэгазин» включил его в список десяти самых «интригующих» людей города — сомнительная честь, поскольку это стало предметом постоянных насмешек со стороны коллег по Гарварду. И вот сейчас в трех тысячах миль от дома оказанная ему журналом честь обернулась кошмаром, преследовавшим его даже на лекции в Парижском университете.

— Дамы и господа, — объявила ведущая на весь битком набитый зал под названием «Павильон дофина», — наш сегодняшний гость не нуждается в представлении. Он — автор множества книг, в их числе: «Символика тайных сект», «Искусство интеллектуалов: утраченный язык идеограмм». И если я скажу, что именно из-под его пера вышла «Религиозная иконология», то не открою вам большой тайны. Для многих из вас его книги стали учебниками.

Студенты энергично закивали в знак согласия.

— И вот сегодня я хотела представить его вам, очертив столь впечатляющий curriculum vitae* этого человека. Но... — тут она игриво покосилась на сидевшего за столом президиума Лэнгдона, — один из наших студентов только что предоставил мне еще более, если так можно выразиться, интригующее вступление.

И она показала номер бостонского журнала.

Лэнгдона передернуло. *Где, черт побери, она это раздобыла?*

Ведущая начала зачитывать отрывки совершенно идиотской статьи, а Лэнгдон все глубже и глубже вжимался в кресло. Тридцать секунд спустя аудитория уже вовсю хихикала, а дамочка никак не унималась.

— «Отказ мистера Лэнгдона рассказать средствам массовой информации о своей необычной роли в прошлогоднем совеща-

---

* Круг жизни (*лат.*).

нии в Ватикане определенно помог ему набрать очки в борьбе за вхождение в первую десятку "интриганов"». — Тут она умолкла и обратилась к аудитории: — Хотите послушать еще?

Ответом были дружные аплодисменты.

Нет, кто-то должен ее остановить, подумал Лэнгдон. А она зачитывала новый отрывок:

— «Хотя профессора Лэнгдона в отличие от некоторых наших молодых претендентов нельзя считать таким уж сногсшибательным красавчиком, в свои сорок с хвостиком он в полной мере наделен шармом ученого. И его очарование лишь подчеркивает низкий баритон, который, по мнению студенток, действует "прямо как шоколад на уши"».

Зал так и грохнул от смеха.

Лэнгдон выдавил робкую улыбочку. Он знал, что последует дальше — пассаж на тему «Гаррисон Форд в твиде от Гарриса». И поскольку сегодня он опрометчиво вырядился в твидовый пиджак от Гарриса и водолазку от Бербери, то решил срочно предпринять какие-то меры.

— Благодарю вас, Моник, — сказал Лэнгдон, поднялся и сошел с подиума. — В этом бостонском журнале определенно работают люди, наделенные даром художественного слова. Им бы романы писать. — Он вздохнул и оглядел аудиторию. — И если я только узнаю, кто приволок сюда этот журнал, потребую вышвырнуть мерзавца вон.

Все снова дружно расхохотались.

— Что ж, друзья мои, как всем известно, я пришел сегодня к вам поговорить о власти символов...

Звонок телефона прервал размышления Лэнгдона.

Он обреченно вздохнул и снял трубку:

— Да?

Как и ожидалось, это снова был портье.

— Мистер Лэнгдон, еще раз прошу прощения за беспокойство. Но я звоню сообщить вам, что гость уже на пути к вашей комнате. Вот я и подумал, может, лучше предупредить вас.

Лэнгдон проснулся окончательно.

— Так вы направили его ко мне в номер?

— Прошу прощения, месье, но человек такого ранга... Просто подумал, что не вправе останавливать его.

— Да кто он такой наконец?

Но портье уже повесил трубку.

И почти тотчас же раздался громкий стук в дверь.

Лэнгдон нехотя поднялся с кровати, босые ступни утонули в толстом пушистом ковре. Он накинул халат и направился к двери.

— Кто там?

— Мистер Лэнгдон? Мне необходимо переговорить с вами. — По-английски мужчина говорил с акцентом, голос звучал резко и властно. — Я лейтенант Жером Колле. Из Центрального управления судебной полиции.

Лэнгдон замер. *Центральное управление судебной полиции, или сокращенно ЦУСП?* Он знал, что эта организация во Франции примерно то же, что в США ФБР.

Не снимая цепочку, он приотворил дверь на несколько дюймов. На него смотрело худое лицо с невыразительными, как бы стертыми чертами. Да и сам мужчина в синей форме был невероятно худ.

— Я могу войти? — спросил Колле.

Лэнгдон колебался, ощущая на себе пристальный изучающий взгляд лейтенанта.

— А в чем, собственно, дело?

— Моему капитану требуется ваша помощь. Экспертиза в одном частном деле.

— Прямо сейчас? — удивился Лэнгдон. — Но ведь уже за полночь перевалило.

— Сегодня вечером вы должны были встретиться с куратором Лувра, я правильно информирован?

У Лэнгдона возникло тревожное предчувствие. Действительно, он и достопочтенный Жак Соньер договаривались встретиться после лекции и поболтать за выпивкой, однако куратор так и не объявился.

— Да. Но откуда вы знаете?

— Нашли вашу фамилию у него в настольном календаре.

— Надеюсь, с ним все в порядке?

Агент вздохнул и сунул в щель снимок, сделанный «Полароидом».

Увидев фотографию, Лэнгдон похолодел.

— Снимок сделан меньше часа назад. В стенах Лувра.

Лэнгдон не сводил глаз с леденящей душу картины, и его отвращение и возмущение выразились в сердитом возгласе:

— Но кто мог сделать такое?!

— Это мы и хотим выяснить. И надеемся, вы поможете нам, учитывая ваши знания в области религиозной символики и намерение встретиться с Соньером.

Лэнгдон не отрывал глаз от снимка, и на смену возмущению пришел страх. Зрелище отвратительное, но дело тут не только в этом. У него возникло тревожное ощущение *déjà vu**. Чуть больше года назад Лэнгдон получил снимок трупа и аналогичную просьбу о помощи. А еще через двадцать четыре часа едва не расстался с жизнью, и случилось это в Ватикане. Нет, этот снимок совсем другой, но, однако же, явное сходство в сценарии имело место.

Агент взглянул на часы:

— Мой капитан ждет, сэр.

Но Лэнгдон его не слышал. Глаза по-прежнему были устремлены на снимок.

— Вот этот символ здесь, и потом то, что тело так странно...

— Он отравлен? — предположил агент.

Лэнгдон кивнул, вздрогнул и поднял на него взгляд:

— Просто представить не могу, кто мог сотворить такое...

Агент помрачнел.

— Вы не поняли, мистер Лэнгдон. То, что вы видите на снимке... — Тут он запнулся. — Короче, месье Соньер это сам с собой сделал.

---

*   Я где-то это уже видел *(фр.)*.

ГЛАВА 2

римерно в миле от отеля «Ритц» альбинос по имени Сайлас, прихрамывая, прошел в ворота перед роскошным особняком красного кирпича на рю Лабрюйер. Подвязка с шипами, сплетенная из человеческих волос, которую он носил на бедре, больно впивалась в кожу, однако душа его пела от радости. Еще бы, он славно послужил Господу.

Боль, она только на пользу.

Он вошел в особняк, обежал красными глазками вестибюль. А затем начал тихо подниматься по лестнице, стараясь не разбудить своих спящих товарищей. Дверь в его спальню была открыта, замки здесь запрещались. Он вошел и притворил за собой дверь.

Обстановка в комнате была спартанская — голый дощатый пол, простенький сосновый комод, в углу полотняный матрас, служивший постелью. Здесь Сайлас был всего лишь гостем, однако и дома, в Нью-Йорке, у него была примерно такая же келья.

Господь подарил мне кров и цель в жизни.

По крайней мере сегодня Сайлас чувствовал, что начал оплачивать долги. Поспешно подошел к комоду, выдвинул нижний ящик, нашел там мобильник и набрал номер.

— Да? — прозвучал мужской голос.

— Учитель, я вернулся.

— Говори! — повелительно произнес собеседник.

— Со всеми четырьмя покончено. С тремя sénéchaux... и самим Великим мастером.

В трубке повисла пауза, словно собеседник возносил Богу краткую молитву.

— В таком случае, полагаю, ты раздобыл информацию?

— Все четверо сознались. Независимо один от другого.

— И ты им поверил?

— Говорили одно и то же. Вряд ли это совпадение.

Собеседник возбужденно выдохнул в трубку:

— Отлично! Я боялся, что здесь возобладает присущая братству тяга к секретности.

— Ну, перспектива смерти — сильная мотивация.

— Итак, мой ученик, скажи наконец то, что я так хотел знать.

Сайлас понимал: информация, полученная им от жертв, произведет впечатление разорвавшейся бомбы.

— Учитель, все четверо подтвердили существование clef de voûte... легендарного краеугольного камня.

Он отчетливо слышал, как человек на том конце линии затаил дыхание, почувствовал возбуждение, овладевшее Учителем.

— Краеугольный камень. Именно то, что мы предполагали.

Согласно легенде, братство создало карту clef de voûte, или краеугольного камня. Она представляла собой каменную пластину с выгравированными на ней знаками, описывавшими, где хранится величайший секрет братства... Эта информация обладала такой взрывной силой, что защита ее стала смыслом существования самого братства.

— Ну а теперь, когда камень у нас, — сказал Учитель, — остался всего лишь один, последний шаг.

— Мы еще ближе, чем вы думаете. Краеугольный камень здесь, в Париже.

— В Париже? Невероятно! Даже как-то слишком просто.

Сайлас пересказал ему события минувшего вечера. Поведал о том, как каждая из четырех жертв за секунды до смерти пыталась выкупить свою нечестивую жизнь, выдав все секреты братства. И каждый говорил Сайласу одно и то же: что краеугольный камень весьма хитроумно запрятан в укромном месте, в одной из древнейших церквей Парижа — Эглиз де Сен-Сюльпис.

— В стенах дома Господня! — воскликнул Учитель. — Да как они только посмели насмехаться над нами?!

— Они занимаются этим вот уже несколько веков.

Учитель умолк, словно желая насладиться моментом торжества. А потом сказал:

— Ты оказал нашему Создателю громадную услугу. Мы ждали этого часа много столетий. Ты должен добыть этот камень для меня. Немедленно. Сегодня же! Надеюсь, понимаешь, как высоки ставки?

Сайлас понимал, однако же требование Учителя показалось невыполнимым.

— Но эта церковь как укрепленная крепость. Особенно по ночам. Как я туда попаду?

И тогда уверенным тоном человека, обладающего огромной властью и влиянием, Учитель объяснил ему, как это надо сделать.

Сайлас повесил трубку и почувствовал, как кожу начало покалывать от возбуждения.

Один час, напомнил он себе, благодарный Учителю за то, что тот дал ему возможность наложить на себя епитимью перед тем, как войти в обитель Господа. *Я должен очистить душу от совершенных сегодня грехов.* Впрочем, сегодняшние его грехи были совершены с благой целью. Войны против врагов Господа продолжались веками. Прощение было обеспечено.

Но несмотря на это, Сайлас знал: отпущение грехов требует жертв.

Он задернул шторы, разделся донага и преклонил колени в центре комнаты. Потом опустил глаза и взглянул на подвязку с шипами, охватывающую бедро. Все истинные последователи «Пути» носили такие подвязки — ремешок, утыканный заостренными металлическими шипами, которые врезались в плоть при каждом движении и напоминали о страданиях Иисуса. Боль помогала также сдерживать плотские порывы.

Хотя сегодня Сайлас носил свой ремешок дольше положенных двух часов, он понимал: этот день необычный. И вот он ухватился за пряжку и туже затянул ремешок, морщась от боли, когда шипы еще глубже впились в плоть. Закрыл глаза и стал упиваться этой болью, несущей очищение.

Боль только на пользу, мысленно произносил Сайлас слова из священной мантры отца Хосе Мария Эскрива, Учителя всех учителей. Хотя сам Эскрива умер в 1975 году, дело его продолжало жить, мудрые его слова продолжали шептать тысячи преданных слуг по всему земному шару, особенно когда опускались на колени и исполняли священный ритуал, известный под названием «умерщвление плоти».

Затем Сайлас обернулся и взглянул на грубо сплетенный канат в мелких узелках, аккуратно свернутый на полу у его ног. Узелки были запачканы запекшейся кровью. Предвкушая еще более сильную очистительную боль, Сайлас произнес короткую молитву. Затем схватил канат за один конец, зажмурился и хлестнул себя по спине через плечо, чувствуя, как узелки царапают кожу. Снова хлестнул, уже сильнее. И долго продолжал самобичевание.

— Castigo corpus meum*.

И вот наконец он почувствовал, как по спине потекла кровь.

---

* Наказываю тело свое (*лат.*).

ГЛАВА 3

одрящий апрельский ветерок врывался в открытое окно «Ситроена ZX». Вот машина проехала мимо здания Оперы, свернула к югу и пересекла Вандомскую площадь. Сев на пассажирское сиденье, Роберт Лэнгдон рассеянно следил за тем, как мимо него проносится город, и пытался собраться с мыслями. Перед уходом он на скорую руку побрился, принял душ и внешне выглядел вполне презентабельно, но внутреннее беспокойство не улеглось. Перед глазами все стоял страшный снимок, тело на полу.

Жак Соньер мертв.

Лэнгдон воспринял его смерть как большую личную утрату. Несмотря на репутацию человека замкнутого, едва ли не затворника, Соньер пользовался огромным уважением как истинный ценитель и знаток искусства. И говорить с ним на эту тему можно было до бесконечности. На лекциях Лэнгдон мог без устали цитировать отрывки из его книг о тайных кодах, скрытых в полотнах Пуссена и Тенирса. Лэнгдон очень ждал этой встречи с Соньером и огорчился, когда куратор не объявился.

И снова в воображении предстал изуродованный труп. *Чтобы Жак Соньер сам с собой такое сделал?..* Как-то не слишком верилось. И Лэнгдон снова отвернулся к окну, стараясь выбросить страшную картину из головы. Улочки сужались, становились все более извилистыми, торговцы катили тележки с засахаренным миндалем, официанты выносили из дверей мешки с мусором и ставили у обочины. Пара припозднившихся любовников остановилась и сплелась в тесном объятии, словно молодые люди старались согреться в прохладном, пропахшем жасмином весеннем воздухе. «Ситроен» уверенно пробивался все дальше и дальше вперед в этом хаосе, вой сирены разрезал движение, точно ножом.

— Капитан очень обрадовался, когда узнал, что вы еще не уехали из Парижа, — сказал агент. Он заговорил с Лэнгдоном впервые после того, как они выехали из отеля. — Счастливое совпадение.

Но Лэнгдон ни на йоту не чувствовал себя счастливым, а что касается совпадений, то он вообще не слишком-то в них верил. Будучи человеком, проведшим всю жизнь за изучением скрытой взаимосвязи между несопоставимыми символами и мировоззрениями, Лэнгдон смотрел на мир как на паутину тесно переплетенных между собой историй и событий. *Эти связи могут быть невидимыми,* часто говорил он на занятиях в Гарварде, *но они обязательно существуют, вот только запрятаны глубоко под поверхностью.*

— Я так понимаю, — сказал Лэнгдон, — это в Американском университете Парижа вам сообщили, что я остаюсь?

Водитель покачал головой:

— Нет. В Интерполе.

Ах, ну да, конечно. Интерпол, подумал Лэнгдон. Он совершенно забыл о том, что невинное требование предъявлять при регистрации в европейских отелях паспорт не было простой формальностью. То было веление закона. И этой ночью сотрудники Интерпола имели полное представление о том, кто где спит по всей Европе. Найти Лэнгдона в «Ритце» не составляло труда, у них на это ушло секунд пять, не больше.

«Ситроен», прибавив скорость, мчался по городу в южном направлении, вот вдалеке и чуть справа возник устремленный к небу силуэт Эйфелевой башни с подсветкой. Увидев ее, Лэнгдон вспомнил о Виттории. Год назад они дали друг другу шутливое обещание, что каждые шесть месяцев будут встречаться в каком-нибудь романтичном месте земного шара. Эйфелева башня, как подозревал Лэнгдон, входила в этот список. Печально, но они расстались с Витторией в шумном римском аэропорту, поцеловались и с тех пор больше не виделись.

— Вы поднимались на нее? — спросил агент.

Лэнгдон удивленно вскинул брови, не уверенный, что правильно его понял.

— Простите?

— Она прекрасна, не так ли? — Агент кивком указал на Эйфелеву башню. — Поднимались на нее когда-нибудь?

— Нет, на башню я не поднимался.

— Она — символ Франции. Лично я считаю ее самим совершенством.

Лэнгдон рассеянно кивнул. Специалисты в области символики часто отмечали, что Франции, стране, прославившейся своим воинствующим феминизмом, миниатюрными диктаторами типа Наполеона и Пипина Короткого, как-то не слишком к лицу этот национальный символ — эдакий железный фаллос высотой в тысячу футов.

Вот они достигли перекрестка с рю де Риволи, где горел красный, но «ситроен» и не думал останавливаться или замедлять ход. Агент надавил на газ, автомобиль пронесся через перекресток и резко свернул к северному входу в прославленный сад Тюильри, парижскую версию Центрального парка. Многие туристы неверно переводят название этого парка, Jardins des Tuileries, почему-то считая, что назван он так из-за тысяч цветущих там тюльпанов. Но в действительности слово «Tuileries» имеет совсем не такое романтическое значение. Вместо парка здесь некогда находился огромный котлован, из которого парижане добывали глину для производства знаменитой красной кровельной черепицы, или tuiles.

Они въехали в безлюдный парк, и агент тотчас сбросил скорость и выключил сирену. Лэнгдон жадно вдыхал напоенный весенними ароматами воздух, наслаждался тишиной. В холодном свете галогенных ламп поблескивал гравий на дорожках, шины шуршали в усыпляющем гипнотическом ритме. Лэнгдон всегда считал сад Тюильри местом священным. Здесь Клод Моне экспериментировал с цветом и формой, став, таким образом, родоначальником движения импрессионистов. Впрочем, сегодня здесь была другая, странная аура — дурного предчувствия.

«Ситроен» свернул влево и двинулся на восток по центральной аллее парка. Обогнул круглый пруд, пересек еще одну безлюдную аллею, и впереди Лэнгдон уже видел выход из сада, отмеченный гигантской каменной аркой.

Arc du Carrousel*.

* Арка Карузель (фр.).

В древности под этой аркой совершались самые варварские ритуалы, целые оргии, но почитатели искусства любили это место совсем по другой причине. Отсюда, с эспланады при выезде из Тюильри, открывался вид сразу на четыре музея изящных искусств... по одному в каждой части света.

Справа, по ту сторону Сены и набережной Вольтера, Лэнгдон видел в окошко театрально подсвеченный фасад старого железнодорожного вокзала, теперь в нем располагался весьма любопытный Музей д'Орсе. А если посмотреть влево, можно было увидеть верхнюю часть грандиозного ультрасовременного Центра Помпиду, где размещался Музей современного искусства. Лэнгдон знал, что за спиной у него находится древний обелиск Рамсеса, вздымающийся высоко над вершинами деревьев. Он отмечал место, где находился музей Жё-де-Пом.

И наконец впереди, к востоку, виднелись через арку монолитные очертания дворца времен Ренессанса, где располагался, наверное, самый знаменитый музей мира — Лувр.

В который уже раз Лэнгдон испытал чувство изумления, смешанного с восторгом. Глаз не хватало, чтобы обозреть разом все это грандиозное сооружение. Огромная площадь, а за ней — фасад Лувра, он вздымался, точно цитадель, на фоне парижского неба. Построенное в форме колоссального лошадиного копыта здание Лувра считалось самым длинным в Европе, по его длине могли бы разместиться целых три Эйфелевы башни. Даже миллиона квадратных футов площади между крыльями этого уникального сооружения было недостаточно, чтобы как-то преуменьшить величие фасада. Как-то раз Лэнгдон решил обойти Лувр по периметру и, к своему изумлению, узнал, что проделал трехмильное путешествие.

Согласно приблизительной оценке, на внимательный осмотр 65 300 экспонатов музея среднему посетителю понадобилось бы пять недель. Но большинство туристов предпочитали беглый осмотр. Лэнгдон шутливо называл это пробежкой по Лувру: туристы бодрым шагом проходили по залам музея, стремясь увидеть три самых знаменитых экспоната: Мону Лизу, Венеру Милосскую и Нику — крылатую богиню победы. Арт Бухвальд* как-то

---

* Арт Бухвальд — знаменитый американский журналист-фельетонист, его работы печатались даже в СССР.

хвастался, что на осмотр этих шедевров ему понадобилось всего пять минут и пятьдесят шесть секунд.

Водитель достал радиопереговорное устройство и произнес по-французски:

— Monsieur Langdon est arrivé. Deux minutes*.

В ответ пролаяли что-то неразборчивое.

Агент убрал устройство и обернулся к Лэнгдону:

— Вы встретитесь с капитаном у главного входа.

Водитель, проигнорировав знаки, запрещавшие въезд на площадь, прибавил газу, «ситроен» перевалил через парапет. Теперь был уже виден главный вход в Лувр, фронтон здания величественно вырастал впереди, в окружении семи треугольных бассейнов, из которых били фонтаны с подсветкой.

La Pyramide.

Новый вход в парижский Лувр стал почти столь же знаменитым, как и сам музей. Его украшала модернистская стеклянная пирамида, созданная американским архитектором китайского происхождения И. М. Пеем, вызывавшая негодование у традиционалистов. Они полагали, что это сооружение разрушает стиль и достоинство Ренессанса. Гете называл архитектуру застывшей музыкой, и критики Пея прозвали пирамиду скрипом ногтя по классной доске. Продвинутые же поклонники считали прозрачную, высотой в семьдесят один фут пирамиду поразительным сплавом древней традиции и современных технологий, символическим связующим звеном между прошлым и настоящим. И были убеждены, что украшенный таким образом Лувр займет достойное место в третьем тысячелетии.

— Вам нравится наша пирамида? — спросил агент.

Лэнгдон нахмурился. Похоже, французы просто обожают задавать американцам такие вопросы. Вопрос, конечно, с подковыркой. Стоит признать, что пирамида нравится, и тебя тотчас же причислят к не имеющим вкуса американцам. Сказать, что не нравится, значит обидеть французов.

— Миттеран был человеком смелым и прямолинейным, — дипломатично ответил Лэнгдон.

Говорили, что этот покойный ныне президент Франции страдал так называемым фараоновым комплексом. С его легкой руки

---

* Месье Лэнгдон прибыл. Будет у вас через две минуты *(фр.)*.

Париж наводнили египетские обелиски и прочие предметы древней материальной культуры. Франсуа Миттеран питал загадочное пристрастие ко всему египетскому и не отличался при этом особой разборчивостью, поэтому французы до сих пор называли его Сфинксом.

— Как зовут вашего капитана? — Лэнгдон решил сменить тему разговора.

— Безу Фаш, — ответил агент, направляя машину к главному входу в пирамиду. — Но мы называем его le Taureau.

Лэнгдон удивленно поднял на него глаза:

— Вы называете своего капитана Быком?

Что за странное пристрастие у этих французов — давать людям звериные прозвища!

Агент приподнял бровь:

— А ваш французский, месье Лэнгдон, куда лучше, чем вы сами в том признаетесь.

Мой французский ни к черту не годится, подумал Лэнгдон, *а вот в иконографии знаков Зодиака я кое-что смыслю. Таурус всегда был быком. Астрологические символы одинаковы во всем мире.*

Агент остановил машину и указал на большую дверь в пирамиде между двух фонтанов.

— Вход там. Желаю удачи, месье.

— А вы разве не со мной?

— Согласно приказу, я должен оставить вас здесь. У меня есть другие дела.

Лэнгдон вздохнул и вылез из машины. *Игра ваша, правила — тоже.*

Взревел мотор, и «ситроен» умчался прочь.

Глядя вслед быстро удаляющимся габаритным огням, Лэнгдон подумал: *А что, если пренебречь приглашением? Пересечь площадь, поймать у выхода такси и отправиться в отель, спать?..* Но что-то подсказывало ему, что идея эта никуда не годится.

Лэнгдон шагал к туманной дымке фонтанов, и у него возникло тревожное предчувствие, что он переступает воображаемый порог в какой-то совсем другой мир. Все этим вечером происходило словно во сне. Двадцать минут назад он мирно спал в гостиничном номере. И вот теперь стоит перед прозрачной пирамидой, построенной Сфинксом, и ожидает встречи с полицейским по прозвищу Бык.

Я в плену картины Сальвадора Дали, подумал он.

И шагнул к главному входу — огромной вращающейся двери. Фойе за стеклом было слабо освещено и казалось безлюдным. *Может, постучать?*

Интересно, подумал Лэнгдон, приходилось ли кому-либо из известнейших египтологов Гарварда стучаться в дверь пирамиды в надежде, что им откроют? Он уже поднял руку, но тут за стеклом из полумрака возникла какая-то фигура. Человек торопливо поднимался по винтовой лестнице. Плотный, коренастый и темноволосый, он походил на неандертальца. Черный двубортный костюм, казалось, вот-вот лопнет на широких плечах. Ноги короткие, кривоватые, а в походке так и сквозила властность. Он на ходу говорил по мобильному телефону, но закончил разговор, как только подошел к двери, и жестом пригласил Лэнгдона войти.

— Я Безу Фаш, — представился он, как только Лэнгдон прошел через вращающуюся дверь. — Капитан Центрального управления судебной полиции. — И голос его соответствовал внешности, так и перекатываясь громом под стеклянными сводами.

Лэнгдон протянул руку:

— Роберт Лэнгдон.

Огромная ладонь Фаша сдавила его руку в крепком рукопожатии.

— Я видел снимок, — сказал Лэнгдон. — Ваш агент говорил, будто Жак Соньер сделал это сам и...

— Мистер Лэнгдон, — черные глазки Фаша были точно вырезаны из эбенового дерева, — виденное вами на снимке — это, увы, лишь малая часть того, что успел натворить Соньер.

ГЛАВА 4

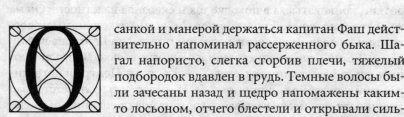

санкой и манерой держаться капитан Фаш действительно напоминал рассерженного быка. Шагал напористо, слегка сгорбив плечи, тяжелый подбородок вдавлен в грудь. Темные волосы были зачесаны назад и щедро напомажены каким-то лосьоном, отчего блестели и открывали сильно выступавший лоб. По пути темные глазки неустанно обшаривали каждый сантиметр дороги, а еще так и излучали яростную целеустремленность. Наверное, именно поэтому он пользовался репутацией человека строгого и неуступчивого во всех вопросах.

Лэнгдон шел за капитаном по знаменитой мраморной лестнице, что вела к маленькому внутреннему дворику в основании стеклянной пирамиды. Спускаясь, они прошли мимо двух вооруженных автоматами охранников из судебной полиции. Стало ясно: сегодня никто не войдет и не выйдет из этого сооружения без разрешения капитана Фаша.

Вот они миновали наземный этаж и стали спускаться дальше, и Лэнгдон с трудом подавил нервную дрожь. Несколько успокаивало, правда, присутствие капитана, но в самом Лувре в этот час было мрачно, как в могиле. Лестница освещалась крошечными лампочками, вмонтированными в каждую ступеньку, как в проходе кинотеатра. Лэнгдон слышал, как под стеклянными сводами эхом отдается каждый его шаг. Подняв голову, он увидел за стеклянной крышей пирамиды слабо мерцавшие разноцветные отблески фонтанов.

— Как, нравится? — коротко осведомился Фаш и приподнял широкий подбородок.

Лэнгдон вздохнул, ему начали надоедать эти игры.

— Да, пирамида просто великолепна.

— Шрам на лице Парижа, — сердито проворчал Фаш.

Один — ноль в его пользу. Лэнгдон понял, что этому человеку трудно угодить. Известно ли капитану, подумал он, что пирамида, построенная под патронажем Франсуа Миттерана, состоит из 666 стеклянных панелей, что вызывало много споров и кривотолков, особенно у противников бывшего президента, поскольку 666 считалось числом сатаны?

И Лэнгдон решил не затрагивать эту тему.

Они спустились еще глубже и оказались в подземном вестибюле. В царившем там полумраке трудно было оценить истинные его размеры. Построенное на глубине пятидесяти семи футов под землей, это новое помещение Лувра занимало площадь в 70 000 квадратных футов и напоминало бесконечный грот. Отделка была из мрамора теплых охряных тонов, в тон желтовато-золотистому цвету наземного фасада здания, и днем здесь было светло и людно. Сейчас же атмосфера тут царила, мягко говоря, совсем не праздничная, полумрак и пустота создавали ощущение, что ты находишься в холодном склепе.

— А где же сотрудники музея? — спросил Лэнгдон.

— En quarantaine*, — ответил Фаш таким тоном, точно Лэнгдон ставил под сомнение дееспособность его команды. — Очевидно, сегодня в здание проник посторонний. И все ночные сторожа Лувра находятся сейчас в другом крыле, где их допрашивают.

Лэнгдон кивнул и прибавил шагу, стараясь не отставать от Фаша.

— Как хорошо вы знакомы с Жаком Соньером? — спросил капитан.

— Вообще не знаком. Мы с ним ни разу не встречались.

Фаш удивился:

— Но вы же должны были вечером встретиться?

— Да. Договорились о встрече сразу после лекции в Американском университете. Я ждал, но он так и не появился.

Фаш что-то записал в блокнот. Они двинулись дальше, и Лэнгдон мельком заметил менее известную пирамиду Лувра, так назы-

---

* В карантине (фр.).

ваемую перевернутую. Она свисала с потолка и напоминала сталактит в пещере. Фаш жестом пригласил Лэнгдона подняться на несколько ступенек, которые вели к входу в изогнутый аркой туннель. Над входом висела вывеска с надписью «DENON». Это название носило самое знаменитое своими экспонатами крыло Лувра.

— А кто предложил вечернюю встречу? — резко спросил Фаш. — Вы или он?

Вопрос показался странным.

— Вообще-то мистер Соньер, — ответил Лэнгдон, входя в туннель. — Его секретарша связалась со мной по электронной почте несколько недель назад. Писала, что куратор узнал о моем предстоящем выступлении в Париже и хотел бы воспользоваться этим, чтобы обсудить кое-какие вопросы.

— Какие именно?

— Не знаю. Связанные с искусством, полагаю. Ведь интересы у нас были примерно одинаковые.

Фаш смотрел скептически.

— Так вы действительно понятия не имеете о предмете этой встречи?

Лэнгдон не имел. Нет, в тот момент ему стало любопытно, что могло понадобиться от него Соньеру. Ведь выдающийся знаток изобразительного искусства прославился своей скрытностью и замкнутостью, чрезвычайно редко посещал лекции и прочие общественные мероприятия. И Лэнгдон просто обрадовался возможности пообщаться с этим незаурядным человеком.

— Но, мистер Лэнгдон, у вас есть хотя бы *догадка* о том, что наша жертва хотела обсудить с вами, причем в тот самый вечер, когда произошло убийство? Это очень помогло бы в расследовании.

Лэнгдон уловил двусмысленность вопроса и сразу занервничал.

— Я действительно понятия не имею. Не спрашивал. И был просто польщен, что такой человек захотел со мной встретиться. Я, видите ли, большой поклонник трудов Соньера. Часто цитирую его высказывания на занятиях.

Фаш снова сделал запись в блокноте.

Теперь они находились на полпути к входу в нужное им крыло, и Лэнгдон видел впереди два эскалатора, оба простаивали без движения.

— Так у вас с ним были общие интересы? — осведомился Фаш.

— Да. Весь прошлый год я был занят тем, что делал наброски книги, связанной с основными областями научных изысканий месье Соньера. И очень рассчитывал на его мозги.

Фаш поднял голову:

— Простите?

Очевидно, идиома не поддавалась переводу.

— Я хотел узнать, каковы его соображения по этому поводу.

— Понимаю. Ну а повод?

Лэнгдон замялся, не зная, как лучше объяснить.

— В основе своей труд посвящен иконографии поклонения богине, концепции святости женского начала. А также художественным изображениям и символам, связанным с этим.

Фаш пригладил волосы мясистой ладонью.

— А Соньер знал в этом толк, да?

— Как никто другой.

— Понимаю.

Но Лэнгдон чувствовал, что капитан ни черта не понял. Жак Соньер считался первым в мире знатоком в области иконографии богинь. Он не только питал личное пристрастие к реликвиям, связанным с культами богини плодородия, Уитаки*, и священным женским началом. За двадцать лет работы куратором Соньер помог приумножить сокровища Лувра и создал величайшую в мире коллекцию произведений искусства, связанных с изображениями богинь: от украшений из самых древних греческих усыпальниц в Дельфах до золотых скипетров; от сотен древнеегипетских крестиков, напоминающих фигурки крошечных стоящих ангелов, до погремушек, с помощью которых в Древнем Египте отгоняли злых духов. И наконец, он собрал поразительную коллекцию статуй, отображающих, как богиня Исида вынянчивала своего сына Гора**.

— Возможно, Соньер знал о вашей рукописи? — предположил Фаш. — И назначил встречу, чтоб помочь вам в работе над книгой?

---

* Уитака («хранительница полей») — божество плодородия в мифологии чибча-муисков.

** Исида — богиня плодородия, символ женственности в египетской мифологии. Согласно легенде, она зачала от своего мертвого мужа Осириса и родила сына Гора, который должен был отомстить за отца.

Лэнгдон отрицательно покачал головой:

— О моей рукописи никто не знал. Да и вообще она существует только в набросках. Еще имеется приблизительный план, который я никому не показывал, кроме своего редактора.

Фаш промолчал.

Лэнгдон не стал говорить, по какой причине до сих пор никому не показывал рукопись. «Наброски» на триста с лишним страниц под условным названием «Символы утерянной священной женственности» представляли собой весьма неординарную интерпретацию уже устоявшейся религиозной иконографии и были довольно спорными.

Лэнгдон приблизился к эскалаторам-двойняшкам и вдруг остановился, поняв, что Фаша нет рядом. Обернувшись, он увидел его в нескольких ярдах от служебного лифта.

— Поедем на лифте, — сказал Фаш, как только двери отворились. — Надеюсь, вы уже поняли, что пешком до галереи еще шагать и шагать.

Но Лэнгдон, знавший, что нужное им крыло находится двумя этажами выше, не двинулся с места.

— Что-то не так? — нетерпеливо спросил Фаш, придерживая дверь.

Лэнгдон глубоко втянул воздух, с тоской взглянув на эскалатор. *В этом нет ничего страшного*, попытался он убедить себя и решительно шагнул к лифту. В детстве, совсем еще мальчишкой, Лэнгдон провалился в заброшенную шахту-колодец и чуть не погиб, барахтаясь там в холодной воде несколько часов, прежде чем подоспела помощь. С тех пор его преследовал страх замкнутого пространства, он боялся лифтов, подземки, даже крытых кортов. *Лифт — одно из самых надежных и безопасных сооружений*, постоянно убеждал себя Лэнгдон и при этом не верил ни единому слову. *Это всего лишь небольшая металлическая коробка, подвешенная в замкнутом пространстве шахты!* Затаив дыхание, он шагнул в лифт и, как только закрылись двери, ощутил хорошо знакомый прилив адреналина.

Два этажа. Каких-то десять секунд.

— Значит, вы с мистером Соньером, — начал Фаш, как только лифт пополз вверх, — так никогда и не говорили лично? Не общались? Ничего не посылали друг другу по почте?

Еще один довольно странный вопрос. Лэнгдон отрицательно помотал головой:

— Нет. Никогда.

Фаш слегка склонил голову набок, точно осмысливал этот факт. Но вслух не сказал ничего, молча разглядывая хромированные двери.

Они поднимались, и Лэнгдон пытался сконцентрировать мысли и внимание на чем-то еще, помимо окружавших его четырех стен. В блестящей металлической дверце он видел отражение галстучной булавки капитана. Она была сделана в форме серебряного распятия и украшена тринадцатью вкраплениями, камушками черного оникса. Лэнгдон слегка удивился. Этот символ был известен под названием crux gemmata — крест с тринадцатью камнями — христианская идеограмма Христа и двенадцати его апостолов. И Лэнгдон находил довольно странным, что капитан полиции столь открыто демонстрирует свои религиозные убеждения. Но опять же следовало учитывать: тут Франция. И христианство здесь не столько религия, сколько право по рождению.

— Это crux gemmata, — неожиданно сказал Фаш.

Лэнгдон вздрогнул, поднял глаза и поймал в отражении взгляд черных глазок капитана.

Лифт остановился, двери раздвинулись.

Лэнгдон быстро вышел в коридор, спеша навстречу открытому пространству, которое образовывали знаменитые высокие потолки Лувра. Однако мир, куда он шагнул, оказался совсем иным, нежели он ожидал.

Лэнгдон в нерешительности замер.

Фаш обернулся:

— Я так понимаю, мистер Лэнгдон, вы никогда не бывали в Лувре после закрытия?

Никогда, подумал Лэнгдон, пытаясь разобраться в своих ощущениях.

Обычно ярко освещенные галереи музея были сейчас погружены в полумрак. Вместо привычного ровного молочно-белого света, льющегося с потолка, от пола поднималось вверх приглушенное красноватое сияние. Лэнгдон присмотрелся и заметил вмонтированные в плинтусы специальные лампы-подсветки.

Он окинул взглядом сумрачный коридор и постепенно начал понимать, что ничего необычного в таком освещении нет. Поч-

ти во всех главных музеях мира по ночам используется красная
подсветка, и источник такого освещения размещается на низком
уровне, что позволяет персоналу и охране видеть, куда они идут,
в то время как полотна находятся в относительной темноте. Последнее позволяет как бы компенсировать дневную световую
нагрузку, способствующую выгоранию красок. Но сегодня ночью в музее было как-то особенно мрачно. Повсюду залегли
длинные тени, под высокими потолками сгустилась тьма, как в
колодце.

— Сюда, — сказал Фаш, резко свернул вправо и зашагал через
цепочку связанных одна с другой галерей.

Лэнгдон направился за ним, и глаза постепенно привыкали к
полумраку. Вокруг из темноты начали материализовываться
крупногабаритные картины, написанные маслом, — все это напоминало проявку снимков в темной комнате. Лэнгдону казалось, что изображенные на полотнах люди провожают их подо-
зрительными взглядами. Наконец-то почувствовал он и такой
знакомый, присущий всем музеям запах — в сухом деионизиро-
ванном воздухе отчетливо ощущался слабый привкус углерода.
То был продукт работы специальных приборов с угольными
фильтрами, используемых в борьбе с избыточной влажностью.
Они были включены сутки напролет, компенсировали выдыхае-
мую посетителями двуокись углерода, которая обладала разру-
шительным для экспонатов действием.

А подвешенные к стенам камеры слежения, казалось, говорили посетителям: *Мы вас видим. Ничего не трогать.*

— И все до одной настоящие? — спросил Лэнгдон, кивком
указав на камеры.

— Конечно, нет, — ответил Фаш.

Лэнгдон не удивился. Видеонаблюдение в таких больших музеях слишком дорого и неэффективно. Чтобы проследить, что
творится на акрах занимаемой музеем площади, Лувру следовало бы нанять несколько сот технических сотрудников. А потому
большинство крупных музеев использовали в охране так называемую систему сдерживания. *Не держите воров за пределами.
Держите их внутри.* Система активировалась при любом прикосновении к экспонату, на пульт тут же поступал сигнал, все
входы и выходы сразу же блокировались, и злоумышленник ока-
зывался за решеткой еще до прибытия полиции.

Впереди, из глубины отделанного мрамором коридора, эхом отдавались голоса. Похоже, шум доносился из помещения в виде большого алькова, находившегося по правую руку. Оттуда в коридор лился яркий свет.

— Кабинет куратора, — объяснил капитан.

И вот наконец Лэнгдон очутился в святая святых — роскошном кабинете Соньера. Стены, отделанные деревом теплого оттенка, на них работы старых мастеров, огромный старинный письменный стол, а на нем — двухфутовая статуя рыцаря в доспехах и при полном вооружении. В помещении находилось несколько агентов, они говорили по мобильным телефонам, что-то записывали. Один из них сидел за письменным столом Соньера и печатал на портативном компьютере. Этой ночью кабинет куратора превратился в настоящую штаб-квартиру Центрального управления судебной полиции.

— Messieurs! — громко сказал Фаш, и все мужчины разом обернулись. — Ne nous dérangez pas sous aucun prétexte. Entendu?*

Все присутствующие дружно закивали в знак того, что поняли.

Самому Лэнгдону не раз доводилось вешать на дверь номера в отеле табличку с надписью «NE PAS DERANGER», а потому смысл приказа капитана был ему ясен. Фаша и Лэнгдона не следовало беспокоить ни при каких обстоятельствах.

Оставив коллег в кабинете, Фаш вышел и повел Лэнгдона дальше по полутемному коридору. Впереди, ярдах в тридцати, виднелся вход в самую популярную часть Лувра под названием la Grande Galerie, казавшийся бесконечным коридор, где на стенах были развешаны самые ценные в музее произведения, шедевры итальянской живописи. Лэнгдон уже догадался: именно там и нашли тело Соньера; на снимке, сделанном «Полароидом», был отчетливо виден знаменитый паркетный пол Большой галереи. Они приблизились, и тут Лэнгдон увидел, что вход перекрыт высокой и толстой стальной решеткой, похожие использовались в средневековых замках для защиты от мародерствующих армий.

— Система сдерживания, — заметил Фаш, когда они подошли к решетке.

* Месье! Ни в коем случае не беспокойте нас, ни под каким предлогом. Понятно? (фр.)

Даже в темноте препятствие выглядело грозным и непреодолимым, казалось, оно может и танк остановить. Лэнгдон начал всматриваться сквозь толстые прутья в полутемные лабиринты Большой галереи.

— После вас, мистер Лэнгдон, — сказал Фаш.

Лэнгдон удивленно обернулся. *После меня, но как и куда?..*

Фаш указал на нижнюю часть решетки.

Лэнгдон присмотрелся. Сначала он просто не заметил в темноте. Решетка была приподнята фута на два, достаточно, чтобы проползти под ней.

— Эта секция пока еще закрыта для службы безопасности Лувра, — пояснил Фаш. — Моя команда из научно-технического отдела полиции только что завершила осмотр. — Он сделал приглашающий жест. — Прошу вас. Пролезайте.

Лэнгдон смотрел на узенькую щель в основании решетки, проползти здесь можно было разве что на брюхе. *Шутит он, что ли?..* Нависающая решетка напоминала гильотину, готовую в любой момент обрушиться и раздавить непрошеного гостя.

Фаш проворчал что-то по-французски и взглянул на часы. А потом опустился на колени и протиснул свое довольно упитанное тело в щель. Оказавшись по ту сторону решетки, он выпрямился и выжидательно уставился на Лэнгдона.

Лэнгдон вздохнул. Встал на колени, потом уперся ладонями в паркетный пол, лег на живот и прополз под решеткой. Оказавшись на полпути, он зацепился воротником твидового пиджака за край железного прута и пребольно ударился о него затылком.

Просто прелестно, Роберт, сказал он себе и с трудом поднялся на ноги. И тут же ему стало ясно, что его ждет очень долгая ночь.

ГЛАВА 5

 юррей-Хилл-плейс — новая штаб-квартира и деловой центр «Опус Деи» находились в Нью-Йорке, по адресу Лексингтон-авеню, 243. Строительство здания обошлось в 47 с лишним миллионов долларов, венчала его башня площадью 133 000 квадратных футов, выложенная из красного кирпича и известняка, добываемого в штате Индиана. Авторами проекта были архитекторы из бюро «Мей и Пинска», в здании находилось свыше ста спален, шесть столовых, библиотеки, гостиные для отдыха, конференц-залы, офисы. Весь семнадцатый этаж был отведен под частную резиденцию. На втором, восьмом и шестнадцатом этажах располагались часовни, украшенные резьбой по камню и отделанные мрамором. Мужчины могли пройти в здание через главный вход, выходящий на Лексингтон-авеню. Женщины пользовались входом с боковой улицы и, находясь в здании, были постоянно отделены от мужчин «акустически и визуально».

Чуть раньше тем же вечером владелец апартаментов на семнадцатом этаже, епископ Мануэль Арингароса упаковал небольшую дорожную сумку и переоделся в традиционную черную сутану. Обычно он подпоясывал сутану пурпурным поясом, но сегодня ему предстояло путешествовать среди обычных людей, а потому он предпочел не привлекать внимания к своему высокому рангу. Лишь очень наметанный взгляд смог бы оценить кольцо епископа из четырнадцатикаратного золота, украшенное пурпурным аметистом в окружении крупных бриллиантов, и митру с аппликацией ручной работы. Перекинув сумку через плечо, он прочел про себя краткую молитву, вышел из своих апартаментов и спустился в вестибюль, где его поджидал водитель, готовый отвезти в аэропорт.

И вот теперь на борту авиалайнера, следующего коммерческим рейсом до Рима, епископ Арингароса всматривался в иллюминатор и видел внизу темные воды Атлантического океана. Солнце уже зашло, но епископ знал, что его звезда скоро должна взойти. *Сегодня мы выиграем эту битву*, подумал он и еще раз подивился тому, что всего лишь несколько месяцев назад чувствовал себя совершенно беспомощным перед лицом врага, угрожавшего разрушить его империю.

Являясь отцом-председателем «Опус Деи» — «Божьего дела», — последние десять лет жизни епископ Арингароса посвятил распространению его идей. Это религиозное братство, основанное в 1928 году испанским священником Хосе Мария Эскривой, провозглашало возвращение к исконным католическим ценностям, побуждало своих членов жертвовать всем, даже собственной жизнью, и все исключительно во славу «Божьего дела».

Традиционалистская философия «Опус Деи» зародилась в Испании еще до режима Франко, но лишь после опубликования в 1934 году книги Хосе Мария Эскривы под названием «Путь» — там были перечислены 999 размышлений на тему того, как посвятить жизнь «Божьему делу», — началось ее триумфальное шествие по миру. И теперь, издав «Путь» тиражом свыше четырех миллионов экземпляров на сорока двух языках, секта «Опус Деи» стала силой, с которой следовало считаться. Почти в каждом крупном городе земного шара функционировали отделения этой организации, учебные центры, даже университеты. «Опус Деи» являлась самой быстроразвивающейся и финансово обеспеченной католической организацией в мире. К сожалению, как признавал сам Арингароса, в век всеобщего религиозного цинизма, популярности сомнительных культов и столь же сомнительных проповедников, вещающих с телевизионных экранов, растущие могущество и богатство «Опус Деи» все чаще становились объектом необоснованных подозрений.

— Многие называют «Опус Деи» культом промывания мозгов, — порой заявляли ему репортеры. — Другие называют вас ультраконсервативным тайным христианским обществом. Так кто вы?

— «Опус Деи» — не то и не другое, — терпеливо отвечал епископ. — Мы — часть Католической церкви. Мы — братство католиков, избравших путь истового служения католической доктрине в нашей повседневной жизни.

— Подразумевает ли это обет целомудрия, обложение церковной десятиной и искупление грехов путем самобичевания?

— Все это относится лишь к малой части членов «Опус Деи», — отвечал Арингароса. — Существует несколько уровней вовлечения в нашу жизнь. Тысячи членов «Опус Деи» обзаводятся семьями, исполняют угодную Господу работу в своих общинах. Другие выбирают жизнь аскетичную, предпочитают уединенный образ жизни в монастырях. Каждый свободен в выборе, но все члены «Опус Деи» имеют одну цель: сделать мир лучше. И совершенствуют они его, исполняя деяния Божии. Мы рады каждому, кто приходит к нам.

Впрочем, разумный подход, убеждения тут были бесполезны. Средства массовой информации всегда тяготели к скандалам, и в «Опус Деи», как и в большинстве крупных организаций, всегда находились паршивые овцы. Несколько заблудших душ, бросающих тень на всю организацию.

Месяца два назад подразделение «Опус Деи» на Среднем Западе было уличено в весьма неблаговидном занятии. Оно вовлекало в свои ряды неофитов, раздавая им мескалин. Это наркотическое вещество приводило людей в состояние эйфории, которое ошибочно принималось неофитами за религиозный экстаз. Один студент университета использовал свой бич с шипами чаще рекомендованных двух часов в день, занес в раны инфекцию, и дело закончилось летальным исходом. Не так давно в Бостоне некий молодой и разочаровавшийся в жизни банкир покончил жизнь самоубийством, но перед этим отписал все свое состояние «Опус Деи».

Заблудшие овцы, так называл их Арингароса, и сердце его разрывалось от жалости к этим людям.

Но больше других скомпрометировал организацию разведчик ФБР Роберт Ханссен, судебный процесс над которым получил широкую огласку. Мало того что Ханссен был одним из авторитетнейших членов «Опус Деи», так он оказался еще и извращенцем. На суде были представлены неопровержимые доказательства его падения: этот тип установил видеокамеру в собственной спальне, а потом показывал друзьям плёнку, на которой занимался сексом с женой.

— Вряд ли такого человека можно назвать истинным католиком, — иронически заметил судья.

Все эти прискорбные факты способствовали созданию специальной наблюдательной группы над «Опус Деи», сокращенно ОДНГ. У нее даже появился свой сайт в Интернете — www.odan.org, — где можно было прочесть страшные истории от бывших членов «Опус Деи», предостерегавших об опасностях вступления в братство. И средства массовой информации все чаще стали называть «Опус Деи» «мафией Господа» и «культом Христа».

Мы боимся того, чего не понимаем, подумал Арингароса. Эти критики, имеют ли они хоть малейшее представление о том, сколько жизней обогатило братство? Оно получало благословение и поддержку Ватикана! *«Опус Деи» находится под личным покровительством самого папы!*

Однако относительно недавно в братстве узнали о наличии куда более могущественной и враждебной силы, чем средства массовой информации... нежданного врага, от которого Арингароса не видел способа укрыться. Пять месяцев назад этот враг нанес сокрушительный удар. Арингароса не мог оправиться от него по сей день.

— Они не знают, с кем затеяли войну, — злобно и тихо прошептал епископ, продолжая всматриваться через иллюминатор в черные воды океана внизу. На секунду взгляд его сфокусировался на собственном отражении — темное продолговатое лицо, самой характерной частью которого был расплющенный кривой нос. Нос ему сломали ударом кулака еще в Испании, когда он был молодым начинающим миссионером. Но этот физический недостаток мало что значил сегодня. Арингароса был прекрасен душой, а не телом.

Лайнер пролетал над побережьем Португалии, когда вдруг завибрировал мобильный телефон, спрятанный в складках сутаны. Арингароса знал о правилах, запрещавших пользоваться мобильной связью во время полетов, но этого звонка он ждал. Лишь один человек на свете знал этот номер, он же послал Арингаросе по почте и сам телефон.

— Да? — тихо сказал в трубку епископ.

— Сайлас нашел краеугольный камень, — ответил ему голос. — Он в Париже. Спрятан в церкви Сен-Сюльпис.

Епископ так и расплылся в довольной улыбке.

— Тогда мы совсем близко.

— Можем получить его немедленно. Но необходимо ваше влияние.

— Да, конечно. Говорите, что я должен делать.

Когда Арингароса наконец выключил мобильник, сердце у него неистово колотилось. И чтобы успокоиться, он снова выглянул во тьму ночи, чувствуя себя игрушкой в водовороте событий, которым сам же положил начало.

В пятистах милях от него альбинос по имени Сайлас, склонившись над тазиком, промывал губкой раны на спине. Красновато-коричневые разводы быстро замутили воду.

— *Омой меня иссопом, и снова буду чист я,* — бормотал он слова молитвы. — *Омой меня благодатью своей, и стану я белее снега.*

Никогда прежде не испытывал Сайлас такого душевного подъема. И это удивляло и умиляло его. На протяжении последних десяти лет он свято соблюдал законы «Пути», старался очиститься от грехов, полностью изменить свою жизнь, вычеркнуть из памяти насилие, к которому прибегал в прошлом. И вдруг сегодня все это вернулось. Ненависть, с которой он боролся долгие годы, снова оказалась востребованной. И он не уставал дивиться тому, как быстро прошлое вновь взяло над ним верх. А вместе с ним, разумеется, проснулись и его навыки. Скверные и отчасти позабытые, они опять стали нужны.

Иисус учит нас миролюбию... любви... Он отвергает насилие. Этому учился Сайлас последние годы, и слова эти нашли место в его сердце. И вот теперь враги Христа хотят разрушить, уничтожить это Его учение. *Тот, кто угрожает Богу мечом, от меча и погибнет.* От меча быстрого и беспощадного.

На протяжении двух тысячелетий солдаты Христа защищали свою веру от тех, кто пытался уничтожить ее. Сегодня Сайласа призвали в их ряды.

Раны немного подсохли, и он накинул долгополую сутану с капюшоном. Самого простого покроя, из грубой темной шерсти, на ее фоне резко выделились белизной руки и волосы. Подвязав сутану веревкой, он натянул капюшон на голову, подошел к зеркалу. Красные глазки любовались отражением. Колесики и винтики событий завертелись.

ГЛАВА 6

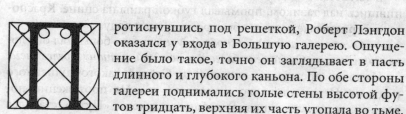

ротиснувшись под решеткой, Роберт Лэнгдон оказался у входа в Большую галерею. Ощущение было такое, точно он заглядывает в пасть длинного и глубокого каньона. По обе стороны галереи поднимались голые стены высотой футов тридцать, верхняя их часть утопала во тьме. Красноватое мерцание ночных ламп в плинтусах отбрасывало таинственные блики на полотна да Винчи, Тициана и Караваджо, которые свисали с потолка на специальных проводах. Натюрморты, религиозные сцены, пейзажи, портреты знати и сильных мира сего.

Хотя в Большой галерее была собрана, пожалуй, лучшая в мире коллекция итальянских живописцев, у многих посетителей создавалось впечатление, что знаменита она прежде всего своим уникальным паркетным полом. Выложенный из диагональных дубовых паркетин, он не только поражал своим потрясающим геометрическим рисунком, но и создавал оптическую иллюзию: походил на многомерную сеть, что создавало у посетителей ощущение, будто они проплывают по галерее, поверхность которой меняется с каждым шагом.

Взгляд Лэнгдона скользил по замысловатому рисунку и вдруг остановился на совершенно неуместном здесь предмете, лежавшем на полу слева, всего в нескольких ярдах от него. Место, где он лежал, было отгорожено полицейскими специальной лентой. Лэнгдон обернулся к Фашу:

— Это что же... Караваджо? Вон там, на полу?..

Фаш, не глядя, кивнул.

Картина, как догадывался Лэнгдон, стоила миллиона два долларов, однако валялась на полу, точно выброшенный на свалку плакат.

— Но почему, черт возьми, она на полу?

Возмущение, прозвучавшее в его голосе, похоже, не произвело впечатления на Фаша.

— Это место преступления, мистер Лэнгдон. Сами мы ничего не трогали. Картину сдернул со стены куратор. И привел тем самым в действие систему сигнализации.

Лэнгдон оглянулся на решетку, пытаясь сообразить, что же произошло.

На куратора, очевидно, напали в кабинете. Он выбежал, бросился в Большую галерею и включил систему сигнализации, сорвав полотно со стены. Решетка тут же опустилась, перекрывая доступ. Других выходов и входов в галерею не было.

Лэнгдон смутился:

— Так, значит, куратору удалось запереть нападавшего в галерее?

Фаш покачал головой:

— Нет. Решетка просто *отделила* от него Соньера. Убийца оказался здесь, в коридоре, и выстрелил в Соньера через решетку. — Он указал на оранжевый ярлычок, отмечавший один из прутьев решетки, под которой они только что проползли. — Сотрудники научно-технического отдела обнаружили здесь частицы пороха. Он выстрелил через решетку. Соньер умер вот здесь, в одиночестве.

Лэнгдон вспомнил снимок, который ему показывали. *Но они говорили, что куратор сам это сделал.* Он оглядел огромный и пустынный коридор.

— Так где же тело?

Фаш поправил галстучную булавку в виде распятия и двинулся дальше.

— Возможно, вам известно, что галерея очень длинная.

«Длина, если я не ошибаюсь, — подумал Лэнгдон, — составляет пятнадцать тысяч футов, то есть равна умноженной на три высоте мемориала Вашингтона*». От ширины коридора тоже захва-

---

* Мемориал Джорджа Вашингтона — каменный обелиск высотой 169 метров в центре Вашингтона, представляет собой облицованный белым мрамором «карандаш» — таково прозвище этого памятника.

тывало дух, здесь легко можно было проложить рельсы для двустороннего движения пассажирских поездов. По центру на определенном расстоянии друг от друга размещались статуи или огромные фарфоровые вазы, что помогало разграничить тематические экспозиции, а также разделить поток движения посетителей.

Фаш молча и быстро шагал по правой стороне коридора, взгляд его был устремлен вперед. Лэнгдону же казалось просто непочтительным пробегать мимо величайших мировых шедевров, не остановившись хотя бы на секунду, чтобы посмотреть на них.

Хотя разве можно разглядеть хоть что-то при таком освещении, подумал он.

Мрачное красноватое освещение навевало воспоминания о работе в секретных архивах Ватикана, в результате которой он едва не лишился жизни. Второй раз за день вспомнилась Виттория. Месяцами он не думал о ней — и вдруг на тебе, пожалуйста. Лэнгдону с трудом верилось в то, что он был в Риме всего лишь год назад; казалось, с тех пор пролетели десятилетия. *Другая жизнь.* Последнюю весточку от Виттории он получил в декабре. То была открытка, где она писала, что улетает на остров в Яванском море продолжать свои исследования в области физики... что-то, имеющее отношение к использованию спутников в слежении за флуктуацией мантии Земли. Лэнгдон никогда не питал иллюзий по поводу того, что такая женщина, как Виттория Ветра, сможет счастливо жить с ним в университетском кампусе. Однако их встреча в Риме пробудила в нем томление души и плоти, которых он прежде никогда не испытывал. Его пристрастие к холостяцкому образу жизни и незатейливым прелестям свободы одинокого мужчины было поколеблено. И неожиданно сменилось ощущением пустоты, которое лишь усилилось за прошедший год.

Они продолжали быстро шагать по галерее, однако никакого трупа Лэнгдон пока не видел.

— Неужели Жак Соньер умудрился пройти такое большое расстояние?

— Соньер схлопотал пулю в живот. Это медленная и очень мучительная смерть. Он умирал минут пятнадцать — двадцать. Очевидно, он был человеком необычайной силы духа.

Лэнгдон даже приостановился от удивления.

— Вы что же, хотите сказать, охране понадобилось целых пятнадцать минут, чтобы добраться сюда?

— Ну разумеется, нет. Охрана Лувра отреагировала немедленно, как только раздался сигнал тревоги, но в Большую галерею не было доступа. Охранники стояли у решетки и слышали, как кто-то движется в дальнем конце коридора, а вот кто именно, разглядеть не смогли. Они кричали, но ответа так и не получили. Предположив, что это может быть преступник, а больше некому, они, следуя инструкциям, вызвали судебную полицию. Мы прибыли через пятнадцать минут. Потом удалось приподнять решетку, так чтобы можно было под ней проползти, и я послал дюжину вооруженных агентов. Они прочесали всю галерею в поисках грабителя.

— И?..

— И никого не нашли. Кроме... — тут он указал вперед, — него.

Лэнгдон проследил за направлением пальца Фаша. В первый момент ему показалось, что капитан указывает на большую мраморную статую в центре. Но затем, приблизившись, он понял, что ошибался. Впереди, ярдах в тридцати от статуи, виднелось яркое световое пятно. Лампа на штативе создавала на полу единственный островок света в погруженной в красноватый полумрак галерее. И в центре этого светового пятна, точно насекомое под микроскопом, лежало на паркетном полу обнаженное тело куратора.

— Вы же видели снимок, — сказал Фаш. — Так что ничего неожиданного для вас тут нет.

Они приблизились, и Лэнгдон почувствовал, как его пробирает озноб. Перед ним было самое странное и страшное зрелище из всех, что он когда-либо видел.

Тело Жака Соньера лежало на паркетном полу в точности так же, как было отражено на фотографии. Стоя над ним и щурясь от непривычно яркого света, Лэнгдон не мог удержаться от мысли, что последние минуты своей жизни куратор провел, пытаясь занять такое вот необычное положение.

Соньер выглядел на удивление крепким для своего возраста... и вся его мускулатура была, что называется, на виду. Он сорвал с себя одежду, аккуратно сложил рядом на пол, а затем улегся на спину в центре широкого коридора, строго посередине помещения. Руки и ноги широко раскинуты, так смешно торчат руки у снеговика, которого зимой лепят дети... Нет, точнее, он походил на человека, которого растянули и собрались четвертовать некие невидимые силы.

Кровавое пятнышко на груди отмечало то место, где в тело вошла пуля. Крови было на удивление мало, лишь небольшая темная лужица.

Указательный палец левой руки тоже был в крови, точно его окунали в рану. И это наводило на кошмарную мысль о том, что умирающий использовал собственную кровь в качестве чернил или краски, а собственный обнаженный живот — как полотно. И действительно, Соньер нарисовал у себя на животе простой символ: пять прямых линий, которые, перекрещиваясь, образовывали пятиконечную звезду.

Пентакл?..

Кровавая звезда в центре живота придавала трупу поистине зловещий вид. Снимок, который видел Лэнгдон, тоже производил удручающее впечатление, но теперь, увидев все своими глазами, Лэнгдон начал испытывать все возрастающую тревогу.

Он сам это с собой сделал.

— Мистер Лэнгдон? — На него были устремлены черные глазки-буравчики Фаша.

— Это пентакл, — сказал Лэнгдон, и собственный голос показался ему чужим, так странно и гулко прозвучал он под сводами галереи. — Один из старейших символов на земле. Появился за четыре тысячи лет до Рождества Христова.

— И что же он означает?

Лэнгдон всегда колебался, когда ему задавали этот вопрос. Сказать, что означает символ — все равно что объяснить, каким воздействием на человека обладает та или иная песня. Ведь каждый воспринимает одну и ту же песню по-своему. Белый колпак ку-клукс-клана стал в Соединенных Штатах символом ненависти и расизма, но в Испании подобный костюм лишь подчеркивал неколебимость христианской веры.

— В различных обстоятельствах одни и те же символы имеют разное значение, — осторожно ответил Лэнгдон. — Вообще-то изначально пентакл был религиозным символом язычников.

— Поклонение дьяволу, — кивнул Фаш.

— Нет, — сказал Лэнгдон и тут же понял, что слова надо подбирать осторожнее.

Ведь в наши дни слово «язычник», или «языческий», стало почти синонимом поклонения дьяволу, что совершенно неверно. Корни этого слова восходят к латинскому pagan, что означает «обитатели сельской местности». Язычники были сельскими и лесными жителями и по своим религиозным взглядам являлись политеистами, поклонялись силам и явлениям Природы. И Христианская церковь настолько боялась этих многобожников, живших в деревнях, «villes», что производное «vilain», то есть «живущий в деревне», стало означать «злодей».

— Пятиконечная звезда, — пояснил Лэнгдон, — это еще дохристианский символ, относившийся к поклонению и обожествлению Природы. Древние люди делили весь мир на две половины — мужскую и женскую. У них были боги и богини, сохраняющие баланс сил. Инь и ян. Когда мужское и женское начала сбалансированы, в мире царит гармония. Когда баланс нарушается, возникает хаос. — Лэнгдон указал на живот покойного: — Пентакл символизирует женскую половину всего сущего на земле. Историки, изучающие религии, называют символ «священным женским началом», или «священной богиней». И уж кому-кому, а Соньеру это было прекрасно известно.

— Так, выходит, Соньер нарисовал у себя на животе символ богини?

Лэнгдон был вынужден согласиться с Фашем, что это несколько странно.

— Есть еще более специфичная интерпретация. Пятиконечная звезда символизирует Венеру, богиню любви и красоты.

Фаш взглянул на голого мужчину, безжизненно распростертого на полу, и что-то проворчал себе под нос.

— Ранние религии основывались на божественном начале Природы. Богиня Венера и планета Венера — это одно и то же. Богиня занимает свое место на ночном небе и известна под многими именами — Венера, Восточная звезда, Иштар, Астарте. И все они символизировали могущественное женское начало, связанное с Природой и Матерью-Землей.

Фаш отчего-то забеспокоился. Точно предпочитал идею поклонения дьяволу.

Лэнгдон решил не вдаваться в подробности и не стал говорить о, возможно, самом удивительном свойстве звезды: графическом доказательстве ее связи с Венерой. Будучи еще студентом факультета астрономии, Лэнгдон с удивлением узнал, что каждые восемь лет планета Венера описывает абсолютно правильный пентакл по большому кругу небесной сферы. Древние люди заметили это явление и были так потрясены, что Венера и ее пентакл стали символами совершенства, красоты и цикличности сексуальной любви. Как бы отдавая дань этому явлению, древние греки устраивали Олимпийские игры каждые восемь лет. Сегодня лишь немногие знают, что современные Олимпиады следуют половинному циклу Венеры. Еще меньше людей знают о том, что пятиконечная звезда едва не стала символом Олимпийских игр, но в последний момент его модифицировали: пять остроконечных концов звезды заменили пятью кольцами, по мнению организаторов, лучше отражающими дух участия и гармонию игр.

— Мистер Лэнгдон, — сказал Фаш, — видимо, этот ваш пентакл все же может иметь отношение и к дьяволу. Во всяком случае, в ваших американских ужастиках он имеет именно такой смысл.

Лэнгдон нахмурился. *Большое тебе спасибо, Голливуд.* Пятиконечная звезда превратилась в виртуальное клише в сериалах ужасов об убийцах-сатанистах. Такими звездами были расписаны стены жилищ сатанистов, они красовались там наряду с другой демонической символикой. Лэнгдон приходил в отчаяние, видя, что символ используется именно в таком контексте, ведь изначально пятиконечная звезда символизировала только добро.

— Уверяю вас, — ответил он, — несмотря на то что вы видите в кино, демоническая интерпретация звезды абсолютно неверна с исторической точки зрения. Издревле она символизировала женское начало, но, конечно, за тысячелетия значение символа было искажено. В данном случае — через кровопролитие.

— Что-то я не пойму...

Лэнгдон покосился на булавку в галстуке Фаша, опасаясь, что слова его будут истолкованы неверно.

— Церковь, сэр. Как правило, символы очень устойчивы, но пентакл был изменен Римской католической церковью на ранней стадии ее развития. То была часть кампании Ватикана по уничтожению языческих религий и обращению масс в христианство. И Церковь активно боролась с языческими богами и богинями, представляя их священные символы символами зла.

— Продолжайте.

— Это случается весьма часто во времена великих потрясений, — сказал Лэнгдон. — Любая новая сила старается переделать существующие символы, скомпрометировать их, уничтожить или исказить их первоначальное значение. В борьбе между языческими и христианскими символами проиграли первые. Трезубец Посейдона превратился в вилы дьявола, остроконечный колпак мудреца — в головной убор ведьмы. А пятиконечная звезда Венеры стала знаком дьявола. — Лэнгдон выдержал паузу. — К сожалению, даже военное ведомство США использовало пятиугольник: теперь он является главным символом войны. Мы рисуем эту звездочку на бортах наших истребителей, украшаем ею погоны наших генералов. — *И прощай, богиня любви и красоты.*

— Интересно, — протянул Фаш и покосился на распростертый на паркете труп. — Ну а положение тела? Оно вам о чем-нибудь говорит?

Лэнгдон пожал плечами:

— Подобное положение просто подчеркивает связь с пятиугольником и священным женским началом.

— Простите, не понял...

— Это называется репликацией. Повторение символа — простейший способ усилить его значение. Жак Соньер хотел, чтобы тело его походило на пятиконечную звезду. — *Один пентакл хорошо, а два лучше.*

Фаш окинул долгим взглядом руки, ноги и голову Соньера, потом пригладил и без того прилизанные волосы.

— Любопытный анализ, — заметил он. И после паузы добавил: — Ну а то, что он *обнажен?* — Фаш слегка поморщился, произнося это последнее слово, точно тело голого пожилого мужчины вызывало у него отвращение. — Зачем он снял с себя всю одежду?

Чертовски хороший вопрос, подумал Лэнгдон. Он и сам удивился тому же, как только увидел снимок. Скорее всего обнаженное человеческое тело было призвано подчеркнуть близость Венере, богине сексуальности. И хотя современная культура почерпнула немало ассоциаций с Венерой из физического союза мужчины и женщины, не нужно было быть лингвистом-этимологом, чтобы догадаться, что корень «Венера» присутствовал и в таком, к примеру, слове, как «венерические», когда речь шла о заболеваниях. Но Лэнгдон решил не углубляться в эту тему.

— Мистер Фаш, я не смогу сказать вам, почему Жак Соньер нарисовал этот символ у себя на животе, не смогу сказать, почему он принял такую странную позу. Но с уверенностью заявляю, что такой человек, как Соньер, вполне мог рассматривать пятиконечную звезду как знак божественного женского начала. Связь между этим символом и священной женственностью хорошо известна историкам и ученым, изучающим символы.

— Прекрасно. Ну а использовать собственную кровь в качестве чернил?

— Очевидно, ему просто было больше нечем писать.

Фаш помолчал, потом заметил:

— Лично мне кажется, он использовал кровь, чтобы заставить полицию провести определенную судебно-медицинскую экспертизу.

— Простите?

— Взгляните на его левую руку.

Лэнгдон окинул взглядом белую руку, от плеча до кисти, но ничего особенного не заметил. Тогда он обошел тело, нагнулся и с удивлением увидел, что пальцы куратора сжимают большой маркер с фетровым острием.

— Соньер держал его, когда мы обнаружили тело, — сказал Фаш. Отошел от Лэнгдона и приблизился к раскладному столику, на котором были разложены инструменты, провода, какие-то электронные штуковины. — Как я уже говорил вам, — сказал он, перебирая предметы на столе, — мы ничего не трогали на месте преступления. Вам знаком этот тип ручки?

Лэнгдон наклонился еще ниже, всматриваясь в надпись на маркере.

STYLO DE LUMIERE NOIRE

Он удивленно поднял глаза на Фаша.

Маркеры такого типа, снабженные специальным фетровым острием, обычно использовались музейными сотрудниками, реставраторами и полицией для нанесения невидимых отметин на предметы. Писали такие ручки флуоресцентными чернилами на спиртовой основе, и написанное можно было прочесть лишь в темноте. В частности, музейные сотрудники помечают такими маркерами рамы полотен, требующих реставрации.

Лэнгдон выпрямился, а Фаш меж тем подошел к лампе и выключил ее. Галерея погрузилась в полную тьму.

Мгновенно «ослепший» Лэнгдон чувствовал себя неуверенно. Но вот глаза постепенно привыкли к темноте, и он различил силуэт Фаша в красноватом освещении. Тот шел к нему, держа в руках какой-то особый источник света, окутывавший его красновато-фиолетовой дымкой.

— Возможно, вам известно, — сказал Фаш, — что в полиции используют подобное освещение на месте преступления, когда ищут следы крови и другие улики, подлежащие экспертизе. Так что можете вообразить, каково было наше удивление... — Тут он устремил свет лампы на труп.

Лэнгдон посмотрел и вздрогнул от неожиданности.

Сердце стучало все сильнее. На паркетном полу рядом с трупом проступили светящиеся пурпурные буквы. Последние слова куратора. Всматриваясь в знаки, Лэнгдон почувствовал, что туман, окутывавший всю эту историю с самого начала, сгущается.

Он еще раз перечитал увиденное и взглянул на Фаша:

— Что, черт побери, это означает?

Глаза Фаша отливали белым.

— Именно на этот вопрос вы и должны ответить, месье.

Неподалеку, в кабинете куратора, лейтенант Колле, только что вернувшийся в Лувр, склонился над прослушивающим устройством, вмонтированным в массивный письменный стол. Если бы не фигура средневекового рыцаря, напоминавшего робота и устремившего на него взгляд злобных и подозрительных глаз, Колле чувствовал бы себя вполне комфортно. Он надел наушники и еще раз проверил уровни входа на жестком диске в системе записи. Все работало нормально. Микрофоны функционировали безупречно.

Le moment de vérité*, подумал он.

И, улыбаясь, закрыл глаза и приготовился насладиться последней беседой, что состоялась в стенах Большой галереи.

---

* Момент истины (фр.).

ГЛАВА 7

кромное обиталище располагалось в стенах церкви Сен-Сюльпис, на втором ее этаже, слева от хоров. Две комнатки с каменными полами и минимумом мебели на протяжении полутора десятков лет служили домом сестре Сандрин Биель. Официальная ее резиденция находилась неподалеку, в монастыре, но сама она предпочитала благостную тишину церкви. И чувствовала себя здесь уютно, тем более что постель, телефон и горячая еда всегда были к ее услугам.

В церкви сестра Сандрин исполняла роль заведующей хозяйством, то есть ведала всеми нерелигиозными аспектами существования и функционирования храма. Уборка, поддержание строения в должном виде, наем обслуживающего персонала, охрана здания после закрытия, заказ продуктов — в том числе вина и облаток для причастия — вот далеко не полный перечень ее обязанностей.

Она уже спала в узенькой своей постели, как вдруг пронзительно зазвонил телефон. Она подняла трубку и сказала устало:

— Soeur Sandrine. Eglise Saint-Sulpice.

— Привет, сестра, — ответил мужчина по-французски.

Сестра Сандрин села в постели. *Который теперь час?* Она узнала голос настоятеля. За все пятнадцать лет службы он еще ни разу не будил ее. Аббат был человеком благочестивым и шел домой спать сразу же после вечерней мессы.

— Извините, если разбудил вас, сестра. — Голос аббата звучал как-то непривычно нервно. — Хочу попросить вас об одном одолжении. Мне только что звонил очень влиятельный американский епископ. Мануэль Арингароса. Возможно, вы знаете?

— Глава «Опус Деи»? — *Конечно, она знала. Кто же из церков-ников не знал о нем?* За последние годы влияние консервативной прелатуры Арингаросы значительно усилилось. Восхождение на-чалось с 1982 года, когда Иоанн Павел II неожиданно возвысил «Опус Деи» в звании до «личной прелатуры папы». Это означало, что именно он официально санкционировал все их религиозные отправления. По странному совпадению возвышение «Опус Деи» произошло в тот же год, когда, судя по слухам, некая очень богатая секта перечислила почти миллиард долларов на счет Ва-тиканского института религиозных исследований, известного под названием «Банк Ватикана», чем спасла от неминуемого бан-кротства. И папа римский не моргнув глазом тут же дал «Опус Деи» «зеленый свет», сведя таким образом почти столетнее ожи-дание канонизации всего к двадцати годам. Сестра Сандрин не могла не чувствовать, что подобное положение в Риме этой орга-низации выглядит, мягко говоря, подозрительно, но кто вправе спорить с его высокопреосвященством?..

— Епископ Арингароса попросил меня об одолжении, — ска-зал аббат с дрожью в голосе. — Один из его приближенных при-был сегодня в Париж...

И далее сестра Сандрин терпеливо выслушала весьма стран-ную просьбу, приведшую ее в полное смущение.

— Простите, но вы сказали, что этот человек из «Опус Деи» никак не может подождать до утра?

— Боюсь, что нет. Его самолет вылетает на рассвете. А он все-гда мечтал повидать Сен-Сюльпис.

— Но наша церковь выглядит куда интереснее днем. Солнеч-ные лучи, пробивающиеся через цветные витражи, игра теней на гномоне, вот что делает нашу церковь уникальной.

— Я согласен, сестра, и однако же... Короче, вы сделаете мне огромное личное одолжение, если впустите его хотя бы ненадол-го. Он сказал, что может быть у вас около... часа ночи, так, кажет-ся? Значит, через двадцать минут.

Сестра Сандрин недовольно поморщилась:

— Да, конечно. Рада служить.

Аббат поблагодарил ее и повесил трубку.

Сестра, совершенно растерянная и сбитая с толку, еще не-сколько секунд оставалась в теплой постели, пытаясь прогнать сон. В свои шестьдесят лет она уже не могла подниматься с постели легко и быстро, как раньше, к тому же этот звонок совершенно вывел ее из равновесия. Вообще при любом упоминании «Опус Деи» она испытывала нервозность. Помимо жестоких ритуалов по умерщвлению плоти, его члены придерживались просто средневековых взглядов на женщину, и это еще мягко сказано. Она была потрясена, узнав, что женщин там заставляли убирать комнаты мужчин, пока те находились на мессе, причем без всякой оплаты за этот труд; женщины там спали на голом полу, в то время как у мужчин были соломенные тюфяки; женщин заставляли исполнять дополнительные ритуалы по умерщвлению плоти, последнее в качестве наказания за первородный грех. Словно они были в ответе за Еву, отведавшую яблоко с древа познания, и должны расплачиваться за это всю свою жизнь. Это было очень прискорбно, особенно если учесть, что большинство Католических церквей постепенно двигались в правильном направлении, стремились уважать права женщин. А «Опус Деи» угрожала этому прогрессивному движению. Тем не менее сестра Сандрин должна была выполнить обещание.

Она свесила ноги с кровати, а потом медленно встала, ощущая, как холодны каменные плиты пола под босыми ступнями. Этот холод, казалось, поднимался от ног все выше, ее знобило, а на сердце вдруг стало тяжело.

Что это? Женская интуиция?

Как истинно верующая, сестра Сандрин давно научилась находить умиротворение в собственной душе. Но сегодня умиротворяющие голоса почему-то хранили молчание. И в церкви царила гнетущая тишина.

ГЛАВА 8

энгдон не мог отвести взгляда от мерцающих красных цифр и букв на паркете. Последнее послание Жака Соньера совсем не походило на прощальные слова умирающего, во всяком случае, по понятиям Лэнгдона.

Вот что написал куратор:

13 — 3 — 2 — 21 — 1 — 1 — 8 — 5
На вид идола родич!
О мина зла!

Лэнгдон не имел ни малейшего представления, что все это означает, однако теперь ему стало ясно, почему Фаш так настойчиво придерживался версии о том, что пятиконечная звезда связана с поклонением дьяволу или языческими культами.

На вид идола родич!

Соньер прямо указывал на некоего идола. И еще этот непонятный набор чисел.

— А часть послания выглядит как цифровой шифр.

— Да, — кивнул Фаш. — Наши криптографы над ним уже работают. Мы думаем, эти цифры являются ключом, указывающим на убийцу. Возможно, здесь номер телефона или же карточки социального страхования. Скажите, эти цифры имеют, на ваш взгляд, какое-либо символическое значение?

Лэнгдон еще раз взглянул на цифры, чувствуя, что на расшифровку их символического значения могут уйти часы. *Если вообще Соньер что-то под этим имел в виду.* На взгляд Лэнгдона, цифры казались выбранными наугад. Он привык к символическим прогрессиям, в них угадывался хоть какой-то смысл, но здесь все: пятиконечная звезда, текст и цифры — казалось, ничем и никак не было связано между собой.

— Ранее вы говорили, — заметил Фаш, — что все действия Соньера были направлены на то, чтобы оставить какое-то послание... Подчеркнуть поклонение богине или что-то в этом роде. Тогда как вписывается в эту схему данное послание?

Лэнгдон понимал, что вопрос этот чисто риторический. Смесь цифр и непонятных восклицаний никак не вписывалась в версию самого Лэнгдона, связанную с культом богини.

На вид идола родич? О мина зла?..

— Текст походит на какое-то обвинение, — сказал Фаш. — Вам не кажется?

Лэнгдон пытался представить последние минуты куратора, запертого здесь, в замкнутом пространстве Большой галереи, знающего, что ему предстоит умереть. Определенная логика в словах Фаша просматривалась.

— Да, обвинение в адрес убийцы. Думаю, в этом есть какой-то смысл.

— И моя работа заключается в том, чтобы назвать его имя. Позвольте спросить вас еще об одном, мистер Лэнгдон. Помимо цифр, что, на ваш взгляд, самое странное в этом послании?

Самое странное? Умирающий человек закрылся в галерее, изобразил пятиконечную звезду, нацарапал на полу загадочные слова обвинения. Вопрос надо ставить иначе. Что здесь *не странное?*

— Слово «идол»? — предположил Лэнгдон. Просто это было первое, что пришло на ум. — «Идола родич». Странность в самом подборе слов. Кого он мог иметь в виду? Совершенно непонятно.

— «Идола родич»? — В тоне Фаша слышалось нетерпение, даже раздражение. — Выбор слов Соньером, как мне кажется, здесь ни при чем.

Лэнгдон не понял, что имел в виду Фаш, однако начал подозревать: Фаш прекрасно бы поладил с неким идолом, и уж тем более с миной зла.

— Соньер был французом, — сказал Фаш. — Жил в Париже. И тем не менее решил написать последнее свое послание...

— По-английски, — закончил за него Лэнгдон, понявший, что имел в виду капитан.

Фаш кивнул:

— Précisément*. Но почему? Есть какие-либо соображения на сей счет?

Лэнгдон знал, что английский Соньера был безупречен, и, однако, никак не мог понять причины, заставившей этого человека написать предсмертное послание на английском. Он молча пожал плечами.

Фаш указал на пятиконечную звезду на животе покойного:

— Так, значит, это никак не связано с поклонением дьяволу? Вы по-прежнему в этом уверены?

Лэнгдон больше ни в чем не был уверен.

— Символика и текст не совпадают. Простите, но я вряд ли чем-то смогу тут помочь.

— Может, это прояснит ситуацию... — Фаш отошел от тела и приподнял лампу, отчего луч высветил более широкое пространство. — А теперь?

И тут Лэнгдон, к своему изумлению, заметил, что вокруг тела куратора была очерчена линия. Очевидно, Соньер лег на пол и с помощью все того же маркера пытался вписать себя в круг.

И тут все сразу же стало ясно.

— «Витрувианский человек»! — ахнул Лэнгдон. Соньер умудрился создать копию знаменитейшего рисунка Леонардо да Винчи в натуральную величину.

С анатомической точки зрения для тех времен этот рисунок был самым точным изображением человеческого тела. И стал впоследствии некой иконой культуры. Его изображали на плакатах, на ковриках для компьютерной мыши, на майках и сумках. Прославленный набросок состоял из абсолютно правильного круга, в который да Винчи вписал обнаженного мужчину... и руки и ноги у него были расставлены в точности как у трупа.

Да Винчи. Лэнгдон был потрясен, даже мурашки пробежали по коже. Ясность намерений Соньера нельзя отрицать. В последние минуты жизни куратор сорвал с себя одежду и расположился в круге, сознательно копируя знаменитый рисунок Леонардо да Винчи «Витрувианский человек».

* Именно, точно *(фр.)*.

Именно этот круг и стал недостающим и решающим элементом головоломки. Женский символ защиты — круг, описывающий тело обнаженного мужчины, обозначал гармонию мужского и женского начал. Теперь вопрос только в одном: зачем понадобилось Соньеру имитировать знаменитое изображение?

— Мистер Лэнгдон, — сказал Фаш, — такому человеку, как вы, следовало бы знать, что Леонардо да Винчи питал пристрастие к темным силам. И это отражалось в его искусстве.

Лэнгдон был поражен, что Фашу известны такие подробности о Леонардо да Винчи, очевидно, именно поэтому капитан усматривал здесь поклонение дьяволу. Да Винчи всегда был весьма скользким объектом для изучения, особенно для историков христианской традиции. Несмотря на свою неоспоримую гениальность, Леонардо был ярым гомосексуалистом, а также поклонялся божественному порядку в Природе, что неизбежно превращало его в грешника. Мало того, эксцентричные поступки художника создали ему демоническую ауру: да Винчи эксгумировал трупы с целью изучения анатомии человека; вел какие-то загадочные журналы, куда записывал свои мысли совершенно неразборчивым почерком да еще справа налево; считал себя алхимиком, верил, что может превратить свинец в золото. И даже бросил вызов самому Господу Богу, создав некий эликсир бессмертия, уж не говоря о том, что изобрел совершенно ужасные, прежде не виданные орудия пыток и оружие.

Непонимание порождает недоверие, подумал Лэнгдон.

Даже грандиозный вклад да Винчи в изобразительное искусство, вполне христианское по сути своей, воспринимался с подозрением и, как считали церковники, лишь подтверждал его репутацию духовного лицемера. Только от Ватикана Леонардо получил сотни заказов, но рисовал на христианскую тематику не по велению души и сердца и не из собственных религиозных побуждений. Нет, он воспринимал все это как некое коммерческое предприятие, способ изыскать средства для ведения разгульной жизни. К несчастью, да Винчи был шутником и проказником и часто развлекался, подрубая тот сук, на котором сидел. Во многие свои полотна на христианские темы он включил далеко не христианские тайные знаки и символы, отдавая тем самым дань своим истинным верованиям и посмеиваясь над Церковью. Как-то раз Лэнгдон даже читал лекцию в Национальной галерее в Лондоне. И называлась она «Тайная жизнь Леонардо. Языческие символы в христианском искусстве».

— Понимаю, что вас беспокоит, — сказал Лэнгдон, — но поверьте, да Винчи никогда не занимался черной магией. Он был невероятно одаренным и духовным человеком, пусть и находился в постоянном конфликте с Церковью. — Едва он успел окончить фразу, как в голову пришла довольно неожиданная мысль. Он снова покосился на паркетный пол, где красные буквы складывались в слова. *На вид идола родич! О мина зла!*

— Да? — сказал Фаш.

Лэнгдон снова тщательно подбирал слова:

— Знаете, я только что подумал, что Соньер разделял духовные взгляды да Винчи. И не одобрял церковников, исключивших понятие священной женственности из современной религии. Возможно, имитируя знаменитый рисунок да Винчи, Соньер хотел тем самым подчеркнуть: он, как и Леонардо, страдал от того, что Церковь демонизировала богиню.

Фаш смотрел мрачно.

— Так вы считаете, Соньер называл Церковь «родичем идола» и приписывал ей некую «мину зла»?

Лэнгдону пришлось признать, что так далеко он в своих заключениях не заходил. Однако пятиконечная звезда неумолимо возвращала все к той же идее.

— Я просто хотел сказать, что мистер Соньер посвятил свою жизнь изучению истории богини, а никому на свете не удалось опорочить ее больше, чем Католической церкви. Ну и этим предсмертным актом Соньер хотел выразить свое... э-э... разочарование.

— Разочарование? — Голос Фаша звучал почти враждебно. — Слишком уж сильные выражения он для этого подобрал, вам не кажется?

Терпению Лэнгдона пришел конец.

— Послушайте, капитан, вы спрашивали, что подсказывает мне интуиция, просили, чтобы я как-то объяснил, почему Соньер найден в такой позе. Вот я и объясняю, по своему разумению!

— Стало быть, вы считаете это обвинением Церкви? — У Фаша заходили желваки, он говорил, с трудом сдерживая ярость. — Я видел немало смертей, такая уж у меня работа, мистер Лэнгдон.

И позвольте сказать вот что. Когда один человек убивает другого, я не верю, чтобы у жертвы в этот момент возникала странная мысль оставить некое туманное духовное послание, значение которого разгадать никто не может. Лично я считаю, он думал только об одном. La vengeance*. И думаю, что Соньер написал это, пытаясь подсказать нам, кто его убийца.

Лэнгдон удивленно смотрел на него:

— Но слова не имеют никакого смысла!

— Нет? Разве?

— Нет, — буркнул он в ответ, усталый и разочарованный. — Вы сами говорили мне, что на Соньера напали в кабинете. Напал человек, которого он, видимо, сам и впустил.

— Да.

— Отсюда напрашивается вывод, что куратор *знал* убийцу.

Фаш кивнул:

— Продолжайте.

— Если Соньер действительно знал человека, который его убил, то что здесь указывает на убийцу? — Лэнгдон указал на знаки на полу. — Цифровой код? Какие-то идолы родича? Мины зла? Звезда на животе? Слишком уж замысловато.

Фаш нахмурился с таким видом, точно эта идея ни разу не приходила ему в голову.

— Да, верно.

— С учетом всех обстоятельств, — продолжил Лэнгдон, — я бы предположил, что если Соньер намеревался сказать нам, кто убийца, он бы просто написал имя этого человека, вот и все.

Впервые за все время на губах Фаша возникло подобие улыбки.

— Précisément, — сказал он. — Précisément.

Я стал свидетелем работы истинного мастера, размышлял лейтенант Колле, прислушиваясь к голосу Фаша, звучавшему в наушниках. Агент понимал: именно моменты, подобные этому, позволили капитану занять столь высокий пост в иерархии французских силовых служб.

Фаш способен на то, что никто другой не осмелится сделать.

Тонкая лесть — почти утраченное ныне искусство, особенно современными силовиками, оно требует исключительного само-

* О мести *(фр.).*

обладания, тем более когда человек находится в сложных обстоятельствах. Лишь немногие способны столь тонко провести операцию, а Фаш, он, похоже, просто для этого родился. Его хладнокровию и терпению мог бы позавидовать робот.

Но сегодня он немного разволновался, словно принимал задание слишком уж близко к сердцу. Правда, инструкции, которые
он давал своим людям всего лишь час назад, звучали, по обыкно-
вению, лаконично и жестко.

Я знаю, кто убил Жака Соньера, сказал Фаш. *Вы знаете, что
делать. И чтоб никаких ошибок.*

Пока они не совершили ни одной ошибки.

Сам Колле еще не знал доказательств, на которых основыва-
лась убежденность Фаша в вине подозреваемого. Зато он знал,
что интуиция Быка никогда не подводит. Вообще интуиция Фаша временами казалась просто сверхъестественной. *Сам Господь
шепчет ему на ушко* — так сказал один из агентов, когда Фашу в
очередной раз блестяще удалось продемонстрировать наличие
шестого чувства. И Колле был вынужден признать, что если Бог
существует, то Фаш по прозвищу Бык наверняка ходит у него в
любимчиках. Капитан усердно посещал мессы и исповеди, куда
как чаще, чем принято у других чиновников его ранга, которые
делали это для поддержания имиджа. Когда несколько лет назад
в Париж приезжал папа римский, Фаш употребил все свои связи,
всю настойчивость, чтобы добиться у него аудиенции. И снимок
Фаша рядом с папой теперь висит у него в кабинете. Папский
Бык — так прозвали его с тех пор агенты.

Колле считал несколько странным и даже смешным тот факт,
что Фаш, обычно избегавший публичных заявлений и выступле-
ний, так остро отреагировал на скандал, связанный с педофили-
ей в Католической церкви. *Этих священников следовало бы дважды вздернуть на виселице, заявил он тогда. Один раз за преступления против детей. А второй — за то, что опозорили доброе имя
Католической церкви.* Причем у Колле тогда возникло ощущение, что второе возмущало Фаша гораздо больше.

Вернувшись к компьютеру, Колле занялся своими непосред-
ственными обязанностями на сегодня — системой слежения. На
экране возник детальный поэтажный план крыла, где произошло преступление, схему эту он получил из отдела безопасности Лувра. Двигая мышкой, Колле внимательно просматривал

путаный лабиринт галерей и коридоров. И наконец нашел то, что искал.

В глубине, в самом сердце Большой галереи, мигала крошечная красная точка.

La marque*.

Да, сегодня Фаш держит свою жертву на очень коротком поводке. Что ж, умно. Остается только удивляться хладнокровию этого Роберта Лэнгдона.

ГЛАВА 9

тобы убедиться, что их разговор с Лэнгдоном никто не подслушивает, Безу Фаш даже отключил мобильный телефон. К несчастью, то была весьма дорогая модель с двусторонним радиоканалом, который вопреки его приказам использовался сейчас одним из агентов для оперативной связи с начальником.

— Capitaine? — В трубке потрескивало, словно при радиопомехах.

Фаш в ярости стиснул зубы. Что такого важного могло произойти, чтобы Колле вдруг посмел прервать его интимную беседу с подозреваемым, особенно в такой критический момент?

— Oui?*

— Capitaine, un agent du Département de Cryptographie est arrivé**.

Гнев Фаша моментально утих. Криптограф? Что ж, хоть и не вовремя, но новость неплохая. Обнаружив на полу загадочное послание Соньера, Фаш тут же передал снимки сцены преступления в отдел криптографии в надежде, что кто-то из их специалистов сможет разъяснить ему, что, черт побери, хотел сказать этим куратор. И если сейчас прибыл специальный шифр, то это почти наверняка означает, что они смогли прочесть послание Соньера.

— Я занят, — бросил Фаш в трубку, всем тоном давая понять, что не в восторге от этого звонка. — Попроси криптографа подо-

---

* Да? *(фр.)*

** Капитан, прибыл агент из отдела криптографии *(фр.)*

ждать на командном посту. Поговорю с ним, как только освобожусь.

— С ней, — поправил его голос на том конце линии. — Это агент Невё.

Настроение у Фаша сразу испортилось. Софи Невё он считал одной из самых больших ошибок управления судебной полиции. Эту молодую парижанку, изучавшую криптографию в Лондоне, года два назад Фашу насильно навязало начальство, следуя развернутой в министерстве кампании привлекать к службе в полиции больше женщин. В министерстве были неумолимы и не стали прислушиваться к доводам Фаша, убежденного, что подобная политика лишь ослабляет силовые структуры. Женщины непригодны к работе в полиции не только в силу физиологических особенностей, одно их присутствие самым негативным образом сказывается на мужчинах, отвлекает от дела, расслабляет. Опасения Фаша оправдались: Софи Невё обладала особым даром отвлекать его сотрудников, и это было чревато дурными последствиями.

Тридцатидвухлетняя дамочка обладала решительностью, граничащей с упрямством. Она умудрилась настроить против себя асов французской криптографии, всячески доказывая превосходство новой методологии, которой пользовались в Британии. Но больше всего беспокоило Фаша то обстоятельство, что глаза всех мужчин отдела были постоянно устремлены на эту весьма привлекательную молодую женщину.

— Агент Невё настаивает на немедленной встрече с вами, капитан, — прозвучал голос в трубке. — Я пытался остановить ее, но она уже направляется в галерею.

Фаша передернуло.

— Нет, это просто ни в какие ворота не лезет! Ведь я ясно дал понять...

На секунду Роберту Лэнгдону показалось, что Фаша вот-вот хватит удар. Он не закончил фразу, челюсть у него отвисла, глаза налились кровью. И взгляд этих глаз был устремлен на нечто, находившееся у Лэнгдона за спиной. Не успел сам Лэнгдон обернуться, как услышал мелодичный женский голос:

— Excusez-moi, messieures*.

_____
* Прошу прощения, господа (фр.).

Он обернулся и увидел молодую женщину. Она направлялась по коридору прямо к ним энергичной легкой походкой, каждое ее движение было отмечено особой грацией. Одета она была в длинный, почти до колен, кремовый свитер и черные леггинсы. Довольно привлекательна, успел отметить Лэнгдон, лет тридцати. Густые рыжевато-каштановые волосы свободно спадали на плечи, обрамляя милое лицо. Она разительно отличалась от кокетливых, помешанных на диете блондинок, что наводняли Гарвард. Эта женщина была не только красива и естественна, она излучала уверенность, силу и обаяние.

К удивлению Лэнгдона, она подошла прямо к нему и протянула руку для рукопожатия:

— Месье Лэнгдон? Я агент Невё из отдела криптографии управления судебной полиции. — По-английски она говорила с французским акцентом, что придавало речи особое очарование. — Рада с вами познакомиться.

Лэнгдон взял ее нежную руку в свою и почувствовал, что тонет во взгляде удивительных глаз. Глаза у нее были оливково-зеленые, ясные, а взгляд — цепкий и немного язвительный.

Фаш злобно втянул сквозь зубы воздух, готовясь дать ей взбучку.

— Капитан, — словно почувствовав это, она быстро обернулась к нему, — прошу прощения за вторжение, но...

— Ce n'est pas le moment!* — сердито буркнул Фаш.

— Я пыталась дозвониться, — продолжила Софи по-английски, из любезности к Лэнгдону. — Но ваш мобильный был отключен.

— Я отключил его специально! — прошипел Фаш. — Чтобы не мешали говорить с мистером Лэнгдоном.

— Я расшифровала цифровой код, — просто сказала она.

Сердце у Лэнгдона забилось в радостном предвкушении. *Она расшифровала код?*

Фаш молчал, не зная, как реагировать на это заявление.

— Чуть позже объясню, — добавила Софи. — У меня срочная информация для мистера Лэнгдона.

На лице Фаша отразились удивление и озабоченность.

— Для мистера Лэнгдона?

* Сейчас неподходящий момент! *(фр.)*

Она кивнула и обернулась к Роберту:

— Вас просили срочно связаться с посольством США. Вам поступило какое-то послание из Штатов.

Лэнгдон удивился и одновременно встревожился. *Послание из Штатов? Но от кого?* Он пытался сообразить, кто бы это мог быть. Лишь немногие его коллеги знали, что он сейчас в Париже.

Фашу, похоже, не понравилось это известие.

— Посольство США? — с подозрением воскликнул он. — Но откуда им знать, что мистер Лэнгдон здесь?

Софи пожала плечами:

— Очевидно, они позвонили мистеру Лэнгдону в гостиницу. Ну и портье сказал им, что его увел агент судебной полиции.

Фаш явно забеспокоился:

— Так что же получается? Выходит, затем посольство связалось с отделом криптографии нашего управления?

— Нет, сэр, — спокойно и твердо ответила Софи. — Когда, пытаясь связаться с вами, я позвонила на пульт дежурного, там сказали, что у них послание для мистера Лэнгдона. Ну и просили передать, если мне удастся встретиться с вами.

Фаш нахмурился. Открыл рот, собираясь что-то сказать, но Софи уже обернулась к Лэнгдону.

— Мистер Лэнгдон, — сказала она, вынимая из кармана свернутый листок бумаги, — вот телефон посольства. Они просили позвонить безотлагательно. — И она протянула листок, многозначительно глядя прямо ему в глаза. — Позвоните обязательно, пока я буду объяснять код капитану Фашу.

Лэнгдон развернул бумажку. Парижский номер, а перед ним еще несколько цифр.

— Спасибо, — пробормотал он, чувствуя, как им овладевает беспокойство. — А где я найду телефон?

Софи начала было вытаскивать из кармана мобильник, но Фаш сделал ей знак остановиться. Сейчас он напоминал вулкан Везувий, готовый извергнуть лаву и пепел. Не сводя глаз с Софи, он протянул Лэнгдону свой мобильный телефон.

— Эта линия защищена от прослушки, мистер Лэнгдон. Можете звонить.

Лэнгдона удивила столь бурная реакция Фаша и его гнев по отношению к этой милой женщине. Он взял у капитана телефон. Фаш тут же отвел Софи в сторонку и начал тихо отчитывать ее.

Этот капитан все меньше и меньше нравился Лэнгдону. Сверяясь с написанными на бумажке цифрами, он начал набирать номер.

Раздались гудки. Один гудок... два... три...

И вот в трубке послышался щелчок.

Лэнгдон ожидал услышать голос оператора из посольства, но включился автоответчик. Странно, но голос, записанный на пленке, показался ему знакомым. Ну конечно! Он принадлежал Софи Невё.

— Bonjour, vous êtes bien chez Sophie Neveu, — прозвучал женский голос. — Je suis absente pour le moment, mais...*

Лэнгдон растерянно обернулся к Софи:

— Извините, мисс Невё, но, кажется, вы дали мне...

— Нет, номер правильный, — торопливо перебила его Софи. — Просто в посольстве установлена автоматизированная система приема сообщений. Вам следует набрать еще код доступа, чтобы получить предназначенную вам информацию.

— Но... — удивленно начал Лэнгдон.

— Там, на листке, что я вам дала, есть еще три цифры.

Лэнгдон открыл было рот, собираясь сказать, что она, должно быть, ошиблась, но Софи метнула в его сторону грозный предостерегающий взгляд. Зеленые ее глаза, казалось, говорили: *Не задавай никаких вопросов. Делай, что тебе говорят!*

Вконец растерявшийся Лэнгдон набрал указанные на бумажке три цифры: 454.

Автоответчик сразу же отключился, затем Лэнгдон услышал еще один электронный голос, вещающий по-французски:

— Для вас есть одно новое сообщение. — Очевидно, цифры 454 являлись кодом доступа для приема сообщений, когда Софи находилась вне дома.

Я должен принять сообщение, предназначенное этой женщине?

Лэнгдон услышал шорох перематывающейся пленки. Наконец он прекратился, и подключилась машина. Лэнгдон внимательно слушал. И снова раздался голос Софи.

— Мистер Лэнгдон, — говорила она нервным шепотом. — Не реагируйте на это послание. Просто слушайте, и все. Вы в опасности. Прошу вас выполнять все мои указания.

---

* Добрый день, вы позвонили Софи Невё. В настоящий момент она отсутствует, но... *(фр.)*

ГЛАВА 10

айлас сидел за рулем черной «ауди», специально приготовленной для него машины, и всматривался в величественные очертания церкви Сен-Сюльпис. Над продолговатым зданием вздымались к небу, точно часовые, две башни-колокольни, освещенные снизу уличными фонарями. Верхнюю и нижнюю части здания украшали изящные опоры, напоминавшие в полумраке ребра хищного и прекрасного зверя.

Эти варвары использовали дом самого Господа Бога, чтобы спрятать там краеугольный камень. В очередной раз братство подтвердило свою отвратительную репутацию обманщиков и безбожников. Сайласу не терпелось найти камень и отдать его Учителю, чтобы наконец узнать, что эти язычники похитили у истинно верующих много лет назад.

И каким могущественным сделает «Опус Деи» эта находка.

Припарковав «ауди» на пустынной площади перед церковью, Сайлас глубоко втянул ртом воздух, чтобы успокоиться и сосредоточиться перед выполнением столь важного задания. Широкая спина все еще болела после ритуала умерщвления плоти, который он совершил раньше тем же днем. Но что такое боль в сравнении с благодатью, готовой снизойти на спасенную душу?..

И тем не менее душу его терзали воспоминания.

Избавься от ненависти, сказал себе Сайлас. *Прости тех, кто пошел против тебя.*

Глядя на каменные башни церкви Сен-Сюльпис, Сайлас пытался побороть приступ ненависти, охватывавшей его всякий раз, когда он вдруг возвращался мыслями в прошлое. И видел себя запертым в тюрьме, которая заменила весь мир для него, совсем еще молодого человека. Воспоминания об этом всегда обостряли чувства, казалось, сейчас, наяву, он чувствует отвратительную вонь гнилой капусты, запах смерти, человеческой мочи и фекалий. Казалось, он слышит беспомощные крики отчаяния, что пробиваются сквозь завывание ветра над Пиренеями, слышит тихие рыдания брошенных, никому не нужных людей.

Андорра, подумал он. И почувствовал, как напряглись все мышцы.

Это могло показаться невероятным, но именно там, в крошечной, затерянной между Испанией и Францией стране, в этом каменном мешке, где он дрожал от холода и хотел только одного — умереть, именно там и пришло к Сайласу спасение.

Тогда, конечно, он этого не понимал.

Грянул гром, и пришел свет.

И звали его тогда не Сайлас, нет, пусть даже теперь он и не мог вспомнить имя, которое дали ему родители. Он ушел из дома, когда ему было всего семь. Отец, закоренелый пьяница, пришел в ярость, увидев, что у него родился сын-альбинос. И систематически избивал мать, обвиняя ее в измене. Когда мальчик пытался защитить ее, ему тоже крепко доставалось.

Как-то раз вечером он избил мать так страшно, что она лежала на полу и долго не поднималась. Мальчик стоял над безжизненным телом, и вдруг им овладело чувство неизбывной вины.

Это все из-за меня!

Точно демоны вселились тогда в его маленькое тело. Он пошел на кухню и схватил огромный нож. И, словно во сне, двинулся потом в спальню, где на кровати храпел допившийся до бесчувствия отец. Не произнося ни слова, мальчик вонзил нож ему в спину. Отец взвыл от боли и попытался перекатиться на живот, но мальчик ударил еще и еще и бил до тех пор, пока страшные крики не стихли.

А потом мальчик бросился вон из страшного дома. Но улицы Марселя оказались негостеприимными. Странная внешность сделала его изгоем, чужаком среди таких же, как он, юных бродяг. И ему пришлось ютиться в полном одиночестве в подвале заброшенной фабрики, питаться крадеными фруктами и сырой рыбой из доков. Единственными его товарищами стали потрепанные журналы, добытые на помойке, он сам научился читать их. Шло

время, он рос и креп. Когда ему было двенадцать, еще одна бро-
дяжка, на сей раз девчонка, намного старше его, начала жестоко
насмехаться над ним на улице и попыталась украсть у него еду. И
едва не погибла, так он ее избил. Когда полицейские оторвали наконец от нее мальчишку, ему был выдвинут ультиматум: или
вон из Марселя, или отправишься в тюрьму для несовершенно-
летних.

И тогда мальчик перебрался в Тулон. Теперь во взглядах про-
хожих он читал не жалость и брезгливость, а самый неподдельный страх. Люди проходили мимо, и он слышал, как они пере-
шептываются. *Привидение*, говорили они, с ужасом глядя на его
бледную кожу. *Привидение, а глазищи красные, как у дьявола!*

Он и сам начал чувствовать себя призраком... невидимым и
прозрачным, плывущим от одного морского порта к другому.

Казалось, что люди смотрят сквозь него.

В восемнадцать в одном из портовых городков он попытался
стащить коробку с консервированной ветчиной и попался. Двое
матросов избивали его, и от них пахло пивом, точь-в-точь как от
отца. И им овладела такая ненависть, что силы удесятерились.
Одному обидчику он сломал шею голыми руками, и лишь прибытие полиции спасло второго от той же участи.

И вот два месяца спустя он, закованный в кандалы, прибыл в
тюрьму в Андорре.

— Да ты белый, точно призрак! — хохотали заключенные, пока охранники вели его по коридорам, голого и дрожавшего от холода. — Mira el espectro!* Раз призрак, значит, должен уметь про-
ходить сквозь стены.

Он просидел двенадцать лет, и ему стало казаться, что его тело и душа сжались, стали почти невидимыми, прозрачными.

Я призрак.

Я бестелесен.

*Yo soy un espectro... palido como un fantasma... caminando este
mundo a solas**.*

Как-то раз ночью «призрак» проснулся от криков заключенных. Он не понимал, что за невидимая сила сотрясает не только

* Здесь: Вы только гляньте на него! *(исп.)*
** Я призрак... бледный, как призрак... бреду по этому миру
в одиночестве *(исп.)*.

пол, на котором он спал, но и стены его каменной клетки. Едва он успел вскочить на ноги, как огромный булыжник обрушился прямо на то место, где он только что лежал. Он поднял голову, посмотреть, откуда же взялся этот камень, и с изумлением увидел дыру в каменной кладке, а за ней — то, чего не доводилось видеть больше десяти лет. В дыре сияла луна.

Земля продолжала содрогаться, когда он прополз по узкому туннелю, пытаясь вырваться на поверхность. И вдруг очутился на склоне горы, в лесу. Он бежал всю ночь, все время вниз, и бредил наяву от голода и изнеможения.

На рассвете он пришел в себя и увидел, что находится на просеке, прорезающей лес, и что по ней тянутся рельсы. Он пошел вдоль железнодорожного полотна, брел, точно во сне. Увидел пустой товарный вагон и залез в него, ища укрытия и покоя. А когда проснулся, увидел, что поезд движется. *Как долго? Куда?* В животе начались рези от голода, боль была просто невыносимой. *Я что, умираю?* И он снова провалился в сон. Проснулся от собственного крика: кто-то избивал его, а потом вышвырнул из вагона. Весь в крови, он долго бродил по окраинам какой-то маленькой деревеньки в поисках еды, но так ничего и не нашел. И вот наконец он ослабел настолько, что повалился на землю прямо у дороги и потерял сознание.

Потом вдруг забрезжил свет, и «призрак» размышлял над тем, как давно он умер. *День назад? Три дня?..* Впрочем, какое это имело значение... Постель была мягкая, точно облачко, воздух вокруг был напоен сладким ароматом свечей. И Иисус был здесь, смотрел прямо на него. *Я здесь*, сказал Иисус. *Надгробный камень отвалили, и ты родился заново.*

Он спал и просыпался вновь. Мозг был затуманен. Он никогда не верил в Небеса, и все же оказалось, что Иисус присматривает за ним. Рядом с кроватью появлялась еда, и «призрак» съедал все до крошки, чувствуя, как кости обрастают плотью. А потом снова засыпал. Проснулся и увидел — Иисус смотрит на него, улыбается и говорит: *Ты спасен, сын мой. Благословенны те, кто следует моим путем.*

И он опять провалился в сон.

Крик боли и злобы разбудил его. Казалось, тело само сорвалось с кровати, и он, пошатываясь, поплелся на звуки. Вошел в кухню и увидел, как здоровенный мужчина избивает другого, меньше его ростом и явно слабее. Сам не зная почему, «призрак» схватил здоровяка и шмякнул его о стенку. Тот рухнул на пол, потом молниеносно вскочил на ноги и убежал. И «призрак» остался стоять над телом молодого человека в сутане священника. Нос у священника был разбит в кровь. «Призрак» поднял его и потащил в комнату, где бережно опустил на диван.

— Спасибо, друг мой, — сказал священник на плохом французском. — Деньги, собранные на строительство храма, слишком большое искушение для вора. Во сне ты говорил по-французски. А по-испански говоришь?

«Призрак» отрицательно помотал головой.

— Как тебя зовут? — продолжил священник по-французски.

Ему никак не удавалось припомнить имя, которое дали ему родители. А после он слышал лишь обидные прозвища на улице и в тюрьме.

Священник улыбнулся:

— No hay problema*. А меня зовут Мануэль Арингароса. Я миссионер из Мадрида. Послан сюда строить храм во славу Отца нашего Иисуса.

— Где я? — глухо спросил «призрак».

— В Овьедо. Это на севере Испании.

— Как я сюда попал?

— Кто-то оставил тебя на пороге моего дома. Ты был болен. Я тебя кормил. Ты здесь уже много дней.

«Призрак» рассматривал своего спасителя. Он забыл, когда последний раз хоть кто-нибудь был к нему добр.

— Спасибо, отец.

Священник потрогал разбитые губы.

— Это я должен благодарить тебя, друг мой.

Проснувшись наутро, «призрак» почувствовал, как туман в голове начал понемногу рассеиваться. Он лежал и смотрел на распятие, висевшее на стене в изголовье кровати. И хотя Иисус больше не говорил с ним, он чувствовал его умиротворяющее присутствие. Потом он сел в постели и с удивлением увидел, что на тумбочке рядом с кроватью лежит газета. Статья была недельной давности и написана по-французски. Прочитав ее, он ощутил страх. Там говорилось о страшном землетрясении в горах,

* Это не проблема, или: Ничего страшного (исп.).

разрушившем тюрьму, отчего на свободе оказались опасные преступники.

Сердце его бешено билось. *Так священник знает, кто я!* Подобного чувства он не испытывал давным-давно. Чувства стыда. Вины. И все это сопровождалось страхом быть пойманным. Он вскочил с кровати. *Куда бежать?*

— Книга Деяний, — прозвучал голос за спиной.

«Призрак» вздрогнул и обернулся.

В дверях стоял священник и улыбался. На носу его красовался пластырь, в руках он держал Библию.

— Вот, нашел одну на французском, для тебя. Глава помечена.

«Призрак» неуверенно взял книгу из рук священника, нашел помеченное место.

Глава 16.

В этой главе упоминался узник по имени Сайлас*, он, голый и избитый, лежал в темнице и возносил молитвы Господу. «Призрак» дошел до 26-го стиха и вздрогнул от неожиданности.

Вдруг сделалось великое землетрясение, так что поколебались основы темницы; тотчас отворились все двери, и у всех узы ослабели.

Он поднял глаза на священника.

Тот тепло улыбнулся:

— Отныне, друг мой, раз нет у тебя другого имени, буду называть тебя Сайласом.

«Призрак» растерянно кивнул. *Сайлас.* Он наконец обрел плоть. *Мое имя Сайлас.*

— А теперь время завтракать, — сказал священник. — Тебе понадобятся силы, если хочешь помочь мне построить этот храм.

На высоте двадцати тысяч футов над Средиземным морем борт 1618 «Алиталия» вдруг затрясло, и все пассажиры занервничали, самолет попал в турбулентный поток. Но епископ Арингароса едва это заметил. Мысли его были устремлены в будущее, тесно связанное с «Опус Деи». Ему не терпелось узнать, как идут дела в Париже, очень хотелось позвонить Сайласу. Но он не мог. Учитель предусмотрел и это.

---

* В русском переводе Нового Завета — Сила.

— Это ради твоей же безопасности, — говорил он Арингаросе по-английски с французским акцентом. — Я хорошо разбираюсь в средствах электронной связи. Поверь мне, все разговоры легко прослушать. И результаты могут оказаться самыми плачевными.

Арингароса понимал, что Учитель прав. Он вообще был очень осторожным человеком. Даже Арингароса не знал его настоящего имени. Учителю не раз удалось доказать, что к его мнению стоит прислушиваться, а его приказам — повиноваться. Да и потом, ведь удалось же ему завладеть весьма секретной информацией. *Имена четырех членов братства высшего ранга!* Именно это обстоятельство окончательно убедило епископа в том, что только Учитель способен раздобыть для «Опус Деи» величайшее сокровище. Перед вылетом у Арингаросы состоялся с ним такой разговор.

— Епископ, — сказал ему Учитель, — я обо всем позаботился. И чтобы план наш осуществился, вы должны разрешить Сайласу отвечать только на мои звонки на протяжении нескольких дней. Вы оба не должны переговариваться между собой. Я же буду связываться с ним по надежным каналам.

— Обещаете, что будете относиться к нему с уважением?

— Человек веры заслуживает самого высокого уважения.

— Прекрасно. Насколько я понимаю, мы с Сайласом не должны общаться до тех пор, пока все не кончится.

— Я делаю это лишь для того, чтобы защитить вас, Сайласа и мой вклад.

— Вклад?

— Если стремление бежать впереди прогресса приведет вас в тюрьму, епископ, тогда вы не сможете оплатить мои труды.

Епископ улыбнулся:

— Да, это существенный момент. Что ж, наши желания совпадают. Бог в помощь!

Двадцать миллионов евро, думал епископ, глядя в иллюминатор самолета. Примерно та же сумма в долларах. *Скудная награда за столь великий вклад.*

Он был уверен, что Учитель и Сайлас не подведут. Деньги и вера всегда были сильной мотивацией.

ГЛАВА 11

ne plaisanterie numérique? — воскликнул Фаш, окинув Софи гневно сверкающим взглядом. — *Цифровой розыгрыш?* Ваш профессиональный подход к коду, оставленному Соньером, позволил сделать такой банальный вывод? Что это всего лишь дурацкая математическая шалость?

Фаш просто ошалел от наглости этой дамочки. Мало того что ворвалась сюда без разрешения, так теперь еще пытается убедить его в том, будто Соньер в последние минуты жизни был озабочен лишь одним: оставить послание в виде математической хохмы.

— Этот код, — быстро тараторила по-французски Софи, — прост до абсурдности. И Жак Соньер, должно быть, понимал, что мы сразу же его разгадаем. — Она достала из кармана свитера листок бумаги и протянула Фашу. — Вот расшифровка.

Фаш уставился на надпись.

$$1 — 1 — 2 — 3 — 5 — 8 — 13 — 21$$

— Как прикажете это понимать? — рявкнул он. — Вы просто переставили числа в обратном порядке, и все?

Софи имела наглость ответить улыбкой:

— Именно.

Фаш уже просто рычал:

— Вот что, агент Невё, я, черт побери, понятия не имею, где вы занимались этими глупостями, но советую вам убраться туда, и немедленно! — Он метнул озабоченный взгляд в сторону

Лэнгдона, который стоял неподалеку, прижав к уху мобильный телефон. Очевидно, все еще слушал загадочное сообщение из американского посольства. Лицо его сделалось серым, и Фаш понял, что новости плохие.

— Капитан, — заметила Софи нарочито небрежным и заносчивым тоном, — набор чисел, который вы сейчас видите, является не чем иным, как самой знаменитой в истории математической прогрессией.

Фаш никогда не слышал, чтобы в мире существовали знаменитые математические прогрессии, и уж тем более он был не в восторге от тона этой Невё.

— Это называется последовательностью Фибоначчи, — заявила она и кивком указала на бумажку в руке Фаша. — Это прогрессия, где каждый член равен сумме двух предыдущих.

Фаш уставился на цифры. Действительно, каждый член был равен сумме двух предшествующих, и, однако же, он совершенно не понимал, какое отношение имеет все это к смерти Соньера.

— Математик Леонардо Фибоначчи сделал это открытие еще в тринадцатом веке. И разумеется, это не простое совпадение, что цифры, которые Соньер написал на полу, являются частью знаменитого ряда Фибоначчи.

Несколько секунд Фаш молча смотрел на Софи.

— Так, замечательно. Раз это не совпадение, может, тогда вы объясните мне, почему Жак Соньер сделал это? Что он хотел этим сказать? Что *подразумевал*?

Она пожала плечами:

— Абсолютно ничего. В том-то и дело. Это просто криптографическая шутка. Все равно что взять слова известного поэта и раскидать их в произвольном порядке. С одной лишь целью: посмотреть, догадается ли кто-нибудь, откуда цитата.

Фаш с угрожающим видом шагнул вперед и оказался лишь в нескольких дюймах от Софи.

— Надеюсь, у вас есть более убедительное объяснение?

Мягкие черты лица Софи словно заострились, глаза смотрели строго.

— Капитан, учитывая, с чем вам довелось столкнуться сегодня, думаю, небесполезно будет знать, что Жак Соньер мог просто играть с вами. Но вы, судя по всему, придерживаетесь другого мнения. В таком случае мне остается лишь уведомить директора отдела криптографии, что вы больше не нуждаетесь в наших услугах.

И с этими словами она резко развернулась и зашагала по коридору к выходу.

Потрясенный Фаш наблюдал за тем, как она исчезает в темноте. *Она что, свихнулась?* Софи Невё только что совершила самоубийство, в профессиональном смысле этого слова. Поставила крест на своей дальнейшей карьере.

Фаш обернулся к Лэнгдону. Тот все еще слушал сообщение по телефону с озабоченным, даже встревоженным выражением лица. *Посольство США.* Капитан Фаш презирал многое на этом свете... но вряд ли что-либо вызывало у него большую ярость, чем посольство этой страны.

Фаш и американский посол регулярно вступали в стычки, и схватки эти разгорались в основном из-за американских гостей в Париже. Почти ежедневно Центральное управление судебной полиции арестовывало американских студентов за хранение и употребление наркотиков, бизнесменов из США — за связь с малолетними проститутками, американских туристов — за мелкие кражи в магазинах и порчу общественной собственности. Легально во всех этих случаях посольство США имело право вмешаться и выдворить виновных из страны, экстрадировать их на родину. Что оно и делало, но там преступников никто не подвергал уголовному преследованию.

А посольство продолжало делать свое черное дело.

Фаш называл такую практику «кастрацией судебной полиции». Недавно в «Пари матч» была опубликована карикатура, на которой Фаш был изображен в виде полицейского пса, пытающегося укусить американца-преступника. Но дотянуться до него никак не удавалось, поскольку пес сидел на цепи, прикованный к американскому посольству.

Только не сегодня, напомнил себе Фаш. *Не стоит заводиться, слишком многое поставлено на карту.*

Лэнгдон закончил говорить по телефону. Выглядел он ужасно.

— Все в порядке? — спросил его Фаш.

Лэнгдон покачал головой.

Плохие новости из дома, решил Фаш и, забирая у Лэнгдона телефон, заметил, что профессор вспотел.

— Несчастный случай, — пробормотал Лэнгдон со странным выражением лица. — Один мой друг... — Он умолк и после паузы добавил: — Мне необходимо лететь домой завтра же, рано утром.

У Фаша не было никаких оснований подозревать Лэнгдона в притворстве. Однако он заметил, вернее, почувствовал: здесь что-то не так. В глазах американца светился страх.

— Мне очень жаль, прискорбно слышать, — сказал Фаш, не сводя с Лэнгдона испытующего взгляда. — Может, вам лучше присесть? — И он указал на скамью в коридоре.

Лэнгдон рассеянно кивнул и шагнул к скамье. Но затем вдруг остановился.

— Боюсь, мне надо посетить туалет, — виновато и смущенно произнес он.

Фаш нахмурился — эта пауза была совсем ни к чему.

— Туалет... А, ну да, конечно. Давайте устроим перерыв на несколько минут. — Он махнул рукой в сторону длинного темного коридора, откуда они пришли: — Туалеты там, прямо за кабинетом куратора.

Лэнгдон явно колебался. А потом указал на один из коридоров Большой галереи:

— Кажется, есть и ближе, вон там, в конце коридора.

Фаш понял, что Лэнгдон прав. Большая галерея заканчивалась тупиком, где находились два туалета.

— Вас проводить?

Лэнгдон покачал головой и зашагал по коридору.

— Не обязательно. Думаю, мне будет только на пользу побыть несколько минут одному.

Фаш был не в восторге от этой идеи. Утешал его лишь тот факт, что Большая галерея действительно заканчивалась тупиком. А выход находился в противоположной стороне, там, где до сих пор была опущена решетка, под которой они пролезли. И хотя по правилам противопожарной безопасности такое большое помещение должно быть обеспечено запасными выходами, все эти пути автоматически перекрылись, как только Соньер включил сигнализацию. Нет, сейчас наверняка систему переключили, дополнительные выходы на лестницы открыли, но это не имело значения, поскольку главные наружные двери охранялись агентами управления судебной полиции. Лэнгдон никак не мог ускользнуть.

— Мне надо на минутку зайти в кабинет мистера Соньера, — сказал Фаш. — Там меня и найдете, мистер Лэнгдон. Нам необходимо обсудить еще кое-что.

Лэнгдон кивнул и исчез в темноте.

Фаш развернулся и сердито зашагал в противоположном направлении. Дойдя до решетки, пролез под ней, вышел из Большой галереи, быстро миновал коридор и ворвался в кабинет Соньера.

— Кто позволил пропустить Софи Невё в здание? — грозно осведомился он.

Колле первым обрел дар речи:

— Но она сказала охранникам у входа, что расшифровала код.

Фаш огляделся.

— Так она ушла?

— А разве она не с вами?

— Нет. Она ушла. — Фаш выглянул в темный коридор. Очевидно, Софи была просто не в настроении, а потому на пути к выходу не заглянула в кабинет поболтать с ребятами.

Фаш подумал было, что стоит позвонить охранникам на выходе, попросить не выпускать Софи и проводить сюда. Но потом решил, что не стоит. Сейчас ему просто не до этой дамочки. Есть дела поважнее.

Агентом Невё займемся позже, подумал он. К этому времени Фаш твердо вознамерился уволить ее.

Секунду-другую он задумчиво разглядывал миниатюрного рыцаря на столе Соньера. Потом обратился к Колле:

— Вы за ним следите?

Колле ответил кивком и развернул компьютер экраном к Фашу. На поэтажном плане была отчетливо видна мигающая красная точка, сигнал исходил из помещения, помеченного надписью «TOILETTES PUBLIQUES».

— Хорошо, — сказал Фаш и закурил сигарету. А затем направился к выходу в коридор. — Мне надо позвонить. Проследите за тем, чтобы, кроме туалета, Лэнгдон никуда не заходил.

ГЛАВА 12

энгдон шагал к тупику в конце Большой галереи, и голова у него кружилась. Что означало странное сообщение Софи? В конце коридора светились указатели с хорошо известной символикой туалетных комнат, и он прошел мимо целого лабиринта разветвленных коридоров, стены которых были увешаны итальянской графикой.

Найдя вход в мужской туалет, Лэнгдон отворил дверь, вошел и включил свет.

Комната была пуста.

Он приблизился к раковине и плеснул в лицо холодной водой, надеясь, что это поможет собраться с мыслями. Над раковинами светили яркие флуоресцентные лампы, пахло аммиаком. Лэнгдон начал вытирать лицо бумажным полотенцем, и тут вдруг за спиной скрипнула дверь. Он быстро повернулся.

Вошла Софи Невё, в зеленых глазах светился страх.

— Слава Богу, вы здесь! Времени у нас почти нет.

Лэнгдон растерянно смотрел на специалистку по дешифровке из Центрального управления судебной полиции. Лишь несколько минут назад, слушая ее сообщение, он подумал, что эта женщина, должно быть, просто безумна. Однако интуиция подсказывала, что Софи Невё искренна с ним. *Не реагируйте на это сообщение. Просто слушайте. Вы в опасности. Следуйте всем моим указаниям.* И тогда Лэнгдон решил последовать советам Софи. Сказал Фашу, что сообщение касается его близкого друга, что тот пострадал в аварии и что самому ему надо срочно возвращаться в США. А потом добавил, что ему нужно в туалет.

И вот теперь Софи стояла рядом, совсем близко. В безжалостном свете флуоресцентных ламп Лэнгдону удалось как следует разглядеть ее лицо, и он с удивлением отметил, что, несмотря на ощущение силы и решимости, исходящее от этой женщины, черты лица у нее мягкие, даже нежные. Лишь взгляд цепкий и пристальный, а вообще она напоминает дам с портретов Ренуара... Слегка затуманенный, но от этого не менее четкий и выразительный образ, где простота самым непостижимым образом сочеталась с тайной.

— Я хотела предупредить вас, мистер Лэнгдон, — начала Софи. — Предупредить, что вы sous surveillance cachée. Что за вами следят самым пристальным образом. — Голос с сильным акцентом резонировал в пустом помещении с кафельными стенами, что придавало ему глуховатость.

— Но... почему? — спросил Лэнгдон. Софи уже объяснила по телефону, но ему хотелось услышать это от нее лично.

— Потому, — сказала она и шагнула к нему, — что вы первый подозреваемый в убийстве по этому делу.

Лэнгдон был готов к такому объяснению, но в очередной раз слова эти показались ему полным абсурдом. Если верить Софи, то его вызвали в Лувр вовсе не в качестве специалиста по символам, но как главного подозреваемого. И он, того не осознавая, стал объектом столь популярного у силовиков способа допроса, когда полиция спокойно приглашает подозреваемого на место преступления и задает ему самые разные вопросы в надежде, что нервы у него сдадут и он расколется.

— Посмотрите, что у вас в левом кармане пиджака, — сказала Софи. — Доказательство того, что они глаз с вас не спускают.

Посмотреть в кармане? Лэнгдону показалось, что он стал объектом не слишком остроумного розыгрыша.

— Да, посмотрите, посмотрите.

Лэнгдон растерянно сунул руку в левый карман твидового пиджака. Пошарил и не нашел там ничего. *Что за дурацкие шуточки, черт побери?* Может, эта Софи все же не в себе? Но тут вдруг его пальцы нащупали нечто. Что-то маленькое и твердое. Сжав предмет пальцами, Лэнгдон осторожно достал его из кармана и стал разглядывать. Это был металлический диск в форме пуговицы, размером с батарейку для наручных часов. Он никогда не видел его прежде.

— Что за...

— Специальный маячок слежения, — ответила Софи. — Постоянно передает сигнал о передвижениях объекта через глобальную спутниковую систему на монитор судебной полиции. Используется для определения местонахождения людей с точностью до плюс-минус двух футов в любой точке земного шара. Так что вы у них на электронном поводке. А подложил его вам в карман агент, приходивший в гостиницу.

Лэнгдон вспомнил сцену в гостиничном номере. Он наскоро принимал душ, потом одевался, и уже у двери агент услужливо подал ему твидовый пиджак. *На улице сейчас прохладно, мистер Лэнгдон,* сказал агент. *Весна в Париже совсем не такая, как поется в песнях.* И тогда Лэнгдон поблагодарил его и надел пиджак.

Оливковые глаза Софи, казалось, так и прожигают насквозь.

— Раньше я вам об этой штуке не сказала. Специально. А то бы еще вытащили ее из кармана на глазах у Фаша. Ему не следует знать, что вы ее обнаружили.

Лэнгдон не знал, что и сказать.

— Они наградили вас этой меткой, чтобы вы не убежали. — Помолчав, она добавила: — Вообще-то они очень рассчитывали на то, что вы попытаетесь сбежать. Это лишь укрепило бы их подозрения.

— Но к чему мне бежать? — воскликнул Лэнгдон. — Ведь я не виновен!

— А Фаш думает иначе.

Лэнгдон сердито шагнул к мусорной корзине с намерением выкинуть маячок.

— Нет, не надо! — Софи схватила его за руку. — Пусть остается в кармане. Если выбросите, сигнал перестанет двигаться, и они поймут, что вы нашли устройство. Фаш разрешил вам отойти лишь по одной причине: он знал, что может следить за вами по монитору. Если он заподозрит, что вы обнаружили маячок... — Софи умолкла, не закончив фразы. Взяла из рук Лэнгдона диск и сунула в тот же карман. — Пусть будет при вас. По крайней мере какое-то время.

Лэнгдон похолодел.

— Но с чего это Фаш вдруг решил, что я убил Жака Соньера?

— У него были весьма веские причины подозревать именно вас, — ответила Софи. — Есть одна улика, о которой вы еще не знаете. Пока Фаш тщательно скрывает ее от вас.

Лэнгдон с недоумением воззрился на Софи.

— Помните текст, который Соньер написал на полу?

Он кивнул. Слова и цифры намертво врезались в память.

Софи понизила голос до шепота:

— Так вот, к сожалению, вы видели не все послание. Там была еще четвертая строчка, которую Фаш сфотографировал, а потом специально стер перед вашим приходом.

Лэнгдон знал, что жидкие чернила маркера ничего не стоит стереть, однако он никак не мог понять, зачем Фашу понадобилось уничтожать часть вещественных доказательств.

— Просто Фаш не хотел, чтобы вы знали об этой последней строке. По крайней мере до тех пор, пока он не припрет вас к стенке.

Софи достала из кармана свитера компьютерную распечатку снимка, начала медленно ее разворачивать.

— Чуть раньше этим же вечером Фаш отправил все снимки с места преступления в наш отдел в надежде, что мы сумеем разобраться, что именно хотел сказать Соньер перед смертью. Вот снимок всего послания, без купюр. — И она протянула листок Лэнгдону.

Тот смотрел и глазам своим не верил. Крупный план, снимок той части пола, где красовалась светящаяся надпись. Увидев последнюю строчку, Лэнгдон вздрогнул.

13 — 3 — 2 — 21 — 1 — 1 — 8 — 5
На вид идола родич!
О мина зла!
P.S. Найти Роберта Лэнгдона

ГЛАВА 13

 течение нескольких секунд Лэнгдон смотрел на снимок с постскриптумом Соньера. *Найти Роберта Лэнгдона.* Казалось, пол уходит у него из-под ног. *Соньер оставил постскриптум, где указал мое имя? Нет, это просто в голове не укладывается!..*

— Теперь понимаете, — спросила Софи, — почему Фаш вызвал вас сюда и считает главным подозреваемым?

Пока Лэнгдон понял лишь одно: почему Фаш смотрел так самодовольно, когда он, Лэнгдон, предположил, что Соньеру было бы куда проще написать имя убийцы.

Найти Роберта Лэнгдона.

— Но почему Соньер это написал? — воскликнул он. На смену смятению и растерянности пришел гнев. — Зачем мне было убивать Жака Соньера?

— Мотив Фашу еще неясен. Но он записал весь ваш разговор в надежде, что это прояснится.

Лэнгдон разинул рот, но не произнес ни слова.

— У него при себе миниатюрный микрофон, — объяснила Софи, — подключенный к передатчику в кармане. И все радиосигналы передавались на командный пост в кабинет куратора.

— Нет, это просто невозможно, — пробормотал Лэнгдон. — И потом, у меня есть алиби. Сразу после лекции я отправился в гостиницу. Можете спросить внизу, у портье за стойкой.

— Фаш уже спрашивал. И в его отчете указано, что вы взяли ключ от номера примерно в десять тридцать. Увы, время убийства определено достаточно точно. И произошло оно около одиннадцати. Так что вы вполне могли выйти из номера незамеченным.

— Нет, это просто безумие какое-то! У Фаша нет доказательств!

Глаза Софи удивленно округлились, точно она собиралась спросить: *Как это нет доказательств?*

— Но, мистер Лэнгдон, ваше имя написано на полу, рядом с телом. К тому же в дневнике Соньера найдена запись о том, что вы договаривались встретиться. И время встречи совпадает со временем убийства. Да у Фаша было более чем достаточно оснований взять вас под стражу. И привезти в управление для допроса, — добавила она.

Тут Лэнгдон понял, что без адвоката ему не обойтись.

— Я этого не делал.

Софи вздохнула:

— Это вам не американский телесериал, мистер Лэнгдон. Во Франции закон защищает полицейских, а не преступников. К сожалению, в данном конкретном случае надо еще учитывать и реакцию средств массовой информации. Жак Соньер был весьма известным и уважаемым в Париже человеком, его многие любили. А потому новостью номер один завтра станет его убийство. И на Фаша начнут давить, заставляя сделать заявление для прессы, а потому в его же интересах уже иметь наготове хотя бы одного задержанного подозреваемого.

Лэнгдон почувствовал, что загнан в угол.

— Но почему вы говорите мне все это?

— Потому, мистер Лэнгдон, что я верю в вашу невиновность. — Софи на мгновение отвернулась, потом снова посмотрела ему прямо в глаза. — А также потому, что это отчасти по моей вине вы попали в эту переделку.

— Простите, не понял... Выходит, это вы виноваты в том, что Соньер подставил меня?

— Да не подставлял он вас. Просто произошла ошибка. Это послание на полу... оно было предназначено мне.

Лэнгдону никак не удавалось осмыслить услышанное.

— Простите?..

— Послание было предназначено не для полиции. Он оставил его *мне*. Думаю, в те минуты он так спешил, что не осознавал, как это будет выглядеть в глазах полиции. — Она на миг умолкла. —

Цифровой код не имеет никакого смысла. Соньер написал его просто для того, чтобы быть уверенным, что в расследовании будут задействованы криптографы. И чтобы именно *я* поскорее узнала о том, что с ним случилось.

У Лэнгдона голова пошла кругом. Он еще не разобрался, в своем Софи уме или нет, но по крайней мере теперь точно знал, что она хочет помочь ему. Этот постскриптум, «найти Роберта Лэнгдона»... Она сочла его приказом, последней предсмертной волей куратора, и разыскала Роберта Лэнгдона.

— Но с чего вы взяли, что он оставил послание вам?

— «Витрувианский человек», — просто ответила она. — Этот рисунок всегда был моим самым любимым из всех работ Леонардо да Винчи. Вот он и использовал его, чтобы привлечь мое внимание.

— Погодите. Выходит, куратор знал ваши вкусы?

Она кивнула:

— Извините. Надо было рассказать все по порядку. Дело в том, что Соньер и я...

Тут Софи умолкла, и Лэнгдон уловил в ее голосе печаль и сожаление о прошлом. Очевидно, Софи и Жака Соньера связывали какие-то особые отношения. Лэнгдон посмотрел на стоявшую перед ним красивую женщину и напомнил себе, что во Франции пожилые мужчины часто заводят молодых любовниц. Хотя слово «завести» как-то не слишком гармонировало с характером Софи Невё.

— Мы поссорились лет десять назад, — шепотом произнесла Софи. — И с тех пор почти не разговаривали. Но сегодня, когда в отдел позвонили и сообщили, что Соньер убит, а потом прислали снимки, я сразу поняла: он оставил это послание мне.

— Потому что изобразил собой «Витрувианского человека»?

— Да. И еще эти буквы — P.S.

— Постскриптум?

Она покачала головой:

— Нет. Это мои инициалы.

— Но ведь вы Софи Невё.

Она опустила глаза:

— П. С. — это прозвище. Так он меня называл, когда мы жили вместе. — Она слегка покраснела. — Сокращенно от Принцесса Софи.

Лэнгдон не знал, что и сказать.

— Глупо, я понимаю, — добавила она. — Но так он называл меня давным-давно. Когда я была совсем маленькой девочкой.

— Так вы давным-давно с ним знакомы?..

— Да, и очень даже хорошо знакомы. — На глазах ее выступили слезы. — Дело в том, что Жак Соньер — мой дед.

Лэнгдон понял, что сглупил.

— Тайн, я понимаю, — забормотал Фаш. — Но так он признал меня виновным... когда я дала себе труд предъявить весомые...

— Вы виновны, допускали движимы...

— Да, я согласен... хорошо видно на... — На тыльной стороне... выписан... — Где то в том, что Жак Соньер тем же...

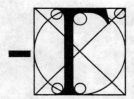 де Лэнгдон? — входя в кабинет, осведомился Фаш и сильно затянулся напоследок сигаретой.

— Все еще в туалете, сэр, — ответил лейтенант Колле, покосившись на экран.

— Застрял, — проворчал Фаш.

Чтобы удостовериться лично, он взглянул через плечо Колле на монитор. Красная точка была на месте и мерцала. Фаш с трудом поборол желание пойти и проверить, что там делает Лэнгдон. Вообще-то в идеале объекту слежки лучше предоставлять максимум свободы в передвижениях, это усыпляет подозрения. Лэнгдон должен вернуться по собственной воле. Однако прошло уже десять минут.

Слишком долго.

— Есть шанс, что он обнаружил слежку? — спросил Фаш.

Колле покачал головой:

— Вряд ли. В туалете наблюдаются небольшие перемещения, так что прибор все еще при нем. Может, ему плохо? Если бы он нашел маячок, то выбросил бы его и попытался бежать.

Фаш взглянул на наручные часы:

— Что ж, прекрасно. Тогда подождем.

Но похоже, сомнения продолжали терзать его. Весь вечер Колле чувствовал, что капитан как-то особенно напряжен, а это было для него нетипично. Обычно сосредоточенный и сдержанный, Фаш проявлял сегодня излишнюю эмоциональность, точно это дело имело для него какое-то особое личное значение.

И неудивительно, подумал Колле. *Фашу позарез нужно аресто-вать подозреваемого.* Совсем недавно кабинет министров и сред-ства массовой информации открыто критиковали агрессивную тактику Фаша, его постоянные столкновения с посольствами ря-да иностранных государств, огромные перерасходы его ведомст-ва на новые технологии. Сегодня произведенный с помощью этих самых высоких технологий арест американца мог бы надол-го заткнуть рот всем этим критикам. И это помогло бы Фашу еще несколько лет спокойно заниматься своей работой, а потом с почетом уйти и получить пенсию, весьма и весьма высокую. *А она ему ой как нужна, эта пенсия,* подумал Колле. Судя по слухам, несколько лет назад Фаш вложил все свои сбережения в какую-то компанию по развитию новых технологий и потерял все, до по-следней рубашки. *А Фаш из тех, кто носит только самые лучшие рубашки.*

Ничего, время у них еще есть. Правда, несколько помешало незапланированное вторжение Невё, но это мелочи. Сейчас она ушла, и Фаш еще не разыграл свою главную карту. Еще не сооб-щил Лэнгдону о том, что его имя красовалось на полу рядом с те-лом жертвы. *P.S. Найти Роберта Лэнгдона.* Можно только пред-ставить, какая реакция будет у американца, когда ему продемон-стрируют эту улику.

— Капитан! — позвал Фаша один из агентов. — Думаю, вам следует ответить на этот звонок. — Он держал в руке телефон-ную трубку, и лицо у него было встревоженное.

— Кто это? — спросил Фаш.

Агент нахмурился:

— Директор отдела криптографии.

— И что?..

— Это касается Софи Невё, сэр. Что-то с ней не так.

ГЛАВА 15

ора.

Сайлас вышел из черной «ауди», ночной бриз раздувал его просторную сутану. *Дует ветер перемен.* Он знал, что предстоящее задание потребует от него не столько силы, сколько ловкости и ума, а потому оставил автоматический пистолет в машине. Тринадцатизарядный «хеклер-и-кох» предоставил ему Учитель.

Смертоносному оружию не место в доме Господнем.

В этот поздний час на площади перед церковью было безлюдно, лишь пара тинейджеров в дальнем ее конце демонстрировала перед машинами с припозднившимися туристами свой товар — сувениры из керамики. Созерцание хрупких фигур юноши и девушки вызвало у Сайласа хорошо знакомое томление плоти. Но порыв был тут же подавлен: одно неловкое движение — и подвязка с шипами больно врезалась в бедро.

Желание тут же пропало. Вот уже на протяжении десяти лет Сайлас отказывал себе в плотских наслаждениях, даже онанизмом не занимался. Таков был закон «Пути». Он знал, что пожертвовал многим ради «Опус Деи», но был уверен, что получит взамен гораздо больше. Бремя воздержания нести не так уж и тяжело. Он даже по-своему радовался воздержанию: это менее суровое испытание по сравнению с нищетой, в которой он жил, и с сексуальными домогательствами, от которых страдал в тюрьме.

Впервые вернувшись во Францию после ареста и тюремного заключения в Андорре, Сайлас чувствовал, что родная земля испытывает его, пробуждает в душе самые жестокие воспоминания. *Ты родился заново*, напомнил он себе. Сегодня служение Господу требовало совершить грех, убийство, но это было жертвой во славу того же Господа, и Сайлас знал, что ему за это воздастся.

Мера веры твоей — это мера боли, которую ты можешь вынести, так говорил ему Учитель. Что такое боль, Сайлас знал хорошо и стремился доказать Учителю, что ему все нипочем, если поступками его движет высшая сила.

— Hago la obra de Dios*, — прошептал Сайлас и двинулся к входу в церковь.

Остановившись в тени массивных дверей, он глубоко втянул ртом воздух. Лишь сейчас со всей ясностью он понял, что должен сделать и что ждет его внутри.

Краеугольный камень. Он приведет нас к цели.

И вот, подняв белую, как у призрака, руку, он трижды постучал в дверь.

Через минуту послышался грохот отпираемых запоров. Огромная дверь отворилась.

---

* Я делаю богоугодное дело *(исп.)*.

ГЛАВА 16

нтересно, подумала Софи, сколько времени понадобится Фашу, чтобы понять: из здания Лувра она не выходила? Лэнгдон был просто потрясен новым известием, и она в очередной раз усомнилась, что поступила правильно, загнав его сюда и поделившись информацией.

Но что еще мне было делать?

Она представила своего деда, как он лежит на полу голый, с нелепо раздвинутыми руками и ногами. Когда-то он был для нее всем, но сегодня Софи, к своему удивлению, вдруг поняла, что не испытывает особой жалости к этому человеку. Жак Соньер давно стал для нее чужим. Их отношениям пришел конец, когда ей было двадцать два, и разрушились они в одночасье. *Десять лет назад.* Тем мартовским вечером Софи вернулась домой из Англии, где училась в университете, на несколько дней раньше, чем ожидалось, и застала деда врасплох. И то, чем он занимался... она не должна была этого видеть, и лучше бы не видела никогда. Эта сцена так до сих пор и стоит перед глазами.

Ни за что бы не поверила, если бы не видела собственными глазами...

Не слушая лепет Соньера, беспомощно пытавшегося объясниться, Софи, потрясенная и сгорающая от стыда, тут же покинула дом, забрав свои сбережения. И сняла маленькую квартирку, где поселилась с подругой. Она поклялась никому не говорить о том, что видела. Дед отчаянно искал примирения, посылал открытки и письма, умолял Софи о встрече, хотел объяснить. *Но как можно объяснить такое?!* Софи ответила лишь раз: просила ее больше не беспокоить, запретила деду звонить и встречаться с ней на людях. Она боялась, что объяснение окажется еще более ужасным, чем сам поступок.

Но Соньер не сдавался, и в ящике комода у Софи хранилась целая гора нераспечатанных писем. Впрочем, Соньеру надо было отдать должное: он ни разу не позвонил ей и не пытался встретиться на людях.

До сегодняшнего дня.

— Софи? — Голос в автоответчике звучал совсем по-стариковски. — Я достаточно долго выполнял твое пожелание не звонить... и поверь, решиться было трудно. Но я должен с тобой поговорить. Случилось нечто ужасное.

Сердце у Софи екнуло — так странно было снова услышать его голос после всех этих лет. А мягкий умоляющий тон навеял воспоминания о детстве.

— Софи, пожалуйста, выслушай меня, — говорил он с ней по-английски. Он всегда говорил с ней по-английски, когда она была еще совсем маленькой девочкой. *Французским будешь заниматься в школе. А практиковаться в английском лучше дома.* — Нельзя же вечно сердиться на меня. Ты читала письма, которые я посылал тебе все эти годы? Неужели так ничего и не поняла? — Он на секунду умолк. — Мы должны встретиться и поговорить. Сейчас же, немедленно. Сделай милость, подари своему деду немного времени. Перезвони мне в Лувр прямо сейчас. Кажется, нам с тобой угрожает серьезная опасность.

Софи с недоумением взирала на автоответчик. *Опасность?* О чем это он?..

— Принцесса... — Голос деда дрожал, и Софи никак не могла понять, чем это вызвано. — Знаю, я утаивал от тебя многое, понимаю, что это стоило мне твоей любви. Но я поступал так ради твоей же безопасности. Теперь ты должна узнать всю правду. Пожалуйста, давай встретимся. Я должен рассказать тебе правду о твоей семье.

Софи почувствовала, как бешено забилось у нее сердце. *О моей семье?* Но родители Софи умерли, когда ей было всего четыре года. Машина сорвалась с моста и упала в реку. В машине, помимо отца и матери, находились еще бабушка и младший братишка Софи, и она разом потеряла всю семью. В коробке у нее хранились газетные вырезки, подтверждавшие это.

Слова дела вызвали прилив тоски. *Моя семья!* Софи вспомнился сон, от которого она так часто просыпалась в детстве. Она ждет своих родителей, знает, что они должны скоро приехать. И всякий раз она просыпалась с мыслью: *Они живы! Они возвращаются домой!* И всякий раз сон кончался одним и тем же, а родные милые лица исчезали, точно в тумане, проваливались в забвение.

Вся твоя семья погибла, Софи. Родные никогда не вернутся.

— Софи, — в автоответчике снова звучал голос деда, — я ждал много лет, ждал подходящего момента, когда можно будет тебе сказать. Но теперь время вышло. Позвони мне в Лувр. Сразу же, как только услышишь это послание. Буду ждать всю ночь. Боюсь, мы оба в опасности. Тебе обязательно надо узнать...

На этом послание обрывалось.

Софи стояла посреди кухни и чувствовала, как ее сотрясает мелкая дрожь. Она думала о послании деда, и в голову ей пришло одно лишь приемлемое объяснение.

Это уловка.

Очевидно, деду страшно хотелось увидеть ее. Он все перепробовал. И вот теперь... это. Презрение и отвращение к этому человеку лишь усилились. Потом Софи подумала: может, он серьезно болен и хочет использовать любую возможность, чтобы увидеть внучку в последний раз. Если так, то придумано очень умно.

Моя семья.

Софи стояла в полутьме мужского туалета, и в ушах ее звучали отрывки из дневного послания деда. *Мы оба в опасности, Софи. Позвони мне.*

Она не позвонила. Даже не собиралась. Теперь на смену скептицизму пришли другие, столь же безрадостные мысли. Ее дед был убит в стенах музея. Но он успел оставить на полу загадочное послание.

Послание для *нее.* В этом она была уверена.

Софи не понимала значения этого послания, но тем не менее была уверена: сам факт, что дед зашифровал его, указывал на то, что последние его слова предназначались ей. Страстный интерес к криптографии развился у Софи во многом благодаря тому, что она росла и воспитывалась рядом с Жаком Соньером. Тот и сам был просто фанатом разных кодов, шифров, головоломок и игр в слова. *Сколько воскресений провел он за составлением криптограмм и разгадыванием кроссвордов в газетах!*

Уже в двенадцать лет Софи не составляло труда разгадать любой кроссворд из «Ле монд» без посторонней помощи, а дед стал приучать ее решать английские кроссворды, различные математические головоломки и учить основам шифрования. Софи щелкала все эти задачки как орешки. Не случайно она выбрала себе такую профессию, стала шифровальщицей в Центральном управлении судебной полиции.

И вот сегодня Софи с чисто профессиональной точки зрения не могла не оценить придумку, с помощью которой ее дед использовал простой код с целью свести двух совершенно незнакомых людей — Софи Невё и Роберта Лэнгдона.

Но с какой целью?

Судя по растерянному взгляду Роберта Лэнгдона, Софи поняла, что и американец тоже не имеет об этом ни малейшего представления.

— Вы собирались встретиться сегодня с моим дедом, — сказала она. — Зачем?

Теперь Лэнгдон растерялся вконец.

— Его секретарша назначила встречу и, когда звонила, причин не называла, а я не спрашивал. Очевидно, он просто слышал, что я буду выступать с лекцией по языческой иконографии французских соборов, вот и заинтересовался этой темой. Ну и счел, что нам было бы неплохо встретиться, посидеть, поболтать за выпивкой.

Софи не верилось в это объяснение. Никакой связи не прослеживалось. Да ее дед знал о языческой иконографии больше любого другого специалиста в этой области. К тому же Жак Соньер был исключительно замкнутым человеком, вовсе не расположенным проводить время в пустопорожней болтовне с залетными американскими профессорами. Разве только у него была веская причина...

Софи вздохнула и решилась на откровенность:

— Дед звонил мне сегодня днем. И сказал, что мы с ним в опасности. Вы имеете представление, что бы это могло означать?

Синие глаза Лэнгдона смотрели встревоженно.

— Нет, но с учетом того, что произошло...

Софи кивнула. С учетом сегодняшних событий она была бы полной идиоткой, если б не испытывала страха. Она подошла к маленькому окошку с зеркальным стеклом и выглянула на улицу сквозь переплетение тонких сигнальных проводков, вмонтированных в стекло. Они находились высоко — футах в сорока от земли.

Софи вздохнула и продолжила разглядывать открывшийся перед ней вид. Слева, через Сену, высилась ярко освещенная Эйфелева башня. Прямо впереди — Триумфальная арка. А справа, на полого закругленном холме Монмартра, виднелись изящные очертания собора Сакре-Кёр — казалось, отполированный белый камень сам излучал свечение.

Они находились в самой дальней, западной части крыла Денон, граничащей с самой оживленной частью площади Карузель. Несмотря на поздний час, здесь до сих пор сновали автомобили, а узенький тротуар примыкал вплотную к внешней стене Лувра. Грузовые автомобили, развозящие по ночам товары, стояли на светофоре в ожидании, когда включится зеленый, казалось, что красные хвостовые огни насмешливо подмигивают Софи.

— Не знаю, что и сказать. — Лэнгдон подошел и стал рядом с ней. — Ваш дедушка пытался что-то передать нам, это очевидно. Вы уж простите, но тут я мало чем могу помочь.

Софи отвернулась от окошка. В голосе Лэнгдона звучало искреннее сожаление. Несмотря на все свалившиеся на его голову неприятности, он действительно хотел помочь. *В нем говорит учитель*, подумала она. Софи прочла подготовленные судебной полицией материалы на Лэнгдона. Он был ученым, а истинные ученые не переносят недопонимания.

Общая для нас черта, подумала она.

Будучи специалистом по шифровке, Софи зарабатывала на жизнь, находя смысл в совершенно бессмысленных на первый взгляд данных. И подозревала сейчас, что Роберт Лэнгдон, возможно, сам того не осознавая, владеет крайне нужной ей информацией. *Принцесса Софи. Найти Роберта Лэнгдона.* Кажется, яснее не скажешь. Софи нужно время, чтобы понять, что ей может дать Лэнгдон. Время для размышлений. Время разобраться в этой таинственной истории вдвоем. Увы, время это истекало с катастрофической скоростью.

И она поняла, что у нее только один выход. Подняла на Лэнгдона глаза и сказала:

— Безу Фаш может арестовать вас в любую минуту. Я могу вывести вас из музея. Но мы должны действовать сообща.

Глаза Лэнгдона округлились.

— Вы что же, предлагаете мне бежать?

— Это лучшее, что вы можете сделать. Если Фаш заберет вас сейчас, вы проведете во французской тюрьме много недель или даже месяцев. Пока наше управление и посольство США будут ломать копья в суде. Но если мы сможем выскользнуть отсюда и добраться до вашего посольства, тогда американское правительство будет защищать ваши права. А я попробую доказать, что вы не причастны к убийству.

Похоже, ее слова совсем не убедили Лэнгдона.

— И думать нечего! У Фаша вооруженная охрана на каждом входе и выходе. Даже если нас не пристрелят при попытке к бегству, сам побег будет выглядеть подозрительно, послужит еще одним доказательством моей вины. Вы должны сказать Фашу, что надпись на полу предназначалась для вас. И тот факт, что Соньер упомянул мое имя, не является обвинением.

— Я обязательно сделаю это, — торопливо пообещала Софи, — но только после того, как вы окажетесь в безопасности, в американском посольстве. Отсюда до него всего миля, у подъезда припаркована моя машина. Вести переговоры с Фашем здесь, в Лувре, рискованно. Неужели вы не понимаете? Сегодня Фаш постарается сделать все, чтобы доказать вашу вину. И единственная причина, по которой он тянул с арестом, связана с надеждой обнаружить новые улики против вас.

— Вот именно. Надежда эта оправдается, если я сбегу.

Тут вдруг в кармане свитера Софи зазвонил мобильный телефон. *Может, Фаш?* Она сунула руку в карман и выключила мобильник.

— Мистер Лэнгдон, — продолжила она, — мне необходимо задать вам один, последний вопрос. — *Возможно, от этого зависит вся ваша дальнейшая жизнь.* — Надпись на полу не является прямым доказательством вашей вины, однако Фаш сказал нашим людям, что вы и есть первый и основной подозреваемый. Подумайте, возможно, существует еще какая-то причина, по которой он считает, что вина лежит на вас?

Помолчав несколько секунд, Лэнгдон ответил:

— Нет, не знаю. Не вижу никакой другой причины.

Софи вздохнула. *Это означает, что Фаш лжет.* А вот по какой причине, Софи не знала, и вряд ли это удастся выяснить сейчас. Ясно одно: Безу Фаш твердо вознамерился засадить Лэнгдона за решетку сегодня же, причем любой ценой. Но Лэнгдон был нужен самой Софи, и потому существовал всего один выход.

Необходимо доставить Лэнгдона в американское посольство.

Повернувшись к окошку, Софи всмотрелась в паутину проводов сигнализации, потом еще раз прикинула расстояние до земли. Да, сорок футов — это не шутка. Прыжок с такой высоты грозит Лэнгдону переломом обеих ног. И это еще самый оптимистический расклад.

И тем не менее Софи приняла решение.

Роберт Лэнгдон должен исчезнуть из Лувра, хочет он этого или нет.

ГЛАВА 17

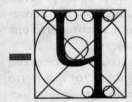то это значит — она не отвечает? — возмущенно спросил Фаш. — Вы уверены, что правильно набрали номер? Я знаю, телефон у нее всегда при себе.

Колле пытался дозвониться Софи вот уже несколько минут.

— Может, у нее батарейка сдохла. Или она отключилась.

После разговора с директором отдела криптографии Фаш выглядел озабоченным. Повесив трубку, он подошел к Колле и велел срочно связаться с агентом Невё. Но связаться никак не удавалось, и теперь Фаш метался по кабинету, точно лев в клетке.

— А зачем звонили из отдела? — поинтересовался Колле.

Фаш резко развернулся к нему:

— Сказать, что они не обнаружили никакой связи между родичами идола и всякими там минами зла.

— И все?

— Нет. Еще сказали, что идентифицировали набор цифр как последовательность Фибоначчи и что, судя по всему, никакого особого смысла тут не просматривается.

Колле был растерян.

— Но ведь они уже прислали агента Невё сообщить нам это.

Фаш покачал головой:

— Невё они не посылали.

— Что?!

— Директор сказал, что как только от нас поступили материалы, он собрал всю команду и засадил за работу. А когда прибы-

ла агент Невё, она лишь взглянула на снимки Соньера и кода и
тут же, не говоря ни слова, вышла из офиса. Директор сказал, что
не может ее упрекать. Такое поведение было продиктовано тем,
что она очень расстроилась, увидев эти снимки.

— Расстроилась? Она что, никогда не видела снимков мертве-
цов?

Помолчав, Фаш ответил:

— Я этого не знал, да и директор тоже, по крайней мере до тех
пор, пока его не уведомил один из сотрудников. Дело в том, что
Софи Невё приходится Жаку Соньеру внучкой.

Колле лишился дара речи.

— Директор сказал, она ни разу не упоминала об их родстве.
И решил, что Невё поступала так из скромности. Просто не хотела, чтобы к ней проявляли снисхождение лишь потому, что она
доводится внучкой такому знаменитому человеку.

Неудивительно, что она так расстроилась из-за этих снимков,
подумал Колле. Он счел неприятным совпадением тот факт, что
эту молодую женщину вызвали расшифровывать послание, ос-
тавленное трагически погибшим родственником. Но все равно
поступки ее были лишены смысла.

— А ведь она сразу поняла, что цифры, написанные Соньер-
ром, являются последовательностью Фибоначчи, так как приехала
ла и сказала нам об этом. И лично мне непонятно, почему она
ушла из отдела, не сообщив об этом своим коллегам.

Колле пришло в голову лишь одно приемлемое объяснение:
Соньер написал этот цифровой код на полу в надежде, что Фаш
тут же задействует в расследовании криптографов, а стало быть,
и его внучку. Так, может, и остальная часть послания есть не что
иное, как способ передать ей какие-то сведения? Если да, то какие? И при чем здесь Лэнгдон?

Но не успел Колле хорошенько поразмыслить об этом, как
тишину музея взорвал вой сирены. Где-то в недрах Большой галереи сработала сигнализация.

— Тревога! — крикнул один из агентов, сверившись с показа-
телями приборов. — В Большой галерее! В мужском туалете!

Фаш подскочил к Колле:

— Где Лэнгдон?

— Все еще в туалете, — ответил тот и указал на мерцающую
красную точку на экране монитора. — Должно быть, он разбил

окно! — Колле и подумать не мог, что Лэнгдон решится на это. Хотя в Париже правила противопожарной безопасности требовали, чтобы все окна в общественных зданиях, находящиеся на высоте свыше пятнадцати метров, можно было разбить в случае пожара, выпрыгивать из окна второго этажа Лувра было бы самоубийством. Кроме того, в той стороне крыла под окнами нет ни кустарников, ни травы, способных смягчить удар при падении. Прямо под окнами туалетов часть площади с двусторонним движением. — Бог мой! — воскликнул Колле, не сводя глаз с монитора. — Лэнгдон на самом краю подоконника!

Но и Фаш не бездействовал. Выдернув из кобуры револьвер «MR-93», он бросился вон из кабинета.

Колле растерянно следил за экраном монитора. Мигающая красная точка на миг задержалась на подоконнике... и в следующую секунду вышла за периметр здания.

Что происходит? Где Лэнгдон? На подоконнике или...

— Господи! — воскликнул Колле и вскочил. Точка находилась вне стен музея. Вот она задрожала, застыла на мгновение, а затем резко остановилась примерно в десяти ярдах от стен здания.

Колле задвигал мышкой и вызвал на экран монитора карту Парижа. Затем сверился с контрольной системой слежения. Теперь он точно знал место нахождения маячка.

Маячок больше не двигался.

Застыл на площади Карузель.

ГЛАВА 18

аш мчался по лабиринтам Большой галереи, и тут по радиотелефону с ним связался Колле.

— Он выпрыгнул! — проорал Колле в трубку. — Маячок остановился на площади Карузель! Прямо под окном туалета! И больше не двигается. Бог ты мой! Думаю, Лэнгдон покончил жизнь самоубийством.

Фаш слышал его слова, но никак не отреагировал на них. Он продолжал бежать. Казалось, этим коридорам нет конца. Пробегая мимо тела Соньера, он различил в конце галереи свет. Вой сирены становился все громче.

— Стойте, погодите! — снова прозвучал возбужденный голос Колле. — Он двигается! Господи, он жив! Лэнгдон двигается!

Но Фаш продолжал мчаться вперед, проклиная эти бесконечные галереи.

— Лэнгдон движется все быстрее! — возбужденно орал Колле. — Движется через площадь. Так, погодите... он прибавил скорость. Он перемещается с нечеловеческой быстротой!

И вот впереди показались двери туалетов. Теперь голос, доносившийся из радиотелефона, был едва слышен из-за воя сигнализации.

— Должно быть, он в машине! Да, думаю, он в машине. Я не могу...

Тут голос Колле окончательно утонул в шуме сигнализации. А Фаш с револьвером наготове ворвался в мужской туалет. Морщась от пронзительного воя, он принялся осматривать помещение.

В кабинках никого. В комнате с умывальниками — тоже ни души. Глаза Фаша устремились к окну в дальнем конце помещения. Стекло было выбито. Он подбежал и высунулся наружу. Внизу Лэнгдона тоже не было видно. Фаш не представлял, как подозреваемый мог решиться на такое. Ведь если человек прыгает с такой высоты, травма неминуема.

Тут наконец сигнализацию отключили, и голос Колле снова стал слышен:

— ...движется к югу... все быстрее... пересекает Сену по мосту Карузель!

Фаш посмотрел влево. Единственным автомобилем на мосту Карузель был огромный трейлер с прицепом, он направлялся к югу от Лувра. Прицеп был покрыт виниловым тентом, напоминавшим гигантский гамак. Фаш даже вздрогнул, представив себе эту сцену. Очевидно, грузовик всего лишь несколько мгновений назад остановился внизу, прямо под окном, на красный свет, и этот негодяй выпрыгнул.

Безумный риск, подумал Фаш. Ведь Лэнгдон не знал, что лежит в прицепе под тентом. А если там стальные трубы? Или цемент? Пусть даже мусор. Прыжок с высоты сорока футов? Нет, это безумие!

— Маячок смещается, он поворачивает! — кричал Колле в трубку. — Поворачивает к мосту Сен-Пере!

И трейлер действительно сбросил скорость и свернул вправо, к мосту. *Ну и пусть,* подумал Фаш, наблюдая за тем, как грузовик исчезает из виду. Колле уже связался по рации с агентами, дежурившими на улице, по всему периметру здания, и отдал распоряжение преследовать на патрульных машинах трейлер, за перемещением которого помогал следить маячок. Так что как ни старайся...

Игра окончена, подумал Фаш. Через несколько минут трейлер догонят и блокируют. И Лэнгдону некуда будет бежать.

Сунув револьвер обратно в кобуру, он вышел из туалета и связался с Колле:

— Подать машину. Хочу быть рядом, когда его арестуют.

И Фаш торопливо зашагал в обратном направлении, продолжая удивляться, как это Лэнгдон решился на такой риск.

Впрочем, ничего удивительного в том нет.

Он сбежал. А значит, он виновен.

***

Лэнгдон и Софи стояли в темноте, всего в пятнадцати ярдах от туалета, вжавшись спинами в перегородку, что скрывала вход в туалеты из галереи. Едва они успели спрятаться, как мимо них промчался Фаш с револьвером в руке и скрылся в одном из туалетов.

Последние шестьдесят секунд Лэнгдон провел словно в тумане.

Он стоял посреди туалетной комнаты и отказывался бежать с места преступления, которого не совершал, а Софи разглядывала окошко с зеркальным стеклом и проводами сигнализации. Затем она посмотрела вниз, словно прикидывая расстояние до земли.

— Ну, с моей помощью вы сможете выбраться отсюда, — сказала она.

С какой еще помощью? — подумал он. И тоже посмотрел вниз.

На улице, как раз под окном, остановился на красный свет трейлер с прицепом. Корпус последнего был затянут синим виниловым покрытием, скрывавшим от посторонних глаз груз. Не думает же Софи, что он...

— Но, Софи, я никак не смогу прыгнуть. Это равносильно...

— Доставайте маячок.

Лэнгдон нашарил в кармане крошечный металлический диск. Софи схватила его и бросилась к раковине. Взяла большой кусок мыла, положила на него маячок и вдавила так, чтобы он как следует прилип к мылу.

Затем она сунула кусок мыла в руку вконец растерявшемуся Лэнгдону и выдвинула из-под раковины тяжелое цилиндрическое ведро для мусора. Не успел Лэнгдон вымолвить и слова, как она подбежала к окну, держа перед собой ведро, точно таран. Ударила изо всей силы, стекло треснуло.

Их тут же оглушил пронзительный вой сирены.

— Мыло давай! — крикнула Софи.

Лэнгдон сунул кусок мыла ей в руку.

Она выглянула из окна, перегнулась через подоконник и прицелилась. Мишень была достаточно большая и находилась на расстоянии примерно десяти ярдов от стены музея. Когда зажегся желтый, Софи размахнулась и бросила кусок мыла вниз.

Мыло долетело до цели, упало на край винилового покрытия и, как только загорелся зеленый и трейлер тронулся с места, скользнуло вниз, в щель. Затем оно провалилось в кузов.

— Поздравляю, — сказала Софи. Подошла к Лэнгдону, схватила его за руку и устремилась к двери. — Вы только что сбежали из Лувра.

Они вовремя заметили приближение Фаша и нырнули в спасительную тень.

Теперь, когда вой сигнализации стих, Лэнгдон слышал и другие звуки: от Лувра с включенными сиренами отъезжали полицейские автомобили. *Полиция уходит!* Фаш наверняка тоже умчался вместе с остальными.

— Примерно метрах в пятидесяти отсюда есть запасной выход, — сказала Софи. — Теперь, когда охрану сняли, мы сможем выбраться из музея.

Лэнгдон ответил кивком. В словах не было нужды. За краткое время знакомства он успел убедиться в уме и ловкости этой молодой женщины.

ГЛАВА 19

Церковь Сен-Сюльпис не без оснований считалась самым эксцентричным историческим сооружением в Париже. Построенная на развалинах древнего храма египетской богини Исиды, она в архитектурном смысле являлась уменьшенной копией знаменитого собора Нотр-Дам. Святилище это посещали многие знаменитости — здесь бывали баптисты, маркиз де Сад, поэт Бодлер, здесь состоялась свадьба Виктора Гюго. В церковной школе были собраны документы, свидетельствующие о далеких от ортодоксальности взглядах многих ее прихожан, она же некогда служила местом встреч различных тайных обществ.

Сейчас неф Сен-Сюльпис был погружен во тьму, в церкви стояла полная тишина, и единственным намеком на то, что храм действующий, был слабый запах ладана, витавший в воздухе после вечерней мессы. Сестра Сандрин провела Сайласа в глубину помещения, и по ее поведению и походке он почувствовал, что она нервничает. Впрочем, он не удивился. Сайлас уже давно привык к тому, что его необычная внешность вселяет в людей смятение.

— Вы американец? — спросила она.

— По рождению — француз, — ответил Сайлас. — Принял постриг в Испании, а теперь учусь в Штатах.

Сестра Сандрин кивнула. То была женщина маленького роста с добрыми глазами.

— И вы никогда не видели нашу церковь?

— Считаю это почти грехом.

— Днем она, конечно, гораздо красивее.

— Уверен в этом. И тем не менее страшно благодарен за то, что вы предоставили мне возможность увидеть ее поздним вечером.

— Аббат просил. У вас, очевидно, очень влиятельные друзья.

Ты и понятия не имеешь, насколько влиятельные, подумал Сайлас.

Идя за сестрой Сандрин по главному проходу, Сайлас дивился аскетичности церковного убранства. В отличие от приветливого собора Нотр-Дам с его цветными фресками, позолоченной отделкой алтаря и искусной резьбой по дереву здесь было прохладно и строго, и Сен-Сюльпис напоминала убранством испанские соборы. Отсутствие декора зрительно увеличивало пространство. Сайлас удивленно глазел на деревянные ребра потолочных опор, и ему казалось, что он очутился под перевернутым вверх дном огромным старинным кораблем.

А что, вполне подходящее сравнение, подумал он. Корабль братства того гляди опрокинется и пойдет ко дну. Сайласу не терпелось приняться за работу, но мешало присутствие сестры Сандрин. Расправиться с этой маленькой женщиной ему ничего не стоило, но он поклялся применять силу только в случае крайней необходимости. *Она служительница храма Господня, это не ее вина, что братство выбрало ее церковь и спрятало краеугольный камень именно здесь. Ее не следует наказывать за грехи других.*

— Мне, право, неловко, сестра. Вас разбудили среди ночи...

— Ничего страшного. Вы ведь в Париже проездом. И не повидать нашу церковь никак нельзя. Скажите, ваш интерес лежит в области архитектуры или истории?

— Вообще-то, сестра, все мои интересы лежат в плоскости исключительно духовной.

Она добродушно усмехнулась:

— Это само собой. Спросила просто потому, что не знаю, с чего начать экскурсию.

Сайлас не сводил глаз с алтаря.

— Экскурсия ни к чему. Вы и без того потратили на меня время, сестра. Дальше я как-нибудь сам.

— Не беспокойтесь, — ответила она. — Раз уж я все равно поднялась...

Сайлас остановился. Они дошли до переднего ряда скамей, и алтарь находился всего в пятнадцати ярдах. Всем своим массивным телом Сайлас развернулся к маленькой женщине и заметил, как она вздрогнула, заглянув в его красные глаза.

— Не хочу показаться грубым, сестра, но, знаете, я как-то не привык расхаживать по дому Господню как на экскурсии. Не возражаете, если я помолюсь наедине с нашим Создателем, ну а уж потом осмотрюсь?

— О да, конечно, — ответила сестра Сандрин. — Я подожду, посижу вон там, где-нибудь на задней скамье.

Сайлас опустил мягкую, но тяжелую руку ей на плечо и сказал:

— И без того чувствую себя виноватым, что разбудил вас. И просить остаться было бы слишком. Так что ступайте себе спать. А я вдоволь налюбуюсь вашей церковью, а потом сам найду выход.

Она забеспокоилась:

— А вы уверены, что не будете чувствовать себя покинутым?

— Совершенно уверен. И потом, молитва — это радость, которую не стоит делить ни с кем другим.

— Воля ваша.

Сайлас снял руку с ее плеча.

— Доброй вам ночи, сестра. Храни вас Господь.

— И вас. — Сестра Сандрин направилась к лестнице. — Только, пожалуйста, когда будете выходить, затворите двери поплотнее.

— Непременно. — Сайлас следил за тем, как она поднимается по ступенькам. Потом отвернулся и опустился на колени в первом ряду, чувствуя, как впиваются в плоть шипы.

Господь мой милосердный и всемогущий, Тебе посвящаю работу, которую должен сотворить сегодня...

Высоко над алтарем, в тени хоров, сестра Сандрин исподтишка подглядывала через балюстраду за монахом в сутане, что стоял на коленях перед алтарем. Ужас, овладевший ею, подсказывал, что надо бежать, скрыться. Может, этот таинственный гость, подумала она, и есть тот враг, о котором ее предупреждали. Может, именно сегодня ей придется исполнить клятву, данную много лет назад. Но пока что она решила остаться здесь, в темноте, и следить за каждым его шагом.

ГЛАВА 20

ыйдя из тени перегородки, Лэнгдон с Софи бесшумно двинулись по опустевшей Большой галерее к пожарной лестнице.

Лэнгдон шел и раздумывал еще над одной загадкой. Этот новый поворот в череде таинственных событий страшно беспокоил его. *Капитан судебной полиции пытается пришить мне убийство. Зачем?*

— Как думаете, — прошептал он, — может, это Фаш написал послание на полу?

Софи даже не обернулась.

— Нет, это невозможно.

А вот Лэнгдон не был уверен.

— Но он просто из кожи вон лезет, чтобы упрятать меня за решетку. Может, он приписал мое имя в надежде, что это станет веской уликой?

— Что именно? Последовательность Фибоначчи? Постскриптум? Все эти штучки да Винчи и символизм? Нет, на такое был способен только мой дед.

Лэнгдон понимал: она права. Ведь символика всех ключей к разгадке сведена воедино очень умелой рукой — пятиконечная звезда, знаменитый рисунок да Винчи, символ богини, даже последовательность Фибоначчи. *Последовательный набор символов*, так бы сказали ученые. Все тесно связано воедино.

— И еще сегодняшний звонок, — напомнила Софи. — Ведь он говорил, что хочет рассказать мне что-то очень важное. Уверена, послание на полу Лувра — не что иное, как последняя попытка деда сообщить мне что-то важное. И только вы способны помочь мне понять, что именно.

Лэнгдон нахмурился. *На вид идола родич! О мина зла!* Нет, смысл этих строк был ему совершенно непонятен, разобраться в нем он пока бессилен, пусть даже от этого зависит жизнь Софи, да и его собственная тоже. Все только осложнялось с каждой минутой с того момента, как он увидел эти загадочные слова. И имитация прыжка из окна тоже не добавит Лэнгдону доверия Фаша. Он сомневался, что капитан оценит юмор, обнаружив в прицепе трейлера кусок мыла вместо главного подозреваемого.

— Выход уже недалеко, — сказала Софи.

— Как вам кажется, могут цифры в послании вашего деда оказаться ключом к пониманию других строк? — Однажды Лэнгдону довелось работать над старинной рукописью, где эпиграфы содержали шифры и определенные строчки в них служили кодами к расшифровке остальных строк.

— Я весь вечер ломала голову над этими цифрами. Суммы, равенства, производные. Ничего не получается. С чисто математической точки зрения они выбраны наугад. Криптографическая бессмыслица.

— Однако они являются частью последовательности Фибоначчи. Это не может быть простым совпадением.

— Да, это не случайное совпадение. Используя последовательность Фибоначчи, дед как бы подавал мне сигнал. Впрочем, и остальное тоже служило сигналом: то, что послание было написано по-английски; расположение тела, копирующее мой любимый рисунок; пятиконечная звезда. Все ради того, чтобы привлечь мое внимание.

— А что именно говорит вам пентакл?

— Ах да, я не успела вам сказать. Пятиконечная звезда еще в детстве была для меня с дедом особым символом. Мы играли в карты таро, и моя указующая карта всегда оказывалась из набора пентаклов. Уверена, дед мне подыгрывал, но с тех пор пентакл имел для нас особый смысл.

Лэнгдон удивился. *Они играли в таро?* Эта средневековая карточная игра была наполнена такой потайной еретической символикой, что Лэнгдон посвятил ей отдельную главу в своей новой рукописи. Игры в двадцать две карты назывались «Папесса», «Императрица» и «Звезда». Изначально карты таро были придуманы как средство тайного распространения мировоззрений, чуждых Церкви и запрещенных ею. Теперь мистические свойства карт использовались в основном гадалками.

Указующий набор в картах таро использовался для обозначения божественной сути женского начала, подумал Лэнгдон. *И все опять сводится к пятиконечной звезде.*

Они добрались до пожарного выхода, и Софи осторожно приоткрыла дверь на лестничную площадку. Сигнализация на этот раз не включилась. Лишь внешние двери музея были снабжены сигнализацией. Они с Лэнгдоном начали спускаться по узким пролетам, с каждым шагом прибавляя скорость.

— Ваш дед, — сказал Лэнгдон, едва поспевая за Софи, — когда он говорил вам о пятиконечной звезде, то, случайно, не упоминал о поклонении богине или о каких-либо запретах Католической церкви?

Софи покачала головой:

— Меня куда больше интересовало другое. Математика «божественных пропорций», число PHI, всякие там последовательности Фибоначчи и так далее.

Лэнгдон удивился:

— Ваш дедушка объяснял вам, что такое число PHI?

— Да, конечно. Так называемая божественная пропорция. — На лице ее возникла улыбка. — Он даже шутил... говорил, что я полубожественное создание, ну, из-за букв в моем имени.

Лэнгдон не сразу понял, но затем до него дошло. Он даже тихонько застонал.

Да, конечно же! Со-фи*!..

Продолжая спускаться вниз, он сосредоточился на этом PHI. И начал понимать, что подсказки Соньера носят более последовательный характер, чем могло показаться сначала.

Да Винчи... последовательность Фибоначчи... пентакл...

Неким непостижимым образом их связывала одна из самых фундаментальных концепций в истории искусств, рассмотрению которой он, Лэнгдон, даже посвящал несколько лекций на своем курсе.

PHI.

---

* Звук «ф» в латинском написании имени «Софи» передается буквами PHI (Sophie).

Мысленно он перенесся в Гарвард, увидел себя перед аудиторией. Вот он поворачивается к доске, где мелом выведена тема «Символизм в искусстве». И пишет под ней свое любимое число:

1,618

А затем оборачивается и ловит любопытные взгляды студентов.

— Кто скажет мне, что это за число?

Сидящий в последнем ряду длинноногий математик Стетнер поднимает руку.

— Это число PHI. — Произносит он его как «фи-и».

— Молодец, Стетнер, — говорит Лэнгдон. — Итак, прошу познакомиться, число PHI.

— И не следует путать его с «пи», — с ухмылкой добавляет Стетнер. — Как говорят у нас, математиков, буква «H» делает его гораздо круче!

Лэнгдон смеется, но, похоже, никто другой не оценил шутки. Стетнер опускается на скамью.

— Число PHI, — продолжает Лэнгдон, — равное одной целой шестистам восемнадцати тысячным, является самым важным и значимым числом в изобразительном искусстве. Кто скажет мне — почему?

Стетнер и тут не упускает случая пошутить:

— Потому, что оно такое красивое, да?

Аудитория разражается смехом.

— Как ни странно, — говорит Лэнгдон, — но Стетнер снова прав. Число PHI, по всеобщему мнению, признано самым красивым во вселенной.

Смех стихает, Стетнер явно торжествует.

Лэнгдон готовит проектор для слайдов и объясняет, что число PHI получено из последовательности Фибоначчи, математической прогрессии, известной не только тем, что сумма двух соседних чисел в ней равна последующему числу, но и потому, что *частное* двух соседствующих чисел обладает уникальным свойством — приближенностью к числу 1,618, то есть к числу PHI!

И далее Лэнгдон объясняет, что, несмотря на почти мистическое происхождение, число PHI сыграло по-своему уникальную роль. Роль кирпичика в фундаменте построения всего живого на земле. Все растения, животные и даже человеческие существа наделены физическими пропорциями, приблизительно равными корню от соотношения числа PHI к 1.

— Эта вездесущность PHI в природе, — продолжает Лэнгдон и выключает свет в аудитории, — указывает на связь всех живых существ. Раньше считали, что число PHI было предопределено Творцом вселенной. Ученые древности называли одну целую шестьсот восемнадцать тысячных «божественной пропорцией».

— Подождите, — говорит молодая девушка, сидящая в первом ряду, — я учусь на последнем курсе биологического факультета. И лично мне никогда не доводилось наблюдать «божественной пропорции» в живой природе.

— Нет? — усмехнулся Лэнгдон. — Даже при изучении взаимоотношений мужских и женских особей в пчелином рое?

— Само собой. Ведь там женские особи численно всегда намного превосходят мужские.

— Правильно. А известно ли вам, что если в любом на свете улье разделить число женских особей на число мужских, то вы всегда получите одно и то же число?

— Разве?

— Да, представьте. Число PHI.

Девушка раскрывает рот:

— БЫТЬ ТОГО НЕ МОЖЕТ!

— Очень даже может! — парирует Лэнгдон. Улыбается и вставляет в аппарат слайд с изображением спиралеобразной морской раковины. — Узнаете?

— Это наутилус, — отвечает студентка. — Головоногий моллюск, известен тем, что закачивает газ в раковину для достижения плавучести.

Лэнгдон кивает:

— Правильно. А теперь попробуйте догадаться, каково соотношение диаметра каждого витка спирали к следующему?

Девушка неуверенно разглядывает изображение спиралеобразной раковины моллюска.

Лэнгдон кивает:

— Да, да. Именно. PHI. «Божественная пропорция». Одна целая шестьсот восемнадцать тысячных к одному.

Девушка изумленно округляет глаза.

Лэнгдон переходит к следующему слайду, крупному плану цветка подсолнечника со зрелыми семенами.

— Семена подсолнечника располагаются по спиралям, против часовой стрелки. Догадайтесь, каково соотношение диаметра каждой из спиралей к диаметру следующей?

— PHI? — хором спрашивают студенты.

— Точно! — И Лэнгдон начинает демонстрировать один слайд за другим — спиралеобразно закрученные листья початка кукурузы, расположение листьев на стеблях растений, сегментационные части тел насекомых. И все они в строении своем послушно следуют закону «божественной пропорции».

— Поразительно! — восклицает кто-то из студентов.

— Да, — раздается еще чей-то голос, — но какое отношение все это имеет к искусству?

— Ага! — говорит Лэнгдон. — Рад, что вы задали этот вопрос.

И он показывает еще один слайд, знаменитый рисунок Леонардо да Винчи, изображающий обнаженного мужчину в круге. «Витрувианский человек», так он был назван в честь Маркуса Витрувия, гениального римского архитектора, который вознес хвалу «божественной пропорции» в своих «Десяти книгах об архитектуре».

— Никто лучше да Винчи не понимал божественной структуры человеческого тела. Его строения. Да Винчи даже эксгумировал трупы, изучая анатомию и измеряя пропорции костей скелетов. Он первым показал, что тело человека состоит из «строительных блоков», соотношение пропорций которых всегда равно нашему заветному числу.

Во взглядах студентов читается сомнение.

— Вы мне не верите? — восклицает Лэнгдон. — Что ж, в следующий раз, когда пойдете в душ, не забудьте прихватить с собой портняжный метр.

Пара парней, игроков в футбол, хихикает.

— Причем так устроены не только вы, вояки, — говорит Лэнгдон. — Все так устроены. И юноши, и девушки. Проверьте сами. Измерьте свой рост. Затем разделите на величину расстояния от пупка до пола. И увидите, что получится.

— Неужели PHI? — недоверчиво спрашивает один из футболистов.

— Именно. PHI, — кивает Лэнгдон. — Одна целая и шестьсот восемнадцать тысячных. Хотите еще пример? Измерьте расстояние от плеча до кончиков пальцев, затем разделите его на расстояние от локтя до тех же кончиков пальцев. Снова получите то же число. Еще пример? Расстояние от верхней части бедра, поделенное на расстояние от колена до пола, и снова PHI. Фаланги пальцев рук. Фаланги пальцев ног. И снова PHI, PHI. Итак, друзья мои, каждый из вас есть живой пример «божественной пропорции».

Даже в темноте, царившей в аудитории, Лэнгдон видит, как все они потрясены. И чувствует, как по телу разливается приятное тепло. Ради таких моментов он и преподает.

— Как видите, друзья мои, за кажущимся хаосом мира скрывается порядок. И древние, открывшие число PHI, были уверены, что нашли тот строительный камень, который Господь Бог использовал для создания мира, и начали боготворить Природу. Можно понять почему. Божий промысел виден в Природе, по сей день существуют языческие религии, люди поклоняются Матери-Земле. Многие из нас прославляют Природу, как делали это язычники, вот только сами до конца не понимают почему. Прекрасным примером является празднование Майского дня*, празднование весны... Земля возвращается к жизни, чтобы расцвести во всем своем великолепии. Волшебное мистическое наследие «божественной пропорции» пришло к нам с незапамятных времен. Человек просто играет по правилам Природы, а потому *искусство* есть не что иное, как попытка человека имитировать красоту, созданную Творцом вселенной. Так что нет ничего удивительного в том, что во время наших занятий мы увидим еще немало примеров использования «божественной пропорции» в искусстве.

На протяжении следующего получаса Лэнгдон показывает студентам слайды с произведениями Микеланджело, Альбрехта Дюрера, да Винчи и многих других художников и доказывает, что каждый из них строго следовал «божественным пропорциям» в построении своих композиций. Лэнгдон демонстрирует наличие магического числа и в архитектуре, в пропорциях греческого Парфенона, пирамид Египта, даже здания ООН в Нью-Йорке. PHI проявлялось в строго организованных структурах моцартовских сонат, в Пятой симфонии Бетховена, а также в

---

* Майский день — традиционный английский праздник весны, существующий и в США, который младшие школьники отмечают танцами вокруг «майского дерева» на школьном дворе. А накануне оставляют корзинку цветов у дверей дома своих друзей.

произведениях Бартока, Дебюсси и Шуберта. Число PHI, говорит им Лэнгдон, использовал в расчетах даже Страдивари, при создании своей уникальной скрипки.

— А в заключение, — подводит итог Лэнгдон и подходит к доске, — снова вернемся к символам. — Берет мел и рисует пять пересекающихся линий, изображая пятиконечную звезду. — Этот символ является одним из самых могущественных образов, с которым вам надлежит ознакомиться в этом семестре. Он известен под названием пентаграмма, или пентакл, как называли его древние. И на протяжении многих веков и во многих культурах символ этот считался одновременно божественным и магическим. Кто может сказать мне — почему?

Стетнер, математик, первым поднимает руку:

— Потому что, когда вы рисуете пентаграмму, линии автоматически делятся на сегменты, соответствующие «божественной пропорции».

Лэнгдон одобрительно кивает:

— Молодец. Да, соотношение линейных сегментов в пятиконечной звезде *всегда* равно числу PHI, что превращает этот символ в наивысшее выражение «божественной пропорции». Именно по этой причине пятиконечная звезда всегда была символом красоты и совершенства и ассоциировалась с богиней и священным женским началом.

Все девушки в аудитории улыбаются.

— Хочу еще заметить вот что. Сегодня мы лишь вскользь упомянули Леонардо да Винчи, но в этом семестре потратим на него довольно много времени. Доказано, что Леонардо был последовательным поклонником древних религий, связанных с женским началом. Завтра я покажу вам его знаменитую фреску «Тайная вечеря» и постараюсь доказать, что она стала одним из самых удивительных примеров поклонения священному женскому началу.

— Вы шутите? — раздается чей-то голос. — Лично мне всегда казалось, «Тайная вечеря» — это об Иисусе!

Лэнгдон заговорщицки подмигивает:

— Вы и представить себе не можете, в каких порой местах прячутся символы!

— Давайте же! — шепотом поторопила его Софи. — В чем дело? Мы уже почти на месте.

Лэнгдон отвлекся от воспоминаний, поднял голову и увидел, что стоит на узкой, плохо освещенной лестнице. Слишком уж потрясло его неожиданное открытие.

На вид идола родич! О мина зла!

Софи не сводила с него глаз.

Так просто? Быть того не может, подумал Лэнгдон.

И одновременно понимал, что все обстоит именно так.

Здесь, в полумраке переходов и лестничных пролетов Лувра, размышляя о числе PHI и Леонардо да Винчи, Лэнгдон неожиданно для себя расшифровал загадочное послание Соньера.

— На вид идола родич! О мина зла! — воскликнул он. — Я расшифровал! Проще ничего не бывает!

Софи остановилась и удивленно посмотрела на него. *Расшифровал?* Сама она билась над этими строками весь вечер, но так и не разгадала кода. И уж тем более не считала его простым.

— Вы сами это говорили, — продолжил Лэнгдон дрожащим от возбуждения голосом. — Последовательность Фибоначчи имеет смысл, лишь когда цифры расставлены в определенном порядке. Иначе это просто математическая бессмыслица.

Софи не понимала, о чем он толкует. *Числа в последовательности Фибоначчи?* Но до сих пор она была просто уверена в том, что предназначались они для того, чтоб вовлечь в работу отдел криптографии. *Так, значит, цель у деда была другая?* Она достала из кармана распечатку послания деда, снова пробежала ее глазами.

13 — 3 — 2 — 21 — 1 — 1 — 8 — 5
На вид идола родич!
О мина зла!

Так что же с этими числами?

— Искаженный ряд Фибоначчи — это ключ, — сказал Лэнгдон, беря из ее рук листок с распечаткой. — Числа являются намеком на то, как следует расшифровывать остальную часть послания. Он специально нарушил последовательность, намекая на то, что такой же подход можно применить и к тексту. На вид идола родич! О мина зла! Сами по себе строки эти ничего не означают. Это набор беспорядочно записанных букв.

Софи понадобилась лишь секунда, чтобы уловить ход рассуждений Лэнгдона.

— Так вы считаете, это послание... анаграмма? — Она смотрела ему прямо в глаза. — Нечто вроде письма, где буквы вырезаны из газеты?

Лэнгдон почувствовал скептицизм Софи и понимал, чем он вызван. Лишь немногим людям было известно, что анаграммы, одно время являвшиеся модным развлечением, имеют богатую историю и связаны с символизмом.

Мистические учения каббалы часто основывались именно на анаграммах: переставляли буквы в словах на древнееврейском языке и получали новое значение. Французские короли эпохи Ренессанса были так убеждены в магической силе анаграмм, что даже вводили при дворе специальную должность королевских анаграммистов, те должны были подсказывать им лучшее решение, анализируя слова в важных документах. А римляне называли изучение анаграмм ars magna — великим искусством.

Лэнгдон заглянул в глубокие зеленые глаза Софи.

— Значение того, что написал ваш дед, все время было перед нами. И он оставил нам достаточно ключей и намеков, чтобы понять это.

С этими словами Лэнгдон достал из кармана пиджака шариковую ручку и переставил буквы в каждой строке.

На вид идола родич!
О мина зла!

И получилось у него вот что:

Л(е)онардо да Винчи!
Мона Лиза!

ГЛАВА 21

она Лиза...

Стоявшая на лестничной площадке Софи так и застыла от изумления, словно забыла, что им надо как можно скорее бежать из Лувра.

Простота разгадки просто потрясла ее. Ведь Софи была опытным специалистом, привыкшим иметь дело со сложным криптографическим анализом, и примитивные игры в слова ее интересовали мало. А следовало бы поинтересоваться. Ведь она и сама в детстве увлекалась анаграммами, особенно на английском.

В детстве дед часто использовал анаграммы для улучшения ее английского правописания. Однажды он написал слово «планеты» и сказал, что из тех же букв, только в другом порядке, можно составить девяносто два слова разной длины. И Софи провозилась целых три дня с английским словарем, пока не нашла их все.

— Просто не представляю, — сказал Лэнгдон, разглядывая распечатку, — как это вашему деду удалось создать столь замысловатые и практически почти точные анаграммы буквально за несколько минут до смерти?

Софи знала объяснение. Она припомнила, что ее дед, любитель искусств и замысловатых игр в слова, еще с младых ногтей развлекался составлением анаграмм из названий знаменитых произведений искусства. Мало того, одна анаграмма даже доставила ему немало неприятностей, когда Софи была еще совсем маленькой девочкой. Соньер давал интервью какому-то американскому искусствоведческому журналу и, чтобы выразить свое неприятие модернистского движения под названием «кубизм», назвал шедевр Пикассо «Les Demoiselles d'Avignon»* анаграммой: «Vile meaningless doodles». Поклонники Пикассо были далеко не в восторге.

— Возможно, дед составил анаграмму Моны Лизы давным-давно, — сказала Софи Лэнгдону. *И сегодня был вынужден воспользоваться ею как кодом.* Она вздрогнула: казалось, голос деда доносится до нее из преисподней.

Леонардо да Винчи!

Мона Лиза!

Почему его последними словами стало название знаменитейшей в мире картины, она не понимала. В голову приходило лишь одно объяснение, причем весьма тревожное.

То не были его последние слова...

Должна ли она теперь навестить «Мону Лизу»? Может, дед оставил там какую-то информацию? Что ж, вполне вероятно. Ведь знаменитое полотно висело в Саль де Эта — отдельном маленьком зале, попасть куда можно было только из Большой галереи. Теперь Софи со всей ясностью вспомнила: двери в этот зал находились всего в двадцати метрах от того места, где нашли убитого куратора.

Он вполне мог добраться до «Моны Лизы» перед смертью.

Софи окинула взглядом лестничный пролет и почувствовала, что ее раздирают сомнения. Она понимала: прежде всего надо вывести Лэнгдона из музея, причем чем быстрее, тем лучше. И одновременно интуиция подсказывала ей совсем другое. Снова нахлынули воспоминания. Софи, еще совсем маленькая девочка, впервые приходит в Лувр. Дед приготовил ей сюрприз, сказал, что на свете не так много мест, где человека поджидает свидание со столь же великим и загадочным произведением искусства, как «Мона Лиза».

— Она находится чуть дальше, — таинственным шепотом заметил дед, взял Софи за маленькую ручку и повел через пустые залы и галереи музея.

Тогда девочке было шесть. Она чувствовала себя маленькой и ничтожной, разглядывая огромные помещения с высокими потол-

---

* «Les Demoiselles d'Avignon» — «Авиньонские девушки»; анаграмма: «Vile meaningless doodles» — «Мерзкие бессмысленные болваны».

ками и натертый до ослепительного блеска пол. Пустой музей —
они разгуливали по нему уже после закрытия — пугал ее, но она
старалась не подавать виду. Лишь плотно сжала губы и вырвала
ладошку из крупной руки деда.

— Вон там, впереди, — сказал Соньер. Они подходили к самому знаменитому залу Лувра. Дед чему-то радовался и был немного возбужден, а Софи больше всего на свете хотелось домой. Она
уже видела репродукции «Моны Лизы» в разных книжках, и эта
картина ей совсем не нравилась, ничуточки. И она не понимала,
с чего это все так ею восхищаются.

— C'est ennuyeux, — пробормотала Софи.

— Скучно, — поправил ее дед. — Французский в школе. Английский дома.

— Le Louvre, c'est pas chez moi!* — упрямо возразила она.

Дед засмеялся:

— Ты права. Тогда давай говорить по-английски просто ради
забавы.

Софи капризно надула губки и продолжала шагать дальше. И
вот они вошли в маленький зал. Она обвела глазами помещение.
Пусто, лишь справа, в центре стены, освещенное пятно. Продолговатый портрет за пуленепробиваемым стеклом. Дед остановился в дверях и жестом велел ей подойти к картине.

— Ступай, Софи. Не так много людей удостоились чести побыть наедине с этой дамой.

Софи медленно двинулась через комнату. После всего того,
что слышала о «Моне Лизе», девочке казалось, что она приближается к королевской особе. Встав перед пуленепробиваемым
стеклом, Софи затаила дыхание и подняла глаза.

Девочка не знала, какие чувства будет испытывать, глядя на
знаменитую картину. Ну уж определенно не такие. Ни малейшего изумления или восхищения. Знакомое лицо смотрело на нее
точно так же, как со страниц книг. И Софи молча стояла перед
полотном — ей показалось, длилось это целую вечность — в
ожидании, что наконец что-то должно произойти.

— Ну и как? — прошептал дед и остановился рядом с ней. —
Хороша, не правда ли?

— Уж больно она маленькая.

---

*   Лувр — это не дома! *(фр.)*

Соньер улыбнулся:

— Но ведь и ты у меня тоже маленькая. И тоже красавица.

Никакая я не красавица, подумала Софи. Она ненавидела свои рыжие волосы и веснушчатое лицо. К тому же она была выше и сильнее всех мальчишек в классе. Взгляд ее снова вернулся к «Моне Лизе», и она покачала головой:

— Она даже хуже, чем в книжках. Лицо какое-то... brumeux.

— Затуманенное, — поправил ее дед.

— Затуманенное, — повторила Софи, зная, что разговор не будет иметь продолжения до тех пор, пока она не запомнит это новое, прежде незнакомое ей слово.

— Этот стиль письма называется сфумато, — сказал Соньер. — Очень сложная техника, такого эффекта трудно добиться. Леонардо это удавалось лучше, чем всем другим живописцам.

Но Софи совсем не нравилась картина.

— Она так смотрит... будто знает то, чего не знают другие. Как дети в школе, когда у них есть секрет.

Дед рассмеялся:

— Ну, отчасти потому она так и знаменита. Люди продолжают гадать, чему это она так улыбается.

— А ты знаешь, почему она улыбается?

— Может, и знаю. — Дед подмигнул ей. — Придет день, и я расскажу тебе об этом.

Софи сердито топнула ножкой:

— Я же говорила, что терпеть не могу всякие там тайны!

— Принцесса, — улыбнулся он, — жизнь полна тайн. И узнать все сразу никак не получится.

— Мне надо вернуться, — сказала Софи. Голос ее прозвучал как-то странно глухо.

— К «Моне Лизе»? — догадался Лэнгдон. — *Сейчас?*

Софи пыталась взвесить все «за» и «против».

— Меня в убийстве не подозревают. Думаю, стоит рискнуть. Я должна понять, что хотел сказать мне дед.

— А как же посольство?

Софи чувствовала себя виноватой перед Лэнгдоном за то, что бросает его на произвол судьбы в такой момент, но другого выхода просто не видела. И она указала на металлическую дверь одним пролетом ниже.

— Ступайте через эту дверь. Смотрите на освещенные указатели, они приведут вас к выходу. Дед часто водил меня в музей именно через эту дверь. Потом дойдете до контрольных турникетов. Ночью они открываются автоматически. — Она протянула ему ключи от машины. — Моя красная, «смарт», стоит на служебной стоянке. Вы знаете, как доехать отсюда до посольства?

Лэнгдон взял ключи и кивнул.

— Послушайте, — уже более мягким тоном добавила Софи, — не обижайтесь на меня. Думаю, дед оставил мне послание у «Моны Лизы», некий ключ или намек на того, кто совершил убийство. Заодно, может, пойму, почему и мне грозит опасность. *И что произошло с моей семьей.* — Я должна там быть.

— Но если он намеревался предупредить вас об опасности, проще было бы написать на полу. К чему такие сложности, все эти словесные игры?

— Думаю, причина тут одна. Дед не хотел, чтобы об этом узнал кто-то другой. Даже полиция. — Нет, совершенно очевидно: дед сделал все, что было в его силах, чтобы передать сообщение именно *ей*. Написал анаграммы, включил инициалы ее прозвища, велел разыскать Роберта Лэнгдона. Последнее было очень мудрым решением с его стороны, ведь именно Лэнгдону, американскому специалисту по символам, удалось расшифровать код. — Возможно, вам это покажется странным, — добавила Софи, — но думаю, дед хотел, чтобы я добралась до «Моны Лизы» раньше других.

— Я с вами.

— Нет! Мы же не знаем, может, полиция решит вернуться в Большую галерею. Вам пора. Идите же!

Лэнгдон колебался. Похоже, любопытство ученого было готово взять верх над чувством самосохранения.

— Идите. Сейчас же! — Софи благодарно улыбнулась ему. — Увидимся в посольстве, мистер Лэнгдон.

— Согласен встретиться с вами при одном условии. — Голос его звучал строго и сухо.

Софи удивленно посмотрела на него:

— Это при каком же?

— В том случае, если вы перестанете называть меня мистером Лэнгдоном.

Губы его растянулись в лукавой улыбке, и Софи не могла не улыбнуться в ответ.

— Удачи, Роберт.

Лэнгдон спустился до первого этажа, и в ноздри ему ударил запах льняного масла и алебастра. Впереди, в конце длинного коридора виднелась ярко освещенная табличка со стрелкой: «SORTIE / ВЫХОД».

Лэнгдон ступил в коридор.

По правую руку располагались реставрационные мастерские, там находилась целая армия статуй, подлежащих восстановлению. Справа Лэнгдон увидел мастерские, живо напомнившие ему классы для занятий искусством в Гарварде, — целые ряды мольбертов и подрамников, тюбики с красками, шпатели, рамы и инструменты для их изготовления.

Шагая по длинному коридору, Лэнгдон думал о том, что вот-вот очнется от этого странного сна и окажется в Кембридже, дома, в постели. Весь сегодняшний вечер казался кошмарным сном. *Я — беглец, преследуемый полицией. Едва не выпрыгнул из окна Лувра. Нет, это просто дикость какая-то!..*

Из головы не выходили анаграммы, оставленные Соньером, и Лэнгдону было страшно интересно, что же найдет Софи у знаменитой картины. Если вообще что-то найдет. Но она абсолютно уверена: дед хотел, чтобы она еще раз пришла к знаменитому полотну. Вроде бы вполне приемлемая интерпретация, однако Лэнгдона беспокоил теперь другой парадокс.

Постскриптум. Найти Роберта Лэнгдона.

Соньер написал его имя на полу, велел Софи разыскать его. Но к чему? Просто чтобы Лэнгдон помог ей разгадать анаграммы?..

Вряд ли.

Ведь у Соньера не было причин полагать, что Лэнгдон так уж силен в разгадывании анаграмм. *Мы с ним даже не встречались ни разу.* Более того, Софи ясно дала понять: она смогла бы разгадать анаграммы и без его помощи. Ведь именно Софи первой догадалась, что цифры на полу — не что иное, как последовательность Фибоначчи. И нет никаких сомнений в том, что в самом скором времени она расшифровала бы и остальную часть послания.

Софи должна была расшифровать анаграммы сама, в этом Лэнгдон был теперь совершенно уверен. Но тогда зачем понадобилось Соньеру писать его имя, призывать найти именно его? Какая в этом логика?

Почему именно я? Так размышлял Лэнгдон, идя по коридору. *Почему Соньер в предсмертном послании выразил внучке свою последнюю волю — разыскать меня? Что я такого особенного, по мнению Соньера, мог знать?..*

И тут вдруг Лэнгдон остановился как вкопанный. Начал судорожно шарить по карманам и достал компьютерную распечатку. И уставился на последнюю строку в послании Соньера.

P.S. Найти Роберта Лэнгдона.

Две первые буквы...

P.S.

Его словно током пронзило. Он вспомнил все — и увлечение Соньера играми и символами, и свой собственный многолетний опыт в работе над символикой в искусстве. Озарение! Все наконец сошлось! Все, что делал сегодня ночью Жак Соньер, внезапно обрело вполне понятное объяснение!

Лэнгдон судорожно пытался осмыслить последствия своего открытия. Затем резко развернулся и зашагал обратно.

Есть ли у него время?

Впрочем, не важно.

Отбросив все сомнения, Лэнгдон бросился бежать по направлению к лестнице.

ГЛАВА 22

тоя на коленях возле первого ряда скамей, Сай-
лас притворялся, что молится, а сам украдкой и
очень внимательно оглядывал внутреннее убранство церкви. Сен-Сюльпис, подобно большинству церквей своего времени, была построена в форме гигантского латинского креста. Уд-
линенная центральная ее часть, неф, вела к главному алтарю, где
пересекалась со второй, более короткой частью, известной под
названием трансепт, или поперечный неф готического собора.
Пересечение это находилось точно под центром купола и считалось как бы сердцем церкви... ее самой священной и мистической
частью.

Не сегодня, подумал Сайлас. *Сен-Сюльпис прячет свои секреты
где-то совсем в другом месте.*

Он посмотрел вправо и вниз, в южную часть трансепта, туда,
где кончался ряд скамей. Место, которое упомянули все его
жертвы.

Вот оно!

В полутьме слабо поблескивала тонкая отполированная медная полоска, впаянная в серую гранитную плиту пола... золотая
линия, на которую были нанесены деления, как на линейке. Гно-
мон. Так называется столбик-указатель солнечных часов, язычники использовали его в качестве астрономического прибора. И
со всего мира в церковь Сен-Сюльпис съезжались туристы, ученые, историки и язычники, специально чтобы поглазеть на эту
знаменитую линию.

Линия Розы.

Сайлас медленно окинул взглядом медную полоску, пролегавшую по полу справа от него и, как ему показалось, совершенно не соответствующую симметрии церковной архитектуры. Она как бы разрезала главный алтарь и была сравнима для Сайласа с безобразным шрамом, уродующим прекрасное лицо. Полоса разделяла престол надвое, затем пересекала церковь по всей ее ширине и заканчивалась в северном углу трансепта, у основания совершенно неожиданного здесь сооружения.

Колоссального древнеегипетского обелиска.

Здесь поблескивающая в темноте линия Розы образовывала вертикальный поворот под углом девяносто градусов, пролегала через «лицо» обелиска, поднималась на добрых тридцать три фута к окончанию его пирамидальной верхушки и там наконец исчезала из виду.

Линия Розы, подумал Сайлас. *Члены братства спрятали краеугольный камень у линии Розы.*

Чуть раньше тем же вечером, когда Сайлас сообщил Учителю, что краеугольный камень спрятан в церкви Сен-Сюльпис, Учитель выразил сомнение. Тогда Сайлас добавил, что все члены братства назвали одно и то же место и упомянули какую-то медную полоску, пересекающую всю церковь. Учитель ахнул: «Так ты говоришь о линии Розы!»

И далее он поведал Сайласу об одной уникальной архитектурной особенности церкви: медная полоска, включенная в камень, разделяла святилище точно по оси — с севера на юг. Она образовывала подобие древних солнечных часов, то был остаток языческого храма, некогда стоявшего на том же самом месте. Солнечные лучи, проникающие в отверстие в южной стене, перемещались по этой линии, отмечая время от солнцестояния до солнцестояния.

Полоска, проложенная с севера на юг, называлась линией Розы. На протяжении веков символ Розы ассоциировался с картами и проводниками путешественников. Компас Розы, изображенный почти на каждой карте, отмечал, где находятся север, восток, юг и запад. Изначально известный как роза ветров, он указывал направление тридцати двух ветров, в том числе восьми основных, восьми половинчатых и шестнадцати четвертичных. Изображенные на диаграмме в виде круга, эти тридцать две стрелки компаса в точности совпадали с традиционным изображением цветка розы из тридцати двух лепестков. По сей день этот главный навигационный прибор известен как компас Розы, где северное направление всегда обозначается наконечником стрелы. Этот символ называли еще fleur-de-lis*.

На глобусе линию Розы называли также меридианом, или долготой, — то была воображаемая линия, проведенная от Северного полюса к Южному. И этих линий Розы было бесчисленное множество, поскольку от любой точки на глобусе можно было провести линию долготы, связывающую Северный и Южный полюса. Древние навигаторы спорили лишь об одном: какую из этих линий можно называть линией Розы, иначе говоря, нулевой долготой, с тем чтобы затем отсчитывать от нее другие долготы.

Теперь нулевой меридиан находится в Лондоне, в Гринвиче. Но он был там не всегда.

Задолго до принятия нулевого меридиана в Гринвиче нулевая долгота проходила через Париж, точно через помещение церкви Сен-Сюльпис. И медная полоска, вмонтированная в пол, служила тому свидетельством, напоминала о том, что именно здесь пролегал некогда главный земной меридиан. И хотя в 1888 году Гринвич отобрал у Парижа эту честь, изначальная, самая первая линия Розы сохранилась по сей день.

— Так, значит, легенда не врет, — сказал Учитель Сайласу. — Недаром говорят, что краеугольный камень лежит «под знаком Розы».

Не поднимаясь с колен, Сайлас оглядел церковь и прислушался. На секунду показалось, что сверху, с балкона, послышался слабый шорох. Он всматривался туда несколько секунд. Никого.

Я один.

Он поднялся и, стоя лицом к алтарю, трижды осенил себя крестом. Затем повернул влево и зашагал вдоль медной блестящей полоски к обелиску.

В этот момент шасси авиалайнера коснулось взлетной полосы международного аэропорта Леонардо да Винчи в Риме, и легкий толчок пробудил задремавшего в кресле епископа Арингаросу.

— Benvenuto a Roma**, — раздался голос из динамиков.

---

* Геральдическая лилия *(фр.).*
** Добро пожаловать в Рим *(ит.).*

Арингароса поднялся из кресла, расправил складки сутаны и позволил себе улыбнуться, что делал крайне редко. Он был рад, что отправился в это путешествие. *Слишком долго отсиживался в окопах.* Сегодня правила игры изменились. Всего пять месяцев назад Арингароса опасался за будущее своей веры. Отныне, с Божьей помощью, все будет складываться иначе.

Священная интервенция.

Если сегодня в Париже все пройдет по плану, то вскоре он, Арингароса, завладеет тем, что сделает его самым могущественным человеком в христианском мире.

ГЛАВА 23

офи, запыхавшись, остановилась перед высокими деревянными дверьми в Саль де Эта, маленький зал, где хранилась «Мона Лиза». Перед тем как войти, невольно оглянулась на то место, где ярдах в двадцати от нее лежало на полу все еще освещенное прожектором бездыханное тело деда.

Софи пронзила острая тоска, смешанная с чувством вины. За последние десять лет этот человек много раз протягивал ей руку для примирения, но она отталкивала ее. Письма и посылки так и остались невскрытыми и лежали в ящике комода — немые свидетели ее нежелания увидеться с дедом. *Он лгал мне! Он скрывал от меня свои постыдные тайны! Что я должна была делать?* Она выбросила его из своей жизни. Полностью и окончательно.

И вот теперь дед мертв и пытается говорить с ней уже из могилы.

«Мона Лиза»...

Софи толкнула тяжелые двустворчатые двери. Они распахнулись. Секунду она неподвижно стояла на пороге, осматривая небольшой зал прямоугольной формы. И он тоже купался в тусклом красноватом свете. Саль де Эта являлся одним из немногих тупиков в музее и единственным закрытым со всех сторон помещением в самом центре Большой галереи. Напротив двери, на стене, висело большое полотно Боттичелли. Под ним, на блестящем паркетном полу, восьмиугольный диван, казалось, так и звал многочисленных посетителей присесть и передохнуть перед тем, как увидеть и восхититься самым ценным экспонатом Лувра.

И тут Софи поняла, что ей не хватает одной важной детали. *Черный свет*. Она снова взглянула на то место, где лежал дед, вокруг были разбросаны различные приспособления, которыми пользовались полицейские. Если дед оставил ей какую-то надпись в зале «Моны Лизы», то она наверняка сделана специальным «невидимым» маркером.

Собравшись с духом, Софи зашагала к месту преступления. Стараясь не смотреть на деда, порылась в коробке с инструментами и нашла маленький ультрафиолетовый фонарик. Сунула его в карман свитера и поспешила обратно, к распахнутым настежь дверям в Саль де Эта.

И едва переступила порог, как в коридоре послышался приглушенный топот. Шум приближался. *Здесь кто-то еще!* В следующее мгновение из красноватого полумрака вынырнула фигура. Софи отпрянула.

— Вот вы где! — послышался хрипловатый шепот Роберта Лэнгдона, и он материализовался прямо перед ней.

Облегчение было лишь секундным.

— Роберт, я же сказала вам, вы должны убраться из музея немедленно! Если Фаш...

— Где вы были?

— Ходила за фонариком, — прошептала она в ответ и показала фонарик. — Если дед оставил мне сообщение, оно...

— Послушайте, Софи! — Лэнгдон впился в нее голубыми глазами. — Эти буквы, P.S., они вам ничего не говорят? Хоть что-нибудь они для вас значат?

Опасаясь, что звуки их голосов эхо разнесет по всей галерее, Софи схватила Лэнгдона за рукав и втянула в маленький зал, а затем тихо притворила высокие двойные двери.

— Я же вам уже говорила. Это инициалы от прозвища Принцесса Софи.

— Да, помню, но вы нигде с ними больше не сталкивались? Может, ваш дед использовал эти две буквы как-то еще? Ну, скажем, в виде монограммы?

Вопрос удивил Софи. *Как только Роберт догадался?* Она действительно видела эти буквы в виде монограммы. То было накануне ее дня рождения, ей исполнялось девять. Втайне от деда она обыскивала дом в надежде найти спрятанные подарки. С тех самых пор она и невзлюбила всякие там секреты. *Любопытно, что же дедушка приготовил для меня на сей раз?* Она рылась в шкафах и ящиках комодов. *Может, купил куклу, которую мне так хотелось? Если да, то где он ее спрятал?*

Обшарив весь дом, но так ничего и не найдя, Софи покусилась на святая святых — дедову спальню. Собравшись с духом, тихонько приотворила двери и скользнула в комнату. Вход сюда ей строжайше воспрещался, но сам дед спал в это время внизу, в гостиной, на диване.

Только гляну одним глазком — и все!

Подкравшись по скрипучему полу к большому встроенному шкафу, Софи проверила полки за одеждой. Ничего. Потом заглянула под кровать. Тоже ничего. Подошла к бюро, стала по очереди выдвигать ящики и заглядывать в них. *Если уж и спрятал, так только здесь!* Но вот она добралась до самого нижнего ящика, но не обнаружила и намека на куклу. Сердито выдвинув последний ящик, Софи увидела там ворох какой-то черной одежды — она никогда не замечала, чтобы дед носил такую. Сдвинула в сторону тряпки, и тут вдруг в дальнем углу что-то блеснуло. Золото! Сначала ей показалось, что это карманные часы на цепочке, но дед никогда не носил их. И тут она поняла, и сердечко ее бешено забилось.

Ожерелье!

Софи осторожно вытянула его из ящика. И увидела, что на одном конце подвешен золотой ключик, усыпанный бриллиантами. Тяжелый, сверкающий. Затаив дыхание, она рассматривала ключ. Таких прежде ей видеть не доводилось. Обычно ключи были плоские, с зубчатым краем, этот же имел форму цилиндра, треугольного в поперечном сечении, и был весь покрыт мелкими впадинками. А венчал его крест, но тоже необычный, с равными по длине перекладинами, отчего он походил на знак «плюс». А ровно посередине крест украшал какой-то странный символ: две буквы, переплетенные между собой и образующие нечто похожее на цветок.

— P.S., — прошептала она, всмотревшись в узор. *Что же это означает?*

— Софи! — окликнул ее дед. Он стоял в дверях.

Вздрогнув от неожиданности, она обернулась и выронила ключ. Он, звякнув, упал на пол. Софи не осмеливалась поднять глаза на деда.

— Я... я искала свой подарок на день рождения, — пролепетала Софи, понимая всю неприглядность своего проступка.

Дед стоял в дверях и молчал — казалось, целую вечность. Потом огорченно вздохнул:

— Подними ключ, Софи.

Она повиновалась.

Он подошел к ней.

— Следует уважать частную жизнь других людей, Софи. — Дед опустился на колени рядом с ней и осторожно взял из ее рук находку. — Это не простой ключ. Если бы ты его потеряла...

От тихого голоса деда Софи стало еще хуже. Лучше бы он накричал на нее.

— Прости меня, дедушка. Мне правда очень стыдно. — Она помолчала, потом добавила: — Просто я подумала: это ожерелье — подарок на день рождения.

Он смотрел на нее несколько секунд.

— Повторю еще раз, Софи, потому что это очень важно. Человек должен уважать частную жизнь других людей. Тебе следует хорошенько это усвоить.

— Да, дедушка.

— Поговорим об этом как-нибудь потом. А теперь надо прополоть клумбы в саду.

И Софи поспешила выполнять задание.

Наутро подарка от деда она не получила. Впрочем, не очень-то и надеялась из-за своей вчерашней выходки. И за весь день дед близко к ней не подошел, даже не поздравил с днем рождения. Софи, опечаленная и страдающая, пошла спать. И вдруг, ложась в кровать, обнаружила на подушке открытку. Причем не простую: открытку-загадку. Еще не успев разгадать ее, она заулыбалась. *А я знаю, что это!* Дед уже проделывал это однажды, рождественским утром.

Игра! Называется «охота за сокровищами»!

Софи взялась за загадку и вскоре решила ее. Отгадка привела ее в другую часть дома, где она нашла еще одну открытку с еще одной головоломкой. И эту она тоже разгадала и бросилась на поиски третьей открытки. Так она и бегала по всему дому от одной подсказки к другой, и наконец поиски привели ее обратно в спальню. Софи быстро взбежала по ступенькам, ворвалась в комнату и резко остановилась. Посередине комнаты стоял новенький сверкающий красный велосипед с бантом на ручке. Софи даже взвизгнула от восторга.

— Знаю, ты просила куклу, — сказал дед. Он стоял в углу и улыбался. — Но я подумал: тебе это больше понравится.

На следующий же день дед начал учить ее кататься на велосипеде, бежал рядом с ней по дорожке, придерживая седло. И когда Софи выкатилась на лужайку с высокой травой, то потеряла равновесие, и они упали в траву, крича и захлебываясь от смеха.

— Дедуля! — Софи крепко и нежно обняла Соньера. — Прости меня за ключ, мне и правда страшно стыдно.

— Знаю, родная, знаю. Ты прощена. Просто не могу на тебя долго сердиться. Дедушки и внучки всегда должны прощать друг друга.

Софи понимала, что спрашивать об этом не следует, но не сдержалась.

— А что открывает этот ключик? Никогда такого не видела. Такой красивый!..

Дед довольно долго молчал, и Софи поняла: он не знает, как лучше ответить. *Дедуля никогда не врет.*

— Он открывает одну шкатулку, — ответил наконец Соньер. — Там я храню много секретов.

Софи капризно надула губки:

— Ненавижу секреты!

— Но это очень важные секреты. И однажды ты узнаешь их, и они тебе обязательно понравятся.

— Я видела на ключе какие-то буквы. И цветок.

— Да, это мой любимый цветок. Называется fleur-de-lis. Такие растут у нас в саду. Белые, и очень хорошо пахнут. В Англии их называют лилиями.

— А-а, знаю! Мне они тоже очень нравятся.

— Тогда давай договоримся так. — Дед приподнял брови смешным домиком, он всегда делал так, когда хотел чем-нибудь ее озадачить. — Если будешь хранить это в тайне, никому и никогда не станешь рассказывать об этом ключе, даже со мной говорить о нем не будешь, придет день, и я подарю его тебе.

Софи не могла поверить своим ушам.

— Правда?

— Обещаю. Придет время, и ключ твой. Ведь на нем твое имя.

Софи нахмурилась:

— Да нет же, дедуля! Не мое! Там две буквы — P.S. А мое имя начинается совсем с других букв!

Дед понизил голос и огляделся, точно проверял, не подслушивает ли их кто.

— Так уж и быть, Софи. Слушай. P.S. — это код. Твои тайные инициалы.

Глаза девочки удивленно расширились.

— У меня есть тайные инициалы?

— Конечно. Всем внучкам полагается иметь тайные инициалы, о которых знают только их дедушки.

— P.S.?

Он игриво подмигнул:

— Принцесса Софи.

Она захихикала:

— Никакая я не принцесса!

— Для меня — принцесса.

С того дня они с дедом ни разу не заговорили о ключе. А она стала Принцессой Софи.

Софи молчала, погруженная в воспоминания, боль невозвратной утраты терзала ее.

— Инициалы, — прошептал Лэнгдон, как-то странно глядя на нее. — Вы их прежде где-нибудь видели?

Софи показалось, что из темных коридоров музея до нее доносится голос деда. *Никогда не говори об этом ключе, Софи. Ни с кем, даже со мной.* Но она понимала: настал момент нарушить клятву. *P.S. Найти Роберта Лэнгдона.* Дед хотел, чтобы Лэнгдон помог ей. И она нехотя кивнула:

— Да, однажды я видела эти инициалы. Когда была еще совсем девчонкой.

— Где?

Софи колебалась.

— Ну, на одном очень важном для него предмете.

Лэнгдон смотрел ей прямо в глаза:

— Софи, это страшно важно! Скажите, не было ли рядом с инициалами какого-нибудь символа? Ну, скажем, fleur-de-lis?

Софи даже отпрянула от удивления:

— Да... но как вы догадались?

Лэнгдон понизил голос:

— Я почти на сто процентов уверен, что ваш дед был членом тайного общества. Старинного тайного братства.

Софи вздрогнула. Она и сама была уверена в этом. На протяжении десяти лет она попыталась забыть инцидент, подтверждающий этот столь неприятный для нее факт. Ей довелось стать свидетельницей вещи немыслимой. *Непростительной!*

— Fleur-de-lis, — сказал Лэнгдон, — в комбинации с инициалами P.S. является официальным девизом братства. Его гербом. Его эмблемой.

— Откуда вы это знаете? — спросила Софи. И мысленно взмолилась: «Господи, сделай так, чтобы сам он не оказался членом этого братства».

— Просто мне доводилось писать об этой группе. — Голос Лэнгдона дрожал от возбуждения. — Дело в том, что я изучаю символы тайных обществ, это часть моей профессии. Это братство называет себя Prieuré de Sion — Приорат Сиона. Базируется во Франции, привлекает влиятельных людей со всей Европы. Вообще-то это одно из старейших тайных обществ на земле.

Софи никогда о нем не слышала.

Лэнгдон говорил теперь торопливо, взахлеб:

— Среди членов братства было немало выдающихся личностей. Боттичелли, сэр Исаак Ньютон, Виктор Гюго. — Он выдержал паузу, а затем со значением добавил: — И Леонардо да Винчи.

Софи вздрогнула.

— Да Винчи был членом тайного общества?

— Он даже возглавлял братство в период между 1510 и 1519 годами. Наверное, отчасти именно этим и можно объяснить страстное увлечение вашего деда работами Леонардо. Этих двоих связывала принадлежность к братству, пусть даже они и были разделены веками. И все это прекрасно вписывается в общую картину поклонения богине, языческим символам и презрения к Церкви. У Приората Сиона накоплено немало документальных свидетельств их приверженности культу богини.

— Вы хотите сказать, эта группа была привержена языческому культу поклонения богине?

— Даже больше, чем просто культу. Но что гораздо важнее, они известны как хранители древнейшей тайны, что и делает их безмерно могущественными.

Софи отказывалась верить своим ушам. *Тайный языческий культ? Братство возглавлялось Леонардо да Винчи?* Это казалось полным абсурдом. И однако же... Мысленно она вернулась в прошлое, к той ночи, когда десять лет назад застала деда врасплох, стала свидетельницей того, что казалось ей абсолютно неприемлемым. *Может, именно это объясняет?..*

— Личности и имена ныне здравствующих членов братства строго засекречены, — сказал Лэнгдон. — Но инициалы и изображение цветка, которые вы видели еще ребенком, являются доказательством связи вашего деда с братством.

Выходит, поняла Софи, Лэнгдону известно о ее деде куда больше, чем можно было предположить. Этот американец мог бы поведать ей немало интересного, вот только теперь не время.

— Я не могу допустить, чтобы они схватили вас, Роберт. Нам так много надо обсудить! Бегите же! Бегите!

До Лэнгдона ее голос доносился словно издалека. Он и не думал никуда бежать. Он находился сейчас совсем в другом мире. В мире, где на поверхность всплывали древние тайны. В мире, где из теней выходили давно забытые всеми истории.

Он не спеша, точно в замедленной съемке, повернул голову и взглянул туда, где в красноватой подсветке виднелась знаменитая картина.

Fleur-de-lis... цветок Лизы... Мона Лиза.

Все это как-то связано между собой, сплелось в неслышную симфонию тайны, отголоски которой доносятся сейчас до него. Тайны Приората Сиона и Леонардо да Винчи.

В нескольких милях от Лувра, на набережной за Домом инвалидов, вконец растерявшийся водитель грузовика стоял под прицелом автомата и наблюдал за тем, как капитан судебной полиции, взревев от ярости, швырнул кусок туалетного мыла в темные воды Сены.

ГЛАВА 24

айлас, задрав голову, разглядывал египетский обелиск, стоявший в церкви Сен-Сюльпис. Мышцы и нервы были натянуты точно струны, казалось, каждая жилочка в нем пела от возбуждения. Он еще раз осмотрелся по сторонам — убедиться, что один в церкви. А затем опустился на колени перед обелиском, движимый вовсе не религиозным чувством, но простой физической необходимостью.

Краеугольный камень спрятан под линией Розы.

В основании обелиска церкви Сен-Сюльпис.

Стоя на коленях, Сайлас провел рукой по каменным плитам пола. Ни трещинки, ни какого-либо знака, указывающего на то, что плиту можно сдвинуть. И тогда он начал тихонько простукивать пол костяшками пальцев. Простукивал каждую плитку по отдельности, в особенности те, что вплотную примыкали к бронзовой полоске. И вот наконец одна из них откликнулась странным звуком.

Там, под плитой, полость!

Сайлас улыбнулся. Его жертвы не лгали.

Он поднялся с колен и начал осматривать помещение в поисках предмета, с помощью которого можно было бы сдвинуть плиту.

Затаившаяся на хорах сестра Сандрин тихонько ахнула и тут же прикрыла рот ладошкой. Худшие ее опасения оправдались. Посетитель выдавал себя не за того, кем являлся в действительности. Этот странный монах из «Опус Деи» пришел в Сен-Сюльпис совсем с другой целью.

С секретным заданием.

Не у тебя одного есть секреты, подумала она.

Сестра Сандрин заведовала не только церковным имуществом. Она была стражем Сен-Сюльпис. Старинные колесики и винтики вновь пришли в движение. Прибытие незнакомца, его возня у обелиска — все это сигнал от братства.

Сигнал тревоги.

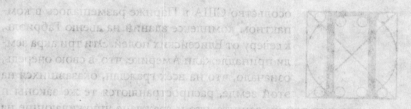

ГЛАВА 25

осольство США в Париже размещалось в компактном комплексе зданий на авеню Габриэль, к северу от Елисейских полей. Эти три акра земли принадлежали Америке, что, в свою очередь, означало, что на всех граждан, оказавшихся на этой земле, распространяются те же законы и подлежат они той же защите, что и граждане, проживающие на территории Соединенных Штатов.

Ночная дежурная-оператор была погружена в чтение журнала «Тайм», когда от этого занятия ее отвлек телефонный звонок.

— Посольство США, — бросила она в трубку.

— Добрый вечер, — человек говорил по-английски с французским акцентом, — мне нужна ваша помощь. — Говоривший старался быть вежливым, но в тоне его явно улавливались командные и раздраженные нотки. — Мне сообщили, что на вашу автоматизированную систему для меня поступил звонок. На имя Лэнгдона. К сожалению, я забыл цифровой код доступа. Эти злосчастные три цифры. Если поможете, буду вам премного благодарен.

Девушка-оператор растерялась:

— Простите, сэр. Но это послание, должно быть, поступило очень давно. Дело в том, что два года назад ту систему сняли из соображений безопасности. Кроме того, код доступа состоял из пяти цифр. А кто вам сказал, что для вас поступило сообщение?

— Так у вас нет автоматизированной системы приема звонков?

— Нет, сэр. Любое сообщение теперь записывается в бюро дежурным. Как, вы сказали, ваше имя?

Но мужчина уже повесил трубку.

* * *

Вконец обескураженный Безу Фаш брел по набережной Сены. Он был уверен, что Лэнгдон набирал какой-то местный городской номер, потом назвал код из трех цифр и выслушал запись. *Но если Лэнгдон звонил не в посольство, куда, черт побери, он звонил?*

Тут взгляд Фаша упал на мобильник, и он понял, что ответ в прямом смысле у него в руке. *Ведь Лэнгдон пользовался моим телефоном!*

Фаш нажал несколько клавиш и получил доступ в меню, представлявшее список недавно набранных телефонных номеров. И нашел номер, по которому звонил Лэнгдон.

Парижский номер плюс код доступа из трех цифр. 454.

Фаш тут же набрал.

После нескольких гудков он услышал женский голос.

— Bonjour, vous êtes bien chez Sophie Neveu, — сообщил ему автоответчик. — Je suis absente pour le moment, mais...

У Фаша вся кровь прихлынула к лицу, пока он набирал код доступа — 4... 5... 4.

ГЛАВА 26

есмотря на репутацию величайшего в мире произведения искусства, «Мона Лиза» была совсем небольшой картиной, размером тридцать один на двадцать один дюйм, то есть даже меньше репродукций с ее изображением, продававшихся в сувенирном киоске Лувра. Она висела на северо-западной стене зала за пуленепробиваемым стеклом толщиной два дюйма. Написана она была маслом по дереву, на популярной в те времена среди живописцев доске из тополя, а словно затягивающая полотно туманная дымка свидетельствовала об умении да Винчи пользоваться техникой сфумато, создававшей эффект плавного перехода одной формы в другую.

Обосновавшись в Лувре, «Мона Лиза» — или «Джоконда», как называли ее во Франции, — дважды похищалась. Последний раз — в 1911 году, когда она загадочным образом исчезла из «salle impénétrable»* Лувра под названием Ле салон карре. Парижане рыдали прямо на улицах и писали письма в газеты, умоляя воров вернуть похищенную картину. Два года спустя «Мону Лизу» обнаружили в гостиничном номере во Флоренции, спрятанную в сундук с двойным дном.

Лэнгдон, дав Софи ясно понять, что уходить никуда не собирается, вместе с ней двинулся к картине. «Мона Лиза» находилась ярдах в двадцати, а Софи уже включила фонарик, и тонкий голубоватый луч высвечивал пол впереди. Софи, точно минер с ми-

---

* Дословно: «непроницаемый зал», «зал-сейф» *(фр.)*.

ноискателем, водила лучом, стараясь обнаружить следы люминесцентных чернил.

Шагая рядом с ней, Лэнгдон вдруг ощутил волнение — с ним так всегда бывало, когда предстояла встреча с выдающимся произведением искусства. Напрягая зрение, он всматривался сквозь красноватое освещение. Вот слева мелькнул восьмиугольный диван, издали он напоминал одинокий островок среди мерцающей глади паркета.

И вот Лэнгдон уже начал различать прямоугольник темного стекла на стене. Он знал, что за этим стеклом в гордом уединении находится самое прославленное живописное полотно в мире.

Лэнгдону было известно, что статус «Моны Лизы» как самой величайшей картины в мире не имеет ничего общего с загадочной улыбкой изображенной на ней женщины.

Не связан он был и с таинственными интерпретациями, приписываемыми ей искусствоведами разных времен. Все очень просто: «Мона Лиза» стала знаменита потому, что являлась наивысшим достижением Леонардо да Винчи как живописца. Путешествуя, он всегда возил картину с собой. А когда его спрашивали почему, отвечал, что ему трудно расстаться с этим самым возвышенным изображением женской красоты, принадлежавшим его кисти.

И все равно многие искусствоведы подозревали, что такая привязанность Леонардо да Винчи объясняется чем-то иным, нежели просто художественным совершенством. В действительности полотно являлось довольно стандартным портретом, исполненным в технике сфумато. И привязанность Леонардо к этому своему творению, как утверждали многие, имела куда более глубокие корни: в слоях краски крылось тайное послание. «Мона Лиза», по мнению ряда искусствоведов, являлась скрытой шуткой художника. Игривые аллюзии, которые вызывало это полотно, описаны во многих книгах по искусству, и тем не менее подавляющее большинство людей были склонны считать главной загадкой улыбку Джоконды.

Никакой тайны тут нет, думал Лэнгдон, приближаясь к картине и наблюдая за тем, как на стене все отчетливее вырисовываются очертания полотна. *Абсолютно никакой тайны.*

Не столь давно Лэнгдон объяснял тайну «Моны Лизы» довольно необычным слушателям — группе заключенных в федеральной тюрьме Эссекса. Семинар Лэнгдона был частью программы, разработанной в Гарварде и призванной нести культуру в самые отсталые слои населения, коими считались обитатели тюрем. «Культура для заключенных» — так называли эту программу коллеги Лэнгдона.

Лекция проходила в тюремной библиотеке. Лэнгдон демонстрировал слайды и делился тайнами «Моны Лизы» с группой заключенных-мужчин. К его удивлению, они слушали с интересом и отпускали хоть и грубоватые, но остроумные реплики.

— Можно заметить, — говорил Лэнгдон, расхаживая перед увеличенным изображением картины на стене, — что задний план, фон за ее лицом, неровный. — И он указал, где именно. — Да Винчи изобразил линию горизонта, и в левой части она у него значительно ниже, чем в правой.

— Под мухой был, что ли? — спросил один из слушателей.

Лэнгдон усмехнулся:

— Нет. Да Винчи не слишком часто напивался. Это один из его маленьких фокусов. Понизив линию горизонта с сельским пейзажем в левой части картины, он зрительно увеличил лицо Моны Лизы. Весьма характерный для него прием. Ученые утверждают, что согласно концепции женского и мужского начал левая сторона всегда считалась женской, а правая — мужской. Ну и поскольку Да Винчи по своим взглядам был поклонником женственности, вот он и изобразил ее лицо более величественным благодаря искривлению горизонта.

— Я слышал, он пидером был, — сказал низкорослый мужчина с козлиной бородкой.

Лэнгдон поморщился:

— У историков неоднозначное мнение на сей счет. Но вообще-то вы правы. Да Винчи был гомосексуалистом.

— Так вот почему он баловался этими феминистскими штучками?

— Не совсем так. Да Винчи старался найти баланс между мужским и женским началами. Верил, что душу человека можно считать просвещенной лишь тогда, когда в ней счастливо уживаются оба начала.

— Как член с киской? — спросил кто-то.

Аудитория так и покатилась со смеху. Лэнгдон собрался было углубиться в этимологию слова «гермафродит», рассказать, что произошло оно из имен двух богов, Гермеса и Афродиты, но внутренний голос подсказал ему, что здесь этого делать не стоит.

— Скажите-ка, мистер Лэнгдон, — спросил какой-то мускулистый парень, — а правду говорят, что «Мона Лиза» — это портрет самого да Винчи в женской одежде? Так многие считают.

— Вполне возможно, — ответил Лэнгдон. — Да Винчи был большим шутником, к тому же компьютерный анализ «Моны Лизы» и автопортретов самого да Винчи подтверждает сходство этих двух лиц по основным антропометрическим показателям. Но что бы там ни замыслил да Винчи, — продолжил Лэнгдон, — его «Мона Лиза» не мужчина и не женщина. Она соединяет в себе противоположные свойства. Это слияние двух начал.

— Может, это вы так интеллигентно выражаетесь, как принято у вас в разных там гарвардах. Вместо того чтобы просто сказать: урод эта Мона Лиза и больше ничего!

Теперь уже Лэнгдон расхохотался:

— Возможно, вы правы. Но Леонардо да Винчи оставил нам ключ, подсказку на то, что в портрете соединяются противоположные свойства. Вы когда-нибудь слышали о египетском боге по имени Амон?

— Черт, еще бы! Конечно! — воскликнул какой-то здоровяк. — Это же бог мужской силы!

Лэнгдон был потрясен.

— Так написано на каждой упаковке с презервативами «Амон». — Здоровяк ухмыльнулся. — И на ней еще нарисован парень с бараньей башкой, а ниже сказано, что это египетский бог плодовитости.

Лэнгдону была неизвестна эта марка, оставалось лишь порадоваться тому, что производители этого профилактического средства выбрали удачное название.

— Молодец! Да, Амона действительно изображали в виде мужчины с головой барана. Известна неразборчивость в связях этого животного, ну а изогнутые рога лишь призваны подчеркнуть напор и сокрушительную сексуальную силу. У нас таких мужчин называют на сленге «боец».

— Правда, что ли?

— Правда, — ответил Лэнгдон. — А известно ли вам, кем была партнерша Амона? Египетская богиня плодородия. Как ее звали?

Аудитория молчала.

— Изис, или Исида, — сказал Лэнгдон и взял кусок мела. — Итак, у нас имеется бог-мужчина, Амон. — Он написал на доске это слово. — И богиня-женщина, Изис. В древности ее имя египтяне отражали пиктограммой, которую можно прочесть как Л' ИЗА.

Лэнгдон дописал и отступил на шаг от доски.

АМОН Л'ИЗА

— Ну, смекаете, что у нас получилось? — спросил он.

— Мона Лиза... святый Боже! — ахнул кто-то из заключенных.

Лэнгдон кивнул:

— Так что, как видите, джентльмены, не только лицо Моны Лизы представляет собой загадку. Само ее имя является анаграммой божественного слияния двух начал, мужского и женского. Это и есть маленький секрет да Винчи, именно поэтому Мона Лиза так загадочно улыбается нам. Будто знает нечто особенное, недоступное больше никому.

— Дедушка был здесь! — воскликнула Софи и резко опустилась на колени футах в десяти от картины. И указала на высвеченное фонариком на паркетном полу пятно.

Сначала Лэнгдон ничего не увидел. Затем, опустившись на колени рядом с ней, разглядел крошечную капельку высохшей жидкости, издававшую слабое свечение. *Что это? Чернила? И* тут он вспомнил, как обычно используются специальные маркеры. *Кровь!* Софи права. Перед смертью Жак Соньер действительно нанес визит «Моне Лизе».

— Он бы сюда просто так не пришел, — прошептала Софи и поднялась. — Знаю, где-то здесь он оставил мне еще одно сообщение. — Она подбежала к картине и осветила пол прямо под ней. Потом начала водить лучиком света по голому паркету. — Здесь ничего!

В этот момент Лэнгдон различил на пуленепробиваемом стекле какое-то слабое свечение. Взял Софи за руку и медленно притянул ее к себе. Теперь оба они смотрели на картину.

И застыли, точно громом пораженные.

На стекле поперек лица Джоконды высвечивались красным шесть слов.

ГЛАВА 27

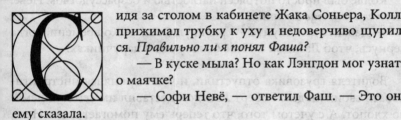идя за столом в кабинете Жака Соньера, Колле прижимал трубку к уху и недоверчиво щурился. *Правильно ли я понял Фаша?*

— В куске мыла? Но как Лэнгдон мог узнать о маячке?

— Софи Невё, — ответил Фаш. — Это она ему сказала.

— Но зачем?

— Чертовски хороший вопрос, но я только что слышал запись, подтверждающую, что именно она помогла ему сорваться с крючка.

На миг Колле лишился дара речи. *О чем только думала эта Невё?* И у Фаша есть доказательства, подтверждающие, что она сорвала операцию судебной полиции? Софи Невё следует не просто уволить, ее надо отдать под суд!

— Но, капитан... а где сейчас Лэнгдон?

— Там, в музее, где-нибудь еще сработала сигнализация?

— Нет, сэр.

— И ни один человек не пролезал под решеткой у входа в Большую галерею?

— Нет. Мы поставили там охранника музея. Как вы приказали.

— Ладно. В таком случае Лэнгдон должен быть где-то в Большой галерее.

— Здесь, у нас? Но что ему тут делать?

— Охранник Лувра вооружен?

— Да, сэр. Он старший по званию.

— Отзовите его, — скомандовал Фаш. — Всех людей надо бросить на охрану выходов из здания. Чтобы расставить моих людей по периметру, понадобится несколько минут. И я не хочу, чтобы Лэнгдон ускользнул. — Фаш умолк и после паузы добавил: — И еще скажите охране, что агент Невё, по всей видимости, где-то с ним. С Лэнгдоном.

— А я думал, агент Невё ушла.

— Вы что, *видели*, как она выходила?

— Нет, сэр, но...

— Никто из наших людей, дежуривших на улице, тоже не видел, как она выходила. А вот как входила — видели.

Колле был просто потрясен наглостью и безрассудством Невё. *Неужели она еще в здании?*

— Давайте действуйте! — рявкнул Фаш. — Ко времени, когда вернусь, чтоб Лэнгдон и Невё были у вас в наручниках!

Водителя грузовика отпустили, и Фаш принялся инструктировать своих людей. Роберт Лэнгдон доставил им сегодня немало хлопот. А с учетом того, что теперь ему помогает агент Невё, загнать его в угол будет труднее, чем он предполагал.

И Фаш решил не рисковать.

Половину своих людей он отправил обратно к Лувру следить за всеми входами и выходами. А остальных послал к единственному месту в Париже, которое могло бы служить Лэнгдону безопасным пристанищем.

ГЛАВА 28

Энгдон с изумлением разглядывал шесть слов, начертанных на пуленепробиваемом стекле. Казалось, они парят в воздухе, отбрасывая неровную тень на загадочную улыбку Моны Лизы.

— Приорат, — прошептал Лэнгдон. — Еще одно доказательство, что ваш дед был членом братства!

Софи взглянула на него с недоумением:

— Вам *понятно*, что это?

— Да, — рассеянно кивнул Лэнгдон, погруженный в собственные мысли. — Это провозглашение одного из самых фундаментальных философских принципов братства!

Софи растерянно взирала на отсвечивающие красным слова, выведенные поперек лица Моны Лизы:

ТАК ТЕМЕН ОБМАННЫЙ ХОД МЫСЛИ ЧЕЛОВЕКА

— Дело в том, Софи, — сказал Лэнгдон, — что традиция поклонения богине была основана у братства на веровании, что могущественные люди эпохи раннего христианства «обманывали» мир, пропагандируя лживые идеи. Идеи, обесценивающие значение женского начала и возвышающие значение начала мужского.

Софи не ответила, молча глядя на слова.

— Приорат Сиона считал, что Константину* и его преемникам по мужской линии удалось отвратить мир от языческого ма-

---

* Константин (Первый, или Великий) — римский император начала IV в. н. э., поддерживал Христианскую церковь, сохраняя при этом языческие культы.

триархата и насадить патриархальное христианство. И делали они это, развернув пропагандистскую кампанию, где демонизировалось священное женское начало, что привело к исчезновению богини из современной религии.

На лице Софи отразилось сомнение.

— Дед послал меня сюда, чтобы я нашла эту запись. Наверняка он хотел сказать нечто большее.

Лэнгдон понял, что она имеет в виду. *Она считает, что есть еще один код.* Но есть ли в этой фразе какой-то потаенный смысл, он пока не знал.

Так темен обманный ход мысли человека, повторил он про себя. *Вот уж воистину темен.*

Никто не посмел бы отрицать то огромное благо, которое привносит Христианская церковь в беспокойный современный мир, и тем не менее история Церкви полна насилия и обмана. Кровавые крестовые походы с целью обратить язычников в христианство и уничтожить религии, связанные с поклонением женскому началу, длились на протяжении трех веков, и методы подавления инакомыслия были чрезвычайно жестоки.

Католическая инквизиция опубликовала книгу, которую без преувеличения можно назвать самой кровавой в истории человечества. Называлась она «Malleus Maleficarum», или в переводе с латинского «Молот ведьм». Книга предупреждала мир об «опасности свободомыслия среди женщин», а также инструктировала священников, как находить, пытать и уничтожать ведьм. К числу «ведьм» Христианская церковь того времени относила всех женщин-ученых, женщин-священников, цыганок, любительниц мистики и природы, собирательниц трав, вообще любую женщину, «выказывающую подозрительное пристрастие к миру Природы». Повитух тоже убивали — за их еретическую практику использовать различные снадобья для облегчения болей у рожениц. По утверждениям Церкви, эти страдания даны им свыше как наказание Господне за первородный грех Евы, посмевшей вкусить от Древа познания. За три века охоты за ведьмами Церковь сожгла на кострах пять *миллионов* женщин!

Пропаганда и кровопролитие дали свои плоды. Сегодняшний мир — живое тому доказательство.

Женщинам, считавшимся прежде воплощением священного духовного начала, запрещено занимать высокие должности. На свете не существует женщин-раввинов, католических священников, исламских муфтиев. Считавшийся некогда священным акт естественного сексуального слияния мужчины и женщины, через который оба они соединяются не только телом, но и духом, ныне признан постыдным. Мужчины в сутанах и рясах боятся даже собственных вполне естественных сексуальных порывов, считают их происками самого дьявола, который совращает их через свою верную пособницу... *женщину.*

Даже женские организации с «левым уклоном» не избежали гонений со стороны Церкви. Во Франции и Италии само слово «левый» — gauche и sinistre — приобрело негативный оттенок, в то время как слово «правый» стало почти полным синонимом правоты, правильности, праведности. По сей день радикально мыслящих политиков называют левым крылом, иррациональное мышление — левым, а слово sinistre переводится как «плохой», «дурной», «злой».

Дни богини были сочтены. Маятник качнулся в другую сторону. Мать-Земля стала мужским миром, боги разрушения и войны наверстывали упущенное. Подавляемое на протяжении двух тысячелетий мужское эго вырвалось на свободу. Приорат Сиона считал, что изничтожение священного женского начала в современной жизни вызвало феномен, который американские индейцы племени хопи называли «койянискватси» — «жизнь вне равновесия», подчеркивая тем самым нестабильность ситуации в мире, страдающем от войн, обилия женоненавистнических обществ и все растущего пренебрежения к Матери-Земле.

— Роберт, — шепнула Софи, — кажется, сюда кто-то идет!

Тут и он услышал шаги в коридоре. Они приближались.

— Сюда! — прошипела Софи, выключив фонарик, и Лэнгдон тут же перестал ее видеть.

На секунду он совершенно ослеп. *Сюда? Это куда же?* Но затем глаза освоились с темнотой, и он разглядел силуэт Софи, она бежала к центру комнаты и через мгновение нырнула за большой восьмиугольный диван. Он был готов бежать следом, но его остановил грозный возглас.

— Arretez!* — скомандовал человек в дверях.

---

* Стоять! *(фр.)*

Агент из службы безопасности Лувра вошел в Саль де Эта с револьвером на изготовку. Он целился прямо в грудь Лэнгдону.

Лэнгдон чисто инстинктивным жестом поднял руки.

— Couchez-vous! — громко скомандовал мужчина. — Ложись!

И через секунду Лэнгдон оказался на полу, лицом вниз. Агент подскочил и ударом ботинка заставил его раздвинуть ноги и руки.

— Mauvaise idée*, Monsieur Langdon, — сказал он и вдавил дуло револьвера в спину Лэнгдону. — Mauvaise idée.

Лежа лицом к полу, с нелепо раскинутыми руками и ногами, Лэнгдон не удержался от ироничного сравнения. *Прямо как Витрувианский человек*, подумал он. *Только лицом вниз.*

---

* Скверная, плохая идея *(фр.).*

ГЛАВА 29

айлас взял тяжелый железный подсвечник с алтаря и вернулся к обелиску. Вполне подходящий инструмент, его можно использовать в качестве рычага. Разглядывая серую мраморную плиту, под которой была пустота, он вдруг понял, что вскрыть пол, не наделав шума, не удастся.

Железо по мрамору. Эхо разнесет удары по всей церкви.

Что, если монахиня услышит? Она сейчас, наверное, спит. Но грохот разбудит ее. В таких делах Сайлас предпочитал не рисковать. И начал озираться в поисках какой-нибудь тряпки, которой можно обернуть железный наконечник. Но не увидел ничего подходящего, кроме покрывала на алтаре. Как-то неловко было его снимать. *Моя сутана,* подумал он. Зная, что в церкви он один, Сайлас развязал шнур, стягивающий сутану у горла, и она тут же соскользнула с тела и упала на пол. Он слегка поморщился от боли — грубая шероховатая ткань задела свежие раны на спине.

Теперь он был наг, не считая некоего подобия набедренной повязки из свивальника. Сайлас обернул краем сутаны конец железного прута. Затем примерился и нанес удар прямо по центру серой плитки. Раздался приглушенный стук. Камень выдержал. Он ударил еще раз. Снова глухой стук, только на сей раз сопровождаемый треском. С третьего удара удалось наконец расколоть мраморную плиту, ее кусочки разлетелись по полу, часть провалилась в углубление под камнем.

Тайник!

Осторожно освободив отверстие от осколков камня, Сайлас заглянул в него. Потом опустился на колени, кровь стучала в висках. И сунул в тайник белую обнаженную руку.

Сперва ничего найти не удавалось. Повсюду просто гладкий холодный камень. Затем он продвинул руку дальше, под линию Розы, и что-то нащупал! Толстый прямоугольный предмет, на ощупь тоже похожий на камень. Он ухватил его кончиками пальцев и осторожно вытянул. Поднялся с колен и, держа находку на ладони, внимательно разглядывал ее. Грубо обработанный кусок камня, а на нем выцарапаны какие-то слова. На секунду Сайлас ощутил себя новым Моисеем.

Но, прочитав слова на камне, удивился. Он считал, что краеугольный камень окажется картой или же целой комбинацией указаний направления, возможно, даже закодированной. Однако надпись на камне поражала простотой и лаконичностью:

ИОВ 38:11

Цитата из Библии? Сайлас был просто потрясен примитивностью своей находки. В тайнике, на поиски которого потрачено столько сил, всего лишь цитата из Библии? Да, братство ни перед чем не остановится, чтоб поглумиться над правоверными!

Иов. Глава тридцать восьмая. Стих одиннадцатый.

Сайлас не помнил наизусть одиннадцатого стиха этой главы, но знал, что в Книге Иова рассказывается о человеке, чья вера в Господа подверглась нескольким тяжелым испытаниям. *Что ж, это как раз наш случай*, подумал он, и в сердце его вновь возродилась надежда.

Он еще раз взглянул на линию Розы и улыбнулся. Затем посмотрел через плечо. На главном алтаре на позолоченной подставке стояла огромная, переплетенная в кожу Библия.

Сидевшая наверху, на хорах, сестра Сандрин дрожала мелкой дрожью. Всего лишь несколько минут назад она была готова бежать и исполнить свой долг, но тут пришелец внезапно скинул сутану. Она увидела его алебастрово-белую кожу и содрогнулась от ужаса и изумления. Вся его широкая белая спина была сплошь в кровавых шрамах. Даже отсюда было видно, что раны свежие.

Этого человека безжалостно пороли хлыстом!

Она также заметила и кровавый круг на бедре, что оставила подвязка с шипами. *Что это за Бог такой, которому угодно, чтобы плоть человеческая подвергалась подобным мукам?* Нет, сестра Сандрин просто отказывалась понимать ритуалы, практиковавшиеся членами «Опус Деи». Но сейчас это беспокоило ее меньше всего. *«Опус Деи» ищет краеугольный камень!* Как они узнали о нем, сестра не представляла и знала, что раздумывать об этом сейчас просто некогда.

Окровавленный монах спокойно надел сутану, затем расправил складки ткани и, сжимая в руке находку, двинулся к алтарю, где находилась Библия.

Стараясь не дышать, сестра Сандрин вышла с хоров и устремилась вниз по лестнице, к себе в келью. Оказавшись в комнате, подбежала к деревянной кровати, опустилась перед ней на колени и вытащила из самого дальнего угла запечатанный конверт, который сама спрятала здесь три года назад.

Торопливо вскрыла его и увидела четыре парижских телефонных номера.

Дрожащей рукой она принялась накручивать диск.

Сайлас положил камень на алтарь и снял тяжелую Библию в кожаном переплете с подставки. Он стал торопливо перелистывать страницы, мельком отметив, что его длинные белые пальцы вспотели от возбуждения. И вот наконец он нашел в Ветхом Завете Книгу Иова. Так, теперь глава тридцать восьмая. Вот она. Он вел указательным пальцем вдоль колонки с текстом, заранее предвкушая торжество при виде заветных слов.

Они укажут нам путь!

Отыскав стих одиннадцатый, Сайлас прочел текст. Всего несколько слов. Смутился, растерялся, прочел их еще раз и понял, что произошло нечто ужасное. Стих гласил:

...ДОСЕЛЕ ДОЙДЕШЬ, И НЕ ПЕРЕЙДЕШЬ, И ЗДЕСЬ ПРЕДЕЛ НАДМЕННЫМ ВОЛНАМ ТВОИМ.

ГЛАВА 30

ачальник охраны Клод Груар так и кипел от ярости, стоя над распростертым на полу перед «Моной Лизой» арестованным. *Этот ублюдок посмел убить Жака Соньера!* Для Клода и его людей Соньер был как отец родной.

Больше всего на свете в этот момент Груару хотелось нажать на спусковой крючок и выстрелить в спину Роберту Лэнгдону. Ему, как начальнику музейной охраны, разрешалось носить огнестрельное оружие. Но он тут же напомнил себе, что быстрая смерть от пули — слишком уж легкий выход для негодяя в сравнении с теми муками и унижениями, которым подвергнет его Фаш, а затем и пенитенциарная система французского правосудия.

Клод выхватил из-за пояса радиопереговорное устройство и попытался связаться со своими людьми, чтобы прислали подмогу. Но в трубке раздавалось лишь потрескивание. Дополнительно установленное в этом зале охранное электронное оборудование создавало помехи. *Ладно, иду к двери.* Продолжая целиться в спину Лэнгдону, Груар начал пятиться к выходу. Сделал шага два и вдруг застыл как вкопанный.

Что это, черт побери?

В центре комнаты материализовался какой-то смутный объект. Силуэт. Так, значит, в зале находится кто-то еще? Да, то была женщина, она быстро надвигалась на него слева. А впереди нее плясал и подпрыгивал узкий красноватый лучик света. Она водила им по полу, точно пыталась что-то найти.

— Qui est là?* — окликнул женщину Груар. Сердце его бешено билось. Он не знал, в кого теперь целиться, куда бежать.

— НТП, — спокойно ответила женщина, продолжая осматривать пол с помощью фонарика.

Научно-технический отдел полиции. Начальник охраны весь вспотел. *Я думал, все агенты уже ушли!* Теперь он узнал фонарик с ультрафиолетовым лучом, вспомнил, что точно такие же использовали здесь агенты судебной полиции. И все же не понимал, что техническая служба пытается отыскать здесь.

— Votre nom! — взревел начальник охраны, инстинктивно чувствуя, что здесь что-то не так. — Répondez!**

— C'est moi***, — спокойно ответил ему женский голос по-французски. — Софи Невё.

Это имя определенно было знакомо Клоду Груару. *Ах, ну да, конечно, Софи Невё!* Вроде бы так звали внучку Жака Соньера? Она приходила сюда совсем еще маленькой девочкой, но с тех пор прошло много лет. *Да нет, быть того не может, чтобы она!* Если эта женщина и есть Софи Невё, тем меньше оснований доверять ей. Груар был наслышан о полном разрыве Соньера со своей внучкой.

— Вы меня знаете! — крикнула женщина. — И Роберт Лэнгдон не убивал моего деда! Можете мне поверить!

Но начальник охраны не был склонен принимать это на веру. *Надо вызвать подкрепление!* Снова попробовал связаться со своими людьми по радиопередатчику, и снова в ответ лишь потрескивание. Вход находился в добрых двадцати ярдах у него за спиной, и тогда Груар начал медленно, шаг за шагом пятиться к двери, нацелив револьвер на мужчину, распростертого на полу. Еще шаг, и тут вдруг он увидел, что женщина прошла по залу, а затем, включив ультрафиолетовый фонарик, принялась осматривать большое полотно, висевшее напротив «Моны Лизы».

Сообразив, что это за картина, Груар тихо ахнул.

Что, черт побери, она делает?

Софи Невё почувствовала, что на лбу у нее выступил холодный пот. Лэнгдон по-прежнему лежал на полу, раскинув руки и

* Вы кто? *(фр.)*
** Ваше имя! Отвечайте! *(фр.)*
***Это я *(фр.).*

ноги. *Держись, Роберт. Я уже почти у цели.* Понимая, что охранник ни за что в них не выстрелит, Софи перенесла свое внимание на главное: начала тщательно осматривать все вокруг шедевра — еще одной картины Леонардо да Винчи. Но даже специальное ультрафиолетовое освещение не помогло обнаружить ничего интересного ни на полу, ни на стенах, ни на самом полотне.

Здесь точно должно что-то быть!

Софи была уверена, что правильно поняла намерения деда.

А какой еще был у него выход?

Шедевр, который она осматривала, был довольно большим полотном высотой в пять футов. Да Винчи изобразил на нем весьма причудливую сцену. Деву Марию, сидящую в какой-то неуклюжей позе, младенца Иисуса, Иоанна Крестителя и ангела Уриеля — все они размещались на острых скалах. Когда Софи была еще маленькой девочкой, каждый осмотр «Моны Лизы» заканчивался тем, что дед тащил ее к этой картине, висевшей напротив.

Я здесь, дедуля! Но не вижу пока ничего!

Софи слышала, как начальник охраны вновь попытался связаться по рации со своими людьми.

Думай же, думай!

Мысленно она представила надпись на стекле перед «Моной Лизой». *Так темен обманный ход мысли человека.* Перед полотном, которое она рассматривала, не было защитного пуленепробиваемого стекла, так что писать было просто не на чем, к тому же Софи знала, что дед никогда бы не осквернил картину надписью поверх краски. Тут ее осенило. *По крайней мере снаружи.* Она подняла глаза и принялась рассматривать длинные шнуры, свисавшие с потолка, на которых держалось полотно.

Может, здесь? Ухватив раму за левый край, Софи притянула картину к себе. Потом заглянула за картину и, включив фонарик, стала осматривать ее оборотную сторону.

Нескольких секунд было достаточно, чтобы понять: на сей раз интуиция подвела. Задняя сторона картины была девственно чиста. Никакого текста не высветилось, лишь мелкие темные точечки и пятна на состарившемся холсте и...

Нет, погоди-ка!

Софи заметила, как в нижней части деревянной рамы, в том месте, где к ней прилегало полотно, что-то блеснуло. Предмет был маленький и почти полностью провалился в щель между рамой и полотном. Свисал лишь кончик золотой цепочки.

К своему изумлению, Софи обнаружила на цепочке знакомый золотой ключик, верхняя часть которого представляла собой крест с гербом. Последний раз она видела его, когда ей должно было исполниться девять. Fleur-de-lis с загадочными инициалами P.S. И тут Софи словно услышала голос призрака, дед нашептывал ей на ушко: *Придет время, и ключик будет твоим.* К горлу подкатил ком, она поняла, что, умирая, дед сдержал свое обещание. *Этот ключ открывает шкатулку,* сказал он тогда, *где я храню много разных секретов.*

Только теперь Софи поняла, что смыслом затеянной сегодня дедом игры в слова было обнаружение этого ключа. Ключ был при нем, когда его убивали. Не желая, чтобы он попал в руки полиции, дед спрятал его за этой картиной. И чтобы отыскать его, требовалась не только недюжинная смекалка. Для этого надо было родиться Софи Невё.

— Au secours!* — крикнул охранник.

Софи выдернула цепочку с ключом и сунула ее в карман вместе с фонариком. Выглянула из-за рамы и увидела, как охранник отчаянно пытается связаться с кем-то по рации. Он направлялся к выходу, продолжая целиться в лежавшего на полу Лэнгдона.

— Au secours! — снова крикнул он.

В ответ лишь треск и невнятные шумы.

Он ничего не может сообщить, догадалась Софи, вспомнив, что туристы с мобильными телефонами, пришедшие в этот зал, напрасно пытались дозвониться домой, чтобы сообщить радостную новость: они наконец увидели «Мону Лизу». Стены зала были так напичканы проводами охранных устройств, что телефоны работали только на выходе из помещения. Теперь охранник поспешно направлялся к двери, и Софи поняла, что надо действовать незамедлительно.

Большое полотно было прекрасным укрытием, и Софи подумала, что второй раз за сегодняшний день Леонардо да Винчи может прийти ей на помощь.

Еще несколько метров, сказал себе Груар, продолжая целиться в Лэнгдона.

---

* На помощь! *(фр.)*

— Arrêtez! Ou je la détruis!* — Эхо от женского крика разнеслось по всему залу.

Груар обернулся и похолодел.

— Mon dieu, non!**

В красноватом тумане он видел, как женщина сняла большую картину со стены и выставила перед собой, как щит. Картина прикрывала ее почти полностью. Первой мыслью Груара было: почему не сработала сигнализация? Но затем он вспомнил, что кабельные датчики, ведущие к отдельным экспонатам, сегодня еще не включали. *Что она делает?!*

Охранник похолодел.

Полотно вспучилось посередине, смутные очертания Девы Марии, младенца Иисуса и Иоанна Крестителя исказились.

— Non! — вскричал Груар, в ужасе наблюдая за тем, какой ущерб наносится бесценному полотну да Винчи. Женщина вдавливала колено в самый центр полотна. — *NON!*

Груар развернулся и прицелился в женщину, но тут же сообразил, что это пустая угроза. Картина представляла собой надежный щит — ведь стоимость ее равнялась шести миллионам долларов.

Не могу же я всадить пулю в да Винчи!

— Оружие и рацию на пол! — спокойно скомандовала женщина по-французски. — Иначе продавлю полотно коленом. Полагаю, ты знаешь, как бы отнесся к этому мой дед.

У несчастного просто голова пошла кругом.

— Пожалуйста... не надо! Ведь это «Мадонна в гроте»! — И он бросил на пол рацию и револьвер и поднял руки вверх.

— Спасибо, — сказала женщина. — А теперь делай, что тебе говорят, и все будет хорошо.

Несколько секунд спустя Лэнгдон с бешено бьющимся сердцем мчался вместе с Софи вниз по пожарной лестнице. Ни один из них не произнес ни слова с тех пор, как они выбежали из зала, где висела «Мона Лиза» и лежал на полу дрожащий от злобы и страха охранник Лувра. Теперь уже Лэнгдон крепко сжимал его револьвер в руке и не мог дождаться, когда же наконец от не-

---

*   Стоять! Иначе я его уничтожу! *(фр.)*
** О мой Бог, нет! *(фр.)*

го избавится. Револьвер казался ему страшно тяжелым, от него так и веяло опасностью.

Перепрыгивая сразу через две ступеньки, Лэнгдон пытался сообразить, понимала ли Софи, насколько бесценным было полотно, которое она едва не погубила. Картина да Винчи, за которой она пряталась, так же как и «Мона Лиза», изобиловала, по мнению большинства искусствоведов, тайными языческими символами.

— А вы выбрали ценного заложника, — бросил он на бегу.

— «Мадонна в гроте», — ответила Софи. — Но я ее не выбирала, мой дед сделал это. Оставил мне одну маленькую вещичку за рамой.

Лэнгдон удивленно покосился на нее:

— Что? Но как вы узнали, что предмет этот спрятан именно там? Почему «Мадонна в гроте»?

— Так темен обманный ход мысли человека! — Она торжествующе улыбнулась. — Мне не удалось разгадать двух первых анаграмм, Роберт. Но уж с третьей я просто обязана справиться.

ГЛАВА 31

—ни мертвы! — говорила в телефонную трубку сестра Сандрин. Слова эти предназначались для автоответчика. — Пожалуйста, снимите трубку. Они все мертвы!

Ее звонки по первым трем телефонным номерам из списка принесли ужасные вести — истерически рыдающая вдова, детектив, вызванный на место преступления, мрачный священник, утешающий осиротевшую семью. Все трое связных были мертвы. И теперь она звонила по четвертому, последнему в списке номеру, по которому разрешалось звонить лишь в том случае, если с первыми тремя ничего не получится. И нарвалась на автоответчик. Причем голос, звучавший в трубке, не назвал имени абонента, лишь просил звонившего оставить сообщение.

— Пол взломан! — умоляющим голосом бормотала она. — Остальные трое мертвы.

Сестра Сандрин не была знакома лично с владельцами четырех телефонных номеров, но по этим номерам, надежно спрятанным под кроватью, разрешалось звонить лишь в одном случае.

Если пол взломают и найдут тайник, инструктировал ее мужчина с незапоминающейся внешностью, *это означает, что верхний эшелон понес потери. Что по крайней мере одному из нас угрожали смертью и он был вынужден солгать. Вам следует обзвонить всех. Предупредить остальных. И уж постарайтесь не подвести нас.*

То был сигнал тревоги. Надежный и безопасный способ предупредить своих. План поразил ее своей простотой, еще когда она впервые узнала о нем. Если хотя бы один из братьев подвергнется смертельной опасности, он может солгать. И эта ложь тут же включает механизм, призванный предупредить остальных. Впрочем, сегодня опасности, похоже, подверглись сразу трое.

— Пожалуйста, ответьте, — отчаянным шепотом бормотала она в трубку. — Где же вы, где?..

— А ну брось трубку! — вдруг рявкнул у нее за спиной мужчина.

Сестра Сандрин вздрогнула и обернулась. В дверях стоял монах, сжимая в руке тяжелую железную подставку от подсвечника. Дрожа всем телом, она медленно опустила трубку на рычаг.

— Все они мертвы, — сказал монах. — Все четверо. И они меня обдурили. А ну-ка говори, где краеугольный камень?

— Но я не знаю! — совершенно искренне ответила сестра Сандрин. — Эту тайну хранили другие. — *Те, что теперь мертвы.*

Мужчина начал приближаться к ней, не выпуская подставку из мертвенно-белых рук.

— Ведь ты сестра Церкви! И служишь этим негодяям?

— Иисус поведал нам множество истин, — храбро ответила сестра Сандрин. — Но что-то ни одной из этих истин в действиях «Опус Деи» я не наблюдаю.

Монах яростно сверкнул красными глазами. И замахнулся, зажав в кулаке подставку, точно биту. Сестра Сандрин рухнула на пол, и последней ее мыслью было отчаянное:

Все четверо мертвы.

Драгоценная тайна потеряна навсегда.

ГЛАВА 32

т пронзительного воя сигнализации в западном крыле Лувра снялись с насиженных мест и разлетелись все голуби, обитавшие в саду Тюильри. Софи и Лэнгдон выбежали в парижскую ночь из-под козырька над входом в здание. И бросились бежать через площадь к машине Софи. Вдали завывали сирены полицейских автомобилей.

— Вон она! — крикнула Софи. И указала на красную тупоносенькую малолитражку, припаркованную через площадь.

Да она никак шутит? Такой маленькой машинки Лэнгдон еще никогда не видел.

— Называется «смарт», — пояснила Софи. — Ест всего литр на сто километров.

Лэнгдон едва успел втиснуться на переднее сиденье, когда Софи включила зажигание и резким рывком послала машину вперед, через каменный бордюр, на разделительную полосу, выложенную гравием. Затем она промчалась по тротуару и выехала на проезжую часть, образующую небольшой круг перед Карузель де Лувр.

На секунду Лэнгдону показалось, что сейчас Софи, желая срезать угол, помчится прямо вперед, через живую изгородь, и пересечет круг с газоном по центру.

— Нет! — крикнул Лэнгдон, зная, что кусты, образующие изгородь, высажены, чтобы замаскировать глубокую впадину, так называемую перевернутую пирамиду, которую он видел сегодня раньше из окон музея. Миниатюрную машинку Софи она проглотила бы мгновенно. К счастью, Софи выбрала более привычный маршрут, резко крутанула руль вправо, проехала примерно с полкруга и выбралась на дорогу, ведущую на север. А затем, прибавив скорость, помчалась по направлению к рю де Риволи.

Вой полицейских сирен становился все громче, стремительно нарастал у них за спиной, и теперь Лэнгдон видел в боковом зеркальце свет фар. Мотор «смарта» заверещал, словно в знак протеста, когда Софи выжала педаль акселератора до упора, стремясь поскорее убраться как можно дальше от Лувра. Впереди, ярдах в пятидесяти, на перекрестке с Риволи, загорелся красный. Тихо чертыхнувшись, Софи продолжала мчаться вперед. Лэнгдон весь напрягся.

— Софи!..

Подъезжая к перекрестку, она лишь слегка сбросила скорость, мигнула фарами, посмотрела по сторонам, затем снова до отказа выжала акселератор и, резко свернув влево, выехала через пустой перекресток на Риволи. Промчавшись по этой улице примерно с четверть мили к западу, Софи перестроилась в правый крайний ряд. И вскоре они выехали на широкую авеню Елисейских полей.

Лэнгдон повернулся на тесном сиденье и посмотрел в заднее окно в сторону Лувра. Похоже, полицейские их не преследовали. Голубые огоньки стекались к площади перед музеем.

Немного успокоившись, Лэнгдон заметил:

— Это было очень занимательно.

Софи, видно, не слышала его слов. Глаза ее были устремлены вперед, на просторную проезжую часть Елисейских полей. По обеим сторонам примерно на две мили тянулись витрины роскошных магазинов, именно поэтому улицу часто называли Пятой авеню Парижа. Посольство США находилось теперь в миле от них, и Лэнгдон расслабленно откинулся на спинку сиденья.

Так темен обманный ход мысли человека.

Да, в сообразительности Софи не откажешь.

«Мадонна в гроте».

Софи сказала, дед оставил ей что-то за рамой картины. *Последнее послание?* Лэнгдон не мог не восхищаться изощренностью, с которой Соньер выбрал этот тайник. «Мадонна в гроте» была еще одним недостающим звеном в сегодняшней цепи символов. Казалось, каждым своим шагом Соньер словно демонстрировал увлеченность темной и мистической стороной творчества да Винчи.

Заказ на написание «Мадонны в гроте» Леонардо да Винчи получил от Братства непорочного зачатия; им нужна была роспись центральной части алтаря в церкви Сан-Франческо в Милане. Монахини дали Леонардо все необходимые размеры, а также примерный сюжет: на картине должны были быть изображены Дева Мария, младенец Иоанн Креститель, ангел и младенец Иисус. Сколь ни покажется странным, но на картине художника вопреки привычным канонам именно младенец Иоанн благословлял Иисуса... а Иисус полностью ему подчинялся! Мало того, Мария держала одну руку высоко поднятой над головой младенца Иоанна, и жест этот выглядел угрожающим. Пальцы походили на когти орла, готовые впиться в чью-то невидимую голову. И наконец, там присутствовал еще один пугающий образ: находившийся прямо под хищно согнутыми пальцами Марии Уриель словно намеревался ребром ладони отсечь эту невидимую голову, попавшую в когти Девы Марии.

Студенты Лэнгдона всегда с удивлением узнавали, что позже да Винчи все-таки ублажил Братство непорочного зачатия, написав второй, «смягченный» вариант той же картины, «Мадонны в гроте», где все изображалось в более ортодоксальной манере. Второй вариант находился теперь в Лондонской национальной галерее и носил другое название — «Мадонна в скалах». Но сам Лэнгдон предпочитал более интригующий луврский вариант.

Софи гнала машину по Елисейским полям, и Лэнгдон спросил:

— Картина... Что было за ней спрятано?

Она не сводила глаз с дороги.

— Позже покажу. Когда будем в безопасности, в посольстве.

— Покажете? — удивился Лэнгдон. — Так он оставил вам вполне осязаемый предмет?

Софи кивнула:

— Да. Украшенный геральдической лилией и инициалами P.S.

Лэнгдон ушам своим не верил.

Мы прорвемся, думала Софи, резко сворачивая вправо. Вот машина пронеслась мимо фешенебельного отеля «Де Крийон», и они оказались в обсаженном деревьями так называемом дипломатическом районе Парижа. До посольства оставалось меньше мили. Теперь можно вздохнуть спокойно.

Даже во время езды Софи продолжала размышлять о ключе, что лежал у нее в кармане. Вспоминала о том, как впервые увидела его много лет назад и как поразил ее тогда этот ключ с вмятинами вместо обычных зубчиков, украшенный равносторонним крестом, геральдическим рисунком и двумя буквами — P.S.

Хотя за долгие годы, прошедшие с тех пор, Софи редко вспоминала о дедовском ключе, работа в полицейском управлении научила ее многому, в том числе и средствам, с помощью которых обеспечивается безопасность. И теперь необычная форма ключа уже не казалась столь загадочной. *Матрица, сработанная с помощью лазера. Дубликат такого ключа практически невозможно изготовить.* Не имеющий обычных зубчиков, ключ такого типа обладал рядом выжженных лазером мелких углублений, и реагировало на них только специальное электронное устройство замка. Если устройство определяло, что шестиугольные углубления расположены правильно, в определенном порядке, замок открывался.

Софи не представляла, что именно может открыть этот ключ, но чувствовала: и здесь ей может помочь Роберт. Ведь он умудрился описать выгравированную на ключе эмблему, даже ни разу не видев его. Крест наверху означал, что ключ, по всей видимости, принадлежал какой-то христианской организации. Однако Софи не знала церквей, где могли бы использовать такие изготовленные при помощи лазера матричные ключи.

Кроме того, мой дед вовсе не был христианином...

Доказательство тому Софи получила десять лет назад. И в том по иронии судьбы ей помог другой ключ — правда, вполне обычный. Именно с его помощью она и узнала правду.

В тот теплый весенний день она прилетела в Париж. Самолет приземлился в аэропорту Шарль де Голль. Софи взяла такси и отправилась домой. *Как же обрадуется и удивится дедуля, увидев меня!* — думала она. Она вернулась из Англии на весенние каникулы несколькими днями раньше, чем предполагалось. И с нетерпением ожидала встречи с дедом, хотела рассказать ему о своих успехах в области криптографии, которой их обучали в колледже.

Но дома деда вопреки ожиданиям не оказалось. Софи огорчилась, хоть и понимала: он не ждал ее сегодня. Наверное, совсем заработался у себя в Лувре. *Впрочем, что это я, ведь сегодня же воскресенье,* тут же напомнила она себе. А дед редко работал по выходным. По выходным он обычно...

Софи улыбнулась и бросилась к гаражу. Ну конечно, машины на месте нет. Ведь сегодня уик-энд. А Жак Соньер, презиравший езду по городу, использовал машину только с одной целью — добраться до своего загородного шато в Нормандии, к северу от Парижа. Софи, уставшая за несколько месяцев лондонской жизни от города, истосковалась по природе, свежему воздуху, зелени и решила немедленно ехать в Нормандию. Вечер только начался, к ночи она приедет, то-то удивится и обрадуется дедуля! Софи одолжила машину у друга и отправилась в путь, на север. Дорога вилась среди полей и холмов. На место она прибыла в начале одиннадцатого, свернула с дороги и въехала на длинную, с милю, аллею, ведущую к убежищу деда. Она проехала по ней примерно половину пути, и наконец среди деревьев показался дом — большое и старое каменное шато, угнездившееся в лесу на склоне холма.

Софи опасалась, что в этот час дед уже улегся спать, а потому страшно обрадовалась, заметив в окнах свет. Удивление ее возросло, когда она увидела, что большая площадка перед домом буквально забита машинами. Тут были и «мерседесы», и «БМВ», и «ауди», и даже «роллс-ройсы».

На секунду Софи растерялась, а потом весело засмеялась. *Вот вам и дедуля, знаменитый отшельник!* Оказывается, Жак Соньер ведет не столь уж и уединенную жизнь, как о нем привыкли думать. Очевидно, решил устроить вечеринку, воспользовавшись отсутствием Софи, и, судя по автомобилям, гости из Парижа к нему съехались весьма влиятельные.

Сгорая от нетерпения, она поспешила к двери. Но, подойдя и подергав за ручку, обнаружила, что дверь заперта. Софи постучала. Никто не ответил. Растерянная, она обошла дом и попробовала войти через черный ход. Но и здесь дверь оказалась заперта. И никто не отвечал на ее стук.

Софи стояла и прислушивалась. Но единственным звуком, достигавшим ее слуха, было жалобное стонущее завывание холодного ветра, разгулявшегося по долинам Нормандии. Из дома не доносилось ни звука.

Ни музыки.

Ни голосов.

Ровным счетом ничего.

Софи еще раз обежала дом и, вскарабкавшись на поленницу, заглянула в окно гостиной. То, что она там увидела, удивило еще больше.

Да там ни души!

На всем первом этаже, похоже, никого.

Куда же подевались люди?

С бешено бьющимся сердцем Софи подбежала к дровяному сараю и достала запасной ключ, который дед прятал под коробкой с лучиной для растопки. Потом снова бросилась к дому и отперла входную дверь. Едва она успела войти в прихожую, как на контрольной панели замигала красная лампочка. Это означало, что у вошедшего есть всего десять секунд, чтобы набрать код доступа в дом. В противном случае должна была сработать сигнализация.

Он включил сигнализацию во время приема гостей?..

Софи торопливо набрала код, и красная лампочка погасла.

Дом выглядел необитаемым. Не только внизу, но и наверху тоже. Спустившись со второго этажа в гостиную, она несколько секунд простояла в полной тишине, пытаясь сообразить, что все это означает.

И тут вдруг услышала.

Приглушенные голоса. И доносились они откуда-то снизу. Софи вконец растерялась. Встала на четвереньки и прижала ухо к полу. Да, звуки определенно доносятся снизу. И голоса эти поют... или бормочут какие-то невнятные заклинания?.. Она испугалась. Еще более странным показался тот факт, что в доме не было никакого подвала.

Во всяком случае, я до сих пор не знала, что он здесь есть.

Софи начала осматриваться. И только тут заметила, что в гостиной что-то не так. Старинный обюссонский ковер, столь ценимый дедом, обычно висел на восточной стене, рядом с камином. Сегодня же он был сдвинут в сторону и свисал с медной штанги, точно знамя, а за ним открывалась голая деревянная стена.

Осторожно приблизившись к ней, Софи заметила, что голоса стали громче. Прижала ухо к деревянной стене. Да, голоса теперь звучали отчетливее. Похоже, люди читали нараспев какую-то молитву или заклинание, но отдельных слов Софи никак не могла разобрать.

Стало быть, там, за стеной, есть помещение?

Софи провела пальцем по краю дверной панели и вот наконец нащупала небольшое углубление. Сработан запор был весьма искусно, невооруженным глазом не заметить. *Потайная дверца!* С бешено бьющимся от волнения сердцем Софи снова сунула палец в крошечную щель и надавила на находящийся там выступ. Тяжелая стена бесшумно начала отползать в сторону. Изнутри, из темноты, доносились голоса.

Софи проскользнула в образовавшийся проход и оказалась на маленькой площадке перед винтовой лестницей, выложенной из грубых серых камней. Лестница вела вниз. Софи бывала в доме с раннего детства, но понятия не имела о существовании этой лестницы.

Чем ниже она спускалась, тем прохладнее становилось. А хор голосов — четче. Теперь она различала мужские и женские голоса. И вот наконец осталось несколько последних ступеней, и она увидела пол внизу. Тоже выложенный из камня и освещенный мерцающим оранжевым светом, исходящим от костра или камина.

Затаив дыхание, Софи преодолела последние несколько ступенек и слегка пригнулась, чтобы лучше видеть.

Подвальное помещение походило на грот, по всей видимости, выдолбленный в гранитной породе, из которой состоял холм рядом с домом. Источником света служили факелы, укрепленные на стенах. Освещенные их мерцающим пламенем, в центре помещения стояли, образуя круг, человек тридцать или около того.

Мне снится сон, сказала себе Софи. *Сон. Только во сне можно увидеть такое.*

На всех людях были маски. Женщины одеты в просторные белые платья из тонкого газа, на ногах золоченые сандалии. Маски у них были белые, а в руках они держали золотые шары. На мужчинах были черные туники и черные маски. Создавалось впечатление, что перед Софи доска с белыми и черными шахматными фигурами. Стоявшие кругом люди раскачивались из стороны в сторону и нараспев повторяли какие-то заклинания, обращенные к предмету, лежавшему в центре круга. А вот что это был за предмет, Софи не видела.

Пение возобновилось с новой силой. Ускорилось. Звучало все громче и громче. И вдруг все участники этой странной церемонии сделали шаг к центру круга и упали на колени. И тут наконец Софи увидела, чему они поклонялись. И хотя она тут же отпрянула в ужасе, сцена эта навеки запечатлелась в памяти. К горлу подкатила тошнота, и Софи начала карабкаться обратно, вверх по лестнице, цепляясь руками за стену. Затворив за собой потайную дверцу, она выбежала из дома, села в машину и, обливаясь слезами, поехала обратно в Париж.

Той же ночью она собрала все свои вещи, находившиеся в городской квартире деда, и навсегда покинула родной дом. А на столе в гостиной оставила такую записку:

Я ТАМ БЫЛА. НЕ ПЫТАЙСЯ НАЙТИ МЕНЯ.

Рядом с запиской она положила запасной ключ от загородного дома деда.

— Софи! — прервал ее размышления голос Лэнгдона. — Стойте! Остановитесь же!

Софи ударила по тормозам, их обоих резко бросило вперед.

— Что? Что такое?

Лэнгдон указал на длинную улицу впереди.

Софи похолодела. Впереди, примерно в сотне ярдов от них, перекресток блокировали два автомобиля судебной полиции. Намерения их были вполне очевидны. *Они отрезали нам путь к посольству!*

Лэнгдон, нервно усмехнувшись, заметил:

— Как я понимаю, в посольство нам сегодня не попасть?

Впереди двое офицеров полиции отошли от своих автомобилей и смотрели в ту сторону, где остановилась малолитражка Софи.

Ладно, сказала себе Софи. *Поворачивай назад, девочка, только очень медленно.*

Она дала обратный ход, затем развернулась и поехала назад. Удаляясь от перекрестка, услышала, как за спиной взвизгнули шины резко затормозившего автомобиля. И тут же завыли сирены.

Чертыхаясь, Софи вдавила педаль газа.

ГЛАВА 33

алолитражка Софи мчалась по дипломатическому кварталу, мимо посольств и консульств, и наконец оказалась на боковой улице. Проехав по ней, свернула вправо, и вот они вновь на просторной автостраде Елисейских полей.

Лэнгдон сидел на пассажирском сиденье, сжав кулаки так крепко, что побелели костяшки пальцев. Он то и дело оборачивался и смотрел в заднее окно, проверить, не преследуют ли их. Он уже жалел, что ударился в бегство. *Ведь я ни в чем не виновен*, напомнил он себе. Это Софи приняла за него решение, когда выбросила маячок из окна туалета в Лувре. Теперь же, по мере того как они все дальше отъезжали от американского посольства, Лэнгдон чувствовал, что уверенность его слабеет. Софи удалось на какое-то время оторваться от преследователей, но Лэнгдон сомневался, что им и дальше будет так же везти.

Сидевшая за рулем Софи пошарила в кармане свитера. Вытащила какой-то маленький металлический предмет и передала Лэнгдону.

— Взгляните-ка на это, Роберт. Вот что оставил мне дед за рамой «Мадонны в гроте».

Лэнгдон взял протянутый ему предмет и принялся осматривать. Его охватило волнение. Тяжелый, а верхняя часть образует подобие равностороннего креста. Напоминает по форме миниатюрную копию мемориального костыля, который втыкают в землю, чтобы отметить участок, где будет находиться могила. Затем Лэнгдон заметил, что стержень ключа, отходящий от головки в виде креста, являет собой треугольную в поперечном сечении приз-

му. И что его сплошь покрывают сотни крошечных шестиуголь-
ных углублений, причем расположение их выглядит хаотично.

— Это ключ, изготовленный с помощью лазера, — пояснила
Софи. — А шестиугольники считаются контрольным элек-
тронным устройством.

Ключ?.. Таких прежде Лэнгдон никогда не видел.

— Переверните и взгляните на другую сторону, — сказала
она, выехав на другую полосу. И проехала очередной перекресток.

Лэнгдон перевернул ключ и буквально раскрыл рот от изумления. В центре креста красовалась искусно выгравированная лилия, fleur-de-lis, с инициалами P.S.

— Софи! — воскликнул он. — Но это же геральдическая лилия, о которой я вам говорил. Официальный герб Приората Сиона.

Она кивнула:

— А я говорила, что видела этот ключ давным-давно, еще девочкой. И дед просил никому о нем не рассказывать.

Лэнгдон не сводил глаз с необычного ключа. Странное сочетание: высокие лазерные технологии и вековой давности символ.
Этот ключ — словно мостик, соединяющий прошлое с настоящим.

— И еще дед сказал мне, что ключ открывает шкатулку, где он
хранит много разных секретов.

При одной только мысли о том, какого рода секреты мог хранить Жак Соньер, у Лэнгдона по спине пробежали мурашки. Но
что именно делало братство с этим футуристическим ключом,
невозможно было представить. Похоже, Приорат существовал
ради единственной цели: хранить свою тайну. Секрет невероят-
ной непобедимой силы и власти. *Но при чем здесь этот ключ?*

— Скажите, а вы знаете, что он открывает? Ну хоть по крайней мере догадываетесь?

Софи была явно разочарована.

— Я надеялась... вы это знаете.

Лэнгдон молчал, вертя странный ключ в руках.

— Похож на христианский, — добавила Софи.

Лэнгдон вовсе не был в этом уверен. Головка ключа ничуть не
походила на традиционный христианский крест с более короткой
горизонтальной перекладиной. Нет, крест был *квадратным* — все

четыре конца равной длины — такие существовали за полторы тысячи лет до христианской эпохи. Ни один на свете христианин не пользовался таким крестом, предпочитая ему другой, ставший затем традиционным. Латинский крест, использовавшийся еще древними римлянами в качестве орудия пыток. Лэнгдона всегда удивлял один факт: очень немногие христиане, видевшие распятие, знали, что в самом названии символа заложен чуждый истинному христианину смысл. Ведь слова «крест» и «распинать» («cross», «crucifix») происходят от латинского «cruciare» — «мучить, подвергать пыткам».

— Единственное, что я могу сказать, Софи, — начал он, — так это то, что такие равносторонние кресты считались «мирными». Квадратная конфигурация не позволяет использовать их при казни или пытке, а их одинаковые вертикальные и горизонтальные элементы символизируют собой единение мужского и женского начал, что вполне соответствует философии братства.

Софи устало взглянула на него:

— Так, значит, никаких идей, да?

— Никаких, — хмуро ответил Лэнгдон.

— Ладно. А сейчас сворачиваем с главной дороги. — Софи покосилась в зеркальце бокового вида. — Нам надо попасть в безопасное место. Там и подумаем, что может открыть этот ключ.

Лэнгдон с тоской вспомнил о своем уютном номере в «Ритце». Нет, совершенно ясно, что им туда нельзя.

— Как насчет моих коллег из Американского университета Парижа?

— Слишком предсказуемо. Фаш непременно проверит все адреса.

— Но ведь у вас должны быть какие-то знакомые. Вы же здесь живете.

— Фаш проверит все мои телефонные звонки и электронную почту. Переговорит с коллегами по работе. И сразу выявит, с кем я общаюсь. А снимать номер в отеле тоже не имеет смысла, ведь там требуется регистрация.

Лэнгдон снова подумал о том же: а не лучше ли было ему сразу сдаться Фашу еще в Лувре?

— Давайте позвоним в посольство. Я объясню ситуацию, и посольство пошлет за нами своих людей. Назначим место встречи и...

— Встречи? — Софи обернулась и взглянула на него как на сумасшедшего. — Да вы, я вижу, просто грезите наяву, Роберт. Юрисдикция вашего посольства распространяется только на его территорию. Стоит им послать за нами своего человека, и его можно будет обвинить в пособничестве преступникам, которых разыскивает французская полиция. Этого никак нельзя допускать. Одно дело, если вы пройдете на территорию посольства и попросите там убежища, и совсем другое — просить их нарушать существующий во Франции закон. — Она покачала головой. — Попробуйте позвонить прямо сейчас в свое посольство. И я заранее знаю, что вам ответят. Скажут, что в целях исключения дальнейших неприятностей вы должны сдаться Фашу. Ну и, естественно, пообещают использовать все свои дипломатические каналы для облегчения вашего положения и справедливого суда. — Она взглянула на витрины роскошных магазинов, выстроившихся вдоль Елисейских полей. — Сколько у вас при себе наличных?

Лэнгдон заглянул в бумажник.

— Сто долларов. Несколько евро. А что?

— Кредитные карты?

— Да, конечно.

Софи прибавила скорость, и Лэнгдон понял, что у нее созрел какой-то план. Впереди, в конце Елисейских полей, высилась Триумфальная арка, монумент высотой 154 фута, построенный еще Наполеоном для увековечения собственных военных побед. Прямо за ней находился круг с девятиполосным движением.

Приближаясь к нему, Софи посмотрела в зеркальце заднего вида.

— Пока вроде бы оторвались, — сказала она. — Но и пяти минут не протянем, если останемся в этой машине.

А потому надо украсть другую, подумал Лэнгдон, *раз уж мы все равно преступники.*

— Что собираетесь делать?

— Сейчас поймете, — ответила Софи и резко свернула на круг.

Лэнгдон промолчал. За сегодняшний вечер он уже не раз полагался на эту женщину, и вот к чему это привело. Он отогнул рукав пиджака, взглянул на часы. То были коллекционные механические наручные часы с изображением Микки-Мауса, подарок родителей на десятилетие. На циферблат люди часто поглядывали с недоумением, но Лэнгдон носил только эти часы. Знакомство с диснеевской анимацией послужило своеобразным толчком, именно с тех пор он стал интересоваться магией формы и цвета; и теперь Микки-Маус служил Лэнгдону ежедневным напоминанием об этом и позволял оставаться молодым в душе. Впрочем, в этот момент Микки-Маус показывал весьма позднее время.

02.51.

— Забавные часы, — заметила Софи, покосившись на запястье Лэнгдона, и направила машину по кругу против часовой стрелки.

— Долгая история, — ответил он и поправил рукав пиджака.

— Да уж, наверное, — с улыбкой сказала Софи и съехала с круга. Теперь они направлялись на север от центра города. Пролетев два перекрестка на зеленый свет, она притормозила на третьем и резко свернула вправо, на бульвар Мальзерб. Они выехали из уютного дипломатического района с утопающими в зелени роскошными особняками и оказались в неприглядном рабочем квартале. Затем Софи свернула влево, и тут наконец Лэнгдон сообразил, где находится.

Вокзал Сен-Лазар.

Впереди виднелась стеклянная крыша-купол терминала для поездов, напоминающая нелепый гибрид самолетного ангара с теплицей. Вокзалы в Европе никогда не спят. Даже в этот поздний час у главного входа стояло с полдюжины такси. Разносчики развозили тележки с сандвичами и минеральной водой, а из зала ожидания выходила группа ребятишек с рюкзаками. Они протирали глаза и сонно осматривались по сторонам, точно никак не могли сообразить, в какой попали город. Чуть поодаль, у обочины, маячили двое патрульных полицейских, направляя сбившихся с пути туристов.

Софи припарковала свою малолитражку за рядом выстроившихся цепочкой такси, в так называемой красной зоне, хотя неподалеку, через улицу, находилась обычная парковка. Не успел Лэнгдон спросить, что Софи собирается делать, как она выпорхнула из машины. Подбежала к одному из таксомоторов и принялась переговариваться о чем-то через окно с сидевшим за рулем водителем.

Лэнгдон выбрался из машины и увидел, что Софи протягивает водителю толстую пачку купюр. Таксист кивнул и, к удивлению Лэнгдона, тут же отъехал.

— Что случилось? — спросил он, подходя к Софи. Такси уже успело скрыться из виду.

— Идемте, — сказала Софи и зашагала к главному входу в вокзал. — Купим два билета на ближайший поезд из Парижа.

Лэнгдон поспешил следом. Вместо того чтобы преодолеть какую-то милю, отделявшую их от посольства, они, похоже, отправляются теперь в дальнее путешествие. Лэнгдону все меньше и меньше нравилась эта затея.

ГЛАВА 34

Водитель, встретивший епископа Арингаросу в аэропорту Леонардо да Винчи, сидел за рулем маленького неприметного черного «фиата». Арингароса помнил время, когда служители Ватикана пользовались исключительно роскошными большими лимузинами со специальной эмблемой и флажками папского престола. *Те дни давно миновали.* Теперь машины Ватикана выглядели куда как скромнее и не имели отличительных знаков. Ватикан утверждал, что делается это из экономии, чтобы больше средств оставалось на благие дела; сам же Арингароса подозревал, что вызвано это соображениями безопасности. Мир сошел с ума, и во многих странах Европы демонстрировать любовь к Христу стало столь же опасно, как размахивать красной тряпкой перед быком.

Подобрав полы черной сутаны, Арингароса опустился на сиденье и приготовился к долгому путешествию до замка Гандольфо. Тот же путь ему довелось проделать пять месяцев назад.

Последнее путешествие в Рим, вздохнул он. *Самая долгая ночь в моей жизни.*

Пять месяцев назад позвонили из Ватикана и потребовали, чтобы епископ Арингароса незамедлительно явился в Рим. Без каких-либо объяснений. *Билет вам оставили в аэропорту.* Папский престол был готов на все, чтобы сохранить плотную завесу тайны во всем, что связано с высшими чинами Католической церкви.

Арингароса подозревал, что сие таинственное распоряжение связано с представившейся папе и служителям Ватикана возможностью опорочить недавний публичный успех «Опус Деи»: завершение строительства штаб-квартиры этой организации в Нью-Йорке. Журнал «Акитекчурел дайджест» назвал здание штаб-квартиры «сияющим маяком католицизма, органично вписавшимся в современный городской пейзаж». Надо сказать, что в Ватикане теперь с излишней восторженностью относились к слову «современный», особенно если это было связано с делами Церкви.

У Арингаросы не было иного выбора, кроме как принять приглашение, что он и сделал, пусть даже нехотя. Не являясь поклонником нынешней папской администрации, Арингароса, подобно большинству представителей консервативного духовенства, мрачно и настороженно наблюдал за деяниями нового папы, который занял престол всего год назад. Выдающийся либерал, его святейшество возглавил Католическую церковь в один из самых сложных и противоречивых моментов в истории Ватикана. Ничуть не ошеломленный столь неожиданным и быстрым возвышением, понтифик, похоже, не собирался тратить времени даром. И, опираясь на поддержку либерального крыла в коллегии кардиналов, во всеуслышание объявил о новой миссии папства: «обновление ватиканской доктрины, приведение католицизма в соответствие с новыми требованиями третьего тысячелетия».

За этими словами Арингароса усматривал весьма опасный, по его мнению, смысл. Он боялся, что человек этот возомнил о себе слишком много, раз собрался переписать законы Божии, думая, что привлечет тем самым сердца тех, кто считает требования Католической церкви несовместимыми с реалиями современного мира.

И Арингароса использовал все свое политическое влияние — немалое, если учесть всех сочувствующих «Опус Деи», а также весьма солидный банковский счет этой организации, — чтобы убедить папу и его советчиков, что смягчение церковных законов есть не только предательство веры и трусость. Нет, это просто политическое самоубийство. Он напомнил им, что все прежние попытки смягчить церковный закон имели самые негативные последствия: число прихожан резко уменьшилось, ручеек пожертвований практически иссяк, мало того, стало просто не хватать католических священников для руководства местными приходами.

Людям нужна жесткая структура и точные указания от Церкви, настаивал Арингароса, *а не заигрывание и попустительство.*

В ту ночь, выехав из аэропорта в «фиате», Арингароса с удивлением заметил, что направляются они не в Ватикан, а куда-то к востоку, по извилистой горной дороге.

— Куда это мы едем? — осведомился он у водителя.

— В Альбан-Хиллз, — ответил тот. — Встреча назначена в замке Гандольфо.

В летней резиденции папы? Арингароса ни разу там не был, да и не слишком стремился побывать. Помимо летней резиденции папы, в этой цитадели шестнадцатого века находилась так называемая Спекула Ватикана — Ватиканская обсерватория, считавшаяся одной из самых хорошо оснащенных обсерваторий в Европе. Арингароса никогда не одобрял заигрываний Ватикана с наукой. Какой смысл смешивать науку и веру? Ведь всерьез и без предубеждений наукой просто не мог заниматься человек, по-настоящему верующий в Бога. Да и вера не нуждалась в материальном подтверждении своей правоты.

И тем не менее я здесь, подумал он, когда на фоне звездного ноябрьского неба возникли очертания замка Гандольфо. С дороги замок напоминал огромного каменного монстра, готового совершить самоубийственный прыжок в пропасть. Примостившийся на самом краю скалы, он словно нависал над колыбелью итальянской цивилизации — над долиной, где задолго до основания Рима правили враждующие кланы Куриаци и Ораци.

Даже издали Гандольфо производил величественное впечатление. Классический образчик старинной крепостной архитектуры, он прекрасно вписывался в грозный горный пейзаж. К сожалению, отметил Арингароса, Ватикан изрядно подпортил внешний вид сооружения, возведя над крышей два огромных алюминиевых купола, где и располагалась знаменитая обсерватория. Теперь замок напоминал гордого и воинственного рыцаря, нацепившего зачем-то сразу две шляпы, в каких уместно посещать приемы.

Не успел Арингароса выбраться из машины, как навстречу ему поспешил молодой священник-иезуит.

— Добро пожаловать, епископ. Я отец Мангано. Работаю здесь астрономом.

С чем тебя и поздравляю. Арингароса буркнул слова приветствия и последовал за священником в холл замка. Просторное помещение с довольно безвкусным декором, украшенное образчиками искусства Ренессанса и разными астрономическими картинками и картами. Они поднялись по широкой мраморной лестнице, и Арингароса увидел на стенах объявления о проведении научных конференций, различных тематических лекций, а также специальных астрономических экскурсий для туристов. Просто удивительно, подумал он, на что растрачивает Ватикан силы и время, вместо того чтобы заботиться о духовности прихожан и служить надежным проводником к вере истинной.

— Скажите-ка, — обратился Арингароса к молодому священнику, — с каких это пор хвост начал бежать впереди собаки?

Молодой человек удивился:

— Простите, сэр?

Но Арингароса лишь отмахнулся, решив не пускаться в дальнейшие объяснения и не портить себе вечер. *Ватикан окончательно сошел с ума.* Похож на ленивого родителя, готового исполнить любую прихоть капризного ребенка, но не способного проявить твердость и приобщить его к истинным ценностям. Так и Церковь, забыв об истинном своем предназначении, уступает теперь на каждом шагу, старается подстроиться под прихоти современной цивилизации.

Широкий коридор на верхнем этаже вел в одном направлении — к высоким двойным дубовым дверям с медной табличкой:

АСТРОНОМИЧЕСКАЯ БИБЛИОТЕКА

Арингароса был наслышан об этом месте, знаменитой Астрономической библиотеке Ватикана. Ходили слухи, что там хранится свыше двадцати пяти тысяч томов, в том числе такие раритеты, как труды Коперника, Галилея, Кеплера, Ньютона и многих других ученых. И еще говорили, что именно здесь, в библиотеке, папа проводит частные встречи с высшими чинами церковной иерархии... встречи, содержание которых не следовало выносить за пределы Ватикана.

Приближаясь к дубовым дверям, епископ Арингароса и представить не мог, какие шокирующие новости ждут его там, началом какой ужасной цепи событий станет эта встреча. Лишь час спустя, когда он нетвердым шагом вышел из библиотеки, он окончательно осознал, сколь разрушительные последствия может иметь услышанное им там. *Осталось всего шесть месяцев*, подумал он. *Да поможет нам Господь!*

И вот теперь, сидя в «фиате», епископ Арингароса, судорожно сжав руки в кулаки, вспоминал о той первой встрече. Затем спохватился, разжал пальцы и сделал несколько глубоких вдохов и выдохов, пытаясь расслабиться.

Все будет хорошо, твердил он мысленно по мере того, как «фиат» забирался все выше в горы. *Странно, однако, что мобильный телефон молчит. Почему не звонит Учитель? Ведь к этому времени Сайлас уже должен был завладеть краеугольным камнем.*

Пытаясь успокоиться, епископ принялся рассматривать пурпурный аметист в кольце. Ощупывая прохладную и гладкую его поверхность, обрамленную россыпью искусно ограненных бриллиантов, он напомнил себе, что кольцо это — символ значительно меньшей власти, чем он рассчитывал получить в самом скором времени.

ГЛАВА 35

нутри Сен-Лазар ничем не отличался от всех остальных железнодорожных вокзалов Европы. В зале ожидания обычная картина: бездомные с картонными табличками на груди, группа сонных юнцов, учащихся какого-то коллежа — одни вповалку спят на рюкзаках, другие слушают музыку по плейерам. В углу сгрудились носильщики в синей униформе, бездельничают, покуривают сигаретки.

Софи подняла голову и посмотрела на огромное табло с указанием времени прибытия и отправления поездов. С шелестом мелькают черные и белые таблички, выбрасывают все новые слова и цифры по мере поступления информации. Вот обновление данных закончилось, и Лэнгдон тоже уставился на табло. В верхней части возникла надпись:

ЛИЛЛЬ — СКОРЫЙ — 3.06.

— Жаль, что раньше ничего нет, — заметила Софи. — Что ж, Лилль так Лилль.

Раньше? Лэнгдон посмотрел на часы: 2.59. Поезд отправляется через семь минут, а они еще даже не купили билеты.

Софи подвела Лэнгдона к окошку кассы и сказала:

— Купите нам два билета по вашей кредитной карте.

— Но я думал, кредитную карту всегда можно отследить и...

— Совершенно верно.

Лэнгдон решил не возражать — Софи Невё, конечно, виднее. Используя карту «Visa», приобрел два купейных билета до Лилля и протянул их Софи.

Они вышли на платформу, из громкоговорителя над перроном раздался голос, объявляющий посадку на скорый до Лилля. Перед ними было шестнадцать путей. Справа, чуть поодаль, у платформы под номером три, готовился к отправке их поезд. Но тут Софи решительно взяла Лэнгдона под руку и повлекла за собой совсем в другом направлении. Они торопливо прошли через боковой вестибюль, мимо ночного кафе, затем — по какому-то длинному коридору и вышли из здания вокзала на тихую улочку.

У тротуара стояло одинокое такси.

Водитель увидел Софи и мигнул фарами.

Софи уселась на заднее сиденье, Лэнгдон последовал за ней.

Таксист отъехал от здания вокзала. Софи достала из кармана свитера только что приобретенные билеты и порвала на мелкие кусочки.

Семьдесят долларов на ветер, вздохнул Лэнгдон.

Машина направлялась на север, и, лишь доехав до рю де Клиши, Лэнгдон понял, что теперь они избавились от преследования. Из окна по правую руку он видел Монмартр и изумительной красоты купол собора Сакре-Кёр. По встречной полосе проносились полицейские автомобили с мигалками.

При их приближении Лэнгдон и Софи дружно сползали вниз по сиденью.

Софи не назвала водителю никакого конкретного адреса, просила лишь выехать из города. И теперь, видя, как она решительно сжала губы, Лэнгдон догадался, что спутница его обдумывает следующий ход.

Он принялся снова осматривать ключ, даже поднес его поближе к глазам, пытаясь рассмотреть какие-либо отметины или знаки, указывающие, где была изготовлена эта необычная вещица. Но в свете пролетающих мимо уличных фонарей не заметил ничего, кроме герба тайного общества.

— Не имеет смысла, — пробормотал он.

— Что именно? — откликнулась Софи.

— Да то, что ваш дедушка вовлек вас в такие приключения ради того, чтоб добыть ключ, с которым вы не знаете, что делать.

— Согласна.

— Вы уверены, что он ничего не написал на обратной стороне полотна?

— Я все осмотрела. Там ничего не было. А сам ключ находился в щели между рамой и полотном. Я увидела герб, сунула ключ в карман, а потом мы ушли.

Лэнгдон, сосредоточенно хмурясь, разглядывал притупленный кончик ключа. Ничего. Щурясь, он снова поднес ключ к глазам и осмотрел ободок головки. И здесь тоже ничего.

— Мне кажется, ключ совсем недавно чистили.

— Это почему?

— Пахнет спиртовым раствором.

Она обернулась:

— Простите, не поняла...

— От него пахнет так, точно кто-то протирал его специальным спиртовым раствором. — Лэнгдон поднес ключ к носу Софи. — С другой стороны запах сильнее. — Он перевернул ключ. — Да, растворитель на спиртовой основе с добавлением чистящего средства. Или... — Тут Лэнгдон внезапно умолк.

— Или что?

Он повернул ключ под углом к свету и начал рассматривать гладкую поверхность поперечины креста. Местами она поблескивала, словно была мокрой.

— А вы хорошенько рассмотрели этот ключ, перед тем как сунуть в карман?

— Да нет, не очень. Я же торопилась.

— Фонарик у вас еще при себе? — спросил Лэнгдон.

Софи достала из кармана ультрафиолетовый фонарик. Лэнгдон включил его и направил узкий лучик на ключ.

На металле тут же высветились буквы. Что-то там было написано. Специальным маркером, в спешке, но вполне различимо.

— Что ж, — улыбнулся Лэнгдон, — думаю, теперь мы знаем, откуда взялся этот спиртовой запах.

Софи с изумлением разглядывала пурпурные цифры и слова, выступившие на обратной стороне креста.

24 РЮ АКСО

Адрес! Дед оставил мне адрес!

— Где это? — спросил Лэнгдон.

Софи понятия не имела. Отвернулась и возбужденно спросила водителя:

— Connaissez-vous la Rue Haxo?*

Тот задумался на секунду-другую, затем кивнул. И сказал Софи, что улица эта находится неподалеку от теннисных кортов на окраине Парижа к западу отсюда. Она попросила немедленно отвезти их туда.

— Быстрее будет через Булонский лес, — сказал водитель по-французски. — Нормально?

Софи нахмурилась. Можно было бы выбрать и менее «скандальный» маршрут, но сегодня не до таких тонкостей.

— Ладно. — *Американец наверняка будет в шоке от увиденного.*

Софи снова взглянула на ключ и задумалась над тем, что же находится на рю Аксо. *Какая-нибудь церковь? Нечто вроде штаб-квартиры братства?*

Снова нахлынули воспоминания о тайном ритуале, свидетельницей которого она невольно стала десять лет назад в загородном доме деда. Она вздохнула.

— Я должна кое в чем признаться вам, Роберт... — Софи сделала паузу, потом посмотрела на него. — Но сперва расскажите мне все, что знаете об этой организации. О Приорате Сиона.

---

*   Знаете, где находится улица Аксо? *(фр.)*

ГЛАВА 36

а выходе из зала, где висела «Мона Лиза», Безу Фаш выслушивал путаные объяснения охранника, и лицо его заливала краска ярости. Груар говорил о том, как Софи и Лэнгдону удалось разоружить его. *Почему ты не выстрелил в это чертово полотно?*

— Капитан! — окликнул начальника лейтенант Колле. — Капитан, я только что слышал по рации. Обнаружена машина агента Невё.

— У посольства?

— Нет. Возле вокзала. Они купили два билета. Поезд только что отбыл.

Фаш жестом показал Груару, что тот может идти, затем отвел Колле в укромный уголок и свистящим шепотом осведомился:

— В каком направлении?

— На Лилль.

— Возможно, нас хотят навести на ложный след. — Фаш запыхтел, обдумывая дальнейшие действия. — Ладно. Свяжитесь с полицией на ближайшей станции, пусть остановят и обыщут весь поезд, мало ли что. Машина Невё пусть остается там, где стоит. Пошлите туда детективов в штатском. Как знать, может, они решат вернуться и забрать ее. Пошлите людей, пусть обыщут все улицы вокруг станции, это на тот случай, если они решили уйти пешком. От вокзала отходят какие-нибудь автобусы?

— Не в этот час, сэр. Там дежурят только такси.

— Прекрасно. Опросите водителей. Может, они что видели. Затем свяжитесь с таксомоторной компанией, перешлите им описание беглецов. А я позвоню в Интерпол.

Колле удивился:

— Вы хотите предать дело огласке?

Это было, конечно, нежелательно, но Фаш просто не видел другого выхода.

Чем быстрее захлопнется ловушка, тем лучше.

Первый час всегда самый критический. В первый час побега беглецы наиболее предсказуемы. Всем им нужно одно и то же. *Транспорт. Жилье. Наличные.* Святая троица. Интерполу ничего не стоит мгновенно проследить за этими тремя факторами. Передать по факсу снимки Лэнгдона и Софи во все парижские транспортные управления, отели и банки. И тогда у беглецов не останется ни одного шанса. Они не смогут выехать из города, найти себе убежище, снять со счета наличные без риска быть узнанными. Как правило, беглецы впадают в панику и непременно совершают какую-нибудь глупость. Угоняют автомобиль. Грабят магазин. Используют от безысходности кредитную карту. Какую бы ошибку ни совершили, они быстро выдадут свое местонахождение.

— Только Лэнгдона, я вас правильно понял? — спросил Колле. — Вы же не собираетесь сдавать Софи Невё? Она наш агент.

— Еще как собираюсь! — рявкнул в ответ Фаш. — Это она делает за Лэнгдона всю грязную работу! Лично я собираюсь заняться ее досье. Проверить все — друзей, семью, личные связи. Всех, к кому она может обратиться за помощью. Не знаю, что она там задумала и почему так себя ведет, но это будет ей дорого стоить! Не только работы!

— Хотите, чтобы я остался на связи? Или подключился к поискам?

— К поискам. Поезжайте на вокзал, будете координировать работу наших людей. Берите в свои руки бразды правления, но чтобы каждый шаг согласовывать со мной, ясно?

— Да, сэр! — И Колле выбежал из комнаты.

Фаш стоял у окна. Отсюда открывался вид на стеклянную пирамиду, она сияла и переливалась огнями, блики которых отражались в воде фонтанов. *Прямо сквозь пальцы ускользнули*, подумал Фаш. И тут же велел себе расслабиться и успокоиться.

Даже самому опытному агенту трудно противостоять давлению, которое может оказать Интерпол.

А тут какой-то учителишка и девчонка-шифровальщица!..

Да им до рассвета не продержаться.

ГЛАВА 37

акие только прозвища не давали парижане прославленному Булонскому лесу! Но среди знатоков этот парк был известен как Сад земных наслаждений. Вроде бы вполне лестный эпитет на деле означал обратное. И любой, кто видел одноименное зловещее полотно Босха, понимал, в чем тут смысл. На картине великого мастера деревья в лесу были темные, с перекрученными стволами, — самое подходящее прибежище для жуликов и извращенцев всех мастей. Ночами вдоль дорожек, вьющихся среди густых зарослей Булонского леса, выстраивались сотни белеющих в темноте тел. Выстраивались на продажу, готовые удовлетворить любые, самые немыслимые желания и прихоти — мужчин, женщин и лиц промежуточного пола.

Пока Лэнгдон собирался с мыслями, готовясь рассказать Софи о Приорате Сиона, такси въехало в лесистый парк и двинулось в западном направлении по вымощенной булыжником дорожке. Лэнгдону было трудно сосредоточиться, поскольку на свет фар из темноты начали стекаться ночные обитатели парка и демонстрировать свой «товар». Вот впереди мелькнули две до пояса обнаженные девочки-подростка, они бросали зазывные взгляды в сторону такси. За ними выступил из темноты огромный негр с лоснящейся, точно смазанной маслом, кожей. На нем красовалось нечто вроде набедренной повязки, прикрывавшей только причинное место. Но он восполнил этот пробел, повернулся спиной и заиграл голыми ягодицами. Рядом с ним возникла пышнотелая блондинка. Приподняла мини-юбку, и тут же выяснилось, что никакая это не женщина.

Господи, помоги! Лэнгдон поспешно отвел глаза и глубоко вздохнул.

— Расскажите о Приорате Сиона, — повторила Софи.

Лэнгдон кивнул. Трудно было представить более неподходящий фон для легенды, которую он собирался изложить. С чего же начать?.. История братства насчитывала свыше тысячи лет, то была поражающая воображение хроника тайн, предательств, шантажа и даже жестоких пыток по приказанию папы.

— Братство Приорат Сиона, — начал он, — было основано в Иерусалиме в 1099 году французским королем Годфридом Бульонским сразу после того, как его войска захватили город.

Софи кивнула, не сводя с рассказчика любопытных глаз.

— Если верить легенде, король Годфрид владел чрезвычайно важным секретом. Именно он делал его таким могущественным и передавался в семье от отца к сыну со времен Христа. Опасаясь, что с его смертью секрет этот может быть потерян, король основал тайное братство, Приорат Сиона, и наделил его полномочиями хранить секрет и передавать из поколения в поколение. За годы пребывания в Иерусалиме братству стало известно об очень важных документах, зарытых под руинами храма Ирода. Этот храм был возведен на развалинах более ранней постройки — храма царя Соломона. По мнению братства, документы эти подтверждали тайну короля Годфрида и обладали такой взрывной силой, что Церковь не остановилась бы ни перед чем, чтобы завладеть ими.

Софи смотрела недоверчиво.

— И вот Приорат решил, что документы следует извлечь из-под развалин и хранить вечно, чтобы истина не умерла. С этой целью братство создало даже специальное военное подразделение — группу из девяти рыцарей, получивших название «Орден нищих рыцарей Христа и храма Соломона». — Лэнгдон выдержал паузу. — Но оно больше известно как орден тамплиеров.

Софи обрадованно кивнула, ей было знакомо это название.

Лэнгдон достаточно часто читал лекции об ордене тамплиеров, а потому знал, что многие люди о нем наслышаны, хотя толком и не представляют, какие события с ним связаны. На взгляд ученых, история тамплиеров выглядела весьма сомнительной: факты и домыслы сплелись в тесный клубок, и разобраться, что есть истина, а что ложь, почти не представлялось возможным. И постепенно в своих лекциях Лэнгдон начал избегать упоминаний о рыцарях-тамплиерах, поскольку всякий раз это влекло за собой отступления и вторжение в область непроверенных фактов.

Софи заволновалась:

— Так вы говорите, орден тамплиеров был создан братством специально для того, чтобы завладеть секретными документами? А я всегда думала, что их задача — это защита Святой земли.

— Ну, это очень распространенное заблуждение. Идея защиты паломников была лишь прикрытием основной миссии рыцарей. Истинной целью их пребывания на Святой земле было извлечение документов из-под развалин храма.

— Так они нашли их?

Лэнгдон усмехнулся:

— Точно этого не знает никто. Но ученые сходятся в одном: под развалинами рыцари действительно обнаружили *нечто*. Нечто такое, что сделало их невообразимо богатыми и могущественными.

Лэнгдон вкратце поведал Софи об общепринятой в ученом мире истории ордена тамплиеров. Рассказал о том, как рыцари оказались на Святой земле во время второго крестового похода, как обратились с просьбой к царю Болдуину II разрешить им защищать паломников-христиан на дорогах. Рыцари клялись и божились, что никто им не платит, что они совсем обнищали, и попросили, чтобы царь разрешил им обосноваться в конюшнях на развалинах храма. Царь разрешил, и рыцари поселились в самом сердце Святой земли.

Столь странный выбор жилища, объяснил далее Лэнгдон, оказался далеко не случаен. Рыцари были твердо убеждены, что секретные документы, которые столь рьяно искало братство, находятся где-то глубоко под развалинами, в самом священном на земле месте, избранном Господом Богом для своей обители. Иными словами, в самом сердце иудаистской веры. На протяжении почти десяти лет рыцари жили на этих развалинах и тайно от посторонних глаз долбили каменную породу.

Софи обернулась:

— И они нашли что искали?

— Да, это определенно, — ответил Лэнгдон. — Рыцари потратили девять лет и наконец нашли. Забрали сокровище и отправились с ним в Европу, где их влияние тут же неизмеримо возросло.

Никто точно не знал, шантажировали ли тамплиеры Ватикан, или же Церковь просто пыталась купить их молчание, но факт то, что папа Иннокентий II тут же издал беспрецедентную папскую буллу, наделявшую орден тамплиеров неограниченной властью и провозгласившую их «законом в себе». И орден превратился в автономную армию, вмешиваться в деяния которой не дозволялось никому, даже королям и прелатам.

Получив карт-бланш от Ватикана, орден тамплиеров быстро распространил свое политическое влияние, приумножил ряды, обзавелся огромными земельными владениями в десятках стран. Рыцари начали давать щедрые кредиты разорившимся королевским семействам, требуя в ответ защиты своих интересов, и положили тем самым начало современному банковскому делу. Они неустанно приумножали свои богатства и расширяли влияние.

К 1300 году в руках ордена, не без помощи Ватикана, сосредоточилось столько власти, что взошедший на престол папа Климент V решил, что этому пора положить конец. При содействии короля Франции Филиппа IV папа разработал весьма хитроумную операцию по уничтожению верхушки ордена тамплиеров и захвату их богатств, а также с целью завладения их секретными документами, с помощью которых они добились такой власти над Ватиканом. Путем искусных маневров и уловок, достойных ЦРУ, папа Климент разослал секретные военные приказы по всей Европе, причем вскрыть их надлежало одновременно и строго в один день и час, а именно: в пятницу 13 октября 1307 года.

На рассвете 13 октября документы были распечатаны и их поразительное содержание предано огласке. В письме папы говорилось, будто бы ему было видение. К нему явился сам Господь Бог и предупредил, что орден тамплиеров есть не что иное, как сборище еретиков. Будто бы они служат самому дьяволу, уличены в гомосексуализме, осквернении креста, содомском грехе, богохульстве и тому подобных грехах. И будто бы сам Господь просил папу Климента очистить землю от еретиков, собрать их всех и пытать до тех пор, пока не сознаются в прегрешениях против Господа. Макиавеллиевская операция папы прошла без сучка без задоринки. В тот самый день, пятницу тринадцатого, были пойманы и пленены целые толпы рыцарей. Их безжалостно пытали, а затем сожгли на кострах как еретиков. Эхо этой трагедии долетело до наших дней: по сию пору пятница тринадцатое считается несчастливым днем.

— Так, выходит, всех тамплиеров уничтожили? — удивленно спросила Софи. — А мне казалось, братства тамплиеров существуют до сих пор.

— Существуют, но под разными названиями. Несмотря на ложные обвинения и все старания папы стереть орден с лица земли, некоторым рыцарям удалось избежать гибели. Ведь во многих странах у них были верные союзники. Истинной целью папы Климента были, разумеется, документы, добытые тамплиерами, но они словно сквозь землю провалились. Они уже давно были переданы на хранение теневым покровителям тамплиеров, Приорату Сиона, и секретность, окружавшая это братство, делала их недоступными для Ватикана. Когда в Ватикане немного успокоились, Приорат под покровом ночи перегрузил документы из парижского тайника на корабли тамплиеров в Ла-Рошели.

— И куда же они затем отправились?

Лэнгдон пожал плечами:

— Это знают только члены братства. Секретные документы остаются предметом постоянных спекуляций и поисков по сей день. Очевидно, их перепрятывали не один раз. Если верить недавним слухам, последним их пристанищем стало Соединенное Королевство.

Софи была явно разочарована.

— На протяжении тысячи лет, — продолжил Лэнгдон, — легенда о секретных документах передавалась из уст в уста. Сами эти документы, их власть над людьми и тайну, окутывающую все, что им сопутствовало, стали называть одним словом: Сангрил. Об этом написаны сотни книг, мало что вызывает у историков и других ученых такой же интерес.

— Сангрил? Что за слово такое? Имеет ли оно что-либо общее с французским sang или испанским sangre, что означает «кровь»?

Лэнгдон кивнул. Из-за этих загадочных документов пролились реки крови, однако происхождение слова тут было ни при чем.

— В легендах много чего говорится по этому поводу. Важно помнить одно: Приорат рьяно охраняет их и, возможно, ждет подходящего исторического момента, чтобы раскрыть правду.

— Какую правду? В чем она заключается? Какие такие тайны могущества и власти охраняет братство?

Лэнгдон глубоко вздохнул.

— Сангрил — древнее слово, Софи. С годами оно превратилось в новый термин, более современный... — Он сделал паузу. — И когда я назову вам это новое слово, вы сразу поймете, что много знаете о нем. Практически каждый человек на земле хоть раз да слышал о Сангрил.

Софи скроила скептическую гримасу:

— Лично я никогда не слышала.

— Уверен, что слышали, — улыбнулся Лэнгдон. — Вам прекрасно известны эти два слова: чаша Грааля.

ГЛАВА 38

офи уставилась на Лэнгдона широко раскрыты-
ми глазами. *Да он никак шутит!*

— Чаша Грааля?

Лэнгдон кивнул с самым серьезным выражением лица:

— Чаша Грааля и есть так называемый Сан-
грил. Происходит от французского Sangraal, сами можете заметить, как легко это слово превращается в два других — San Greal.

Святой Грааль!.. «Странно, — подумала Софи, — как это я не
догадалась сразу». И однако она так до конца и не могла поверить
в то, что ей только что поведал Лэнгдон.

— Я всегда думала, что Грааль — это чаша. А вы только что
сказали, что Сангрил — это некий сборник документов, раскры-
вающих тайну.

— Да, но документы Сангрил — всего лишь часть, половина
сокровищ Святого Грааля. Они были похоронены под развалинами храма вместе с самой чашей... и это помогает понять ее истинное значение. Документы наделили тамплиеров такой огромной властью лишь потому, что благодаря им стало возможным
осознать истинную природу Грааля.

Истинную природу Грааля? Софи окончательно растерялась.
Она всегда думала, что чаша Грааля представляет собой сосуд, из
которого пил Иисус во время Тайной вечери и с помощью которого Иосиф Аримафейский ловил затем капающую с креста
кровь распятого Христа.

— Грааль — чаша Христова, — сказала она. — Что может
быть проще?

— Софи, — Лэнгдон наклонился к ней и говорил теперь шепотом, — если верить Приорату Сиона, то Грааль никакая не чаша. Члены общества утверждают, что легенда о Граале лишь красивая аллегория, метафора для обозначения чего-то другого, гораздо более могущественного. — Он на секунду умолк, затем продолжил: — Чего-то такого, что прекрасно сочетается с тем, что ваш дедушка пытался сказать нам сегодня, в том числе и со всеми его символическими ссылками на священное женское начало.

Все еще не уверенная в правоте его слов, Софи взглянула на Лэнгдона. Он улыбался, но глаза оставались серьезными.

— Хорошо, — сказала она. — Допустим. Но если Грааль не чаша, тогда что это?

Лэнгдон предвидел этот вопрос, но до сих пор так и не решил, как лучше на него ответить. Ответ был невозможен без ссылки на соответствующий исторический контекст, в противном случае это вызовет у Софи лишь недоумение. Именно такое недоуменное выражение лица наблюдал Лэнгдон у своего редактора несколько месяцев назад, когда принес ему план рукописи, над которой работал.

— Так вы утверждаете, что... — Тут редактор поперхнулся, закашлялся, поставил бокал вина на стол рядом с недоеденным ленчем и уставился на него. — Вы это серьезно? Быть такого не может!

— Совершенно серьезно. Недаром же я потратил целый год на исследования.

Знаменитый нью-йоркский редактор Джонас Фаукман нервно затеребил козлиную бородку. На протяжении всей своей блистательной карьеры ему, несомненно, довелось повидать немало книг с самыми дикими идеями, но ни с чем подобным сталкиваться не доводилось.

— Послушайте, Роберт, — сказал он после паузы, — поймите меня правильно. Мне нравится ваша работа, мы с вами всегда прекрасно ладили. Но если я соглашусь напечатать эту книгу, то целые месяцы под окнами моего издательства будут стоять пикеты. Кроме того, она просто пагубна для вашей репутации. Вы же ученый, историк, преподаете в Гарварде, а не какой-нибудь там популяризатор дешевых сенсаций, решивший урвать лишний доллар. Скажите, есть ли у вас хоть какие-то надежные доказательства, подтверждающие эту версию?

Лэнгдон улыбнулся и достал из кармана твидового пиджака листок бумаги. Протянул его Фаукману. То был библиографический список из пятидесяти наименований — книги известных историков, как современных, так и средневековых. Многие из этих книг давно стали своего рода научными бестселлерами. Сами их названия служили косвенным подтверждением теории Лэнгдона. Фаукман пробежал глазами список, и на лице его появилось выражение, какое бывает у человека, вдруг узнавшего, что Земля на самом деле плоская.

— Да, кое-кого из этих авторов я действительно знаю. Они... настоящие историки!

Лэнгдон усмехнулся:

— Так что, как видите, Джонас, это не только моя теория. Она уже давно вселилась в умы. Я просто выстраиваю на ней свою книгу. Ни в одном из серьезных исторических трудов еще ни разу не исследовалась легенда о чаше Грааля, с чисто символической точки зрения, разумеется. И иконографические свидетельства, которые я нашел в поддержку этой теории, тоже выглядят достаточно убедительно.

Фаукман не сводил глаз со списка.

— О Боже! Одна из книг написана самим сэром Лью Тибингом, членом Королевского исторического общества.

— Тибинг почти всю жизнь посвятил изучению чаши Грааля. Вообще-то именно он является моим вдохновителем. Он *верит* в это, как и все остальные упомянутые здесь авторы.

— Вы что же, хотите сказать, все эти историки действительно верят в... — Тут Фаукман запнулся, не в силах подобрать нужных слов.

Лэнгдон опять усмехнулся:

— Согласно общепринятому мнению, чаша Грааля — сокровище, которое чаще всего пытались разыскать на протяжении истории человечества. Она породила массу легенд, стала причиной войн и поисков, занимавших порой всю жизнь некоторых людей. Неужели все это оправданно, если Грааль просто какая-то чаша? Если так, то почему тогда другие реликвии, такие как, к примеру, терновый венец, крест, на котором был распят Иисус, не вызвали подобного интереса? На протяжении всей истории чаша Грааля занимала особое место в умах людей. — Лэнгдон улыбнулся. — И теперь вы знаете почему.

Фаукман недоверчиво тряс головой.

— Но раз об этом написано столько книг, почему тогда о вашей теории наслышаны единицы?

— Просто эти книги не в силах повлиять на складывавшееся веками общепринятое мнение. Особенно если учесть, что на формирование этого мнения повлиял бестселлер всех времен и народов.

Фаукман вытаращил глаза:

— Только не говорите мне, что в «Гарри Поттере» речь идет о чаше Грааля!

— Я говорю о Библии.

Фаукман поежился.

— Я так и понял.

— Laissez-le!* — крикнула Софи. — Оставьте, выключите немедленно!

Лэнгдон вздрогнул от этого пронзительного крика. Софи перегнулась через сиденье и орала на водителя. Только тут Лэнгдон заметил, что таксист сжимает в руке микрофон радиопередатчика и что-то в него говорит.

Софи развернулась и сунула руку в карман твидового пиджака Лэнгдона. Не успел он понять, что происходит, как она выдернула револьвер и прижала дуло к виску таксиста. Тот тут же выронил микрофон, поднял одну руку над головой.

— Софи! — нервно выдохнул Лэнгдон. — Какого черта...

— Arrêtez! — скомандовала Софи водителю.

Тот, дрожа, повиновался. Остановил машину.

Только теперь Лэнгдон услышал металлический голос диспетчера таксомоторного парка, доносившийся из радиоприемника:

— ...qui s'appelle Agent Sophie Neveu... — Треск помех, затем голос продолжил: — Et un Américain, Robert Langdon...**

Лэнгдон почувствовал, как напряглись все мышцы. *Так они нас уже вычислили?*

— Descendez! — скомандовала Софи. — Вон отсюда!

Дрожащий водитель выбрался из машины, обхватив руками голову, и отошел на несколько шагов.

* Оставьте! *(фр.)*
** ...по имени Софи Невё... И американец Роберт Лэнгдон... *(фр.)*

Софи опустила стекло и теперь целилась в обезумевшего от страха таксиста.

— Роберт, — спокойно сказала она, — садитесь за руль. Теперь вы поведете.

Лэнгдон не стал спорить с женщиной, размахивающей огнестрельным оружием. Вылез из машины и перебрался на переднее сиденье. Водитель выкрикивал в их адрес какие-то проклятия, но руки по-прежнему держал над головой.

— Роберт, — сказала Софи с заднего сиденья, — я так полагаю, вы вдоволь насмотрелись на чудеса этого парка?

Он кивнул. *С него более чем достаточно.*

— Вот и прекрасно. Пора убираться отсюда. Поехали!

Лэнгдон взглянул на коробку переключения скоростей, и на лице его отразилось сомнение. *Черт!* Он взялся за рукоятку передач.

— Может, лучше вы, Софи?..

— Вперед! — крикнула она.

Из темноты леса показались несколько зевак, подошли посмотреть, что происходит. Одна женщина достала мобильник и что-то в него сказала. Лэнгдон включил мотор и поставил рукоятку переключения на первую скорость, по крайней мере так ему показалось. Потом нерешительно надавил на педаль газа.

Шины взвизгнули, машина резко рванула вперед, вильнула в сторону, и толпа зевак вмиг рассыпалась. Люди кинулись кто куда. Женщина с мобильным телефоном нырнула в кусты, машина едва не сбила ее.

— Doucement!* — воскликнула Софи, когда машина, подпрыгивая на кочках, выехала на дорогу. — Что это вы делаете?

— Я пытался предупредить! — крикнул Лэнгдон в ответ. — Я вожу машины только с автоматической коробкой передач!

---

* Тише! *(фр.)*

ГЛАВА 39

отя спартански обставленной комнате в кирпичном доме на рю Лабрюйер довелось повидать немало страданий, Сайлас сомневался, чтобы они могли сравниться с муками, терзающими сейчас его душу и белое тело. *Меня обманули! Все пропало!*

Да, его действительно провели. Братья солгали, предпочли смерть, но не выдали свою заветную тайну. У Сайласа просто не было сил позвонить и сообщить об этом Учителю. Ведь он убил не только четырех членов братства, знавших, где спрятан краеугольный камень, он убил монахиню прямо в церкви Сен-Сюльпис. *Она была против Бога! Она осуждала деятельность «Опус Деи»!*

Убийство Сайлас совершил чисто импульсивно, но смерть этой женщины сильно осложняла положение. Звонок о просьбе пропустить Сайласа в церковь Сен-Сюльпис поступил от епископа Арингаросы; что подумает аббат, обнаружив тело монахини? Хотя Сайлас положил ее на кровать и прикрыл одеялом, рана на голове говорила сама за себя. Сайлас пытался замаскировать дыру в полу, но не слишком удачно. Повреждения бросались в глаза. Они сразу поймут, что здесь кто-то побывал.

Выполнив задание, Сайлас рассчитывал укрыться в «Опус Деи». *Епископ Арингароса защитит меня.* Альбинос всегда мечтал о тихой уединенной жизни в ревностных молитвах в стенах штаб-квартиры «Опус Деи» в Нью-Йорке. Да он оттуда ни ногой! Все, что ему необходимо, есть в этом убежище. *Искать меня все равно никто не будет.* Но увы, Сайлас прекрасно понимал, что такому известному человеку, как епископ Арингароса, исчезнуть будет нелегко.

Я подверг опасности жизнь епископа. Сайлас тупо смотрел в пол и размышлял о превратностях бытия. Всем на свете он был обязан Арингаросе. Епископ спас ему жизнь... прятал в своем маленьком приходе в Испании, обучил его, дал ему цель в жизни.

— Друг мой, — говорил ему Арингароса, — ты родился альбиносом. Не позволяй другим насмехаться над тобой за это. Неужели не понимаешь, что, сделав тебя альбиносом, Господь Бог выделил тебя среди остальных? Известно ли тебе, что сам Ной тоже был альбиносом?

— Ной, который с ковчегом? — Сайлас слышал об этом впервые.

Арингароса улыбался:

— Да, Ной с ковчегом. Он тоже был альбиносом. С такой же, как у тебя, белой, точно у ангела, кожей. Вдумайся! Ведь Ной спас жизнь на всей планете! И тебя тоже ждут великие дела, Сайлас. Господь недаром отметил тебя, выделил среди остальных. Ты призван. Господь нуждается в твоей помощи.

Со временем Сайлас научился смотреть на себя совсем в новом свете. *Я чист. Я бел. Я прекрасен. Совсем как ангел.*

И тут до него донесся голос из далекого прошлого. Голос отца. Сердитый и разочарованный:

— Tu eres un desastre. Un espectro*.

Рухнув на колени на деревянный пол, Сайлас принялся молиться о прощении. Затем сорвал с себя сутану и занялся самобичеванием.

---

* Ты урод. Привидение какое-то *(исп.)*.

ГЛАВА 40

ое-как управляясь с коробкой передач, Лэнгдон все же выровнял машину и погнал ее в сторону самой удаленной от центра части Булонского леса. Ситуация была бы комичной, если бы не доносившийся по радио голос диспетчера таксомоторного парка:

— Voiture cing-six-trois! Où êtes-vous? Répondez!*

Доехав до выхода из парка, Лэнгдон облегченно вздохнул и ударил по тормозам.

— Лучше уж вы садитесь за руль.

Софи с не меньшим облегчением пересела на водительское место. И через несколько секунд машина бойко катила к западу по аллее де Лоншан, оставив позади «сад земных наслаждений».

— А где находится эта самая улица Аксо? — спросил Лэнгдон, наблюдая за тем, как стрелка спидометра подползает к отметке сто километров в час.

— Таксист сказал, что это недалеко от стадиона Ролан-Гаррос, — не отрывая глаз от дороги, ответила Софи. — Я этот район знаю.

Лэнгдон снова достал тяжелый ключ из кармана, взвесил его на ладони. Он нутром чувствовал, как важен этот предмет для понимания происходящего. Возможно, лишь с помощью этого ключа он добудет себе свободу.

Чуть раньше, рассказывая Софи о рыцарях-тамплиерах, Лэнгдон понял: ключ, помимо того что был отмечен печатью

_____
  * Машина пять-шесть-три! Где находитесь? Отвечайте! *(фр.)*

Приората, имел еще кое-что общее с этой организацией. Распятие с перекладинами равной длины являлось не только символом равновесия и гармонии, но и знаком рыцарского ордена. Всем знакомы изображения рыцарей-тамплиеров в белых туниках, украшенных такими же красными крестами с одинаковыми по длине перекладинами.

Квадратный крест. В точности как на ключе.

Воображение Лэнгдона заработало, он пытался представить, что может открывать этот ключ. *Доступ к тайнику, где хранится чаша Грааля?* Он улыбнулся абсурдности этой мысли. Судя по слухам, чаша Грааля хранилась где-то в Англии, глубоко под землей, в тайнике, вырытом под одной из церквей тамплиеров. И попала она туда году в 1500-м.

В эпоху Великого мастера да Винчи.

В первые века второго тысячелетия братство неоднократно перепрятывало ценные документы. По мнению историков, попав в Европу из Иерусалима, чаша раз шесть меняла местонахождение. Последний раз чаша Грааля предстала перед многочисленными свидетелями в 1447 году, и зрелище это было сопряжено с трагедией. Вспыхнувший пожар едва не уничтожил бесценные документы, но их все же успели спасти, перенесли в безопасное место в четырех огромных сундуках, настолько тяжелых, что каждый тащили сразу шесть человек. После этого никто ни разу не утверждал, что видел чашу Грааля собственными глазами.

Остались лишь слухи. Чаще всего говорили, что сокровище нашло приют в Великобритании, земле короля Артура и рыцарей Круглого стола.

И тем не менее существовало еще два важных фактора.

Леонардо знал, где спрятана чаша Грааля.

Возможно, она пребывала там и по сей день.

Именно по этой причине энтузиасты поисков Грааля так носились с картинами и дневниками да Винчи в надежде отыскать в них некий потайной ключ, указывающий на место, где спрятаны сокровища. Кое-кто уверял, что фон в виде гор на полотне «Мадонна в гроте» соответствует топографии холмов с пещерами в Шотландии. Другие говорили, что странное размещение апостолов за столом в «Тайной вечере» тоже является своего рода кодом. Третьи уверяли, будто рентгеновский анализ «Моны Лизы» позволил выявить, что первоначально на ней красовалась подвеска богини Исиды из ляпис-лазури — деталь, которую позднее да Винчи почему-то решил закрасить. Лэнгдону не доводилось видеть ни одного доказательства, свидетельствующего в пользу последней теории, не мог он также представить, какое отношение может иметь подвеска из ляпис-лазури к чаше Грааля. Однако поклонники Грааля до сих пор активно обсуждали это в Интернете.

Люди обожают все таинственное.

А тайн и загадок меж тем становилось все больше. Сравнительно недавно мир потрясло открытие, что знаменитая картина да Винчи «Поклонение волхвов» скрывает под слоями краски некий секрет. Известный итальянский реставратор Маурицио Серазини раскрыл миру истину, после чего в газете «Нью-Йорк таймс» появилась статья под интригующим названием «Дымовая завеса Леонардо».

Серазини не оставил ни малейших сомнений в том, что этюд «Поклонения» в серо-зеленых тонах, находящийся под слоем краски, принадлежит кисти да Винчи, а вот сама картина — нет. Некий анонимный художник расписал набросок Леонардо, как расписывают дети картинки в книжках, и сделал это через много лет после смерти мастера. Но куда более тревожным оказалось другое открытие. Снимки, сделанные с помощью инфракрасного излучения, а также рентгеновские снимки полотна показали, что этот мошенник от искусства, расписывая красками этюд Леонардо, в значительной степени отошел от оригинала, точно задался целью исказить истинные намерения да Винчи. Но что именно изобразил Леонардо на полотне и какова была природа этих искажений, так и оставалось тайной. Тем не менее растерянные сотрудники галереи Уффици во Флоренции, где экспонировалась эта картина, немедленно переправили ее в запасник, расположенный через улицу от здания музея. И теперь посетители, пришедшие в зал Леонардо, с разочарованием видели вместо «Поклонения волхвов» табличку:

ПОЛОТНО СНЯТО В СВЯЗИ С ПРОВЕДЕНИЕМ ДИАГНОСТИЧЕСКИХ ТЕСТОВ ПРИ ПОДГОТОВКЕ К РЕСТАВРАЦИИ

В темном и запутанном мире современных охотников за чашей Грааля Леонардо по-прежнему оставался величайшей из за-

гадок. В каждом его произведении, казалось, так и сквозило желание раскрыть тайну, и, однако, тайна оставалась то спрятанной
под слоем краски, то зашифрованной в пейзаже на заднем плане.
А может, никакой тайны вовсе и не было. Может, изобилие не-
внятных и мучительных намеков на некую загадку было лишь
пустым обещанием, призванным разочаровать любопытных и
вызвать загадочную и насмешливую улыбку Моны Лизы.

— А может быть так, — голос Софи вернул Лэнгдона к реальности, — может быть, чтобы ключ, который вы держите в руке,
открывал тайник с чашей Грааля?

Лэнгдон вымученно усмехнулся:

— Не представляю, что такое возможно. Кроме того, считается, что чаша Грааля спрятана сейчас где-то в Британии, а не во
Франции.

— Но Грааль — это единственное разумное объяснение, —
продолжала настаивать она. — У нас в руках ключ, защищенный
от подделок, мало того, он помечен эмблемой Приората Сиона.
И передан нам членом этого братства. А именно члены братства,
по вашим словам, и охраняли тайну Грааля на протяжении многих веков.

Лэнгдон понимал, что рассуждения Софи вполне логичны, но
все-таки чисто интуитивно не мог принять их. Ходили слухи, что
Приорат якобы поклялся в один прекрасный день вернуть Грааль
во Францию, где он и будет храниться вечно. Но никаких исторических свидетельств в пользу того, что это действительно произошло, не существовало. И даже если бы Приорату все же удалось переправить Грааль во Францию, адрес на рю Аксо, по со-
седству со знаменитым теннисным стадионом, мало походил на
место, где сокровище могло найти последнее пристанище.

— Нет, Софи, лично я не знаю, что общего может иметь этот
ключ с чашей Грааля.

— Только потому, что Грааль предположительно находится в
Англии?

— Не только поэтому. Местонахождение чаши Грааля является самым строго охраняемым секретом в истории. Члены
Приората вынуждены были ждать десятилетиями, прежде чем
удостоиться чести войти в круг особо посвященных и узнать, где
спрятан Грааль. Знал об этой тайне весьма ограниченный круг
лиц, и хотя братство насчитывает немало членов, лишь *четверым*

из них в каждый определенный отрезок времени было известно, где Грааль. Это Великий мастер и трое его sénéchaux. И вероятность того, что ваш дедушка был одним из этой четверки, весьма призрачна.

Мой дед был одним из них, подумала Софи, до отказа выжав педаль газа. В памяти навеки запечатлелась сцена, неоспоримо подтверждавшая высокий статус Жака Соньера в братстве.

— Даже если ваш дед и входил в высший эшелон, он никогда и ни за что не рассказал бы об этом. Ни единому человеку на свете, не входящему в братство. И уж тем более ни при каких обстоятельствах не стал бы вводить в этот узкий круг вас.

Но я там уже побывала, подумала Софи, и в памяти вновь всплыла сцена в подвале загородного дома. Стоит ли рассказать Лэнгдону, свидетельницей чего ей довелось стать в нормандском шато? Настал ли такой момент? Вот уже десять лет она хранит это в тайне от всех, и поведать ей не позволяет стыд. Даже при одном воспоминании ее передергивало от отвращения. Сирены завывали где-то вдалеке, и она почувствовала, как на нее навалилась усталость.

— Вон он! — воскликнул Лэнгдон и указал на возникший впереди гигантский комплекс теннисного стадиона Ролан-Гаррос.

Софи направила машину к стадиону. Немного поплутав по узким улицам, они наконец обнаружили перекресток, от которого начиналась улица Аксо, и, свернув на нее, они принялись искать нужный дом. Софи и Роберт попали в деловой район города, по обе стороны от дороги мелькали вывески офисов и учреждений.

Нам нужен дом двадцать четыре, напомнил себе Лэнгдон, спохватившись, что непроизвольно высматривает шпиль церкви или собора. *Не будь смешным! Чтобы в этом районе оказалась никому не известная церковь тамплиеров?*

— Ну вот и приехали, — заметила Софи. И кивком указала куда-то вперед.

Лэнгдон проследил за направлением ее взгляда.

Что за чертовщина?

Здание современное. Квадратная цитадель с неоновой эмблемой в виде гигантского равностороннего креста на фасаде. А под крестом вывеска:

ДЕПОЗИТАРНЫЙ БАНК ЦЮРИХА

Лэнгдон порадовался, что не поделился версией о церкви с Софи. Карьера ученого, специалиста по символам, приучила его искать потайное значение там, где его не существовало вовсе. В данном случае у Лэнгдона просто вылетело из головы, что крест с перекладинами равной длины является, помимо всего прочего, символом Швейцарии и изображен на ее флаге.

По крайней мере хоть одна тайна раскрыта.

В руках у Софи с Лэнгдоном оказался ключ от ячейки в депозитарном швейцарском банке.

<h1 style="text-align:center">ГЛАВА 41</h1>

тены замка Гандольфо овевал холодный горный ветер, налетавший сюда с самых вершин, и, выбираясь из «фиата», епископ Арингароса зябко поежился. *Надо было одеться потеплее*, подумал он, стараясь преодолеть охватившую его дрожь. Ему страшно не хотелось выказывать сегодня признаки слабости или недомогания.

Замок был погружен во тьму, если не считать нескольких окон на самом верху, из них лился свет. *Библиотека*, подумал Арингароса. *Они не спят, они ждут*. Он опустил голову, борясь с порывами ветра, и направился к входу, стараясь не смотреть на купола обсерватории.

Священник, встретивший его у двери, был сонным. Тот самый молодой человек, который встречал Арингаросу пять месяцев назад, только сегодня он делал это менее приветливо.

— А мы уже начали беспокоиться, епископ, — заметил священник, взглянув на наручные часы, но выглядел он при этом скорее раздраженным, нежели обеспокоенным.

— Прошу прощения. Но авиалинии в наши дни так ненадежны.

Священник пробормотал в ответ нечто нечленораздельное, а потом сказал:

— Вас ждут наверху. Я провожу.

Библиотека являла собой просторное, квадратной формы, помещение, отделанное темным деревом от потолка до пола. Вдоль стен — высокие шкафы, набитые книгами. Пол из янтарных мраморных плит в черной базальтовой окантовке — приятное напоминание о том, что некогда в этом здании был дворец.

— Добро пожаловать, епископ, — прозвучал мужской голос с другого конца комнаты.

Арингароса пытался разглядеть, кто с ним говорит, но источники света были расположены слишком низко, гораздо ниже, чем во время первого его визита. *Точно разбудили среди темной ночи.* Сегодня все эти люди прятались в тени, словно стыдились того, что должно было произойти.

Арингароса двигался медленно, с достоинством. Он увидел смутные силуэты трех человек за длинным столом в дальнем конце комнаты. Силуэт сидевшего посередине мужчины был вполне узнаваем: тучный председатель секретариата Ватикана, ведавший всеми юридическими вопросами. Двое других — итальянские кардиналы.

Арингароса направился к столу.

— Прошу простить за то, что прибыл в столь поздний час. Но разница в часовых поясах, знаете ли. Вы, должно быть, устали ждать.

— Отнюдь, — сказал секретарь. Пухлые его ручки были уютно сложены на огромном животе. — Мы благодарны вам за то, что прибыли издалека. И меньшее, что могли сделать в знак признательности, так это бодрствовать, дожидаясь вас. Может, желаете кофе или закусить?

— Предпочитаю сразу перейти к делу. Мне еще надо успеть на обратный самолет. Так к делу?..

— Ну разумеется, — ответил толстяк. — Вы действовали гораздо быстрее, чем мы могли ожидать.

— Разве?

— У вас остался еще целый месяц.

— Вы выразили озабоченность пять месяцев назад, — ответил Арингароса. — Так к чему было медлить?

— И то правда. Мы очень довольны вашей расторопностью.

Арингароса обежал взглядом длинный стол и заметил на нем большой черный портфель.

— Здесь то, о чем я просил?

— Да. — В голосе секретаря звучала некоторая настороженность. — Хотя, должен признаться, нас удивила эта просьба. Она показалась...

— Опасной, — закончил за него один из кардиналов. — Вы уверены, что не хотите, чтобы мы переправили вам все это каким-либо другим путем? Сумма просто огромная.

Свобода дорого стоит.

— Моя безопасность волнует меня меньше всего. Бог поможет.

Но во взглядах мужчин читалось сомнение.

— Здесь именно столько, сколько я просил?

Секретарь кивнул:

— Облигации крупного достоинства на предъявителя, выписанные Банком Ватикана. Принимаются как наличные по всему миру.

Арингароса подошел к столу и открыл портфель. Внутри две толстые стопки облигаций, каждая скреплена лентой и проштампована печатью Ватикана. И надпись тоже на месте, «PORTATORE», — она означает, что погасить или выкупить эти облигации вправе человек, владеющий ими в данный момент.

В позе секретаря ощущалась напряженность.

— Должен заметить, епископ, все мы чувствовали бы себя спокойнее, если б эти средства были в наличных.

Да столько наличных мне не унести, подумал Арингароса. Закрыл портфель и сказал:

— Облигации равноценны наличным. Это ваши слова.

Кардиналы обменялись беспокойными взглядами, потом один из них заметил:

— Да, но эти облигации легко проследить. Они неминуемо выведут на Банк Ватикана.

Арингароса едва сдержал улыбку. По этой-то причине Учитель и посоветовал ему взять деньги именно в виде облигаций Банка Ватикана. Своего рода страховка. *Теперь мы все крепко повязаны.*

— Это вполне законная форма сделки, — возразил он. — Ведь «Опус Деи» является прелатурой Ватикана, и его святейшество вправе распределять деньги как считает нужным и удобным. Никакого закона мы не нарушаем.

— Да, это так, и все же... — Секретарь всем телом подался вперед, стул жалобно скрипнул под его тяжестью. — Мы не знаем, как вы намерены распорядиться этими фондами. И если возникнет какое-либо недоразумение...

— С учетом того, что вы от меня требуете, — перебил его Арингароса, — как я поступлю с этими деньгами, не ваша забота.

В комнате повисла долгая и напряженная пауза.

Они прекрасно понимают, что я прав, подумал Арингароса.

— А теперь вы, вероятно, хотите, чтобы я подписал какие-то бумаги?

Его собеседники с такой готовностью подтолкнули к нему бумаги, точно желали поскорее избавиться от него.

Арингароса взглянул на лежавшие перед ним листки. На каждом красовалась папская печать.

— Они идентичны той копии, которую вы мне послали?

— Разумеется.

Арингароса удивился: подписывая документы, он не ощущал никаких эмоций. Зато сидевшие за столом трое мужчин явно испытывали облегчение.

— Благодарю вас, епископ, — сказал секретарь. — Ваши услуги Церкви никогда не будут забыты.

Епископ приподнял портфель, словно взвешивая силу и власть заключенных в нем денег. Какое-то время все четверо молча смотрели друг на друга, точно собирались сказать что-то еще, но затем передумали. Арингароса развернулся и направился к двери.

— Епископ! — окликнул его один из кардиналов, когда он уже собирался переступить порог.

Арингароса замер, потом медленно обернулся:

— Да?

— Куда вы теперь направляетесь?

Арингароса почувствовал, что вопрос продиктован скорее чисто духовным интересом, а не простым любопытством. Но он не собирался обсуждать вопросы морали в столь поздний час.

— В Париж, — коротко ответил он и вышел.

ГЛАВА 42

епозитарный банк Цюриха работал круглые
сутки и предоставлял весь современный набор
услуг по анонимному обслуживанию клиентов
в лучших традициях швейцарских банков.
Имея свои отделения в Цюрихе, Куала-Лумпу-
ре, Нью-Йорке и Париже, банк за последние го-
ды значительно расширил сферу услуг и, помимо всего прочего,
располагал сейфами для хранения ценностей с анонимным ком-
пьютерным кодом доступа.

Основной доход поступал именно от этого старейшего в мире изобретения — анонимных депозитарных ячеек, или сейфов.
Клиенты, желающие сберечь какие-либо ценности, от акций и
облигаций до ценных полотен, могли разместить здесь свое имущество, не называя имен и фамилий. При этом обеспечивалась
многоступенчатая защита с использованием самых современных
высоких технологий. Забрать свое имущество из ячеек тоже
можно было в любое время и совершенно анонимно.

Софи остановила машину перед зданием банка. Лэнгдон оглядел его и понял, что Депозитарный банк Цюриха — заведение
серьезное. Здание являло собой прямоугольник без окон, казалось, отлитый из толстой пуленепробиваемой стали. Напоми-
навшее гигантский металлический кирпич строение было максимально удалено от дороги, и фасад его украшал переливающий-
ся неоновым светом крест, укрепленный на высоте футов пятнадцати.

Репутация швейцарских банков, обеспечивающих высшую
степень надежности и секретности, позволила этой стране полу-

чать огромные доходы именно от банковских операций. Особенно их услуги ценились в сфере дельцов от искусства, поскольку именно в швейцарских банках воры и жулики всех мастей могли хранить похищенные ценности, если понадобится, долгие годы, до тех пор пока не утихнут страсти вокруг их исчезновения. Специальные законы защищали депозитные сейфы от чрезмерно любопытной полиции, а деньги, хранившиеся на счетах, были привязаны лишь к цифровым шифрам, а не конкретным именам. И воры могли спать спокойно, зная, что украденные ими ценности находятся в полной безопасности и что никто никогда не выследит по ним их самих.

Софи остановила машину перед внушительными воротами, перекрывавшими доступ к подъезду — забетонированному пандусу, огибавшему здание. Глазок размещенной над воротами видеокамеры смотрел прямо на них, и у Лэнгдона возникло неприятное ощущение, что в отличие от видеокамер Лувра эта самая настоящая, все видит и все фиксирует.

Софи опустила стекло и осмотрела электронное табло, закрепленное у ворот. На экране высвечены надписи с указателями на нескольких языках. Верхняя строка на английском:

ВСТАВИТЬ КЛЮЧ

Софи достала из кармана золотой ключ с крестом. Под экраном виднелось небольшое отверстие треугольной формы.

— Что-то подсказывает мне: наш ключ подойдет, — заметил Лэнгдон.

Софи вставила ключ в отверстие, протолкнула его внутрь до упора. По всей видимости, поворачивать ключ не следовало: стальные ворота тут же поползли в сторону. Софи сняла ногу с тормоза и проехала по пандусу до вторых ворот. Первые ворота тут же закрылись за ними, машина оказалась запертой, точно корабль в шлюзе.

По спине у Лэнгдона пробежали мурашки. *Остается надеяться, что и вторые ворота тоже откроются.*

На втором табло те же надписи на нескольких языках.

ВСТАВИТЬ КЛЮЧ

Софи вставила ключ, и ворота немедленно отворились. Несколько секунд спустя их автомобиль уже катил по пандусу, который привел его в подземный гараж.

Помещение было небольшое, рассчитанное максимум на дюжину машин, и в нем царил полумрак. В дальнем его конце Лэнгдон разглядел вход в здание. По серому бетонному полу тянулся красный ковер, словно приглашая посетителей к высокой двери, сделанной, как показалось на первый взгляд, из цельного куска металла.

Добро пожаловать, а посторонним вход воспрещен, подумал Лэнгдон.

Софи остановила машину недалеко от двери и выключила мотор.

— Оружие, наверное, лучше оставить здесь.

С радостью, подумал Лэнгдон и сунул револьвер под сиденье.

Они вышли из машины и зашагали по красному ковру к неприступной на вид двери. Никаких ручек на ней не было, но на стене рядом виднелось уже знакомое треугольное отверстие. И никаких табло с указателями на сей раз.

— Это уже только для своих, — заметил Лэнгдон.

Софи нервно хихикнула.

— Что ж, вперед! — Она вставила ключ в отверстие, дверь открылась внутрь с тихим гулом. Софи с Лэнгдоном обменялись взглядами и вошли. Дверь с тихим стуком тут же затворилась.

Вестибюль Депозитарного банка Цюриха поразил Лэнгдона своим убранством. Большинство банков довольствовались в отделке помещений отполированным мрамором и гранитом, здесь же от стенки до стенки поблескивали металлические панели и заклепки.

Интересно, кто же дизайнер? — подумал Лэнгдон. *Сталелитейная корпорация «Эллайд стил»?*

На Софи помещение произвело примерно то же впечатление. Она с любопытством озиралась по сторонам.

Повсюду серый металл. Пол, стены, двери, стойки, даже кресла в вестибюле, похоже, были отлиты из металла. Зрелище впечатляющее. Сама обстановка, казалось, говорила: вы входите в сейф.

Стоявший за стойкой крупный мужчина поднял на них глаза. Затем выключил маленький телевизор, который только что смотрел, и приветствовал их радушной улыбкой. Несмотря на сильно развитую мускулатуру и пистолет в кобуре под мышкой, он так и излучал любезность.

— Bonsoir*, — сказал он. — Чем могу помочь?

Двуязычное приветствие было характерно для всех современных европейских организаций и учреждений. Оно ни к чему не обязывало и предоставляло посетителям возможность выбрать тот язык, на котором им удобнее говорить.

Но Софи ему не ответила. Просто выложила ключ на стойку.

Мужчина взглянул на него и тут же выпрямился.

— Да, конечно, пожалуйста. Ваш лифт в конце коридора. Сейчас предупрежу сотрудника, он вас встретит.

Софи кивнула и забрала ключ.

— Какой этаж?

Охранник как-то странно взглянул на нее:

— Ключ подскажет лифту, где остановиться.

Она одарила его улыбкой:

— Ах, ну да, конечно!

Охранник проводил их взглядом. Он видел, как они подошли к лифту, вставили ключ, вошли в лифт и исчезли из виду. Как только двери за ними затворились, он схватился за телефон. Он никого не собирался предупреждать об их появлении, в этом просто не было нужды. Хранитель сейфов получал предупреждение сразу, как только клиент открывал специальным ключом первые ворота.

Нет, охранник набирал номер ночного менеджера, дежурного по банку. В трубке раздался гудок, и он тут же включил телевизор и уставился на экран. Выпуск новостей, которые он смотрел, как раз заканчивался. Впрочем, не важно. Он еще раз взглянул на два лица, крупным планом показанные на экране.

— Oui? — раздался в трубке голос менеджера.

— У нас здесь, внизу, внештатная ситуация.

— Что случилось?

— Французская полиция разыскивает двух человек.

— И что?

— Они только что вошли в банк.

* Добрый вечер *(фр.)*.

Менеджер тихо чертыхнулся, потом сказал:

— Ладно. Сейчас свяжусь с месье Берне.

Охранник повесил трубку и сразу же набрал еще один номер. На сей раз — Интерпола.

Лэнгдон удивился: ощущение было такое, что лифт не поднимается, а падает в пропасть. Он понятия не имел, на сколько этажей они углубились под землю, когда двери лифта раздвинулись. Ему было все равно. Он обрадовался, что можно наконец выйти из этого проклятого лифта.

У дверей их уже встречали. Пожилой, приятной внешности мужчина в аккуратно отглаженном фланелевом костюме. Выглядел он здесь неуместно — эдакий старомодный банковский служащий в мире самых современных высоких технологий.

— Bonsoir, — сказал мужчина. — Добрый вечер. Не будете ли столь любезны проследовать за мной, s'il vous plaît*? — И, не дожидаясь ответа, он развернулся и быстро зашагал по узкому металлическому коридору.

Лэнгдон с Софи прошли по нескольким коридорам, миновали ряд комнат, где стояли компьютеры с мигающими мониторами.

— Voici, — сказал их проводник, остановившись у стальной двери и распахивая ее перед ними. — Вот мы и на месте.

И Лэнгдон с Софи шагнули в совсем иной мир. Небольшая комната, в которой они оказались, походила на роскошную гостиную дорогого отеля. Куда только делись металлические панели и заклепки! Вместо них — толстые восточные ковры, темная мебель мореного дуба, мягкие кресла. На широком столе посреди комнаты возле открытой бутылки перье стояли два хрустальных бокала на высоких ножках, в них пузырилась прозрачная жидкость. А рядом — оловянный кофейник с дымящимся ароматным кофе.

Перемещение во времени против часовой стрелки, подумал Лэнгдон. *Да, швейцарцы в таких делах мастера.*

Мужчина одарил их очередной лучезарной улыбкой:

— Я полагаю, это ваш первый визит к нам?

Софи помедлила, затем кивнула.

* Пожалуйста *(фр.)*.

— Понял. Ключи часто передаются по наследству, и наши посетители ведут себя в первый раз несколько неуверенно. Что естественно, ведь они не знакомы с нашими порядками и правилами. — Он жестом пригласил их к столу. — Добро пожаловать, здесь все в вашем распоряжении.

— Вы сказали, ключи иногда передаются по наследству? — спросила Софи.

— Да, именно так. Ваш ключ — это все равно что счет в швейцарском банке, а счета часто наследуют из поколения в поколение. Что касается хранения золотых слитков и прочих ценностей, то самый короткий срок аренды депозитарного сейфа составляет пятьдесят лет. Плата вперед. Так что нам довелось повидать немало счастливчиков, унаследовавших целые состояния.

— Вы сказали, пятьдесят лет? — удивленно спросил Лэнгдон.

— Это минимальный срок, — ответил мужчина. — Нет, разумеется, вы можете арендовать сейф и на более длительное время, но если условия не оговорены особо и если на протяжении пятидесяти лет содержимое сейфа ни разу не было востребовано, то оно уничтожается. Могу ли я начать процесс организации доступа к вашей ячейке?

Софи кивнула:

— Да, пожалуйста.

Мужчина широким жестом указал на роскошную гостиную:

— Эта комната в личном вашем распоряжении. И предназначена она для осмотра содержимого сейфа. Как только я выйду из комнаты, вы можете сколько угодно наслаждаться созерцанием того, что лежит в вашей коробке-сейфе, перемещать и перекладывать его по вашему усмотрению. Сама коробка-сейф должна появиться вот отсюда... — Он подошел к дальней стене, где из люка в комнату, сделав изящный изгиб, входил широкий ленточный конвейер, напоминавший те, что используются в аэропортах в зале выдачи багажа. — Вставляете ключ сюда... — Тут он указал на большое электронное табло возле конвейера, чуть ниже которого виднелось уже знакомое им треугольное отверстие. — Вот сюда. И как только компьютер подтвердит соответствие вашего ключа, набираете код доступа, и вам автоматически подается ваша стальная коробка, хранящаяся внизу, в основном сейфе. Ну а когда вы закончите, ставите коробку на конвейер, снова вставляете ключ в отверстие, и процесс повторяется, только в обратном порядке. Поскольку все у нас автоматизировано, вашему имуществу гарантируется полная неприкосновенность и приватность. Даже сотрудники банка не знают о содержимом сейфов клиентов. А если понадобится что-то еще или возникнут какие-то вопросы, просто нажмете кнопку вызова вот здесь, в столе, в центре комнаты.

Софи хотела спросить что-то еще, но тут зазвонил телефон. Мужчина, похоже, несколько растерялся.

— Прошу прощения. — Он подошел к столу, где рядом с перье и кофе стоял телефон. Снял трубку и бросил в нее: — Oui?

Он слушал говорившего и озабоченно хмурился.

— Oui, oui... d'accord*. — Затем опустил трубку на рычаг и нервно улыбнулся: — Извините, но вынужден вас ненадолго покинуть. Чувствуйте себя как дома. — И с этими словами он быстро направился к двери.

— Простите! — окликнула его Софи. — Нельзя ли попросить вас прояснить один момент до того, как вы уйдете? Вы вроде бы упомянули, что мы должны набрать код?

Мужчина нехотя остановился у двери, лицо его было бледно как полотно.

— Ну разумеется. Как и заведено в большинстве швейцарских банков, наши депозитные ячейки привязаны к *номеру*, а не к имени клиента. У вас имеется ключ и номер, не известный больше никому. Ключ — это только часть процедуры идентификации. Ее завершает личный номер. Все это делается в целях подстраховки. Ведь если вы, допустим, потеряете ключ, им может воспользоваться кто-то другой.

Софи колебалась.

— Ну а если мой благодетель не оставил мне этого номера?

Сердце у банковского служащего тревожно забилось. *Эти двое явно темнят, здесь что-то не так!* Однако он умудрился выдавить улыбку:

— Что ж, в таком случае призову на помощь еще одного нашего сотрудника. Он скоро подойдет.

Мужчина плотно притворил за собой дверь и, повернув тяжелую ручку, запер подозрительную парочку в комнате.

* Да, да... договорились *(фр.)*.

* * *

У находившегося на другом конце города, в здании Северного вокзала, агента Колле зазвонил телефон.

Это был Фаш.

— У Интерпола появилась зацепка, — сказал он. — Забудь о поезде. Лэнгдон и Невё только что вошли в парижское отделение Депозитарного банка Цюриха. Скажи своим людям, чтобы немедленно выезжали туда.

— Есть какие-либо новые соображения о том, что пытался сказать Соньер агенту Невё и Роберту Лэнгдону?

— Вот арестуете их, лейтенант, тогда я их сам спрошу, лично, — ледяным тоном ответил Фаш.

Колле намек понял.

— Дом двадцать четыре по улице Аксо. Ясно. Слушаюсь, капитан! — Он повесил трубку и связался по рации со своими людьми.

ГЛАВА 43

резидент парижского отделения Депозитарного банка Цюриха Андре Верне жил в шикарной квартире над банком. Несмотря на уют и обилие обитой бархатом мебели, он всегда мечтал об особняке или квартире на рю Сен-Луи-ан-л'Иль, где можно было бы общаться с действительно выдающимися личностями, а не то что здесь, со скучными и противными богачами.

Вот выйду на пенсию, говорил себе Верне, *и заполню погреба дома редкими бургундскими винами, украшу салон картинами Фрагонара и, возможно, Буше. И буду проводить дни в охоте за редкой антикварной мебелью и книгами в Латинском квартале.*

Сегодня Верне не дали поспать. Разбудили, и через шесть с половиной минут он уже шагал по подземному коридору банка и выглядел при этом так, словно личный портной и парикмахер занимались его внешностью не меньше часа. На нем красовался безупречный шелковый костюм, мало того, перед тем как выйти из квартиры, Верне не забыл попрыскать в рот освежителем дыхания и аккуратно завязать галстук, уже на ходу. Ему уже приходилось встречать среди ночи важных клиентов, которые съезжались в банк с разных концов света и из разных временных поясов. И умение просыпаться быстро и сразу он позаимствовал у воинов масаев, африканского племени, известного своей способностью моментально переходить из состояния сна к бодрствованию и быть при этом в полной боевой готовности.

К бою готов, подумал Верне и тут же спохватился, что сравнение это сегодня может оказаться особенно уместным. Прибытие клиента с золотым ключом всегда требовало от сотрудников банка повышенного внимания. Но прибытие клиента с золотым ключом, которого к тому же разыскивала французская судебная полиция, ставило его в чрезвычайно деликатное положение. Банк вынес немало битв в суде, отстаивая право своих клиентов на соблюдение анонимности, невзирая на доказательства, что некоторые из этих клиентов были преступниками.

Всего пять минут, думал Верне. *У меня всего пять минут, чтобы вывести этих людей из банка до прибытия полиции.*

Если он поторопится, то нежелательных последствий можно благополучно избежать. Он, Верне, скажет полиции, что да, действительно, эти люди вошли в банк, но поскольку не были его клиентами и не имели цифрового кода доступа, их тут же отправили обратно. Какого черта понадобилось этому дежурному на входе звонить в Интерпол! Соблюдение конфиденциальности, очевидно, не входит в правила этого типа, а ведь получает пятнадцать евро в час!

Остановившись у двери, Верне глубоко вдохнул и расслабил мышцы. Затем изобразил на губах сладчайшую из улыбок и ворвался в комнату, подобно теплому ветерку.

— Добрый вечер, — приветствовал он клиентов. — Я Андре Верне. Чем могу по... — Остальные слова застряли в горле. Эта женщина, стоявшая перед ним... ее он никак не рассчитывал увидеть здесь, тем более в таком качестве.

— Простите, мы с вами знакомы? — спросила Софи. Она не узнала банкира, но он смотрел на нее так, точно увидел привидение.

— Нет... — с трудом выдавил Верне. — Я... э-э... кажется, нет, не знакомы. — Он глубоко вдохнул и снова изобразил улыбку. — Мой помощник сказал, у вас есть золотой ключ, но нет номера счета? Могу ли я узнать, как вы получили этот ключ?

— Мой дед передал его мне, — ответила Софи, не сводя с банкира пристального взгляда. Тот же явно все больше нервничал.

— Вот как? Ваш дед дал вам ключ, но не сообщил при этом номера?

— Просто у него не было времени, — сказала Софи. — Он, видите ли, был убит сегодня вечером.

Мужчина резко выпрямился и отпрянул.

— Жак Соньер мертв?! — В глазах его светился неподдельный страх. — Но... как?

Теперь настал черед Софи удивляться.

— Так вы знали моего деда?

Банкир Андре Верне оперся о край стола, чтобы сохранить равновесие.

— Мы с Жаком были близкими друзьями. Когда это произошло?

— Сегодня вечером, несколько часов назад. В Лувре.

Верне подошел к глубокому кожаному креслу и рухнул в него.

— Мне нужно задать вам обоим один очень важный вопрос. — Он взглянул на Лэнгдона, потом на Софи. — Кто-либо из вас имеет отношение к его смерти?

— Нет! — воскликнула Софи. — Абсолютно никакого.

Лицо Верне было мрачно. Какое-то время он молчал, потом заметил:

— Ваши снимки распространил Интерпол. Поэтому я вас и узнал. Вы обвиняетесь в убийстве.

Софи похолодела. *Выходит, Фаш обратился в Интерпол?* Похоже, капитан проявляет большую заинтересованность в этом деле, нежели она предполагала вначале. И она вкратце объяснила Верне, кто такой Лэнгдон и что произошло в Лувре этим вечером.

Банкир был изумлен.

— Так, умирая, ваш дедушка оставил вам послание с призывом найти мистера Лэнгдона?

— Да. И еще этот ключ. — Софи выложила золотой ключ на журнальный столик перед Верне, гербом братства вниз.

Верне взглянул на ключ, но трогать его не стал.

— Он оставил вам только этот ключ? Ничего больше? Ни записки, ни единого листка бумаги?

Софи понимала, что покидала музей в спешке, но была уверена: ничего, кроме ключа, за рамой «Мадонны в гроте» больше не было.

— Нет. Только ключ.

Верне беспомощно вздохнул:

— Боюсь, ключ дополняется десятизначным числом, которое служит кодом доступа. Без этих цифр ваш ключ бесполезен.

Десять цифр. Софи быстро прикинула в уме. *Десять миллиардов возможных вариантов.* Даже если параллельно задействовать все мощные компьютеры в шифровальном отделе, на получение кода могут уйти недели.

— Понимаю, месье. Просто мы подумали, вы можете чем-то помочь.

— Увы, но тут я, к сожалению, бессилен. Наши клиенты сами набирают номера через запрещенный терминал, а это означает, что номера известны только им самим и компьютеру. Таким образом в нашем банке обеспечивается полная анонимность. Ну и безопасность наших сотрудников.

Софи все понимала. В крупных продуктовых магазинах действовала та же система. СОТРУДНИКИ НЕ ИМЕЮТ КЛЮЧЕЙ К СЕЙФАМ. Банк не хотел рисковать. Ведь кто-то мог и похитить ключ, а потом захватить в заложники сотрудников банка и заставить их выдать номер.

Софи уселась рядом с Лэнгдоном, взглянула на ключ, потом — на Верне.

— Вы хоть приблизительно представляете, что мог хранить дед в вашем банке?

— Я абсолютно не в курсе. Это противоречило бы уставу банка.

— Месье Верне, — сказала она, — у нас очень мало времени. Позвольте мне быть предельно откровенной с вами. — С этими словами Софи взяла ключ и перевернула его так, чтобы банкир видел печать Приората Сиона. — Этот символ на ключе вам что-нибудь говорит?

Верне взглянул на изображение геральдической лилии — никаких эмоций на его лице не отразилось.

— Нет. Многие наши клиенты украшают свои ключи девизами или инициалами.

Софи вздохнула, не сводя с него пристальных глаз.

— Эта печать — символ тайного общества, известного под названием «Приорат Сиона».

Снова никакой реакции на непроницаемом лице Верне.

— Мне об этом ничего не известно. Да, мы с вашим дедом были дружны, но говорили в основном о бизнесе. — Он поправил галстук. С первого взгляда становилось ясно, что этот человек нервничает.

— Месье Верне, — продолжала давить на него Софи, — дед звонил мне сегодня и сообщил, что нам с ним угрожает большая опасность. Сказал, что хочет мне кое-что передать. Оставил вот этот ключ. А теперь он мертв. Любая информация от вас может оказаться очень важной.

На лбу у Верне проступили мелкие капельки пота.

— Вам надо выбраться из этого здания. Боюсь, полиция скоро прибудет. Охранник, работающий на входе, счел своим долгом сообщить в Интерпол.

Софи тоже была явно встревожена. Однако не преминула попытаться еще раз:

— Дедушка говорил, что должен рассказать мне правду о моей семье. Вам известно, о чем могла идти речь?

— Мадемуазель, ваша семья погибла в автокатастрофе, когда вы сами были еще совсем маленькой девочкой. Мои соболезнования. Я знаю, Жак очень любил вас. Несколько раз говорил мне о том, как сожалеет, что вы с ним больше не видитесь.

Софи не знала, что на это ответить.

— Скажите, — спросил Лэнгдон, — как вы думаете, может содержимое сейфа иметь какое-то отношение к Сангрил?

Верне взглянул на него как-то странно.

— Понятия не имею, о чем это вы. — Тут у него зазвонил мобильный телефон, и он снял аппарат с ремня. — Oui? — Он слушал, и на лице его все отчетливее читалась озабоченность. — La police? Si rapidement?* — Он тихо чертыхнулся, затем отдал какие-то распоряжения по-французски и добавил, что будет в вестибюле через минуту.

Повесив трубку телефона, Верне обратился к Софи:

— Полиция среагировала быстрее, чем обычно. Прибыли, пока мы тут говорили.

Но Софи вовсе не намеревалась уходить с пустыми руками.

— Скажите им, что мы сейчас придем, уже вышли. Если захотят обыскать банк, требуйте ордер. Это займет какое-то время.

— Послушайте, — сказал Верне, — Жак был мне другом, к тому же наш банк не допустит такого давления со стороны властей. Именно по этим двум причинам я не позволю арестовать вас на моей территории. Дайте мне минуту, и я соображу, как помочь

---

* Да? Полиция? Так быстро? *(фр.)*

вам выйти из банка незамеченными. Кроме того, для меня совершенно недопустимо оказаться замешанным в такую историю. — Он поднялся и торопливо направился к двери. — Оставайтесь здесь. Я отдам несколько распоряжений и тут же вернусь.

— Но наша коробка-сейф, — возразила Софи. — Мы никак не можем уйти без нее.

— Здесь я ничем не могу помочь, — ответил Верне, подойдя к двери. — Вы уж извините.

Какое-то время Софи молча смотрела на затворившуюся за ним дверь, соображая, может ли быть так, что номер счета находился в одной из посылок или писем, которыми дед засыпал ее на протяжении последних лет и которые она не удосужилась вскрыть.

Тут Лэнгдон резко поднялся из-за стола, и она заметила, как оживленно блеснули его глаза.

— Чему вы улыбаетесь, Роберт?

— Ваш дед — настоящий гений!

— Простите, не поняла...

— Десять цифр!

Софи никак не могла понять, о чем это он.

— Номер счета, — сказал Соньер и расплылся в радостной улыбке. — На сто процентов уверен, он оставил его нам!

— Где?

Лэнгдон достал распечатку снимка с места преступления и положил на журнальный столик. Софи достаточно было взглянуть на первую строчку, чтобы понять: Лэнгдон прав.

13 — 3 — 2 — 21 — 1 — 1 — 8 — 5
На вид идола родич!
О мина зла!
P.S. Найти Роберта Лэнгдона.

ГЛАВА 44

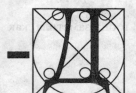есять цифр... — пробормотала Софи, не сводя глаз с распечатки.

$$13 - 3 - 2 - 21 - 1 - 1 - 8 - 5$$

Дедуля написал номер счета на полу в Лувре!

Впервые увидев нацарапанную на паркете последовательность Фибоначчи, она решила, что единственной целью деда было привлечь внимание отдела криптографии и, следовательно, подключить к расследованию ее, Софи. Позже она поняла, что числа являлись также ключом к расшифровке следующих строк — *порядок хаотичен... это есть не что иное, как цифровая анаграмма.* И вот теперь она, к своему изумлению, увидела, что цифры эти имеют еще большее значение. Они определенно являются последним ключом, открывающим сейф — тайник деда.

— Он был мастером двойных загадок, — сказала Софи Лэнгдону. — Обожал все, что имеет множество значений и скрытый смысл. Код внутри кода.

Лэнгдон уже направлялся к электронному табло рядом с лентой конвейера. Софи схватила компьютерную распечатку и бросилась следом.

Под табло виднелось отверстие, аналогичное тем, что на входе в банк. На экране мерцал логотип самого банка в виде креста. Софи не стала терять времени даром и вставила ключ в треугольное отверстие.

Экран тут же ожил.

НОМЕР СЧЕТА

— — — — — — — — —

Замигала стрелка курсора. Пауза.

Десять чисел... Софи начала вслух считывать числа с распечатки, а Лэнгдон печатал их на компьютере.

НОМЕР СЧЕТА
1332211185

Едва он успел ввести последнюю цифру, как экран снова ожил. На нем появился текст на нескольких языках. Верхняя строка — на английском.

ОСТОРОЖНО
Перед тем как нажать клавишу ENTER,
пожалуйста, проверьте, правильно ли набран номер счета.
В случае отказа компьютера принять номер вашего счета в целях
вашей же безопасности система автоматически блокируется.

— Да тут у них функциональный терминатор, — хмурясь, заметила Софи. — Похоже, у нас только одна попытка.

Обычно владельцы банковских карт имеют три попытки набрать пин-код. Так что эта машина мало походила на простой банкомат.

— Вроде бы все правильно. — Лэнгдон еще раз проверил набранные им цифры, сверяясь с распечаткой. И указал на клавишу ENTER. — Ну, смелей!

Софи протянула указательный палец к клавише и тут же отдернула его. Ей пришла в голову довольно странная мысль.

— Давайте же! — продолжал настаивать Лэнгдон. — Верне скоро будет тут.

— Нет. — Она убрала руку. — Это совсем не тот номер.

— Разумеется, тот! Десять чисел. Что еще надо?

— Слишком беспорядочный набор.

Слишком беспорядочный? Лэнгдон был категорически с ней не согласен. В каждом банке клиентам советуют выбирать в качестве пинкода беспорядочный набор цифр, чтобы никто не мог догадаться. И уж тем более *здешним* клиентам, хранящим огромные ценности.

Софи стерла все, что они только что напечатали, и взглянула на него:

— Вряд ли это было совпадением, что произвольно взятые цифры можно переставить и получить последовательность Фибоначчи.

Лэнгдон не мог не согласиться, что смысл в ее утверждении есть. Ведь чуть раньше этим же вечером Софи, переставив цифры, превратила их бессмысленный набор в последовательность Фибоначчи. Стало быть, и другие могли додуматься до этого.

Софи подошла к клавиатуре и начала по памяти набирать цифры в ином порядке.

— Скажу вам даже больше. Учитывая любовь деда к разным символам и кодам, он должен был бы выбрать набор чисел, который что-то ему говорит, который он сможет легко запомнить. — Она допечатала строку и улыбнулась краешками губ. — Он выбрал бы нечто такое, что только на первый взгляд кажется беспорядочным... а на деле все иначе.

Лэнгдон взглянул на экран.

НОМЕР СЧЕТА
1123581321

Смотрел он всего секунду, но сразу понял, что Софи права. *Последовательность Фибоначчи.*

1 — 1 — 2 — 3 — 5 — 8 — 13 — 21

Если превратить последовательность Фибоначчи в простой набор из десяти цифр, она становится практически неузнаваемой. *Запомнить легко, а на первый взгляд цифры кажутся выбранными наугад.* Гениальный, потрясающий цифровой код, который Соньер никогда бы не забыл. Более того, он в полной мере объяснял, почему нацарапанные на полу Лувра цифры можно легко переставить и превратить в знаменитую прогрессию.

Софи наклонилась и надавила на клавишу ENTER.

Никакого результата.

По крайней мере ничего такого, что можно было бы увидеть.

В этот момент под ними, глубоко под землей, в подвальном помещении — сейфе банка, пришел в движение робот. Он похо-

дил на когтистую стальную лапу. Вот лапа, скользящая по транс-
портеру, зашевелилась в поисках заданных ей координат. Внизу,
прямо под ней, на бетонном полу стояли тысячи идентичных
пластиковых ящиков... точно миниатюрные гробики в подземном склепе.

Вот транспортер подвел лапу к нужному месту, когти опусти-
лись, электрический глаз сверился с кодом, указанным на ящике.
Затем с непостижимой ловкостью и быстротой когти ухватили
тяжелый предмет и подняли ящик вертикально вверх. Пришел в
движение приводной механизм, и лапа перенесла ящик в дальний конец помещения, а затем замерла над лентой стационарно-
го конвейера.

Осторожно опустила ящик на ленту и отодвинулась в сторону.
Как только лапа освободилась, пришла в движение лента.

Находившиеся наверху Софи и Лэнгдон с облегчением вы-
дохнули, увидев, что пришла в движение лента конвейера. Стоя
возле нее, они чувствовали себя усталыми путешественниками,
ожидающими багаж, но не знающими, что в нем.

Лента конвейера вползала в комнату справа, в узкую щель под
дверцей, которая могла подниматься и опускаться. Вот дверца
поползла вверх, и на ленте появилась большая черная коробка из
толстого, словно литого пластика. Она оказалась куда крупнее,
чем они ожидали. Коробка походила на переносной домик для
домашних питомцев, только без дырочек для воздуха.

Она подплыла и остановилась прямо перед ними.

Лэнгдон с Софи стояли молча, рассматривая таинственную
коробку.

Как и все остальное в этом банке, коробка была исполнена в
«индустриальном» стиле: металлические защелки, тяжелая металлическая ручка, пластина с кодовыми цифрами наверху. Софи она напомнила огромный ящик для инструментов.

Не желая больше тратить время даром, Софи подошла и отперла защелки. Затем покосилась на Лэнгдона. Тот тоже подошел, и они вместе подняли тяжелую крышку.

Они сделали еще шаг вперед, наклонились и стали рассматривать содержимое.

В первый момент Софи показалось, что коробка пуста. Затем
она все же разглядела нечто. На самом дне. Всего один предмет.

Шкатулка полированного дерева, размером приблизительно с коробку для обуви. Цвет дерева темно-пурпурный, фактура зернистая. *Розовое дерево,* поняла Софи. *Дедулино любимое.* На крышке искусно выгравированное изображение розы. Они с Лэнгдоном обменялись озадаченными взглядами. Софи наклонилась и вытащила шкатулку.

Господи, до чего же тяжелая!

Она осторожно понесла ее к столу и поставила посередине. Лэнгдон подошел и стал рядом, разглядывая сундучок с сокровищами, добыть которые послал их дед Софи.

Роберт изумленно созерцал выгравированный на крышке рисунок: роза с пятью лепестками. О, сколько раз доводилось ему видеть этот символ!

— Роза с пятью лепестками, — пробормотал он. — Символ Приората для обозначения чаши Грааля.

Софи подняла на него глаза. Лэнгдон понял, о чем она думает. Он и сам думал о том же. Размеры шкатулки, ее солидный вес, символ Приората на крышке — все это приводило к одному неизбежному выводу. *В этой шкатулке хранится чаша Христа.* И Лэнгдон в очередной раз напомнил себе, что это просто невозможно.

— Размер подходящий, — шепнула Софи. — В самый раз для... чаши.

Но это просто не может быть чаша!

Софи придвинула шкатулку к себе, намереваясь открыть. И едва успела сдвинуть ее с места, как произошло нечто неожиданное. Внутри, в шкатулке, что-то булькнуло.

Лэнгдон поразился. *Там, внутри, жидкость?..*

— Вы слышали? — спросила Софи.

Лэнгдон кивнул:

— Жидкость.

Софи протянула руку, осторожно сняла защелку и приподняла крышку.

Ничего похожего на предмет, находившийся в шкатулке, Лэнгдону ни разу не доводилось видеть. Впрочем, одно сразу же стало ясно. Это определенно не чаша Христова.

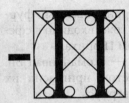

ГЛАВА 45

олиция блокировала улицу, — сказал Андре Верне, входя в комнату. — Так что выбраться отсюда вам будет не просто. — Только затворив за собой дверь, Верне увидел на ленте транспортера тяжелый пластиковый ящик и так и замер. *Так им удалось получить доступ к сейфу Соньера?*

Софи с Лэнгдоном стояли у стола, склонившись над предметом, напоминавшим большую деревянную шкатулку для драгоценностей. Софи тут же захлопнула крышку.

— Как видите, мы в конце концов узнали номер счета, — сказала она.

Верне лишился дара речи. Это обстоятельство все круто меняло. Он отвел глаза от шкатулки и пытался сообразить, каким должен быть его следующий шаг. *Я должен, просто обязан вывести их из банка!* Но с учетом того, что полиция успела перекрыть все дороги, путь был только один.

— Мадемуазель Невё, если я помогу вам выбраться из банка, вы заберете этот предмет с собой? Или все же лучше вернуть его в хранилище?

Софи взглянула на Лэнгдона, потом — на Верне.

— Нам необходимо забрать его.

Верне кивнул:

— Очень хорошо. Что бы там ни находилось, думаю, будет лучше, если вы завернете это в пиджак и будете держать там. Я бы предпочел, чтобы наши сотрудники ничего не видели.

Лэнгдон скинул пиджак, Верне тем временем поспешил к конвейерной ленте, закрыл пустой ящик и набрал на компьютере серию команд. Лента пришла в движение, унося ящик обратно в подземелье. Выдернув золотой ключ из отверстия, Верне протянул его Софи, потом сделал жест в направлении выхода:

— Сюда, пожалуйста. И прошу, поторопитесь.

Поднявшись на грузовом лифте в соседнее с главным вестибюлем помещение, Верне с беглецами увидели в подземном гараже мечущиеся лучи света — это полицейские обыскивали все вокруг. Верне нахмурился. Возможно, выход на пандус тоже перекрыт. *А вдруг не получится выпроводить их отсюда?* При этой мысли его пробрал озноб.

И тогда он жестом указал на маленький бронированный фургончик банка. Предоставление таких машин тоже входило в сферу услуг, оказываемых Депозитарным банком Цюриха.

— Забирайтесь в отделение для грузов, — скомандовал он. Открыл массивную заднюю дверцу и жестом пригласил их внутрь, где тоже сверкала сталь. — Я сейчас вернусь.

Софи с Лэнгдоном забрались в машину, а Верне поспешил к будке надзирателя за грузовым отсеком, вошел, взял ключи от бронированной машины, не забыв прихватить также куртку и кепи водителя. И начал надевать куртку прямо поверх костюма с галстуком. Потом вдруг увидел кобуру. На обратном пути снял со специальной стойки пистолет водителя, сунул его в кобуру и уже потом застегнул куртку на все пуговицы. Вернувшись к машине, Верне поглубже надвинул кепи на лоб и взглянул на Софи с Лэнгдоном, стоявших в стальной коробке.

— Может, вам понадобится, — сказал Верне, щелкнул выключателем, и под потолком кузова загорелась одинокая лампочка. — И знаете что, лучше сядьте. И чтобы ни звука, пока не выедем из ворот.

Софи с Лэнгдоном уселись на металлический пол. Лэнгдон прижимал к груди заветную шкатулку, завернутую в пиджак. Верне захлопнул тяжелые задние дверцы, и они оказались запертыми в броневике. Затем Верне уселся за руль и включил зажигание.

Бронированная машина катила по пандусу, и Верне почувствовал, как из-под козырька кепи на лоб стекает пот. Впереди просто море огоньков, он не ожидал, что здесь соберется так много полицейских. Вот он увидел, как внутренние ворота услужливо распахнулись, чтобы пропустить их. Верне проехал и подождал, пока ворота за ними закроются, прежде чем подъехать к следующим. Но вот отворились и вторые, и впереди замаячил выезд.

Все было в порядке. Если не считать того, что полицейская машина перегородила пандус.

Верне смахнул пот со лба и двинулся вперед.

Из машины вылез долговязый офицер и взмахом руки приказал остановиться. Перед зданием банка были припаркованы еще четыре полицейских автомобиля.

Верне остановился. Еще глубже надвинул кепи на лоб и изобразил зверское выражение лица, насколько ему позволяло воспитание. Затем отворил дверцу и, не вылезая из машины, взглянул сверху вниз на агента. Тот смотрел строго и подозрительно.

— Qu'est-ce qui se passe?* — нарочито грубым тоном спросил Верне.

— Je suis Jérôme Collet, — представился агент. — Lieutenant Police Judiciaire. — И взмахом руки указал на фургон: — Qu'est-ce qu'il y a la dedans?**

— А я почем знаю, — грубо буркнул в ответ Верне. — Я всего лишь водитель.

На Колле это заявление, похоже, не произвело впечатления.

— Мы ищем двух преступников.

Верне расхохотался:

— Тогда вы по адресу. Кое у кого из тех козлов, на кого я работаю, столько деньжищ, что они наверняка преступники.

Агент показал ему увеличенную фотографию из паспорта Роберта Лэнгдона.

— Скажите, был этот человек сегодня у вас в банке?

Верне пожал плечами:

— А я знаю?.. Меня к клиентам на пушечный выстрел не подпускают. Вам надо пройти внутрь и спросить у дежурного на входе.

— Но ваше банковское начальство требует ордер на обыск. Только тогда мы сможем войти.

Верне скроил гримасу отвращения:

— Бюрократы хреновы! Нет, только больше ничего мне не говорите, иначе я заведусь.

---

* В чем дело? *(фр.)*
** Я — Жером Колле. Лейтенант судебной полиции. Что у вас в машине? *(фр.)*

— Будьте добры, покажите, что у вас в машине. Откройте заднюю дверцу.

Верне вытаращил глаза на агента и расхохотался:

— Открыть? Думаете, у меня есть ключи? Думаете, они нам доверяют? Знали б вы, сколько мне здесь платят! Какие-то жалкие крохи!

Агент склонил голову набок, смотрел скептически.

— Вы хотите сказать, у вас нет ключей от этой машины?

Верне покачал головой:

— Только от зажигания. Не от груза. Содержимое фургонов опечатывают еще внутри, после погрузки. Ну и потом водитель ведет машину, приезжает куда надо, и уже там, при разгрузке, машину отпирают другие. Прежде чем выехать, мы звоним и спрашиваем, есть ли у получателя ключи. Только тогда мне дают добро на выезд. Ни секундой раньше. Так что я никогда не знаю, что, черт возьми, везу.

— А когда опечатали груз этой машины?

— Должно быть, несколько часов назад. А ехать мне аж до самого Сен-Туриала. Ключи от груза уже там.

Агент не ответил, глаза его так и сверлили Верне, словно он пытался прочесть его тайные мысли.

По носу Верне сползла капля пота.

— Не возражаете, если я проеду? — спросил он и вытер нос рукавом. — Путь не близкий, время поджимает.

— Скажите, а у вас все водители носят «Ролекс»? — спросил вдруг Колле и указал на запястье Верне.

Тот проследил за направлением его взгляда и, к ужасу своему, увидел, что из-под рукава комбинезона поблескивает браслет безумно дорогих часов. *Merde!*

— Это дерьмо? Купил за двадцать евро у одного тайваньца, уличного торговца в Сен-Жермен-де-Пре. Вам могу уступить за сорок.

Агент помялся еще немного и наконец отступил.

— Нет, спасибо, не надо. Счастливого пути.

Верне не осмеливался дышать до тех пор, пока фургон не отъехал от здания банка метров на пятьдесят, если не больше. Впрочем, теперь перед ним стояла другая проблема. Его груз. *Куда везти этих людей?*

ГЛАВА 46

айлас лежал лицом вниз на холщовой подстилке посреди комнаты и ждал, когда свежие раны на спине хоть немного обветрятся. Сегодняшняя процедура самобичевания и умерщвления плоти утомила его. Голова кружилась. Он еще не снял подвязку с шипами и чувствовал, как по внутренней стороне бедра стекает кровь. Но он не находил себе оправдания, а потому не спешил снимать подвязку.

Я подвел Церковь.

Что еще хуже, я подвел самого епископа.

Сегодня у епископа Арингаросы особый день. Пять месяцев назад епископ вернулся со встречи в обсерватории Ватикана, где узнал нечто такое, после чего сильно изменился. Несколько недель он пребывал в депрессии, а потом поделился новостями с Сайласом.

— Но это просто невозможно! — воскликнул Сайлас. — Я отказываюсь верить!

— Это правда, — сказал Арингароса. — Сколь ни кажется невероятным, но это истинная правда. Всего через шесть месяцев.

Слова епископа страшно напугали Сайласа. Он много молился за него, но даже в те черные дни его вера в Бога и «Путь» ни разу не была поколеблена. Лишь месяц спустя он узнал о том, что сгустившиеся над ними тучи чудесным образом развеялись и впереди вновь забрезжил свет надежды.

Божественное вмешательство — так называл это Арингароса. Впервые за долгое время епископ смотрел в будущее без страха.

— Сайлас, — шепнул он, — Господь осенил нас своей благодатью, дал возможность защитить «Путь». Наша битва, как и все остальные битвы на свете, требует жертв. Ты готов быть солдатом Создателя нашего?

Сайлас рухнул на колени перед епископом Арингаросой, человеком, подарившим ему новую жизнь, и сказал:

— Я всего лишь овца в стаде Пастыря нашего. Веди меня туда, куда велит сердце. И я пойду.

Когда Арингароса описал все открывавшиеся перед ним возможности, Сайлас окончательно уверовал в то, что это дело рук и промысла Божьего. *Чудесная судьба!* Арингароса связал его с человеком, который и предложил этот план. Человек предпочел назваться Учителем. И хотя Сайлас ни разу не видел Учителя, говорили они только по телефону, он благоговел перед ним, был потрясен глубиной его веры и широтой власти, которая распространялась, казалось, на всех и вся. Учитель, как представлялось Сайласу, знал все, у него везде были глаза и уши. Откуда он получал всю информацию, Сайлас понятия не имел, но и Арингароса очень верил в Учителя и вселил в Сайласа то же чувство.

— Делай то, что говорит тебе Учитель, исполняй каждую его команду, — внушал епископ Сайласу. — И тогда мы победим!

Победим! И вот теперь Сайлас смотрел на голые деревянные полы кельи и понимал, что победа ускользнула у них из-под носа. Учителя обманули. Краеугольный камень оказался ложным следом. И все надежды пошли прахом.

Сайласу хотелось позвонить епископу Арингаросе и предупредить его, но на сегодня Учитель распорядился перекрыть все каналы прямой связи между ними. *Ради нашей же собственной безопасности.*

И вот наконец, уступая нестерпимому искушению, Сайлас встал на ноги и поднял валявшуюся на полу сутану. Достал из кармана мобильник. И, потупившись от смущения, набрал номер.

— Учитель, — прошептал он, — все пропало. — И затем поведал всю правду о том, что произошло.

— Слишком уж быстро ты теряешь веру, — ответил ему Учитель. — Я только что получил неожиданные и весьма приятные для нас известия. Тайна не утеряна. Жак Соньер перед смертью успел передать информацию. Скоро позвоню, жди. Работа наша еще не завершена.

ГЛАВА 47

оездка в плохо освещенном металлическом кузове бронированного фургона походила на перемещение в одиночной камере. Лэнгдон пытался побороть знакомое неприятное чувство — боязнь замкнутого пространства. *Верне сказал, что отвезет нас на безопасное расстояние от города. Но куда? Как далеко?..*

Ноги у Лэнгдона затекли от неподвижного сидения на металлическом полу, и он сменил позу. К груди он по-прежнему прижимал драгоценную шкатулку, которую все же удалось вывезти из банка.

— Кажется, мы выехали на автомагистраль, — шепнула Софи.

И действительно, после остановки на пандусе грузовик резко рванул с места, потом минуту или две ехал, сворачивая то влево, то вправо, и вот теперь быстро набирал скорость. Софи и Роберт чувствовали, как гудят под ними пуленепробиваемые шины от соприкосновения с гладким асфальтом. Лэнгдон опустил драгоценный сверток на пол, развернул и достал шкатулку розового дерева. Софи подвинулась поближе, теперь они сидели бок о бок. «Мы с ней похожи на маленьких ребятишек, склонившихся над рождественским подарком», — подумал Лэнгдон.

По контрасту с теплыми оттенками палисандрового дерева инкрустированная роза на крышке была сработана из породы более светлых тонов, возможно, из тополя, и даже в полумраке излучала, казалось, слабое свечение. *Роза.* Многие армии и религии пользовались этим символом, не чужд он был и тайным обществам. *Розенкрейцеры. Рыцари Розового креста.*

— Давайте, — сказала Софи. — Откройте же ее.

Лэнгдон глубоко вздохнул и перед тем, как поднять крышку, бросил последний восхищенный взгляд на изысканное изображение цветка с пятью лепестками. Затем отпер защелку, приподнял крышку, и взорам их предстал находившийся внутри предмет.

Лэнгдон успел пофантазировать на тему того, что может находиться в этой шкатулке, но теперь было ясно: ни одна из самых смелых его фантазий не подтвердилась. В шкатулке, обитой блестящим малиновым шелком, угнездился предмет, постичь предназначение которого с первого взгляда было просто невозможно.

Это был каменный цилиндр размером примерно с банку для упаковки теннисных мячей, сделанный из белого, хорошо отполированного мрамора. Но при этом он был не цельным, а собранным из отдельных частей. Пять мраморных дисков размером с пончик накладывались друг на друга и скреплялись между собой изящной медной полоской. Вообще все это очень походило на калейдоскоп с колесиками. Концы цилиндра прикрывали чашечки из мрамора, отчего заглянуть в него оказалось невозможно. По бульканью жидкости внутри можно было догадаться, что цилиндр полый.

Но гораздо больше Лэнгдона заинтриговали надписи, выгравированные на внешней поверхности цилиндра. На каждом из пяти дисков были аккуратно и четко выгравированы серии букв, весь алфавит, причем на каждом диске разный. Цилиндр с буквами напомнил Лэнгдону любимую игрушку его детства, трубочку, состоявшую из нескольких «стаканчиков» с буквами, вращая которые можно было составлять разные слова.

— Поразительно, не правда ли? — прошептала Софи.

Лэнгдон посмотрел на нее:

— Прямо не знаю, что и сказать. Что за чертовщина?

В глазах Софи замерцал огонек.

— Мой дед вырезал такие из дерева, это было его хобби. А вообще это изобретение Леонардо да Винчи.

Даже в полумраке, царившем в кузове, было видно, как изумился Лэнгдон.

— Да Винчи? — пробормотал он, всматриваясь в странный цилиндр.

— Да. Эта штука называется криптекс. Если верить деду, ее украшают отрывки из секретных дневников Леонардо.

— Но для чего предназначен этот цилиндр?

Софи вспомнила все сегодняшние события и сделала единственный возможный вывод:

— Это тоже сейф. Для хранения секретной информации.

Лэнгдон удивленно воззрился на нее.

Софи объяснила, что одним из любимых занятий ее деда было конструирование моделей по изобретениям да Винчи. Талантливый ремесленник, Жак Соньер, проводивший долгие часы у себя в мастерской, просто обожал создавать имитации произведений различных великих мастеров — ювелирные изделия Фаберже (пепельницы и вазочки, украшенные перегородчатой эмалью) и менее изящные, но куда более практичные поделки по наброскам Леонардо да Винчи.

Даже беглого просмотра дневников да Винчи было достаточно, чтобы понять, почему этот светоч науки и искусств был столь знаменит открытиями, так и не воплощенными в реальность. Да Винчи начертил планы и схемы сотен изобретений, которые так и не удалось создать. И любимейшим времяпрепровождением Соньера было воплощение в реальность самых невразумительных проектов Леонардо: хронометров, водяных насосов, криптексов и даже робота в доспехах средневекового французского рыцаря во всех деталях — теперь рыцарь украшал письменный стол в его кабинете. Спроектированный Леонардо с целью изучения анатомии и наследственности в 1495 году, этот робот-рыцарь был снабжен специальным механизмом, который приводил в движение все его суставы. Он мог сидеть, размахивать руками, двигать головой на гибкой шее, а также открывать и закрывать рот. Одетый в доспехи рыцарь был, по мнению Софи, самым прекрасным творением деда... до тех пор, пока она не увидела в шкатулке розового дерева криптекс из белого мрамора.

— Как-то он сделал для меня почти такой же, когда я была маленькой, — сказала Софи. — Но такого красивого и искусного видеть не доводилось.

Лэнгдон не отводил глаз от шкатулки.

— А я никогда не слышал о криптексах.

Софи не удивилась. Большинство нереализованных изобретений Леонардо никогда не изучались, даже названий не получили. Термин «криптекс» был, по всей вероятности, изобретен ее дедом. Вполне подходящее название для прибора, использующего достижения криптографии в целях защиты информации, нанесенной на валик или свиток.

Софи знала, что да Винчи является пионером в области криптографии, пусть даже эти его изобретения и не получили признания. Преподаватели Лондонского университета, знакомя студентов с новейшими методами шифрования для сохранения компьютерных данных, превозносили Циммермана и Шнейера, но ни разу не упомянули о том, что именно Леонардо еще несколько веков назад первым изобрел рудиментарные формы шифровального ключа. И разумеется, поведал Софи об этом не кто иной, как ее дед.

Бронированный фургон мчался по автостраде, а Софи тем временем объясняла Лэнгдону, что именно криптекс Леонардо способствовал разрешению проблемы безопасной передачи посланий на большие расстояния. В эпоху отсутствия телефонов и электронной почты у человека, желавшего передать не предназначенную для посторонних глаз информацию кому-то, кто находился далеко от него, не было другого выхода, кроме как записать ее и передать через надежного посыльного. Увы, посыльный, заподозривший, что послание содержит особо ценную информацию, не всегда мог противостоять искушению заработать больше денег и перепродать письмо заинтересованным лицам, вместо того чтобы честно доставить по адресу.

Самые великие умы в истории человечества бились над проблемой защиты информации и изобрели шифрование. Юлий Цезарь придумал специальное закодированное письмо, получившее название «Шкатулка Цезаря». Мария, королева Шотландии, создала свой шифр на основе перемещения букв и передавала из тюрьмы тайные послания. И наконец, блистательный арабский ученый Абу Юсуф Исмаил аль-Кинди защищал свои тайны с помощью хитроумно составленного из букв нескольких алфавитов шифра.

Да Винчи же предпочел математическим и шифровальным методам механический. Криптекс. Портативный контейнер, способный защитить письма, карты, диаграммы, да что угодно, от постороннего глаза. Информацией, содержавшейся в криптексе, мог воспользоваться лишь человек, знавший пароль доступа.

— Нам нужен пароль, — сказала Софи, указав на диски с буквами. — Криптекс работает по принципу современных комбинационных замков для велосипедов. Если выстроить диски должным образом, замок откроется. У этого криптекса пять дисков с буквами. Если вращать их в заранее определенной последовательности, внутренние тумблеры выстроятся так, как надо, и цилиндр распадется на части.

— А внутри?..

— Как только цилиндр распадется на части, вы получите доступ к полому отделению в его центре. И там может храниться листок бумаги или какой-либо иной предмет, содержащий секретную информацию.

Лэнгдон окинул ее недоверчивым взглядом:

— Так вы говорите, ваш дед дарил вам нечто подобное, когда вы были еще девочкой?

— Да, только размером поменьше. Целых два раза в качестве подарков на день рождения. Дарил мне криптекс и загадывал загадку. Ответ загадки служил паролем для криптекса; стоило разгадать ее, и можно было открыть цилиндр и получить поздравительную открытку.

— Уж больно много возни ради какой-то там открытки.

— Нет, открытка тоже была непростая. С очередной загадкой, или ключом. Мой дед затевал настоящую охоту за сокровищами по дому, ряд отгадок, или ключей, неизбежно приводил меня к настоящему подарку. Каждая такая охота была своеобразным испытанием характера и сообразительности. Ну и в конце всегда ждала награда. Кстати, его загадки были далеко не простыми.

Лэнгдон снова скептически покосился на цилиндр:

— Но почему просто не попытаться расколоть его на части? Или раздавить? Эти металлические прокладки выглядят такими хрупкими. И мрамор, как известно, камень хрупкий.

Софи улыбнулась:

— Да потому, что Леонардо да Винчи это тоже предусмотрел. Он конструировал криптекс таким образом, что при малейшей попытке добраться силой до его содержимого информация саморазрушалась. Вот смотрите. — Софи сунула руку в шкатулку и осторожно вынула цилиндр. — Любую информацию сначала записывали на папирусном свитке.

— Не на пергаменте?

Софи покачала головой:

— Нет, именно на папирусе. Знаю, пергамент из кожи барашка более прочный материал и в те дни был распространен шире, но записывали всегда на папирусе. И чем тоньше он был, тем лучше.

— Ясно.

— Перед тем как положить папирусный свиток в специальное отделение, его сворачивали. Наматывали на тончайший стеклянный сосуд. — Она легонько встряхнула криптекс, и жидкость внутри забулькала. — Сосуд с жидкостью.

— Какой такой жидкостью?

Софи улыбнулась:

— С уксусом.

Лэнгдон задумался на секунду, потом кивнул:

— Гениально!

Уксус и папирус, подумала Софи. Если кто-то попытается силой вскрыть цилиндр, стеклянный сосуд разобьется, и уксус быстро растворит папирус. Ко времени, когда взломщик доберется до тайного послания, оно превратится в мокрый комок, на котором не разобрать ни слова.

— Как видите, — сказала Софи, — единственный путь получить тайную информацию предполагает знание пароля, слова из пяти букв. Здесь у нас пять дисков, на каждом по двадцать шесть букв. Двадцать шесть умножить на пять... — Она быстро подсчитала в уме. — Приблизительно двенадцать миллионов вариантов.

— Раз так, — заметил Лэнгдон с таким выражением, точно уже прикидывал в уме все эти двенадцать миллионов, — то что за информация может быть внутри?

— Что бы там ни было, ясно одно: мой дед отчаянно пытался сохранить ее в тайне. — Софи умолкла, закрыла шкатулку и какое-то время разглядывала розу с пятью лепестками, инкрустированную на крышке. Что-то ее явно беспокоило. — Вы вроде бы говорили, что Роза — это символ чаши Грааля?

— Да. В символике Приората Роза и Грааль являются синонимами.

Софи нахмурилась:

— Странно. Дед всегда говорил, что Роза символизирует собой *тайну.* Вешал цветок розы на дверь своего кабинета в доме, когда ему предстояло сделать конфиденциальный звонок и он не хотел, чтобы я его беспокоила. И меня заставлял делать то же самое.

Вот что, милая, говорил ей дед, чем держать двери на замке, куда лучше украсить их розой, этим цветком тайны. И никто не будет друг друга беспокоить. Только так мы научимся уважать и доверять друг другу. Вешать розу на дверь — это древний римский обычай.

— Sub rosa, — сказал вдруг Лэнгдон. — Древние римляне вешали розу на дверь, когда хотели показать, что встреча носит конфиденциальный характер. И каждый из присутствующих понимал, что все сказанное *под розой — sub rosa —* должно храниться в секрете.

И дальше Лэнгдон объяснил Софи, что Роза, эквивалент тайны, была избрана символом Приората не только по этой причине. Rosa rugosa, один из древнейших видов этого растения, имела пять лепестков, расположенных по пятиугольной симметрии, подобно путеводной звезде Венере. А потому именно изображение Розы связывали с женским началом. Кроме того, Роза была тесно связана с концепцией «верного пути», и символ ее использовался в навигации. Компас Розы помогал путешественникам ориентироваться, то же самое можно было сказать и о линиях Розы, или долготы, указанных на картах. По этой причине Роза стала символом и ссылкой на Грааль, говорившими сразу на нескольких уровнях о тайне, женском начале и путеводной звезде, которая одна на свете могла указать человеку истину.

Лэнгдон закончил свой короткий рассказ, и внезапно лицо его омрачилось.

— Роберт? Что такое, в чем дело?

Он снова посмотрел на шкатулку палисандрового дерева.

— Sub... rosa, — тихо пробормотал он с выражением неподдельного, даже какого-то боязливого удивления. — Быть того не может!

— Чего?

Лэнгдон поднял на нее глаза.

— Под знаком Розы, — прошептал он. — Этот криптекс... кажется, я знаю, что он собой представляет.

ГЛАВА 48

энгдон и сам с трудом верил в свое предположение. Однако с учетом того, *кто* дал им этот мраморный цилиндр, *каким именно образом* попал он к ним в руки, а также того факта, что на крышке красовалась пятилепестковая Роза, вывод напрашивался только один.

У нас в руках краеугольный камень.

То была особая, не похожая на другие, легенда.

Краеугольный камень лежит под знаком Розы и содержит закодированное послание.

Лэнгдон попытался собраться с мыслями.

— Скажите, ваш дед когда-нибудь упоминал при вас о предмете под названием la clef de voûte?

— Ключ к сейфу? — перевела Софи.

— Нет, это дословный перевод. Clef de voûte — это распространенный архитектурный термин. И слово «voûte» означает не банковский сейф, а «vault» — свод арки в архитектуре. Ну, к примеру, сводчатый потолок.

— Но к сводчатым потолкам нет ключей.

— Сколь ни покажется вам странным, есть. Для построения каменной арки требуется центральный клинообразный камень в самом верху, который соединяет все части и несет на себе весь вес конструкции. Ну и в чисто архитектурном смысле его можно назвать ключевым камнем. А по-английски его еще называют краеугольным камнем. — Лэнгдон вопросительно взглянул на Софи: хотелось знать, поняла ли она его.

Софи пожала плечами и вновь взглянула на криптекс.

— Но какой же это краеугольный камень?

Лэнгдон не знал, как лучше начать. Секретом постройки каменных арок в совершенстве владели члены масонского братства, еще на ранней стадии его существования. Они рьяно охраняли свой секрет. *Градус королевской арки. Архитектура. Краеугольные камни.* Все это взаимосвязано. Тайное знание того, как использовать клинообразный камень для построения свода арки или потолка, в немалой степени поспособствовало тому, что масоны стали такими умелыми ремесленниками. И они ревностно охраняли свою тайну. Краеугольные камни и все, что с ними связано, всегда хранились в секрете. Да, верно, этот мраморный цилиндр в шкатулке розового дерева мало походил на краеугольный камень в первоначальном его значении и облике. Это нечто другое. Предмет, которым они завладели... ни с чем подобным Лэнгдон прежде не сталкивался.

— Краеугольный камень Приората — не моя специальность, — признался Лэнгдон. — А что касается чаши Грааля, то меня прежде всего интересовала связанная с ней символика. И я не слишком вникал в легенды, описывающие, как ее найти.

Брови Софи поползли вверх.

— *Найти* чашу Грааля?

Лэнгдон нервно кивнул, а потом заговорил, тщательно подбирая слова:

— Видите ли, Софи, согласно утверждениям Приората, краеугольный камень — это закодированная карта... Карта, на которой указано место, где спрятана чаша Грааля.

Софи даже побледнела от волнения.

— И вы считаете, что карта здесь?

Лэнгдон не знал, что ответить. Ему это казалось невероятным. Однако версия о краеугольном камне представлялась в данном случае единственно верной. *Камень с закодированным посланием, хранящийся под знаком Розы.*

Мысль о том, что этот криптекс был создан самим Леонардо да Винчи, членом и Великим мастером Приората Сиона, тоже напрашивалась сама собой. Как же хотелось верить, что их сокровище действительно краеугольный камень братства! *Работа самого Великого мастера... ее через века вернул нам другой член Приората.* Слишком уж соблазнительной выглядела эта версия, чтобы вот так, с ходу, отвергнуть ее.

На протяжении последних десятилетий историки и ученые искали краеугольный камень во французских церквах. Охотники за чашей Грааля, знающие о пристрастии Приората к тайным шифрам, пришли к выводу, что la clef de voûte — это в прямом смысле клинообразный краеугольный камень, находящийся в центре свода какой-нибудь церковной арки. *Под знаком Розы.* В архитектуре не было недостатка в розах. *Окно-роза. Рельефы в виде розеток.* Ну и, разумеется, настоящее изобилие cinquefoils — цветков с пятью лепестками, украшавших арочные своды, прямо под краеугольным камнем. Чертовски подходящее место для тайника. Карта, указующая путь к чаше Грааля, спрятана в сводчатом потолке какой-нибудь заброшенной церквушки, прямо над головами ничего не подозревающих прихожан.

— Нет, этот криптекс не может быть краеугольным камнем, — сказала Софи. — Во-первых, он совсем не старый. И потом, я просто уверена: его сделал мой дед. И никакие легенды о Граале тут ни при чем.

— Бытует мнение, — заметил Лэнгдон и почувствовал, как его охватывает радостное возбуждение, — что краеугольный камень был создан несколько десятилетий назад одним из членов Приората.

Глаза Софи недоверчиво блеснули.

— Но если в этом криптексе указано, где хранится чаша Грааля, с какой стати дед посвятил меня в эту тайну? Я понятия не имею, как открыть цилиндр и что делать с его содержимым. Я даже толком не знаю, что это такое — чаша Грааля!

И Лэнгдон, к своему удивлению, понял, что она права. Он еще не успел объяснить Софи истинную природу чаши Грааля. Впрочем, с этим рассказом можно и подождать. Сейчас главное — краеугольный камень.

Если это действительно он...

И вот под гул пуленепробиваемых шин фургона Лэнгдон торопливо пересказал Софи все, что ему было известно о краеугольном камне. Если верить слухам, самая главная тайна Приората — местонахождение чаши Грааля — ни разу на протяжении веков не была зафиксирована письменно. В целях безопасности она передавалась из уст в уста каждому новому sénéchal на специальной церемонии. Но относительно недавно пошли слухи, что политика Приората изменилась. Возможно, произошло это с учетом появления новых электронных средств прослушивания. Как бы там ни было, но отныне члены Приората поклялись никогда не упоминать вслух о том, где спрятано сокровище.

— Но как же тогда они передавали эту тайну? — спросила Софи.

— Вот тут-то и оказался нужен краеугольный камень, — ответил Лэнгдон. — Когда один из четырех членов высшего ранга умирал, оставшиеся трое выбирали ему замену из более низкого эшелона. Следующего кандидата в sénéchal. Но вместо того чтобы сразу сказать ему, где находится Грааль, они подвергали его испытанию. Он должен был доказать свою пригодность.

Софи отчего-то занервничала, и тут Лэнгдон вспомнил ее рассказ о том, как дед устраивал ей preuves de mérite — испытания, заставлял разыскивать спрятанные в доме подарки. Очевидно, и в отношении краеугольного камня члены братства придерживались той же тактики. И вообще испытания были широко распространены в тайных обществах. Наиболее показателен в этом смысле пример масонов: их члены могли подняться на следующую ступень, доказав, что умеют хранить тайну, — пройдя целый ряд ритуалов и различных испытаний на протяжении многих лет. Причем с каждым разом задание становилось все труднее.

— Тогда наш краеугольный камень — это своего рода preuve de mérite! — воскликнула Софи. — Если кандидат в sénéchal мог открыть его, то доказывал тем самым, что достоин той информации, которую он содержит.

Лэнгдон кивнул:

— Совсем забыл, что у вас имеется опыт в этой области.

— Дело не только в деде. В криптологии это называется «разрешительным» языком. Если ты достаточно умен, чтобы прочитать это, значит, тебе разрешено знать, что там написано.

Лэнгдон колебался, не зная, с чего начать.

— Вы должны понять одну вещь, Софи. Если этот предмет действительно краеугольный камень, если ваш дед имел к нему доступ, это означает, что он занимал высокое положение в Приорате Сиона. Возможно даже, являлся одним из четверки избранных.

Софи вздохнула:

— Уверена в этом. Он действительно состоял в тайном обществе. Судя по всему, в Приорате.

Лэнгдон усомнился:

— Вы точно знаете, что он был членом тайного общества?

— Я кое-что видела. То, что не должна была видеть. Десять лет назад. С тех пор мы с ним ни разу не разговаривали. — Она на секунду умолкла. — Мой дед состоял не только в высшем эшелоне... Он был там самым главным.

Лэнгдон ушам своим не поверил.

— Великим мастером? Но... как вы могли узнать об этом?

— Не хотелось бы говорить... — Софи отвернулась, лицо ее исказила болезненная гримаса.

Лэнгдон был потрясен. *Чтобы Жак Соньер был Великим мастером? Нет, это просто невероятно.* И все же слишком многое указывало на то, что это именно так. Ведь и прежние главы Приората всегда являлись видными общественными деятелями, все до одного были наделены талантом и артистизмом. Доказательство этому удалось отыскать несколько лет назад в Парижской национальной библиотеке, в бумагах, известных под названием «Les Dossiers Secrets».

Эти досье были известны каждому ученому, занимающемуся тайными обществами, каждому охотнику за Граалем. Каталог под номером $4^o \, lm^1 \, 249$ был официально признан многими специалистами «Тайными досье», где нашел подтверждение давно уже муссировавшийся слух: Великими мастерами Приората побывали в свое время Леонардо да Винчи, сэр Исаак Ньютон, Виктор Гюго и уже относительно недавно — Жан Кокто, знаменитейший парижский писатель, художник и театральный деятель.

Так почему не Жак Соньер?

При мысли о том, что именно сегодня вечером он должен был встретиться с Жаком Соньером, Лэнгдон похолодел. *Сам Великий мастер Приората настаивал на встрече со мной! Но зачем? Не для того же, чтобы провести вечер за пустопорожней светской болтовней.* Интуиция подсказывала Лэнгдону, что глава Приората не зря передал своей внучке легендарный краеугольный камень братства, не зря велел ей найти его, Роберта Лэнгдона.

В это просто невозможно поверить!

При всем своем богатом воображении Лэнгдон просто не представлял, что за обстоятельства вынудили Соньера поступить именно так. Возможно, Соньер боялся умереть. Но ведь существовали же еще трое sénéchaux, владевших той же тайной и гарантировавших тем самым безопасность Приората. К чему Соньеру было идти на такой риск, доверять внучке краеугольный камень, особенно с учетом того, что они рассорились? И к чему вовлекать в это его, Лэнгдона... уж совсем постороннего человека?

В этой головоломке недостает какой-то одной детали, подумал Лэнгдон.

Но придется, видно, повременить с ответами. Машина замедлила ход, под шинами слышался шорох гравия. Софи с Лэнгдоном насторожились. *Почему он тормозит, неужели уже приехали?* Ведь Верне говорил, что хочет отвезти их как можно дальше от города, туда, где безопаснее. Фургон двигался теперь совсем медленно и, судя по тряске, по плохой дороге. Софи с Лэнгдоном обменялись настороженными взглядами, торопливо захлопнули крышку шкатулки. Лэнгдон прикрыл ее пиджаком.

Фургон остановился, но мотор продолжал работать. Ручка задней дверцы повернулась. И когда она открылась, Лэнгдон увидел, что они находятся в лесу. К дверцам подошел Верне. Смотрел он как-то странно, а в руке сжимал пистолет.

— Простите, — сказал он, — но у меня не было другого выхода.

ГЛАВА 49

ндре Верне выглядел несколько нелепо с пистолетом в руке, но в его глазах горела такая решимость, что Лэнгдон сразу понял: спорить с ним не стоит.

— Извините, но я настаиваю, — произнес Верне и взял их на прицел. — Поставьте шкатулку.

Софи прижимала шкатулку к груди.

— Вы же сами говорили, что дружили с моим дедом, — слабо возразила она.

— Мой долг — охранять имущество вашего деда, — сказал Верне. — И именно этим я сейчас и занимаюсь. Поставьте шкатулку на пол!

— Но мне доверил ее сам дед!

— Ставьте! — скомандовал Верне и приподнял ствол пистолета.

Софи поставила шкатулку у ног.

Лэнгдон увидел, что Верне перевел дуло пистолета на него.

— А теперь вы, мистер Лэнгдон, — сказал Верне, — подайте мне эту шкатулку. И знайте, я прошу об этом именно вас, потому что в вас могу выстрелить не раздумывая.

Лэнгдон просто не верил своим ушам и глазам.

— Зачем вам это? — спросил он банкира.

— А вы как думаете? — рявкнул в ответ Верне. От волнения его французский акцент стал еще сильнее. — Всегда защищал и буду защищать имущество своих клиентов!

— Но ведь это мы ваши клиенты! — возразила Софи.

Лицо Верне словно окаменело, поразительная метаморфоза.

— Мадемуазель Невё, я не представляю, каким образом вы раздобыли этот ключ и номер счета, но совершенно очевидно, что обманным или злодейским путем. Знай я, какие именно тяжкие за вами числятся преступления, ни за что бы не стал помогать вам выбраться из банка.

— Я вам уже говорила, — жестко произнесла Софи, — мы не имеем никакого отношения к смерти моего деда!

Верне перевел взгляд на Лэнгдона:

— А по радио сообщили, что вас разыскивают не только за убийство Жака Соньера, но и еще троих человек!

— Что?! — вскричал Лэнгдон. Он был потрясен до глубины души. *Убийство еще троих человек?* Его поразило само число, а вовсе не тот факт, что он является подозреваемым. Не похоже на простое совпадение. *Трое sénéchaux?* Он покосился на шкатулку розового дерева. *Если трое sénéchaux убиты, у Соньера действительно не было другого выхода. Должен же он был передать кому-то краеугольный камень.*

— Что ж, полиция разберется, когда я вас сдам, — сказал Верне. — Мой банк и без того достаточно скомпрометирован.

Софи яростно сверкнула глазами:

— Вряд ли вы намереваетесь сдать нас полиции. Иначе доставили бы обратно к банку. А вместо этого вы привезли в какую-то глушь да еще держите под прицелом!

— Ваш дед нанял меня с одной целью. Чтобы я хранил его имущество и держал все сведения о нем в тайне. И что бы ни хранилось в этой шкатулке, не имею ни малейшего намерения передавать это в полицию в качестве вещественного доказательства. Подайте мне шкатулку, мистер Лэнгдон.

Софи покачала головой:

— Не делайте этого!

Грохнул выстрел, пуля вошла в металлическую обшивку кузова у них над головой. Гильза звякнула, упав на пол фургона.

Черт побери! Лэнгдон похолодел.

Теперь Верне говорил уже более уверенным тоном:

— Мистер Лэнгдон, поднимите шкатулку.

Лэнгдон повиновался.

— А теперь подайте ее мне. — Верне снова поднял ствол пистолета. Стоя на земле за задним бампером, он целился в кузов фургона.

Лэнгдон медленно двинулся к дверцам со шкатулкой в руках. *Надо что-то предпринять! Неужели я вот так просто отдам ему краеугольный камень?* Подходя все ближе к дверцам, Лэнгдон вдруг сообразил, что находится значительно выше стоящего на земле Верне и что надо как-то воспользоваться этим преимуществом. Ствол пистолета был на уровне его колен. *Может, врезать по нему ногой?* Но тут Верне, видимо, почувствовал опасность и отступил на несколько шагов. Футов на шесть. И оказался недосягаем.

— Поставьте шкатулку у дверцы! — скомандовал он.

Не видя другого выхода, Лэнгдон опустился на колени и поставил шкатулку палисандрового дерева на самый край кузова, прямо перед распахнутой дверцей.

— А теперь встаньте.

Лэнгдон начал было вставать, но тут взгляд его упал на маленькую гильзу, закатившуюся за приступку дверцы.

— Встать! Отойдите от шкатулки!

Лэнгдон медлил, разглядывая низенький металлический порожек. Затем поднялся. И незаметно подтолкнул гильзу носком ботинка. Она попала в уголок, в самый стык между дверцей и стенкой фургона. Лэнгдон выпрямился уже во весь рост и отступил в глубину кузова.

— Назад. К задней стенке, говорю! И отвернитесь!

Лэнгдон повиновался.

Верне чувствовал, как бешено бьется у него сердце. Зажав пистолет в правой руке и продолжая держать беглецов под прицелом, он потянулся левой к шкатулке. Она оказалась страшно тяжелой. *Так не пойдет, надо обеими руками.* Он покосился в глубину кузова, пытаясь оценить риск. Его заложники находились футах в пятнадцати, у дальней стенки кузова, и стояли, отвернувшись от него. И Верне решился. Положил пистолет на бампер, быстро схватил шкатулку обеими руками и, опустив ее на землю, тут же схватил пистолет и снова прицелился. Ни один из заложников даже не шевельнулся.

Вот и прекрасно. Теперь оставалось лишь закрыть и запереть фургон. Опустив шкатулку на землю, он ухватился за тяжелую металлическую дверь и начал ее закрывать. Дверь с глухим стуком захлопнулась, и Верне, ухватившись за единственную задвижку, потянул ее влево. Задвижка проползла несколько дюймов и вдруг застряла, никак не хотела попадать в петлю. *Что происходит?* Верне потянул сильнее, но задвижка не закрывалась. Ах вот оно что! Они с петлей на разных уровнях. *Дверь до конца не закрылась!* Стараясь подавить приступ паники, Верне изо всей силы навалился на дверь, но дальше она не шла. *Чем-то заблокирована!* Верне развернулся поудобнее и снова навалился плечом на дверь. И тут вдруг она неожиданно распахнулась, Верне получил сильнейший удар прямо в лицо. Его отбросило назад, он рухнул на землю, зажимая разбитый нос ладонью. Пистолет вылетел из руки, упал где-то в стороне. Верне продолжал зажимать нос, чувствуя, как по пальцам бежит теплая кровь.

Роберт Лэнгдон с шумом приземлился где-то рядом, и Верне попытался подняться, но ничего не видел. В глазах у него потемнело. Софи Невё что-то кричала. Несколько секунд спустя Верне обдало облачком пыли и вонючих выхлопных газов. Он слышал визг шин по гравию, а когда собрался с силами и наконец сел, увидел лишь задний бампер удаляющегося на бешеной скорости фургона. Раздался треск — это передний бампер зацепился за небольшое дерево. Мотор ревел, дерево согнулось. В схватке победило оно — половина бампера оторвалась. Броневик уносился прочь с полуоторванным куском бампера. Вот шины ударились о бетонное ограждение, обрамляющее дорогу в лесу, из-под них вылетел сноп искр, и машина исчезла из виду.

Верне посмотрел на то место, где только что стоял фургон. Даже в призрачном свете луны было видно, что на земле ничего нет.

Шкатулка розового дерева исчезла!

ГЛАВА 50

еприметный «фиат» скользил по извилистой горной дороге Альбан-Хиллз, с каждой минутой все дальше удаляясь от замка Гандольфо. Сидевший на заднем сиденье епископ Арингароса довольно улыбался, ощущая тяжесть стоявшего на коленях портфеля с ценными бумагами. Так, теперь можно совершить обмен с Учителем. Вопрос лишь в том — когда.

Двадцать миллионов евро.

За эту сумму можно купить нечто более ценное, чем просто власть.

Машина катила по направлению к Риму, и Арингароса вдруг спохватился. Почему Учитель до сих пор ему не позвонил? Он торопливо достал мобильник из кармана сутаны и проверил сигнал. Совсем слабенький.

— Здесь, в горах, не возьмет, — заметил водитель, глядя на епископа в зеркальце. — Вот выедем минут через пять на равнину, и там снова заработает.

— Спасибо. — Сердце у Арингаросы тревожно сжалось. *Стало быть, сигнал в горах не проходит?* А вдруг все это время Учитель пытался связаться с ним? Может, случилось нечто ужасное?

Арингароса быстро проверил почту мобильника. Ничего. Потом вдруг сообразил: Учитель ни за что не стал бы оставлять ему такое послание, он был чрезвычайно осторожен в выборе средств связи. Никто лучше Учителя не понимал всей опасности открытых переговоров в современном мире. Электронное прослушивание сыграло немаловажную роль в получении им самим невероятного количества секретной информации.

Именно по этой причине он и принимает все эти меры предосторожности.

Впрочем, иногда Арингаросе казалось, что в этом Учитель заходит слишком далеко. К примеру, он даже не дал никакого контактного номера. *Я сам вступаю в контакт с нужными мне людьми,* сказал Учитель. *Так что держите телефон под рукой.* Теперь же, поняв, что мобильник в горах не работает, Арингароса опасался, что Учитель пытался дозвониться ему много раз, но безрезультатно.

Подумает, что что-то не так.

Или что мне не удалось получить облигации.

Тут епископа прошиб пот.

Или еще хуже... что я забрал деньги и сбежал!

ГЛАВА 51

аже при умеренной скорости шестьдесят кило-
метров в час полуоторванный передний бампер
бронированной машины царапал полотно дороги, вышибая искры и оглушительно шумя.

Нам надо съехать с этой дороги, подумал
Лэнгдон.

Он даже толком не видел, куда они направляются. Одна фара
разбилась от удара о дерево, другая сместилась и высвечивала теперь тянувшийся вдоль сельской дороги лес. Очевидно, броней в
этом автомобиле был защищен лишь грузовой отсек, а на кабину защита не распространялась.

Софи сидела на пассажирском сиденье и молча смотрела на
шкатулку на коленях.

— Вы в порядке? — осторожно спросил Лэнгдон.

— Вы ему поверили? — мрачно спросила она.

— Про остальные три убийства? Да, конечно. Мы получили
ответ на несколько вопросов сразу. Это объясняет, почему
Соньер решил передать краеугольный камень вам и почему Фаш
так упорно охотится за мной.

— Нет, я не о том. Я о Верне, который якобы старался защитить свой банк.

Лэнгдон покосился на нее:

— А на самом деле?..

— Хотел сам завладеть краеугольным камнем.

Лэнгдону это в голову не приходило.

— Но откуда ему было знать, что находится в шкатулке?

— Она хранилась в его банке. К тому же он был дружен с дедом. Может, и знал кое-что. И вполне возможно, захотел заполучить чашу Грааля.

Лэнгдон покачал головой. Не тот человек был этот Верне.

— Знаю по опыту, люди могут охотиться за Граалем лишь по двум причинам. Или они слишком наивны и верят, что ищут чашу Христа...

— Или?

— Или же знают всю правду, и в этом для них кроется угроза. Уже не раз находились люди или группы людей, желавшие найти и уничтожить Грааль.

В кабине повисло молчание, бампер, казалось, с удвоенной силой царапал о полотно. Они проехали так уже несколько километров, и, глядя на снопы искр, вылетающие из-под передней части машины, Лэнгдон вдруг подумал, что это небезопасно. Если им встретится другая машина, это привлечет внимание. И тогда он решился:

— Хочу посмотреть, нельзя ли поправить бампер.

И он, свернув к обочине, остановился.

Воцарилась благословенная тишина.

Направляясь к передней части машины, Лэнгдон вдруг почувствовал себя неимоверно сильным и ловким. Сегодня ему довелось смотреть смерти в лицо, заряженный пистолет — это вам не шутка, и теперь, казалось, у Роберта появилось второе дыхание. И еще он начал чувствовать неизмеримый груз ответственности. Еще бы, ведь у них с Софи предмет, способный указать путь к одной из самых интригующих тайн в истории человечества.

Теперь Лэнгдон понимал, что искать способы вернуть краеугольный камень Приорату бесполезно. Новость еще о трех убийствах говорила о том, насколько ужасно складывается для братства ситуация. *Враг сумел проникнуть в организацию. Она в опасности.* По всей видимости, за членами братства шла слежка или же в рядах его завелся предатель. Только этим можно было объяснить то, что Жак Соньер передал краеугольный камень Софи и Лэнгдону, людям, не состоящим в братстве, людям, которые, как он знал, ничем не скомпрометированы. *А потому и мы не можем передать краеугольный камень Приорату.* Даже если бы Лэнгдон нашел способ связаться с каким-либо членом Приората, у него не было никакой гарантии, что тот не окажется врагом. Так что какое-то время краеугольному камню суждено побыть в руках у Софи и Лэнгдона, хотят они того или нет.

Передняя часть фургона выглядела еще хуже, чем предполагал Лэнгдон. Левая фара оторвалась напрочь, правая походила на глазное яблоко, выбитое из глазницы и висящее на ниточке. Лэнгдон вставил ее на место, попытался закрепить. Неизвестно, сколько продержится. Но зато передний бампер почти оторвался. Лэнгдон изо всей силы пнул его ногой и почувствовал: еще несколько ударов, и эту железяку можно будет убрать.

Он пинал ногой перекрученный металл, и тут ему вспомнился разговор с Софи. *Дед оставил мне послание на автоответчике*, говорила она. *Сказал, что должен рассказать всю правду о моей семье.* Тогда он не придал значения ее словам, но теперь, зная о том, что во всей этой истории замешан Приорат Сиона, Лэнгдон вдруг увидел все в ином свете.

Бампер обломился внезапно и с громким хрустом. Лэнгдон остановился, чтобы перевести дух. По крайней мере теперь фургон уже не будет привлекать особого внимания. Он поднял бампер и потащил к опушке леса, чтобы спрятать там. Что же дальше? Они понятия не имеют, как открыть криптекс, не знают, зачем Соньер передал им его. Увы, теперь от ответов на эти вопросы зависит их жизнь.

Нам нужна помощь, решил Лэнгдон. *Помощь профессионала.*

В мире, связанном с тайнами Грааля и Приората Сиона, кандидатура существовала только одна. Оставалось уговорить Софи, но он предчувствовал, что это будет непросто.

Софи сидела в фургоне в ожидании, когда вернется Лэнгдон. Шкатулка тяжким грузом давила на колени, и Софи вдруг почувствовала к находке нечто вроде ненависти. *Зачем только дед передал ее мне?* Она понятия не имела, что с ней делать.

Думай, Софи, думай! Шевели мозгами! Дедуля хотел сказать тебе что-то важное.

Она открыла шкатулку и воззрилась на мраморный криптекс из пяти дисков. *Заслужила доверие.* Во всем чувствовалась рука деда. *Краеугольный камень — это карта, следовать указаниям которой может только достойный.* Казалось, она слышит голос деда.

Софи достала криптекс из шкатулки и провела кончиками пальцев по дискам. *Пять букв.* Затем начала по очереди поворачивать диски. Механизм работал отлично, точно смазанный. Она выстроила диски так, чтобы выбранные буквы находились между двумя медными стрелками-уровнемерами на каждом конце цилиндра. Теперь можно было прочесть слово из пяти букв, но Софи уже знала, что слово это слишком очевидно, а потому не годится.

Г-Р-А-А-Л

Она бережно взялась за концы цилиндра и попыталась раздвинуть. Криптекс не поддавался. Внутри угрожающе забулькала жидкость, и Софи перестала тянуть. Потом попробовала снова.

В-И-Н-Ч-И

И снова никакого результата.

V-O-U-T-E

Ничего. Криптекс оставался надежно запертым.

Хмурясь, она опустила его обратно в шкатулку и закрыла крышку. Потом высунулась из окна посмотреть, не идет ли Лэнгдон. Софи была благодарна этому человеку за то, что сегодня он с ней. *P.S. Найти Роберта Лэнгдона.* Все же не случайно дед выбрал ей в помощь именно его. Учителя, обладающего такими богатыми знаниями. Жаль, сегодня Лэнгдону не слишком часто пришлось выступать в роли учителя. Он стал мишенью для Безу Фаша... еще какой-то невидимой и безымянной пока силы, намеренной завладеть Граалем.

Чем бы он там ни был, этот Грааль.

И Софи в который уже раз задала себе вопрос: стоит ли Грааль того, чтобы рисковать ради него жизнью?

Бронированный фургон начал набирать скорость. Лэнгдон был доволен его гладким ходом.

— Знаете, как проехать в Версаль? — спросил он Софи.

Та удивилась:

— Зачем? Полюбоваться видами?

— Нет, у меня есть план. Неподалеку от Версаля живет один выдающийся ученый. Занимается историей религий. Вот только не помню, где точно, но мы можем поискать. Я бывал у него в поместье, несколько раз. Его зовут Лью Тибинг. Бывший член Королевского исторического общества.

— Британец и живет в Париже?

— Единственной целью и страстью его жизни была чаша Грааля. Когда лет пятнадцать назад до него дошли слухи о краеугольном камне Приората, он перебрался во Францию. Очень надеялся, что отыщет церковь с камнем. Написал о краеугольном камне и Граале несколько книг. Думаю, он способен помочь нам. Научит, как открыть криптекс и что с ним делать дальше.

Софи смотрела с подозрением.

— Вы считаете, ему можно доверять?

— В каком смысле? Что он не украдет информацию?

— И не выдаст нас.

— А я не собираюсь сообщать ему, что нас разыскивает полиция. А когда все окончательно выяснится, нам и бояться будет нечего.

— А вы не подумали о том, Роберт, что в каждом доме здесь есть телевизор и что по этому телевизору показывают наши фото? Безу Фаш всегда использует СМИ в своих целях. Он сделает так, что нам будет просто невозможно появиться на людях без риска быть узнанными.

Просто ужас какой-то, подумал Лэнгдон. *Мой дебют на французском телевидении. Под рубрикой «Разыскивается опасный преступник».* Что ж, по крайней мере Джонас Фаукман будет доволен: тираж книги сразу взлетит до небес.

— А этот человек действительно ваш хороший друг? — спросила Софи.

Лэнгдон сомневался, что Тибинг из тех, кто смотрит телевизор, особенно в столь поздний час, но над последним вопросом Софи стоило задуматься. Интуиция подсказывала Лэнгдону, что Тибингу можно доверять абсолютно и полностью. Идеальное убежище. С учетом складывающихся обстоятельств Тибинг наверняка из кожи вон будет лезть, чтобы помочь им. Он не только должник Лэнгдона, он настоящий исследователь и знаток всех проблем, связанных с Граалем. К тому же Софи скажет, что дед ее был Великим мастером Приората Сиона. Когда Тибинг услышит это, у него просто слюнки потекут при одной мысли о том, что он будет задействован в этом расследовании.

— Тибинг вполне может стать надежным союзником, — сказал Лэнгдон. *Все зависит только от того, насколько Софи будет с ним откровенна.*

— Наверняка Фаш предложил за нашу поимку денежное вознаграждение.

Лэнгдон рассмеялся:

— Поверьте мне, деньги — это последнее, что интересует Тибинга.

Лью Тибинга можно было считать богачом в том смысле, как бывают богаты малые страны. Он являлся потомком английского герцога Ланкастера и получил свои деньги самым старомодным на свете способом — унаследовал их. Его имение под Парижем представляло собой дворец семнадцатого века с парком и двумя прудами.

Лэнгдон познакомился с Тибингом несколько лет назад благодаря Би-би-си. Тибинг обратился в эту корпорацию с предложением снять документальный сериал об истории чаши Грааля. Он собирался выступить там ведущим и был уверен, что тема вызовет самый широкий интерес у зрителей. Продюсерам Би-би-си понравился проект, они с почтением относились к самому Тибингу, его исследованиям и репутации в научном мире. Однако было одно «но»: они всерьез опасались, что концепция Тибинга носит слишком шокирующий характер, что обычным зрителям воспринимать ее будет сложно и все это негативно отразится на репутации компании, славившейся своими добротными документальными программами. По предложению Тибинга Би-би-си все же решила эту проблему — подстраховалась, пригласив трех виднейших специалистов по Граалю в качестве оппонентов Тибингу.

Одним из избранных оказался Лэнгдон.

Би-би-си оплатила Лэнгдону перелет до Парижа, так он и попал на съемки в имение Тибинга. Он сидел перед камерами в роскошном кабинете сэра Лью и комментировал его повествование, вставляя скептические ремарки. Но затем в конечном счете признавал, что Тибингу удалось убедить его в правдивости истории чаши Грааля. В конце Лэнгдон знакомил зрителей с результатами своих собственных исследований, а именно: с рядом связей на уровне символов, говоривших в пользу противоречивой и оригинальной теории Тибинга.

Программа была показана в Великобритании, но, несмотря на «звездный» состав участников и обоснованные документально свидетельства, вызвала настоящую волну возмущения и протестов со стороны христиан. В Америке ее так и не показали, но гневные отголоски критиков долетели и до этой страны. Вскоре после этого Лэнгдон получил открытку от своего старого знакомого, епископа Католической церкви в Филадельфии. На открытке красовались всего три слова: «Et tu, Robert?»*

— Роберт, — спросила Софи, — вы твердо уверены, что этому человеку можно доверять?

— Абсолютно. Мы с ним коллеги, деньги ему не нужны, к тому же я знаю, что он презирает французские власти. Ваше правительство дерет с него какие-то совершенно непомерные налоги, потому что он, видите ли, приобрел в собственность исторические земли. Так что сотрудничать с Фашем он точно не будет.

Софи смотрела вперед, на темную дорогу.

— Хорошо, допустим, мы к нему приедем. Что можно ему говорить, а что нельзя?

Лэнгдон лишь отмахнулся:

— Поверьте, Софи, Лью Тибинг знает о Граале и Приорате Сиона больше, чем любой другой человек в мире.

— Больше, чем мой дед? — недоверчиво спросила Софи.

— Я имел в виду, больше, чем любой человек вне братства.

— А почему вы так уверены, что Тибинг не член братства?

— Да он всю жизнь пытался рассказать миру правду о чаше Грааля. А члены Приората всегда давали клятву не разглашать ее.

— Ну, это уже похоже на конфликт интересов.

Лэнгдон понимал ее тревогу. Соньер передал криптекс непосредственно Софи, и хотя она не знала, что в нем находится и как следует этим распорядиться, ей не хотелось вовлекать в это дело чужака. Что ж, вполне здравая мысль, особенно с учетом того, какой взрывной силы может оказаться эта информация.

— Нам совсем не обязательно сразу же говорить Тибингу о краеугольном камне. Вообще можем не говорить. Просто его дом послужит надежным укрытием, нам это даст время хорошенько подумать. Ну и, возможно, мы поговорим с ним о чаше Грааля, раз уж вам кажется, что дед передал вам именно ее.

— Не мне, а нам, — поправила его Софи.

Лэнгдон ощутил прилив гордости и снова удивился тому, что Соньер счел нужным подключить его.

---

* И ты, Роберт? *(лат.)* (Аллюзия — намек на знаменитую фразу Юлия Цезаря: «И ты, Брут?»)

— Вы хоть примерно представляете, где находится имение этого Тибинга? — спросила Софи.

— Имение называется Шато Виллет.

Софи недоверчиво воззрилась на него:

— То самое Шато Виллет?

— Ну да.

— Ничего себе! Хорошие у вас друзья.

— Так вы знаете, где оно находится?

— Как-то проезжала мимо. Кругом одни замки. Езды отсюда минут двадцать.

Лэнгдон нахмурился:

— Так далеко?

— Ничего. Зато вы успеете рассказать мне, что на самом деле представляет собой Грааль.

— Расскажу у Тибинга, — ответил после паузы Лэнгдон. — Просто мы с ним специализировались в разных областях, так что если соединить наши рассказы, получите полное представление о легенде. — Лэнгдон улыбнулся. — Кроме того, Грааль был смыслом жизни Тибинга. И услышать историю о чаше Грааля из уст Лью Тибинга — это все равно что услышать теорию относительности от самого Эйнштейна.

— Остается надеяться, что этот ваш Лью не против столь поздних гостей.

— Во-первых, он не просто Лью, а сэр Лью. — Лэнгдон и сам допустил как-то ту же ошибку. — Сэр Тибинг — человек не простой. Был посвящен в рыцари самой королевой за особые заслуги перед двором. Он составил наиболее полное описание дома Йорков.

— Вы шутите? — воскликнула Софи. — Так мы едем в гости к рыцарю?

Лэнгдон улыбнулся краешками губ:

— Мы едем расследовать историю с Граалем, Софи. Кто в этом деле поможет лучше рыцаря?

ГЛАВА 52

аскинувшееся на площади в 185 акров имение Шато Виллет находилось в двадцати пяти минутах езды к северо-западу от Парижа, в окрестностях Версаля. Спроектированное Франсуа Мансаром в 1668 году для графа Офлея, оно являлось одной из основных исторических достопримечательностей парижских пригородов. Само шато в окружении двух прямоугольных искусственных прудов и садов, созданных по проекту Ленотра, являлось скорее средних размеров замком, а не особняком. Французы любовно называли это имение «la Petite Versailles» — «маленьким Версалем».

Лэнгдон остановил бронированный фургон у ворот, за которыми открывалась аллея протяженностью не меньше мили, ведущая к замку. За внушительных размеров изгородью виднелась вдали и сама резиденция сэра Лью Тибинга. Табличка на воротах гласила:

ЧАСТНАЯ СОБСТВЕННОСТЬ.
ПОСТОРОННИМ ВЪЕЗД ЗАПРЕЩЕН

Похоже, Тибинг вознамерился превратить свое обиталище в эдакий островок Англии. О том свидетельствовала не только табличка, написанная по-английски, но и радиопереговорное устройство у ворот, размещенное по *правую руку* от входа, — именно там находится пассажирское место в автомобиле во всех странах Европы, кроме Англии.

Софи удивилась:

— А если кто-то приедет один, без пассажира?

— Ой, не спрашивайте. — Лэнгдон уже был знаком с причудами Тибинга. — Он предпочитает, чтоб все было как у него на родине.

Софи опустила стекло.

— Знаете, Роберт, лучше вы сами с ним поговорите.

Лэнгдон придвинулся к Софи и, перегнувшись через нее, надавил на кнопку домофона. В ноздри ему ударил терпкий аромат духов Софи, только тут он осознал, что находится слишком близко. Он ждал, из маленького микрофона доносились звонки.

Наконец там послышался щелчок, и раздраженный голос произнес по-английски с сильным французским акцентом:

— Шато Виллет. Кто там?

— Роберт Лэнгдон, — ответил Лэнгдон. Теперь он почти лежал у Софи на коленях. — Я друг сэра Лью Тибинга. Мне нужна его помощь.

— Хозяин спит. Я тоже спал. А что у вас за дело?

— Сугубо личное. Но оно его очень заинтересует.

— Тогда уверен, он будет счастлив принять вас прямо с утра.

— Но это крайне важно, — продолжал настаивать Лэнгдон.

— Сон для сэра Лью тоже важен. Если вы его друг, то должны знать: здоровье у него слабое.

В детстве сэр Лью Тибинг переболел полиомиелитом, а теперь носил на ногах специальные скобы и передвигался на костылях. Но во время последней встречи он произвел на Лэнгдона впечатление такого живого и яркого человека, что тот почти не заметил этого его увечья.

— Будьте так добры, передайте ему, что я нашел новую информацию о Граале. Информацию настолько важную, что до утра никак нельзя ждать.

В микрофоне надолго воцарилась тишина.

Лэнгдон с Софи ждали, мотор фургона работал вхолостую.

И вот наконец прорезался голос:

— Должен вам заметить, любезный, вы, очевидно, и здесь живете по гарвардскому времени.

Лэнгдон расплылся в улыбке, он узнал характерный британский акцент. Голос бодрый, жизнерадостный.

— Лью, ради Бога, простите за то, что беспокою вас в столь неподходящий час.

— Слуга сообщил мне, что вы хотите поговорить о Граале.

— Подумал, что только это поможет поднять вас с постели.

— И оказались правы.

— Есть шанс, что откроете ворота старому доброму другу?

— Тот, кто пребывает в поисках истины, больше чем просто друг. Это брат.

Лэнгдон выразительно покосился на Софи. Тибинг обожал высказывания в духе античного театра.

— Ворота-то я открою, — провозгласил Тибинг, — но прежде должен убедиться, что вы пришли ко мне с чистым сердцем и лучшими намерениями. Это испытание. Вы должны ответить на три вопроса.

Лэнгдон тихонько застонал, потом шепнул Софи:

— Видите, я говорил. Тот еще типчик.

— Вопрос первый, — торжественно начал Тибинг. — Что вам подать: кофе или чай?

Лэнгдон знал, как относится Тибинг к чисто американской манере без конца пить кофе.

— Чай, — ответил он. — «Эрл Грей».

— Отлично! Второй вопрос. С молоком или сахаром?

Лэнгдон колебался.

— С молоком, — шепнула Софи ему на ухо. — Я знаю, англичане предпочитают с молоком.

— С молоком, — ответил Лэнгдон.

Пауза.

— И сахаром?

Тибинг не ответил.

Так, погодите-ка! Теперь Лэнгдон вспомнил горьковатую на вкус бурду, которой его угощали здесь во время последнего визита. И понял, что вопрос с подвохом.

— Лимон! — воскликнул он. — Чай «Эрл Грей» с *лимоном*.

— Поздравляю, — насмешливо ответил Тибинг. — И наконец должен задать самый последний и страшный вопрос. — Он выдержал паузу, потом произнес зловещим и загадочным тоном: — В каком году в последний раз гребец парными веслами из Гарварда обошел такого же гребца из Оксфорда в Хенли?

Лэнгдон понятия не имел, но понимал, что и этот вопрос с подвохом.

— Да ни в каком, потому что таких состязаний не было вовсе.

Щелкнул замок, ворота отворились.

— Вы чисты сердцем, мой друг. Можете пройти.

ГЛАВА 53

есье Верне! — В голосе ночного дежурного Депозитарного банка Цюриха явственно чувствовалось облегчение. Он сразу узнал голос президента по телефону. — Куда вы пропали, сэр? Полиция еще здесь, все ждут только вас!

— У меня небольшие проблемы, — ответил президент банка расстроенным тоном. — Нужна ваша помощь, немедленно!

У тебя не одна небольшая проблема, а сразу несколько, подумал дежурный. Полиция окружила банк и угрожала, что скоро пожалует сам капитан судебной полиции с ордером на обыск.

— Чем могу помочь, сэр?

— Бронированная машина номер три. Мне необходимо срочно найти ее.

Дежурный растерялся и взглянул на расписание доставок.

— Она здесь, сэр. Внизу, в погрузочном отсеке гаража.

— Ничего подобного! Фургон угнали двое типов, которых как раз и разыскивает полиция.

— Что? Но как им удалось выехать?

— Не хочу вдаваться в подробности по телефону, но складывается ситуация, которая может нанести огромный ущерб нашему банку.

— Что я должен делать, сэр?

— Я бы хотел, чтобы вы задействовали сигнальное поисковое устройство фургона.

Взгляд ночного дежурного упал на распределительную коробку, находившуюся на другом конце комнаты. Как и большинст-

во бронированных машин, каждый фургон банка был оборудо-
ван специальным контрольным устройством слежения, которое
можно было привести в действие на расстоянии. Управляющему
лишь раз пришлось включить эту сигнальную систему, когда
один из фургонов остановили на дороге и угнали. И сработала
она, следовало признать, безотказно. Службам безопасности тут
же удалось определить местонахождение фургона и передать ко-
ординаты властям. Впрочем, как чувствовал дежурный, сегодня
ситуация складывалась несколько иначе, президент рассчитывал
на большую приватность.

— А вы знаете, сэр, что если я активирую эту систему, передатчик тут же уведомит власти, что у нас проблема?

Верне на несколько секунд погрузился в молчание.

— Да, я знаю. И все равно выполняйте. Фургон номер три. Я
подожду. Мне нужно точно знать, где эта машина. Как только
получите, сообщите мне.

— Слушаюсь, сэр.

Тридцать секунд спустя в сорока километрах от банка ожил и
замигал спрятанный в шасси бронированного фургона крошечный передатчик.

ГЛАВА 54

Лэнгдон с Софи ехали в фургоне к замку по обсаженной тополями длинной аллее. Наконец-то Софи могла немного расслабиться и вздохнуть спокойно. Какое облегчение знать, что после всех приключений и скитаний тебя ждет радушный прием в имении добродушного и веселого иностранца!

Они свернули на круг возле дома, и перед ними предстало Шато Виллет. Трехэтажное здание метров шестидесяти в длину, не меньше, фасад из грубого серого камня освещен специальной наружной подсветкой. Он резко контрастировал с изысканным пейзажем, садами и прудом с зеркальной поверхностью.

В окнах начал загораться свет.

Лэнгдон не подъехал, а свернул к главному входу, на специально оборудованную стоянку под сенью вечнозеленых деревьев.

— Так меньше риска, что нас заметят с дороги, — объяснил он. — Да и Лью не будет удивляться тому, что мы прибыли на изрядно помятом бронированном фургоне.

Софи кивнула.

— Что делать с криптексом? — спросила она. — Наверное, оставлять его в машине не стоит. Но если Лью увидит, то наверняка захочет знать, что это такое.

— Не беспокойтесь, — ответил Лэнгдон. Он снял твидовый пиджак и, выйдя из машины, завернул в него шкатулку. Получился сверток, напоминавший запеленатого младенца.

Софи посмотрела с сомнением:

— Как-то подозрительно выглядит.

— Сэр Тибинг не из тех, кто открывает гостям двери. Он любит торжественно обставлять свое появление. Войдем, и я найду, где это спрятать, перед тем как появится хозяин. — Он на секунду умолк. — Вообще-то должен предупредить вас заранее. У сэра Лью весьма своеобразное чувство юмора... которое многие находят странным.

Но Софи сомневалась, чтобы с учетом всех сегодняшних событий что-то еще могло ее удивить.

Тропинка к главному входу была выложена мелкими камушками. Прихотливо извиваясь, она вела прямо к резным дверям из дуба и вишни с медным молотком размером с грейпфрут. Не успела Софи постучать, как двери гостеприимно распахнулись.

Перед ними, поправляя белый галстук и одергивая фалды фрака, стоял подтянутый элегантный дворецкий. На вид ему было лет пятьдесят, черты лица тонкие, породистые. А само выражение этого лица говорило, что он далеко не в восторге от появления гостей в столь поздний час.

— Сэр Лью сейчас спустится, — торжественно объявил он с сильным французским акцентом. — Он одевается. Предпочитает встречать гостей не в ночной сорочке. Позвольте ваш пиджак. — И он кивком указал на твидовый сверток, зажатый под мышкой у Лэнгдона.

— Благодарю, не стоит беспокойства.

— Как угодно, сэр. Прошу сюда, пожалуйста.

Дворецкий провел их через роскошный, отделанный мрамором холл в равно роскошную и элегантную гостиную, мягко освещенную викторианскими лампами с украшенными бахромой абажурами. Здесь приятно пахло мастикой для паркета, трубочным табаком, чайной заваркой, хересом, и к этим ароматам примешивался слабый запах влажной земли, присущий всем сооружениям из камня. У дальней стены, украшенной двумя наборами старинного оружия и доспехов, виднелся камин, тоже выложенный из необработанного камня и такой огромный, что в нем, казалось, можно было зажарить целого быка. Подойдя к камину, дворецкий наклонился и поднес спичку к приготовленной заранее растопке и дубовым поленьям. Огонь сразу же занялся.

Дворецкий выпрямился, одернул фрак.

— Хозяин просил передать, чтобы вы чувствовали себя как дома. — С этими словами он удалился, оставив Лэнгдона и Софи наедине.

Софи никак не могла решить, куда ей лучше сесть — на бархатный диван в стиле эпохи Ренессанса, деревянную резную качалку с подлокотниками в виде орлиных когтей или же на каменную скамью, коих здесь было две, и каждая, похоже, некогда служила предметом обстановки византийской церкви.

Лэнгдон развернул сверток, достал шкатулку, подошел к дивану и сунул ее под него, стараясь затолкать как можно глубже. Затем встряхнул пиджак, надел его, расправил лацканы и, улыбнувшись Софи, уселся прямо над тем местом, где было спрятано их сокровище.

Что ж, на диван так на диван, подумала Софи и уселась рядом.

Глядя на весело пляшущие огоньки пламени в камине, наслаждаясь теплом, Софи вдруг подумала, что деду наверняка бы понравилась эта комната. На стенах, отделанных панелями темного дерева, висели картины старых мастеров, в одной из них Софи сразу узнала Пуссена, он у деда был на втором месте после Леонардо. На каминной полке стоял алебастровый бюст богини Исиды. Казалось, она наблюдала за всем, что происходит в комнате.

Помимо этой статуэтки камин украшали также две каменные горгульи, они служили подставкой для дров. Пасти грозно ощерены, открывают черные провалы глоток. Ребенком Софи всегда пугалась горгулий; продолжалось это до тех пор, пока дед не привел ее в собор Нотр-Дам во время сильного ливня. Они поднялись на самый верх.

— Взгляни на этих маленьких уродцев, Принцесса, — сказал ей дед и указал на знаменитых горгулий, из пастей которых хлестали струи воды. — Слышишь, как журчит вода у них в глотках?

Софи кивнула и засмеялась: действительно, вода так смешно булькала в глотках этих странных созданий.

— Гур-гур-гур, — сказал дед. — Потому они и получили это имя — горгульи.

И больше Софи уже никогда не боялась горгулий.

Воспоминания эти навеяли на нее грусть, сердце сжалось при мысли о том, что дед был убит так безжалостно и подло. *Дедули больше нет.* Потом она представила лежавший под диваном криптекс и усомнилась в том, что Лью Тибинг может придумать, как его открыть. *Наверное, лучше и не спрашивать его об этом.*

Ведь дед в своем последнем послании к ней велел обратиться к Роберту Лэнгдону. Ни словом не упомянул о том, что надо привлекать кого-то еще. *Просто нам надо где-то спрятаться, хотя бы на время.* И Софи решила, что Лэнгдон был прав, привезя ее сюда.

— Сэр Роберт! — раздался голос у них за спиной. — Как вижу, вы путешествуете не один, а в обществе прелестной девицы.

Лэнгдон поднялся. Софи тоже торопливо вскочила на ноги. Голос доносился сверху, с деревянной лестницы с резными перилами, которая вела на второй этаж. Там, наверху, в тени, кто-то двигался, были видны лишь смутные очертания фигуры.

— Добрый вечер! — сказал Лэнгдон. — Позвольте представить, сэр Лью, это Софи Невё.

— Огромная честь для меня. — Тибинг вышел из тени.

— Спасибо за то, что приняли нас, сэр. — Только теперь Софи разглядела хозяина дома. Да, на ногах металлические скобы, и он медленно спускался по ступенькам на костылях. — Мы приехали так поздно и...

— Не поздно, дорогая моя, скорее рано, — засмеялся он. — Vous n'êtes pas Américaine?*

Софи покачала головой:

— Parisienne**.

— Ваш английский просто великолепен.

— Спасибо, сэр. Я училась в Ройял-Холлоуэе.

— Тогда понятно, — протянул Тибинг. — Возможно, Роберт говорил вам, что я преподавал неподалеку оттуда, в Оксфорде. — Тибинг одарил Лэнгдона хитрой улыбкой. — Ну и, разумеется, у меня про запас всегда был Гарвард.

Вот наконец он дошел до конца лестницы, и Софи не могла удержаться от мысли, что он похож на рыцаря не больше, чем сэр Элтон Джон. Дородный краснолицый старик с рыжими волосами и веселыми карими глазками, которые, казалось, подмигивали и щурились при каждом его слове. На нем были панталоны в клеточку и просторная шелковая рубашка, поверх которой красовался жилет в мелкий цветочек. Несмотря на алюминиевые скобы на ногах, держался он прямо, непринужденно и с достоин-

---

*   Вы не американка? *(фр.)*
** Парижанка *(фр.).*

ством, и, возможно, это объяснялось знатным происхождением, а не осознанным усилием.

Тибинг протянул руку Лэнгдону:

— А вы изрядно потеряли в весе, Роберт.

— Зато вы прибавили, — усмехнулся Лэнгдон.

Тибинг от души рассмеялся и похлопал себя по круглому животу.

— Ничья! Единственное удовольствие, которое теперь могу себе позволить, — это всякие там кулинарные изыски. — Подойдя к Софи, он бережно взял ее за руку, слегка склонил голову набок, подул на пальчики, поцеловал и отвел глаза. — Миледи!

Софи покосилась на Лэнгдона, не уверенная, правильно ли себя ведет: стоит ли ей отступить и вырвать руку или не сопротивляться.

Дворецкий, отворивший им дверь, вошел в гостиную с подносом и принялся расставлять чайные приборы на столике перед камином.

— Знакомьтесь, Реми Легалудек, — сказал Тибинг. — Мой верный слуга.

Стройный дворецкий коротко кивнул и удалился.

— Реми у нас лионец, — прошептал Тибинг таким тоном, точно быть лионцем означало иметь какую-то постыдную болезнь. — Но совершенно потрясающе готовит соусы.

Это высказывание позабавило Лэнгдона.

— А я был уверен, что вы импортируете из Англии и штат прислуги.

— О Боже, нет, конечно! Врагу бы не пожелал иметь под боком британца шеф-повара. Впрочем, нет, французским налоговикам пожелал бы. — Он взглянул на Софи. — Простите, мадемуазель Невё. Будьте уверены, моя нелюбовь к французам распространяется только на политиков и футболистов. Ваше правительство нагло крадет у меня деньги, а ваша футбольная команда недавно разнесла нашу в пух и прах.

Софи ответила улыбкой.

Несколько секунд Тибинг изучал ее, затем перевел взгляд на Лэнгдона:

— Что-то случилось, да? Вид у вас обоих какой-то растерянный.

Лэнгдон кивнул:

— Ночь сегодня выдалась весьма занимательная.

— Не сомневаюсь. Появляетесь у моих дверей неожиданно, среди ночи, говорите о Граале. Вот что, выкладывайте-ка всю правду. Речь действительно идет о Граале, или вы просто воспользовались этим предлогом, чтобы поднять меня с постели?

И то и другое, подумала Софи, представив лежавшую под диваном шкатулку с криптексом.

— Лью, — сказал Лэнгдон, — нам хотелось бы поговорить с вами о Приорате Сиона.

Пушистые брови Тибинга поползли вверх.

— О хранителях? Так, значит, речь и вправду идет о Граале. Вы говорили, у вас есть какая-то информация? Что-то новенькое, да, Роберт?

— Возможно. Мы и сами не до конца уверены. И уверимся, лишь когда получим информацию от вас.

Тибинг шутливо погрозил ему пальцем:

— Ну и хитрецы все эти американцы! Правила игры просты: баш на баш. Ну ладно, так и быть. Я к вашим услугам. Что вы хотите знать?

Лэнгдон вздохнул:

— Будьте столь добры, расскажите мисс Невё об истинной природе чаши Грааля.

Тибинг изумился:

— А разве она не знает?

Лэнгдон отрицательно помотал головой.

Тибинг ответил ему почти плотоядной улыбкой:

— Получается, вы привели мне в дом девственницу, так, что ли, Роберт?

Лэнгдон поморщился, покосился на Софи и пояснил:

— Так энтузиасты Грааля называют любого, кто ни разу не слышал о его истинной истории.

Тибинг обратился к Софи:

— Но что вы об этом знаете, моя дорогая?

Софи вкратце поведала о том, что совсем недавно узнала от Лэнгдона, — о Приорате Сиона, об ордене тамплиеров, о документах Сангрил и чаше Грааля, которую многие считают вовсе не чашей, а чем-то гораздо более важным.

— И это все? — Тибинг укоризненно покосился на Лэнгдона. — Ах, Роберт! А я всегда считал вас истинным джентльменом! Вы не сказали этой очаровательной девушке самого главного! Лишили, так сказать, кульминации.

— Знаю. Просто подумал, может, лучше мы вместе... — Тут Лэнгдон умолк, опасаясь, что метафора может зайти слишком далеко.

Но Тибинг уже весело и заговорщицки подмигивал Софи, а та не сводила с него завороженных глаз.

— Итак, вы девственница Грааля, моя дорогая. Можете мне поверить, вы всегда будете помнить, как потеряли невинность!

ГЛАВА 55

севшись на диван рядом с Лэнгдоном, Софи пила чай и ела ячменные лепешки. Только сейчас она поняла, как устала и проголодалась. Сэр Тибинг, лучась улыбкой, расхаживал перед камином, время от времени задевая железной скобой за каменную плиту под очагом.

— Чаша Грааля! — торжественно начал он свою речь. — Большинство людей спрашивают меня только об одном — где она находится? Боюсь, на этот вопрос я никогда не смогу ответить. — Он повернулся и взглянул Софи прямо в глаза. — Куда более уместным кажется мне другой вопрос. А именно: *что это такое,* чаша Грааля?

Софи почти физически ощутила, как нарастают у ее собеседников нетерпение и азарт, свойственные лишь истинным ученым.

— Чтобы понять, что такое Грааль, — продолжал Тибинг, — следует прежде всего понять Библию. Скажите, насколько хорошо вы знаете Новый Завет?

Софи пожала плечами:

— Боюсь, что вовсе не знаю. Меня воспитывал человек, боготворивший Леонардо да Винчи.

Тибинг удивился и обрадовался одновременно:

— Просвещенная душа! Замечательно! Тогда вы должны знать, что Леонардо был одним из хранителей тайны Грааля. И ключи к этой тайне мы находим в его искусстве.

— Роберт говорил мне то же самое.

— Ну а о взглядах да Винчи на Новый Завет?

— Об этом не знаю.

Тибинг взглянул на книжные полки в другом конце комнаты.

— Не будете ли так любезны, Роберт? На самой нижней полке. «La Storia di Leonardo».

Лэнгдон подошел к полкам, нашел большой альбом по искусству, принес и положил на журнальный столик. Повернув книгу лицевой стороной к Софи, Тибинг открыл ее и указал на внутренний клапан суперобложки, где были напечатаны цитаты.

— «Из заметок да Винчи по искусству полемики и рассуждений», — прочел он. — Думаю, вот эта как нельзя лучше характеризует суть нашего разговора.

И Софи прочитала:

Многие спекулируют на заблуждениях
и ложных чудесах, обманывая глупое большинство.
ЛЕОНАРДО ДА ВИНЧИ

— А вот еще! — воскликнул сэр Тибинг и указал на другую цитату:

Слепое невежество сбивает нас с пути.
О! Жалкие смертные, раскройте глаза!
ЛЕОНАРДО ДА ВИНЧИ

Софи пробрал легкий озноб.

— Да Винчи говорит о Библии?

Тибинг кивнул:

— К Библии он относился примерно так же, как и к чаше Грааля. Вообще-то да Винчи написал настоящий Грааль, вскоре я покажу вам эту картину, но сперва поговорим о Библии. А все, что вам надо о ней знать, суммировал великий каноник, доктор теологических наук Мартин Перси. — Тут Тибинг откашлялся и процитировал: — «Библия не прислана к нам с небес по факсу».

— Простите, не поняла?

— Библия — это творение человека, моя дорогая, а вовсе не Бога. Библия не свалилась с небес нам на головы. Человек создал эту историческую хронику смутных времен, а затем она прошла бесчисленное количество переводов, дополнений и переделок. В истории никогда не существовало подлинного варианта этой книги.

— Ясно.

— Иисус Христос был исторической фигурой, обладавшей огромным влиянием. Возможно, это самый загадочный и харизматический лидер, которого видел мир. Как и было предсказано Мессией, Иисус свергал царей, вдохновлял миллионы людей, явился родоначальником новых философий. Потомок царя Соломона и царя Давида, Иисус имел полное право претендовать на трон властителя евреев. Его жизнь была описана тысячами последователей по всему миру, что и понятно. — Тибинг сделал паузу, отпил глоток чая, вернул чашку на каминную полку. — Для включения в Новый Завет рассматривались свыше *восьмидесяти* Евангелий, но лишь несколько удостоились чести быть представленными в этой книге, в том числе от Матфея, Марка, Луки, Иоанна.

— Но кто же решал, какое Евангелие выбрать? — спросила Софи.

— Ага! — Тибинг излучал энтузиазм. — Вот в чем кроется ирония! Вот что уязвляет христиан! Библия, как мы теперь знаем, была составлена из различных источников язычником, римским императором Константином Великим.

— А я думала, Константин был христианином, — сказала Софи.

— Едва ли, — покачал головой Тибинг. — Он всю жизнь прожил язычником, и крестили его только на смертном одре, когда он был слишком слаб, чтоб протестовать. В дни Константина официальной религией Рима было поклонение Солнцу. Культ Sol Invictus, или Непобедимого Солнца, и Константин был главным священником. К несчастью для него, Римскую империю в те времена охватили беспорядки на религиозной почве. Через три столетия после распятия Иисуса Христа на кресте число его последователей неизмеримо возросло. Христиане воевали с язычниками, и конфликт настолько разросся, что Риму угрожал раскол на два отдельных государства. Константин понимал, что надо как-то спасать ситуацию. И вот в 325 году нашей эры он решил объединить Рим под знаменем одной религии. А именно — христианства.

Софи удивилась:

— Но что заставило императора-язычника выбрать государственной религией христианство?

Тибинг усмехнулся:

— Константин был весьма неплохим стратегом. Он понимал, что христианство находится на подъеме, и просто сделал ставку на фаворита. Историки до сих пор восхищаются умением, с которым Константин обратил язычников, приверженцев культа Солнца, в христианство. Он ввел языческие символы, даты и ритуалы в развивающуюся христианскую традицию и создал некое подобие религиозного гибрида, приемлемого для обеих сторон.

— Поразительная метаморфоза! — подхватил Лэнгдон. — Налицо рудименты языческой религии в христианской символике. Египетские солнечные диски превратились в нимбы католических святых. Пиктограммы богини Исиды, баюкающей своего чудесным образом зачатого сына Гора, стали образчиком образов Девы Марии с младенцем Иисусом на руках. Ну и все элементы католического ритуала — митра, алтарь, славословие, причастие, поедание «тела Христова», наконец, — были непосредственно позаимствованы из более ранних языческих религий.

Тибинг издал жалобный стон:

— Ну все, пошло-поехало! Стоит символисту заговорить о христианских иконах, и его уже не остановить! В христианстве все заимствовано. Дохристианский бог Митра, его еще называли сыном Солнца и Светочем Мира, родился 25 декабря, был похоронен в склепе на склоне горы и ровно через три дня воскрес. Кстати, 25 декабря является также днем рождения Осириса, Адониса и Диониса. Новорожденного Кришну одарили золотом, ладаном и миррой. Даже священный для христиан день недели был позаимствован у язычников.

— Как это? — спросила Софи.

— Вообще-то изначально христиане считали таким днем еврейский шаббат — субботу, но Константин сдвинул его в пользу почитаемого язычниками дня Солнца, — сказал Лэнгдон и усмехнулся. — По сей день большинство прихожан посещают службу в воскресенье утром и понятия не имеют о том, что находятся здесь по той же причине, что и язычники, — отдать дань уважения дню бога Солнца. А это кроется в самом названии воскресенья — Sunday.

У Софи голова пошла кругом.

— Ну а какое все это имеет отношение к Граалю?

— Вот именно, — кивнул сэр Тибинг. — Слушайте лучше меня. Во времена слияния двух религий Константину нужно было укрепить новую христианскую традицию, и он созвал знаменитый Вселенский собор. На этом собрании обсуждались, принимались и отвергались многие аспекты христианства — дата Пасхи, роль епископов, церковные таинства и, разумеется, *божественность* самого Иисуса Христа.

— Что-то я не совсем понимаю, — с недоумением нахмурилась Софи. — Божественность Иисуса?..

— Моя дорогая, — торжественно объявил Тибинг, — до этого исторического момента Иисус рассматривался Его последователями как смертный пророк... человек, безусловно, великий и влиятельный, но всего лишь *человек*. Простой смертный.

— Не сын Бога?

— Да! — радостно воскликнул Тибинг. — Только на этом Вселенском соборе Христос был провозглашен и официально признан Сыном Божиим. В результате голосования.

— Погодите. Вы что же, хотите сказать, что божественная сущность Иисуса стала результатом голосования?

— Причем выиграл Он лишь с небольшим преимуществом голосов, — сказал сэр Тибинг. — Однако подтверждение божественной сущности Иисуса стало определяющим моментом в дальнейшем развитии Римской империи, и именно на этой основе зиждилась затем власть Ватикана. Официально провозгласив Иисуса Сыном Божиим, Константин тем самым превратил Его в божество, существующее как бы вне мира людей, чья власть над ними вечна и незыблема. Это не только предотвращало дальнейшие выпады язычников против христианства, но и позволяло последователям Христа искать спасение души лишь через один-единственный официально утвержденный канал — Римскую католическую церковь.

Софи вопросительно взглянула на Лэнгдона, тот кивком подтвердил, что согласен с умозаключениями Тибинга.

— А делалось все это исключительно ради власти, — продолжил тот. — Христос как Мессия угрожал самому существованию Церкви и государства. По мнению многих ученых, ранняя Церковь *украла* Христа у Его последователей в прямом смысле этого слова, отняла у Него человечность, затуманила Его образ, обрядив в непроницаемый плащ божественности. И использовала все это лишь с одной целью — расширить и укрепить свою власть. Я сам написал несколько книг на эту тему.

— И, как я полагаю, так называемые истинные христиане до сих пор забрасывают вас гневными письмами?

— С чего бы это? — возразил Тибинг. — Большинство образованных христиан знакомы с историей своей веры. Иисус действительно был великим и очень сильным человеком. И все это политиканское маневрирование Константина никак не преуменьшает величия жизни Христа. Никто не может сказать, что Христос был обманщиком, никто не отрицает, что Он две тысячи лет назад ходил по этой земле и вдохновлял миллионы людей, призывая их к лучшей жизни. Мы всего лишь утверждаем, что Константин использовал огромное влияние и значимость Христа в своих целях. И таким образом сформировал основы известного нам на сегодняшний день христианства.

Софи покосилась на книгу, лежавшую перед ней на столе. Ей не терпелось услышать продолжение, увидеть, как да Винчи изобразил чашу Грааля.

— Но тут существовал один подвох, — продолжил свое повествование Тибинг. — Поскольку Константин поднял статус Христа почти через четыреста лет после смерти последнего, успели накопиться тысячи документов, хроник жизни великого человека, где Он описывался как простой смертный. Константин понимал, что следует переписать эти исторические книги. Именно тогда и возник самый значимый момент в истории христианства. — Не сводя глаз с Софи, Тибинг выдержал многозначительную паузу, затем продолжил: — Константин финансировал написание новой Библии, куда не входили бы Евангелия, говорившие о *человеческих* чертах Христа, а включались те, где подчеркивалась божественная Его сущность. Все более ранние Евангелия были объявлены вне закона, затем собраны и сожжены на кострах.

— Одно любопытное замечание, — вставил Лэнгдон. — Любой, кто предпочитал запрещенные Константином версии Евангелия, объявлялся еретиком. Само слово «еретик» происходит от латинского «haereticus», что означает «выбор». Тот, кто выбрал изначальную историю Христа, и стал первым в мире «еретиком».

— К несчастью для историков, — продолжил Тибинг, — некоторые Евангелия из тех, что приказал уничтожить Константин, уцелели. Так, в 1950 году в пещере неподалеку от Кумрана были найдены Свитки Мертвого моря. А незадолго до этого, в 1945-м, Коптские свитки, их нашли в Наг-Хаммади. В этих документах рассказывалась не только истинная история Грааля, они повествовали о пастырской роли Христа с чисто светской точки зрения. И разумеется, Ватикан, в худших своих традициях дезинформации, стремился пресечь распространение этих свитков. Что в общем-то и понятно. Ведь свитки эти позволяли выявить исторические расхождения и подтасовки, служили подтверждением тому, что к созданию новой Библии приложил руку политикан, стремившийся обожествить человека Иисуса Христа и использовать Его авторитет для укрепления собственной власти.

— И все же, — возразил Лэнгдон, — как мне кажется, важно помнить о том, что желание нынешней Церкви предотвратить широкое хождение этих документов происходит из искренней веры в правильность и непогрешимость устоявшихся взглядов на Христа. В Ватикане собрались глубоко верующие люди, убежденные, что эти противоречивые документы могут оказаться фальшивкой.

Тибинг усмехнулся и опустился в глубокое кресло напротив Софи.

— Как видите, дорогая, наш профессор гораздо мягче и снисходительнее относится к Риму, нежели я. И тем не менее он прав, говоря о том, что современные церковники искренне убеждены во вредности и ошибочности этих документов. Это и понятно. Ведь на протяжении долгих веков Библия Константина была для них истиной в последней инстанции. Нет на свете более внушаемых людей, чем те, кто призван внушать.

— Он просто хочет сказать, — вставил Лэнгдон, — что мы поклоняемся богам наших отцов.

— Я просто хочу сказать, — возразил Тибинг, — что почти все, чему учили нас отцы о Христе, есть ложь и фальшивка. Как и все эти россказни о чаше Грааля.

Софи перевела взгляд на цитату да Винчи. *Слепое невежество сбивает нас с пути. О! Жалкие смертные, раскройте глаза!*

Тибинг потянулся к книге и начал перелистывать ее.

— И наконец, прежде чем я покажу вам рисунок да Винчи с изображением Грааля, хотел бы, чтоб вы взглянули на это. — Он открыл альбом с цветной иллюстрацией на развороте. — Вы, разумеется, узнаете эту фреску?

Да он никак шутит! Софи смотрела на самую знаменитую фреску всех времен — «Тайная вечеря». Легендарная роспись, которой да Винчи украсил стену собора Санта-Мария дела Грацие неподалеку от Милана. На ней был изображен Христос со своими учениками. Он объявлял о том, что кто-то из них предаст Его.

— Да, конечно, мне хорошо знакома эта фреска.

— Тогда, может, вы согласитесь сыграть со мной в одну игру? Закройте глаза на минутку.

Софи несколько растерялась, но закрыла глаза.

— Где сидит Иисус? — спросил Тибинг.

— В центре.

— Отлично! А что за пищу преломляют и едят Христос и Его ученики?

— Хлеб. *Это же очевидно!*

— Прекрасно. А что пьют?

— Вино. Они пьют вино.

— Замечательно, просто великолепно. Ну и, наконец, последний вопрос. Сколько на столе бокалов для вина?

Софи задумалась, понимая, что это вопрос с подвохом. *А после трапезы Христос взял чашу с вином и разделил ее со своими учениками.*

— Одна чаша, — ответила она. — Сосуд. *Чаша Христова.* Христос передавал из рук в руки один-единственный сосуд с вином, как бы подчеркивая тем самым, что все христиане должны объединиться.

Тибинг вздохнул.

— А теперь откройте глаза.

Она повиновалась. Тибинг загадочно улыбался. Софи взглянула на иллюстрацию и, к своему изумлению, обнаружила, что у *каждого* за столом была чаша с вином, в том числе и у Христа. Тринадцать чаш. Мало того, все они были маленькие, без ножки и сделаны из стекла. Никакого особенного сосуда на картине не оказалось. Никакой чаши Грааля.

Тибинг хитро сощурился:

— Немного странно, вам не кажется, что в Библии и наиболее распространенных легендах этот момент связывают с появлением чаши Грааля? А да Винчи словно забыл об этом и такую чашу не нарисовал.

— Уверена, искусствоведы должны были это заметить.

— Вы удивитесь, узнав, что некоторые странности в рисунках и картинах Леонардо сознательно обходились учеными и искусствоведами. А что касается этой фрески, то она и есть ключ к пониманию тайны Грааля. И в «Тайной вечере» да Винчи он перед нами словно на ладони.

Софи впилась взглядом в иллюстрацию.

— Так, получается, эта фреска говорит нам, что на самом деле представляет собой чаша Грааля?

— Не *что*, — прошептал в ответ Тибинг. — Скорее *кто*. Дело в том, что Грааль никакой не предмет. На самом деле это... лицо вполне одушевленное.

ГЛАВА 56

Cофи изумленно смотрела на Тибинга, затем перевела взгляд на Лэнгдона:

— Святой Грааль — это человек?

Лэнгдон кивнул:

— Да, женщина.

Судя по выражению лица Софи, она категорически отказывалась в это верить. Что ж, и у него самого была в точности такая же реакция, когда он впервые услышал об этом. Лишь позже, поняв скрытую за Граалем символику, он уверовал в эту теорию.

Тибинг словно прочитал его мысли.

— Возможно, пришел черед символиста объяснить нам кое-что? — Подойдя к столу, он взял чистый лист бумаги и положил его перед Лэнгдоном.

Тот достал из кармана авторучку.

— Софи, вам наверняка должны быть знакомы современные символы, обозначающие мужское и женское начала.

И он нарисовал известные всем мужской символ ♂ и женский ♀.

— Да, конечно, — кивнула она.

— Изначально, — продолжил он, — мужское и женское начала изображались совсем другими символами. Многие люди ошибочно думают, что мужской символ произошел от щита и копья, а женский представляет собой не что иное, как зеркало, где отражается красота. Но на самом деле символы эти происходят от древних астрономических обозначений божественной планеты Марс и планеты Венера.

И Лэнгдон изобразил на листе бумаги еще один знак.

— Этот символ изначально воплощал мужчину, — сказал он Софи. — Напоминает рудиментарный фаллос.

— Вот именно, — согласилась с ним Софи.

— Так оно и было, — подтвердил Тибинг.

Лэнгдон продолжил:

— Символ этот известен под названием *клинок*, или меч, и призван подчеркивать агрессивность и мужественность. Кстати, этот же похожий на фаллос символ до сих пор используется в шевронах военной формы для обозначения чина.

— Да уж! — усмехнулся Тибинг. — Чем больше у тебя пенисов, тем выше твой чин. Парни — они всегда парни.

Лэнгдон едва заметно поморщился.

— Как можно заметить, женский символ являет полную противоположность мужскому. — Он изобразил на листке еще один знак. — И этот символ получил название *сосуд*.

Софи удивленно взглянула на него.

Лэнгдон понял, что ей удалось уловить связь.

— Сосуд, — продолжил он, — напоминает чашу или вазу, но, что гораздо важнее, лоно женщины. Символ этот призван подчеркивать женское начало, женственность, плодородие. — Теперь Лэнгдон смотрел прямо ей в глаза. — Так вот, Софи, легенда говорит о том, что святой Грааль есть не что иное, как сосуд, чаша. Но это описание Грааля, упор на сходство с сосудом, — на самом деле аллегория, призванная защитить тайну истинной природы Грааля. Иными словами, легенда использует сосуд в качестве *метафоры*. А за этой метафорой стоит нечто более значимое.

— Женщина, — сказала Софи.

— Именно! — Лэнгдон улыбнулся. — Грааль есть не что иное, как древний символ женственности, он символизирует священное женское начало и богиню. Но со временем, как вы понимаете, значение это было утрачено, и тут уж на славу постаралась Церковь. Власть женщины, ее способность дарить жизнь, некогда считалась священной. Но она представляла угрозу подъему и возвышению новой Церкви, где всегда доминировал мужской образ, главенствовало мужское начало. И вот церковники стали демонизировать священное женское начало, называть женщин нечистыми. Именно *человек*, а никакой не Бог придумал концепцию первородного греха. Ева вкусила от яблока и вызвала тем самым падение рода человеческого. Женщина, некогда священная дарительница жизни, превратилась во врага.

— Хотелось бы добавить, — сказал Тибинг, — что концепция женщины — дарительницы жизни входила в основу древних религий. Появление ребенка на свет — это чудо, говорящее о власти женщины над миром. К сожалению, христианская философия решила присвоить себе созидательную силу и власть женщины. Отбросив простые биологические истины, она назвала Создателем мужчину. В Книге Бытия говорится о том, что Ева создана из ребра Адама. Женщина стала ответвлением, отростком мужчины. И созданием греховным. Именно с Книги Бытия началось низвержение богини.

— Грааль, — подхватил Лэнгдон, — есть символ потерянной богини. С появлением христианства старые языческие религии не умерли. И легенды о поисках рыцарями чаши Грааля на самом деле представляли собой истории о запрещенных поисках утраченного священного женского начала. Рыцари, якобы занятые поисками «сосуда», закодировали истинный смысл своих стараний, чтобы защититься от Церкви, которая низвергла образ женщины, запретила богиню, сжигала на кострах неверных, запрещала даже упоминание о священном женском начале.

Софи покачала головой:

— Простите, но когда вы сказали, что чаша Грааля есть лицо одушевленное, я подумала, вы имеете в виду человека.

— Так и есть, — кивнул Лэнгдон.

— И не просто какого-то там человека, — возбужденно подхватил Тибинг и поднялся. — А женщину! Женщину, владеющую тайной такой взрывной силы, что это могло потрясти и разрушить сами основы христианства!

Софи была потрясена.

— И эта женщина... она известна?

— Конечно. — Тибинг взял костыли. — А теперь, друзья мои, если вы изволите проследовать за мной в кабинет, буду иметь честь показать вам изображение этой женщины, принадлежащее кисти Леонардо да Винчи.

Верный слуга и дворецкий Реми Легалудек находился на кухне и не сводил глаз с экрана телевизора. В очередном выпуске новостей показывали снимки мужчины и женщины... тех самых неурочных гостей, которым он, Реми, совсем недавно подавал чай.

ГЛАВА 57

тоя на тротуаре перед зданием Депозитарного банка Цюриха, лейтенант Колле недоумевал: отчего Фаш все не едет с ордером на обыск? Эти хитрые банкиры наверняка что-то скрывают. Они подтвердили, что Лэнгдон и Невё приезжали сюда чуть раньше этой же ночью, но затем им якобы дали от ворот поворот, потому как у них не оказалось соответствующих документов.

Так почему бы им не впустить нас, чтобы мы могли проверить?

Тут вдруг у Колле заверещал мобильник. Звонили с командного пункта, временно расположившегося в Лувре.

— Ну что, получили наконец ордер? — раздраженно спросил Колле.

— Забудьте о банке, лейтенант, — ответил агент. — Мы только что получили наводку. Точно знаем, где скрываются Лэнгдон с Невё.

Колле присел на капот своего автомобиля.

— Шутите?

— У меня есть адрес. Это под Парижем. Недалеко от Версаля.

— Капитан Фаш знает?

— Еще нет. Он говорит по телефону. Очень важный звонок.

— Тогда я выезжаю. Передайте, чтобы позвонил мне, как только освободится. — Колле записал адрес и вскочил в машину. Уже отъезжая от банка, он вдруг спохватился, что забыл спросить, кто именно передал судебной полиции информацию о местонахождении Лэнгдона. Впрочем, не так уж это теперь и важно. Колле радовался выпавшей ему возможности загладить

прежние ошибки. Он собирался произвести самый профессио-
нальный арест за все время карьеры.

По рации он связался с пятью сопровождавшими его машинами:

— Сирены не включать, ребята. Лэнгдон не должен знать, что
мы на подходе.

В пятидесяти километрах от этого места черная «ауди» съехала с проселочной дороги и остановилась в тени деревьев у края
поля. Сайлас вышел из машины и заглянул в щель между металлическими прутьями — большой участок земли был обнесен высокой изгородью. Он долго смотрел на освещенный луной склон
горы, на котором виднелся замок.

Окна на нижнем этаже были освещены. *Странно для такого
позднего часа,* подумал Сайлас и улыбнулся. Информация, которую дал ему Учитель, подтверждалась. *Я не уйду из этого дома без
краеугольного камня,* поклялся он. *Я не подведу епископа и Учителя.*

Проверив свой тринадцатизарядный пистолет-автомат, Сайлас просунул его сквозь прутья решетки. Пистолет мягко упал в
высокую густую траву. Затем, подобрав полы сутаны, Сайлас ухватился за прутья и полез через изгородь, пыхтя и отдуваясь,
мешком плюхнулся на землю по другую сторону. Не обращая
внимания на резкую боль от впившейся в ляжку подвязки с шипами, Сайлас подобрал оружие и двинулся к дому по поросшему
травой склону.

ГЛАВА 58

абинет Тибинга совсем не походил на кабинеты, которые прежде доводилось видеть Софи. По площади он раз в шесть-семь превышал самые роскошные и просторные офисы и походил на научную лабораторию, библиотеку архива и «блошиный» рынок одновременно. Освещался кабинет тремя люстрами, плиточный пол был заставлен бесчисленными столиками и тумбами, заваленными книгами, картинами и репродукциями, статуэтками и прочими произведениями материальной культуры. Здесь же, к удивлению Софи, оказалось немало электронного оборудования — компьютеры, проекторы, микроскопы, копировальные аппараты и сканеры.

— Я использовал под кабинет бальный зал, — пояснил Тибинг еще с порога. — Танцевать мне теперь не часто приходится.

Весь этот вечер и ночь Софи сталкивалась с неожиданностями и сюрпризами, но ничего подобного увидеть здесь никак не думала.

— И все это нужно вам для работы?

— Постижение истины стало страстью всей моей жизни, — сказал Тибинг. — Ну а Сангрил я бы назвал моей любимой наложницей.

Чаша Грааля — это женщина, напомнила себе Софи. Голова гудела и шла кругом от обрывочных мыслей и только что почерпнутых у Тибинга сведений.

— Вы говорили, у вас есть портрет женщины, которую вы считаете Граалем?

— Да, но это не совсем так. Это утверждал не я, а сам Христос.

— Какая же из картин? — спросила Софи, оглядывая стены.

— Гм... — Тибинг сделал вид, что запамятовал. — Чаша Грааля. Сангрил. Сосуд. — Тут он неожиданно резко и ловко повернулся и указал на дальнюю от них стену. Там висела большая, футов восемь в высоту, репродукция «Тайной вечери». Точно такую же, только маленькую, Софи видела в альбоме. — Да вот же она!

Софи подумала, что неправильно его поняла.

— Но эту картину вы мне уже показывали.

Он игриво подмигнул ей:

— Знаю, но при увеличении она становится еще более любопытной. Вам не кажется?

Софи обернулась к Лэнгдону:

— Просто теряюсь в догадках.

Тот улыбнулся:

— Как выясняется, чаша Грааля действительно присутствует на «Тайной вечере». Леонардо все же изобразил ее и...

— Погодите, — перебила его Софи, — вы сами только что говорили, что Грааль — женщина. А на «Тайной вечере» изображены тринадцать мужчин.

— Разве? — Тибинг снова хитро прищурился. — А вы присмотритесь-ка повнимательнее.

Софи подошла поближе к картине и стала изучать тринадцать фигур: Иисус Христос в центре, шестеро учеников по левую Его руку, шестеро — по правую.

— Но все они мужчины, — повторила она.

— Неужели? — насмешливо воскликнул Тибинг. — А как насчет того, кто сидит на самом почетном месте, по правую руку от Господа?

Софи так и впилась глазами в фигуру, изображенную по правую руку от Христа. Она смотрела на лицо и торс этой фигуры, и вдруг... Нет, этого просто быть не может! Но глаза ее не обманывали. Длинные и волнистые рыжие волосы, маленькие, изящно сложенные ручки, даже некий намек на грудь. То, вне всякого сомнения... была женщина!

— Да это женщина! — воскликнула Софи.

Тибинг весело рассмеялся:

— Вот уж сюрприз так сюрприз, верно? И поверьте мне, зрение вас не подвело. Уж кто-кто, а Леонардо славился умением изображать разницу между полами.

Софи не отводила глаз от сидевшей рядом с Иисусом женщины. *Но на Тайной вечере собрались тринадцать мужчин. Кто же тогда эта женщина?* До этого Софи много раз видела прославленное произведение Леонардо, но ни разу не замечала этих столь характерных черт.

— А никто не замечает, — словно прочитал ее мысли Тибинг. — Сказывается воздействие подсознания, укоренившихся в нем образов. И оно столь сильно, что не позволяет видеть несоответствий, обманывает наше зрение.

— И явление это называется скотома, — вставил Лэнгдон. — Зачастую мозг именно так реагирует на укоренившиеся символы.

— Еще одна причина, по которой вы пропустили эту женщину, — сказал Тибинг, — заключается в том, что на многих фотографиях в альбомах по искусству, сделанных до 1954 года, детали скрыты под налетом пыли, грязи и несколькими слоями реставрационной краски. Следует отметить, что в восемнадцатом веке реставраторы работали довольно топорно. А затем наконец фреску очистили от всех этих наслоений, что и позволило увидеть оригинал да Винчи во всем его великолепии. — Он жестом указал на репродукцию. — Et voilà!

Софи подошла еще ближе. Женщина, сидевшая по правую руку от Иисуса, была молода и выглядела благочестиво. Личико застенчивое, скромно сложенные ручки, волны вьющихся рыжих волос. *И одна эта женщина способна пошатнуть церковные устои?*

— Кто она? — спросила Софи.

— Она, моя дорогая, — ответил Тибинг, — не кто иная, как Мария Магдалина.

— Проститутка? — изумилась Софи.

Тибинг возмущенно фыркнул, точно это слово оскорбило его самого.

— Ничего подобного. Магдалина таковой не являлась. Заблуждение это вселилось в умы людей с подачи Христианской церкви раннего периода. Церковники организовали настоящую кампанию, чтобы опорочить Марию Магдалину. И все для того, чтобы сохранить в тайне одно опасное для них обстоятельство. Ее роль в качестве Грааля.

— Ее *роль?*

— Как я уже говорил, — принялся объяснять сэр Тибинг, —
церковники старались убедить мир в том, что простой смертный,
проповедник Иисус Христос, являлся на самом деле *божественным* по природе своей существом. Потому и не вошли в Библию
Евангелия с описанием жизни Христа как *земного* человека. Но
тут редакторы Библии оплошали, одна из таких земных тем до
сих пор встречается в Евангелиях. Тема Марии Магдалины. — Он
сделал паузу. — А именно: ее брак с Иисусом.

— Простите, не поняла... — Софи переводила удивленный
взгляд с Лэнгдона на Тибинга и обратно.

— Этот факт попал в исторические записи, — сказал Тибинг, —
и да Винчи, разумеется, знал о нем. «Тайная вечеря» так и взывает к зрителю. Вот, смотрите, Иисус и Магдалина были парой!

Софи перевела взгляд на фреску.

— Заметьте также, Иисус и Магдалина одеты так, словно являются зеркальным отражением друг друга. — Тибинг указал на
две фигуры в центре картины.

Софи смотрела точно завороженная. Да, одежда одинаковая,
только разных цветов. На Христе красная мантия и синий плащ,
на Марии Магдалине синяя мантия и красный плащ. *Инь и ян.*

— Есть и более тонкие признаки, — продолжил Тибинг. —
Видите, Иисус и Его невеста сидят рядом, вплотную, соприкаса-
ясь бедрами, а выше фигуры их расходятся, образуя свободное
пространство. И все это напоминает нам уже знакомый символ.

Тибинг еще и договорить не успел, а Софи уже увидела в центре фрески знак ⋁, образованный двумя центральными фигурами. Чуть раньше Лэнгдон обозначил этим символом Грааль, сосуд и женское лоно.

— И наконец, — продолжил Тибинг, — если рассматривать
Иисуса и Магдалину как элементы композиции, а не людей, то
тут так и напрашивается еще одна подсказка. — Он выдержал паузу, затем добавил: — *Буква* алфавита.

И Софи тотчас увидела ее. Буква так и бросалась в глаза,
странно, что она не замечала ее прежде. Теперь Софи видела
только эту букву. В самом центре картины отчетливо вырисовы-
валась большая и изящно выписанная буква «М».

— Слишком уж совершенна и отчетлива для простого совпадения, верно? — заметил Тибинг.

— Да, но зачем она здесь? — удивленно спросила Софи.

Тибинг пожал плечами:

— Теоретики тайных знаков и символов сказали бы вам, что она обозначает Matrimonio, или Марию Магдалину. Но единства мнений здесь не наблюдается. Одно определенно: запрятанная в картине буква «М» — это не ошибка художника. Она появилась здесь не случайно, по его воле. Замаскированная буква «М» фигурирует в бесчисленных работах, связанных с Граалем, то в виде водяного знака, то буквы, закрашенной еще одним слоем краски, то в форме композиционных аллюзий. Ну а самая явственная из всех украшает алтарь Матери нашей Богородицы в Лондоне. Создателем этого алтаря является бывший Великий мастер Приората Сиона, Жан Кокто.

У Софи просто голова пошла кругом от обилия информации.

— Согласна, эта буква «М» на картине действительно выглядит интригующе, но сомневаюсь, чтобы она могла служить доказательством брачных уз, связывавших Иисуса и Марию.

— Нет-нет, — сказал Тибинг и подошел к столу, заваленному книгами. — Я ведь уже говорил, брак Иисуса и Марии Магдалины зафиксирован в исторических хрониках. — Он начал рыться в бумагах и книгах. — Более того, Иисус как человек женатый наделен куда большим значением и смыслом, нежели привычный нам стандартный библейский образ Иисуса-холостяка.

— Это почему? — удивилась Софи.

— Потому что Иисус — еврей, — ответил Лэнгдон вместо занятого поисками какой-то книги Тибинга. — А негласные социальные законы того времени запрещали еврейскому мужчине ходить в холостяках. Согласно иудейской традиции, безбрачие не поощрялось, долгом каждого добропорядочного еврея было найти себе жену, чтобы та родила ему сына. Если бы Иисус не был женат, то по крайней мере хотя бы в одном из библейских Евангелий должен быть упомянут этот факт, а также приведено объяснение, почему Иисус оставался холостяком.

Тибинг отыскал какую-то огромную книгу и вытащил ее из-под стопки других. Переплетенное в кожу издание было размером с плакат и напоминало атлас. Название на переплете гласило: «Гностические Евангелия». Тибинг раскрыл книгу, Софи с Лэнгдоном подошли к нему. Страницы представляли собой увеличенные снимки каких-то древних документов; тексты написаны от руки на обрывках папируса. Софи не поняла, что это за язык, но на странице слева был приведен перевод.

— Это фотокопии Свитков Мертвого моря и Коптских, из Наг-Хаммади, я уже упоминал о них сегодня, — сказал Тибинг. — Самые первые христианские записи. И в них найдены существенные расхождения с библейскими текстами. — Тибинг перелистал несколько страниц и указал на какой-то отрывок. — Полагаю, лучше всего начать с Евангелия от Филиппа.

Софи прочитала перевод отрывка.

А спутница Спасителя — Мария Магдалина. Христос любил ее больше всех своих учеников и часто целовал в губы. Остальные ученики были этим обижены и высказывали недовольство. Они говорили ему: «Неужели любишь ее больше, чем всех нас?»

Слова эти удивили Софи, но не убедили окончательно.

— Однако здесь ничего не сказано о браке.

— Au contraire*, — улыбнулся Тибинг и указал на первую строчку. — Любой специалист по арамейскому скажет вам, что слово «спутница» в те дни буквально означало «супруга».

Лэнгдон в знак подтверждения кивнул.

Софи еще раз перечитала первую строку: *«А спутница Спасителя — Мария Магдалина»*.

Тибинг перелистал книгу и нашел еще несколько отрывков, подтверждавших, что между Магдалиной и Иисусом существовали весьма романтичные взаимоотношения. Читая эти строки, Софи вдруг вспомнила, как однажды, когда она была еще девочкой, в дверь дома громко забарабанил какой-то разъяренный священник.

— Здесь проживает Жак Соньер? — осведомился он, глядя сверху вниз на Софи, отворившую ему дверь. — Хочу поговорить с ним об этой его статейке. — В руках священник держал газету.

Софи позвала деда, и двое мужчин скрылись в кабинете, плотно притворив за собой дверь. *Мой дед написал что-то в газету?* Софи бросилась на кухню и начала просматривать утренние вы-

* Напротив *(фр.)*.

пуски. И вот наконец в одной из газет, на второй странице, она увидела фамилию деда и прочитала статью. Софи, конечно, не поняла всего, что там говорилось, но общий смысл был таков: французское правительство под давлением священнослужителей решило запретить американский фильм «Последнее искушение Христа». В этом фильме Христос занимался сексом с женщиной по имени Мария Магдалина. Дед писал, что Церковь поступила неправильно, запретив фильм.

Неудивительно, что священник был в такой ярости, подумала она.

— Это порнография! Святотатство! — кричал он, выбежав из кабинета и бросаясь к входной двери. — Да как вы только посмели! Этот американец, Мартин Скорсезе, самый настоящий богохульник! И уж где-где, а во Франции Церковь не допустит, чтобы эти его мерзости вышли на экран! — Он выскочил на улицу, громко хлопнув дверью.

Придя на кухню, дед увидел Софи с газетой и нахмурился:

— Шустрая у меня девочка, ничего не скажешь.

— Так ты считаешь, что у Иисуса Христа была подружка? — спросила Софи.

— Нет, милая. Просто я хотел сказать, что Церковь не имеет права навязывать людям свои взгляды на искусство.

— Так была у Христа подружка или нет?

Дед погрузился в молчание, потом ответил:

— Если и да, то что в том плохого? Ты как считаешь?

Софи задумалась, потом пожала плечиками:

— Лично я не возражаю.

Сэр Тибинг меж тем не умолкал:

— Не стану утомлять вас бесчисленными ссылками, подтверждающими союз Христа и Магдалины. На эту тему существует масса спекуляций разных современных историков. Мне бы хотелось особо отметить следующее. — Он указал на очередную страницу. — Это отрывок из Евангелия от Марии Магдалины.

Софи знала, что Евангелия от Марии Магдалины в Библии не существует. Но текст прочла:

И сказал Петр: «Что, Спаситель и вправду говорил с женщиной без нашего ведома? Мы что же, теперь должны все слушать ее? Он предпочел ее нам?»

И Левит ответил ему: «Ты всегда слишком горячишься, Петр. Теперь вот решил состязаться с этой женщиной, точно с врагом. Если сам Спаситель выбрал ее, кто ты такой, чтобы отвергать? Уж Спасителю нашему виднее. Знает он ее хорошо, а потому и любит больше, чем нас».

— Женщина, о которой идет речь, — сказал Тибинг, — и есть Мария Магдалина. Петр ревнует к ней Христа.

— Потому что Иисус предпочел Марию?

— Не только поэтому. Ставки тут гораздо выше. Во многих Евангелиях сказано, что именно в тот момент Иисус и заподозрил, что скоро Его схватят и распнут на кресте. И Он наказывает Марии, как править Его Церковью после того, как Он уйдет. Вот Петр и выражает недовольство тем, что играет роль второй скрипки. Лично мне кажется, Петр был женоненавистником.

Софи возмутилась:

— Как можно так говорить? Ведь это *святой* Петр! На него опирался Христос, когда строил свою Церковь.

— Да, все верно, за исключением одной небольшой детали. Согласно всем этим изначальным Евангелиям, Христос давал указания о том, как строить Церковь, вовсе не Петру. А Марии Магдалине.

Софи удивленно посмотрела на него:

— Вы что же, хотите сказать, Христианская церковь была основана и управлялась *женщиной*?

— Таков был план. Иисус оказался феминистом. Он отдавал будущее Своей Церкви в руки Марии Магдалины.

— А Петр этого не одобрял, — подхватил Лэнгдон и указал на репродукцию «Тайной вечери». — Вот он, Петр. Как видите, да Винчи был прекрасно осведомлен о его отношении к Марии.

И вновь Софи на миг лишилась дара речи. Петр, изображенный на фреске, угрожающе навис над Марией Магдалиной. Мало того, ребром ладони показывал, что готов перерезать ей горло. Тот же жест, что и на картине «Мадонна в гроте»!

— И здесь тоже, — сказал Лэнгдон, указывая на учеников Христа, сгрудившихся вокруг Петра. — Выглядит угрожающе, верно?

Софи прищурилась и вдруг заметила выделяющуюся в толпе учеников чью-то руку.

— Что это в ней? *Кинжал?*

— Да. Но вот странность. Попробуйте пересчитать руки на картине, и вы увидите, что эта рука принадлежит... как бы никому. Она анонимна. Рука без тела.

Софи была потрясена. А затем, после паузы, заметила:

— Простите, но я все равно не понимаю, какая связь между Марией Магдалиной и Граалем.

— Ага! — торжествующе воскликнул Тибинг. — Вот мы и подобрались к сути дела! — И он снова бросился к столу, вытащил откуда-то из-под бумаг огромную карту, а затем расстелил ее на столе перед Софи. На карте было изображено генеалогическое древо. — Лишь немногие знали о том, что Мария Магдалина помимо того, что была правой рукой Христа, уже обладала большой властью.

Софи увидела надпись над генеалогическим древом:

РОД ВЕНИАМИНА

— Вот она, Мария Магдалина, здесь, — сказал Тибинг и указал на самую верхушку древа.

Софи удивилась:

— Так она из дома Вениаминова?

— Вот именно, — кивнул Тибинг. — Мария Магдалина — женщина царского происхождения.

— А мне всегда казалось, она была бедна.

Тибинг отрицательно покачал головой:

— Магдалину превратили в шлюху, чтобы уничтожить даже намек на ее благородное происхождение.

Софи вопросительно покосилась на Лэнгдона, тот подтвердил кивком. Тогда она спросила у Тибинга:

— Но какое дело Церкви было до того, что Мария Магдалина благородных кровей?

Англичанин улыбнулся:

— Милое мое дитя! Церковь волновало не столько царское происхождение Марии, сколько ее отношения с Христом, который тоже принадлежал к царскому роду. В Евангелии от Матфея говорится, что Иисус происходил из дома Давидова. Как известно, Давид был потомком самого царя Соломона, царя еврейского народа. Женись Христос на Марии, Он бы объединился со знатным родом Вениамина, связал эти два царских рода и создал мощнейший политический союз, имел бы законное право претендовать на трон и возродить правящий царский род, как это было при Соломоне.

Софи поняла, что Тибинг подходит к кульминации своего повествования.

Сам же Тибинг заметно оживился:

— Легенда о чаше Грааля — это легенда о царской крови. Упоминание в легенде о «сосуде с кровью Христа»... на деле означает упоминание о Марии Магдалине, женском лоне, несущем «царскую кровь» Христа.

Слова эхом обошли просторную комнату, прежде чем укоренились в сознании Софи. *Мария Магдалина несла в себе царскую кровь Иисуса Христа?*

— Стало быть, у Христа могло быть?.. — Тут она умолкла и вопросительно взглянула на Лэнгдона.

— Могло быть потомство, — улыбнувшись, закончил он за нее.

Софи так и замерла, точно громом пораженная.

— Итак! — провозгласил Тибинг. — Сейчас перед вами раскроется величайшая из тайн в истории! Иисус не только был женат, Он был отцом. А Мария Магдалина, дитя мое, была священным сосудом, носившим Его ребенка! Тем священным лоном, призванным продлить царский род, той лозой, на которой зрел благословенный плод их любви!

Софи почувствовала, как тонкие светлые волоски у нее на руке встали дыбом.

— Но как же получилось, что этот факт на протяжении веков оставался тайной?

— Да Господь с вами! — воскликнул Тибинг. — Чем угодно, только не тайной! Именно царское происхождение Иисуса стало источником самой захватывающей из легенд всех времен, легенды о чаше Грааля. На протяжении веков об истории Марии Магдалины кричали и вопили на каждом углу, на разных языках и с помощью всевозможных метафор. Ее история повсюду, стоит только прислушаться и присмотреться внимательнее.

— Ну а документы Сангрил? — спросила Софи. — Это тоже аллегория, доказывающая царское происхождение Христа?

— Да.

— Тогда выходит, легенда о чаше Грааля есть не что иное, как повествование о царской крови?

— Причем в самом прямом смысле, — заметил Тибинг. — Само слово «Сангрил» происходит от «San Greal», что в переводе означает «Святой Грааль». Но в древности слово «Сангрил» имело другую разбивку. — Тибинг взял листок бумаги, нацарапал что-то на нем и протянул Софи.

Она прочла:

Sang Real.

И тут же перевела.

Словосочетание «Sang Real» в буквальном смысле означало «королевская кровь».

ГЛАВА 59

ужчина, дежуривший в приемной, в вестибюле на первом этаже штаб-квартиры «Опус Деи» в Нью-Йорке, на Лексингтон-авеню, немало удивился, услышав в трубке голос епископа Арингаросы.

— Добрый вечер, сэр.

— Мне никаких сообщений не оставляли? — Голос епископа звучал непривычно встревоженно и возбужденно.

— Да, сэр. Очень хорошо, что вы позвонили. Сам я никак не мог связаться с вами. Тут примерно с полчаса назад поступило одно срочное сообщение.

— Да? — Теперь в голосе слышалось явное облегчение. — А звонивший назвался?

— Нет, сэр, только номер оставил. — И дежурный продиктовал ему номер.

— Код тридцать три? Это, кажется, Франция?

— Да, сэр. Париж. Звонивший сказал, дело очень срочное, просил, чтобы вы немедленно нашли его.

— Благодарю. Я ждал этого звонка. — И Арингароса быстро отключился.

Дежурный, вешая трубку, удивился, что Арингаросу было так плохо слышно, мешали шумы и потрескивания. Согласно расписанию на этой неделе, епископ должен был бы быть в Нью-Йорке, но казалось, что звонит он откуда-то издалека. Впрочем, не важно, ему-то что за дело. Дежурный уже к этому привык. Последние несколько месяцев епископ Арингароса вел себя очень странно.

* * *

Должно быть, на мой мобильный звонки не поступают, подумал Арингароса. «Фиат» подъезжал к римскому аэропорту Чампино, где осуществлялись чартерные рейсы. Учитель пытался разыскать меня. Арингароса волновался, что не может принять звонок Учителя, но теперь на душе полегчало: видно, Учитель чувствовал себя достаточно уверенно, раз позвонил прямо в штаб-квартиру «Опус Деи».

Должно быть, в Париже все прошло нормально.

Скоро я и сам буду в Париже, думал Арингароса, набирая продиктованный ему номер. *Приземлимся мы еще до рассвета.* Арингароса летел маленьким самолетом, выполнявшим чартерные рейсы во Францию. О коммерческих в этот час не могло быть и речи, особенно с учетом содержимого его портфеля.

В трубке послышались гудки.

Ответила женщина:

— Direction Centrale Police Judiciaire*.

Арингароса растерялся. Этого он не ожидал.

— Э-э... добрый вечер. Меня попросили позвонить по этому телефону.

— Qui êtes-vous? — спросила женщина. — Ваше имя?

Арингароса не знал, стоит ли ему называться. Ведь он попал в Центральное управление судебной полиции Франции.

— Ваше имя, месье? — продолжала настаивать дама.

— Епископ Мануэль Арингароса.

— Un moment. — В трубке послышался щелчок.

Затем, после паузы, раздался грубоватый мужской голос:

— Рад, епископ, что смог наконец услышать вас. Нам с вами надо многое обсудить.

---

* Центральное управление судебной полиции *(фр.).*

ГЛАВА 60

ангрил... Sang Real... San Greal... Королевская кровь... Чаша Грааля.

Все взаимосвязано.

Священным Граалем является Мария Магдалина... мать царского рода Иисуса Христа. Софи стояла посреди просторного кабинета и растерянно смотрела на Лэнгдона широко раскрытыми глазами. Чем больше она узнавала от Тибинга и Лэнгдона, тем более непредсказуемой становилась эта игра в вопросы и ответы.

— Как видите, дорогая моя, — сказал сэр Тибинг и захромал к книжным полкам, — Леонардо был не единственным, кто пытался рассказать миру правду о Граале. Знатное происхождение Христа исследовалось самым тщательным образом десятками историков. — Он провел пальцем по корешкам нескольких книг. Склонив голову набок, Софи прочла их названия:

ОТКРЫТИЕ ТАМПЛИЕРОВ:
Тайные хранители истинного происхождения Христа

ЖЕНЩИНА С АЛЕБАСТРОВЫМ КУВШИНОМ:
Мария Магдалина и чаша Грааля

ОБРАЗ БОГИНИ В ЕВАНГЕЛИЯХ:
Восстановление священного женского начала

— Наверное, это самый известный труд, — сказал Тибинг, достал с полки книгу в потрепанной обложке и протянул ей.

Софи прочла название:

СВЯТАЯ КРОВЬ, СВЯЩЕННЫЙ ГРААЛЬ
Всемирно признанный бестселлер

Софи с недоумением подняла глаза:

— Всемирно признанный бестселлер? Странно, но я никогда о нем не слышала.

— Вы были слишком молоды, дитя мое. В восьмидесятые годы эта книга произвела настоящий фурор. На мой взгляд, авторам не хватило смелости довести до логического конца свой анализ. Но мыслили они в верном направлении. И еще, следует отдать им должное, сумели внедрить идею о царском происхождении Христа в умы широких масс.

— Ну а какова же была реакция Церкви на эту книгу?

— Она, разумеется, привела священников в полное бешенство. Чего и следовало ожидать. Ведь в конечном счете здесь говорится о тайне, которую Ватикан пытался похоронить еще в четвертом веке. Речь, в частности, идет о крестовых походах. О том, как с их помощью собиралась и уничтожалась информация. Ведь угроза, которую Мария Магдалина представляла церковникам раннего христианского периода, была нешуточной. Она не только была женщиной, которой Христос доверил создание Своей Церкви, уже само ее существование доказывало: Церковь умалчивала о том, что у Христа, как и у всякого смертного, могло быть потомство. Более того — Церковь в стремлении защититься от власти Марии Магдалины объявила ее шлюхой и похоронила все свидетельства о женитьбе Христа на Марии, удушив в зародыше саму мысль о потомстве Христа и об исторических свидетельствах Его земного, а не божественного происхождения.

Софи взглянула на Лэнгдона, тот кивнул:

— Можете мне поверить, Софи, там приведено достаточно исторических доказательств.

— Признаю, — сказал Тибинг, — реакция была чрезмерно жестока, но и Церковь можно понять. У нее были весьма серьезные основания хранить эти сведения в тайне. Церковь бы серьезно пострадала, если бы вдруг они оказались преданы широкой огласке. Ребенок Иисуса подорвал бы саму идею Его божественного происхождения, подорвал бы сами основы и устои Христи-

анской церкви, провозгласившей себя единственным связующим звеном между Богом и людьми, единственными вратами,
через которые человек может попасть в Царствие Небесное.

— Роза с пятью лепестками... — задумчиво произнесла Софи,
разглядывая корешок одной из книг. *Точно такой же узор выгра-
вирован на шкатулке палисандрового дерева.*

Тибинг взглянул на Лэнгдона и усмехнулся:

— А она наблюдательная девочка. — Потом обернулся к Софи. — Это символ Грааля, созданный Приоратом. Символ Марии Магдалины. Поскольку имя ее было запрещено Церковью,
она получила несколько псевдонимов. Ее называли Сосудом, чашей Грааля и Розой. — Он сделал паузу. — Символ Розы напря-
мую связан с пятиконечной звездой Венеры и Компасом Розы.
Кстати, само слово «роза» звучит одинаково в английском, французском, немецком и многих других языках.

— Роза, — вставил Лэнгдон, — является также анаграммой
слова «Эрос», в латинском написании «Eros». А Эрос — бог плот-
ской любви в Древней Греции.

Софи удивленно взглянула на него, а Тибинг продолжил:

— Роза всегда была главным символом женской красоты и
сексуальности. В первобытных культах богини пять лепестков
символизировали пять ипостасей жизни женщины: рождение,
менструация, материнство, менопауза и, наконец, смерть. — Он
взглянул на Роберта. — Возможно, специалисту по символам
есть что добавить?

Роберт замялся. Пауза затянулась.

— О Господи! — воскликнул Тибинг. — Эти американцы такие ханжи! — Он обернулся к Софи. — Просто Роберт стесняет-
ся вам сказать, что цветок розы напоминает женские гениталии,
тот прекрасный бутон, из которого вышло на свет Божий все человечество. И если вы когда-нибудь видели картины Джорджии
О'Кифф, вы бы точно поняли, что я имел в виду.

— Главное, — заметил Лэнгдон, подходя к книжным полкам, — что все эти книги объединяет одна весьма важная мысль.

— Что Иисус был отцом? — неуверенно спросила Софи.

— Да, — ответил Тибинг. — И что Мария Магдалина была
тем сосудом, тем священным лоном, что носило Его знатного на-
следника. По сей день Приорат Сиона почитает Марию Магдалину как богиню, Грааль, Розу и Богоматерь.

Софи вновь вспомнился ритуал, нечаянной свидетельницей которого она стала в доме деда.

— Согласно Приорату, — продолжил Тибинг, — Мария Магдалина была беременна, когда Христа распяли. Чтоб спасти еще не рожденное дитя Иисуса, она покинула Святую землю, другого выхода у нее просто не было. С помощью дяди Иисуса, верного Иосифа Аримафейского, Мария Магдалина тайно бежала во Францию, известную тогда под названием Галлия. Там она нашла убежище в еврейской общине. Там же, во Франции, родила дочь. Девочку назвали Сарой.

Софи удивленно вскинула на него глаза:

— Так они даже знали имя ребенка?

— Не только это. Жизни Магдалины и Сары скрупулезно описаны в хрониках их защитниками. Следует помнить, что ребенок Магдалины принадлежал к знатному роду еврейских царей — Давида и Соломона. А потому евреи, обосновавшиеся во Франции, высоко чтили Магдалину, считали ее продолжательницей царского рода. Множество историков той эпохи составили подробнейшие жизнеописания Марии Магдалины во Франции, упоминалось и о рождении Сары. А затем составили и ее жизнеописание, и генеалогическое древо ее потомков.

Софи была поражена.

— Так, значит, существует генеалогическое древо самого Христа?

— Да, разумеется. И эти сведения легли в основу, стали краеугольным камнем документов Сангрил. Подробнейшее генеалогическое древо потомков Христа.

— Но что толку от этих документов? — воскликнула Софи. — Ведь доказательств никаких. Историки наверняка не могут подтвердить их аутентичность.

Тибинг усмехнулся:

— Не более чем могут подтвердить аутентичность Библии.

— В смысле?

— В том смысле, что история всегда пишется победителями. И когда происходит столкновение двух культур, проигравший как бы вычеркивается, а победитель начинает писать новые книги по истории, книги, прославляющие его деяния и унижающие побежденного противника. Как однажды сказал Наполеон: «Что есть история, как не басня, в которую договорились поверить?» — Он улыбнулся. — В силу своей природы история — это всегда односторонняя оценка событий.

Софи подобное никогда в голову не приходило.

— Документы Сангрил повествуют о другой, неизвестной нам стороне жизни Христа. Прочтя их, человек волен сделать собственный выбор, но какую сторону он примет, зависит от его веры и личного опыта. Главное, что информацию эту удалось сохранить. Документы Сангрил состоят из тысяч страниц текста. Те немногие свидетели, которым удалось видеть это сокровище, утверждают, будто хранится оно в четырех огромных тяжелых сундуках. Говорят, в сундуках этих лежат так называемые Бумаги пуристов. Это тысячи страниц документов доконстантиновской эпохи, написанных самыми ранними последователями Христа. Там Иисус предстает как живой человек, учитель и проповедник. Ходят также слухи о том, что частью сокровища являются легендарные «Q»-документы — рукопись, существование которой признает даже Ватикан. Это книга проповедей Христа, предположительно написанная Его собственной рукой.

— Написанная самим Христом?!

— Да, конечно, — кивнул Тибинг. — Лично я не вижу в том ничего удивительного. Почему бы Христу и не вести записей о Своем пастырстве? Ведь в наши дни это делают очень многие. Еще один документ взрывной силы — это рукопись под названием «Дневники Магдалины». Рассказ самой Марии Магдалины о ее взаимоотношениях с Христом, о том, как Его распяли, о побеге и жизни во Франции.

Какое-то время Софи молчала, осмысливая услышанное.

— Так эти четыре сундука документов и были тем сокровищем, которое тамплиеры обнаружили под развалинами храма Соломона?

— Да, верно. Именно эти документы сделали рыцарей такими могущественными. Документы, ставшие предметом бесчисленных поисков и спекуляций на тему Грааля.

— Но ведь вы сами говорили, что Грааль — это Мария Магдалина. Если люди заняты поисками документов, к чему им называть их поисками чаши Грааля?

Тибинг помедлил с ответом.

— Дело в том, что в тайнике, где спрятан Грааль, находится также саркофаг.

За окнами в ветвях деревьев завывал ветер.

Теперь Тибинг говорил, понизив голос:

— Поиски чаши Грааля на самом деле не что иное, как стремление преклонить колени перед прахом Марии Магдалины. Это своего рода паломничество с целью помолиться отверженной, утраченному священному женскому началу.

Софи вдруг оживилась:

— Так вы говорите, тайник, где находится Грааль, — это... могила?

Карие глазки Тибинга приняли мечтательное выражение.

— Да. И там, в этой могиле, покоится не только тело Марии Магдалины, но и документы, рассказывающие истинную историю ее жизни. Все поиски чаши Грааля были на деле поисками Магдалины, обманутой и попранной царицы, похороненной вместе с доказательствами ее неотъемлемого права на власть.

Софи ожидала продолжения рассказа, но Тибинг внезапно умолк. Многое еще оставалось непонятным, в частности история деда.

— Члены Приората... — решилась она наконец. — Выходит, все эти годы они охраняли тайну документов Сангрил и место захоронения Магдалины?

— Да, но у братства был еще один, не менее важный долг — защитить потомство Христа. Ведь все эти люди находились в постоянной опасности. Ранняя Церковь боялась, что если эта ветвь рода Христова разрастется, то выплывет тайна Христа и Магдалины, а это подорвет устои католической доктрины о Мессии божественного происхождения, который никак не мог вступать в половую связь с женщинами. — Он умолк на секунду, затем продолжил: — Тем не менее род Христов благополучно рос и развивался втайне от всех во Франции, и сведения о нем всплыли на поверхность только в пятом веке, когда он соединился с французской королевской кровью, основав династию, известную как Меровинги.

Эта новость потрясла Софи. О Меровингах был наслышан каждый французский студент.

— Меровинги, которые основали Париж?

— Да, они самые. И это одна из причин, по которой легенда Грааля особенно популярна во Франции. Вы когда-нибудь слышали о короле Дагоберте?

Софи помнила, что вроде бы это имя звучало на уроках французской истории.

— Кажется, Дагоберт был королем Меровингов? И ему проткнули глаз кинжалом, когда он спал?

— Совершенно верно. В конце седьмого века он пал жертвой заговора Пипина Молодого, опиравшегося на поддержку Ватикана. С убийством Дагоберта династия Меровингов практически перестала существовать. К счастью, сын Дагоберта, Сигизберт, уцелел и позже продолжил род. Потомком его являлся Годфруа де Буйон, основатель Приората Сиона.

— Тот самый человек, — подхватил Лэнгдон, — который приказал рыцарям-тамплиерам разыскать документы Сангрил, выкопать их из-под развалин храма Соломона и таким образом доказать, что династия Меровингов ведет свое начало от Иисуса Христа.

Тибинг кивнул и тяжело вздохнул.

— Обязанности Приората Сиона в современном его виде можно разделить на три составляющие. Во-первых, братство должно защищать документы Сангрил. Во-вторых, должны беречь могилу Марии Магдалины. И наконец, третье — они должны поддерживать и защищать потомков королевской династии Меровингов, нескольких членов семьи, доживших до наших дней.

Софи ощутила, как ее охватывает дрожь волнения. *Потомки Христа дожили до наших дней!* В ушах звучал шепот деда. *Принцесса, я должен рассказать тебе правду о твоей семье.*

Ее словно током пронзило до самых костей.

Царская кровь.

Нет, это просто представить невозможно!..

Принцесса Софи.

— Сэр Лью! — раздался из селекторной коробки на стене голос слуги Тибинга, и Софи вздрогнула от неожиданности. — Не заглянете ли ко мне на кухню на минутку?

Тибинг недовольно нахмурился: он не любил, когда его отрывали от дела. Подошел к коробке, надавил на кнопку.

— Ты же знаешь, Реми, я занят со своими гостями. Если нам сегодня что-то понадобится на кухне, мы и сами сможем взять, без твоей помощи. Так что спасибо и спокойной ночи.

— Надо перемолвиться словечком. Пожалуйста, если не трудно, сэр.

Тибинг проворчал что-то и снова надавил на кнопку.

— Ладно, выкладывай. Только быстро, Реми.

— Это дело сугубо домашнее, сэр, не предназначено для ушей гостей.

Тибинг поразился:

— И что, никак нельзя подождать до утра?

— Никак, сэр. Это ненадолго, всего на минутку.

Тибинг театрально закатил глаза и покосился на Лэнгдона и Софи:

— Нет, иногда я просто не понимаю, кто у кого находится в услужении! — Он снова нажал на кнопку: — Сейчас приду, Реми. Может, захватить чего-нибудь для тебя?

— Разве что свободу от гнета, сэр.

— А известно ли тебе, Реми, что единственной причиной, по которой ты до сих пор у меня служишь, являются твои фирменные бифштексы с перцем?

— Как скажете, сэр. Вам виднее.

ГЛАВА 61

ринцесса Софи.

Софи слушала, как, постукивая костылями, удаляется по коридору сэр Тибинг, и вдруг ощутила себя опустошенной. Она обернулась, молча ища глазами Лэнгдона. Тот, словно прочитав ее мысли, покачал головой.

— Нет, Софи, — прошептал он. — Та же мысль пришла мне в голову, когда я понял, что ваш дед был членом Приората. Когда вы сказали, что он собирался открыть вам секрет о семье. Но это невозможно. — Лэнгдон на секунду умолк. — Соньер... эта фамилия не имеет отношения к Меровингам.

Софи не знала, как ей реагировать: огорчаться или радоваться. Чуть раньше Лэнгдон как бы между делом задал ей странный вопрос о девичьей фамилии матери. Фамилия матери Софи до брака была Шовель. Теперь она поняла смысл вопроса.

— Ну а Шовель? — осторожно спросила Софи.

И снова он отрицательно покачал головой:

— Простите. Следовало бы объяснить вам раньше. Осталось лишь две линии прямых потомков Меровингов. И фамилии этих семей — Плантар и Сен-Клер. Обе эти семьи живут где-то, очевидно, под защитой Приората.

Софи мысленно повторила эти фамилии, чтобы запомнить, затем покачала головой. Ни один из членов ее семьи не носил фамилии Плантар или Сен-Клер. И тут вдруг на нее навалились тоска и странное оцепенение. Она понимала, что ни на шаг не продвинулась к пониманию того, какую тайну собирался поведать ей дед. Лучше бы уж он вообще не упоминал о ее семье. Он задел старые раны, оказалось, что они так и не зажили. *Они мертвы, Софи. Они никогда уже не вернутся.* Она вспомнила маму, вспомнила, как та пела ей колыбельные перед сном. Вспомнила, как отец, посадив ее на плечи, весело скачет по комнате, а бабушка и младший брат улыбаются, смотрят на них яркими зелеными глазами. И все это у нее украдено. Остался один лишь дед.

А теперь, когда и он ушел, я совсем одна.

Софи обернулась к «Тайной вечере» и принялась разглядывать Марию Магдалину, женщину с длинными рыжими волосами и добрыми грустными глазами. Было в глазах этой женщины нечто, заставлявшее Софи вспомнить о потере близких и любимых.

— Роберт... — тихо окликнула она.

Лэнгдон подошел поближе.

— Лью только что говорил, что история Грааля... она лежит на поверхности. Сегодня я впервые об этом услышала.

Лэнгдон хотел было утешающим жестом положить ей руку на плечо, но воздержался.

— Вы слышали эту историю и прежде, Софи. Каждый слышал. Просто не совсем понимали, о чем идет речь.

— Я и сейчас не понимаю.

— История Грааля как бы везде и в то же время являет собой тайну. Когда Церковь, причислив Марию Магдалину к отверженным, хотела запретить все разговоры о ней, ее история стала передаваться по скрытым каналам, в основном в форме метафор и символов.

— Да, конечно, это я понимаю. Через искусство.

Лэнгдон указал на «Тайную вечерю»:

— Вот превосходный пример. Да и многие современные произведения изобразительного искусства, литература, музыка говорят о том же. Об истории Марии Магдалины и Христа.

И Лэнгдон рассказал ей о работах да Винчи, Боттичелли, Пуссена, Бернини, Моцарта и Виктора Гюго, где в завуалированной форме делалась попытка восстановить запрещенный церковниками образ священного женского начала. Сказки и легенды о Зеленом рыцаре, короле Артуре, даже о Спящей красавице были аллегориями Грааля. «Собор Парижской Богоматери» Виктора Гюго, «Волшебная флейта» Моцарта изобилуют масонскими символами и аллюзиями с историей Грааля.

— Стоит только раскрыть глаза, — продолжил Лэнгдон, — стоит только понять, что на самом деле есть Грааль, и вы увидите его повсюду. В живописи. Музыке. Литературе. Даже в мультфильмах, развлекательных парках и самых популярных художественных фильмах.

Лэнгдон отвернул манжет рубашки и продемонстрировал ей часы с Микки-Маусом, а потом рассказал о том, как всю жизнь Уолт Дисней работал над тем, чтобы передать историю Грааля будущим поколениям. За это друзья даже прозвали его современным Леонардо да Винчи. Ведь оба эти человека опережали свое время, были чрезвычайно одаренными художниками, членами тайных обществ и, что самое главное, заядлыми шутниками. Подобно Леонардо, Уолт Дисней просто обожал использовать в своем искусстве зашифрованные послания и символические знаки. Любой мало-мальски опытный ученый, специалист по символам, мог отыскать в ранних фильмах Диснея целую лавину метафор и аллюзий.

Большинство тайных посланий Диснея были тесно связаны с религией, языческими мифами и историями сверженной богини. Далеко не случайно он экранизировал такие популярные сказки, как «Золушка», «Спящая красавица» и «Белоснежка», — все они повествовали об угнетении священного женского начала. Не нужно быть ученым, сведущим в символике, чтобы догадаться: Белоснежка — это принцесса, впавшая в немилость после того, как посмела откусить от отравленного яблока. Здесь просматривается прямая аллюзия с грехопадением Евы в садах Эдема. Или же принцесса Аврора из «Спящей красавицы». Тайное ее имя — Роза, и Дисней прячет красавицу в дремучем лесу, чтобы защитить от злой ведьмы. Чем вам не история Грааля, только для детей?

Кино — искусство корпоративное, и Дисней сумел заразить своих сотрудников духом игры. Многие его художники развлекались тем, что вводили в фильмы тайные символы. Лэнгдон часто вспоминал, как один из его студентов принес на занятия кассету с фильмом «Король-лев». Когда пленку стали прокручивать, он остановил ее в определенном месте, и все вдруг отчетливо увидели слово «SEX», плавающее над головой льва Симбы и состоящее из мелких частичек пыли. Хотя Лэнгдон подозревал, что это скорее шутка мультипликатора, а не сознательное использование аллюзии с сексуальностью язычников, он с тех пор перестал недооценивать значение символов в творчестве Диснея. Его «Русалочка» являла собой совершенно завораживающий гобелен, столь искусно сотканный из символов утраченной богини, что это не могло быть простым совпадением.

Впервые увидев «Русалочку», Лэнгдон едва сдержал возглас изумления и восторга. Он заметил, что картина в подводном царстве Ариэль — не что иное, как произведение художника семнадцатого века Джорджа де ла Тура «Кающаяся Магдалина» — дань уважения и памяти запрещенному образу Марии Магдалины. И вообще весь этот полуторачасовой фильм являл собой коллаж прямых символических ссылок на потерянную святость Исиды, Евы, богини рыб, а также Марии Магдалины. В самом имени русалочки — Ариэль — просматривались тесные связи со священным женским началом, в Книге пророка Исайи оно было синонимом «осажденного Вавилона». Ну и, разумеется, длинные рыжие волосы Русалочки тоже не были простым совпадением.

В коридоре послышался стук костылей сэра Тибинга. Вот он вошел, остановился в дверях, и выражение лица его было суровым.

— Вам лучше объясниться, Роберт, — холодно и строго произнес он. — Вы были нечестны со мной.

ГЛАВА 62

росто меня подставили, Лью, — пробормотал Лэнгдон, изо всех сил стараясь сохранять спокойствие. *Вы же меня знаете. Разве я способен убить человека?*

Но Тибинг не смягчился.

— Да ваше фото показывают по телевизору! Вам было известно, что вас, черт побери, разыскивает полиция?

— Да.

— Тогда вы обманули мое доверие. Нет, такого я от вас никак не ожидал. Удивлен, что вы подвергли меня такому риску. Явились в мой дом, просили рассказать о Граале, и все с одной целью — спрятаться здесь.

— Я никого не убивал.

— Но Жак Соньер мертв, и полиция утверждает, что преступление совершили вы. — Тибинг помрачнел. — Такой огромный вклад в развитие искусства...

— Сэр! — В дверях появился дворецкий и встал у Тибинга за спиной, скрестив на груди руки. — Давайте я выставлю их вон!

— Нет уж, позвольте мне. — Тибинг прошел по кабинету к дверям террасы, распахнул. Они открывались на лужайку за домом. — Будьте любезны, ступайте к своей машине и уезжайте отсюда!

Софи не двинулась с места.

— *У нас есть информация о clef de voûte.* Краеугольном камне Приората.

Тибинг пристально смотрел на нее несколько секунд и презрительно фыркнул:

— Хитрая уловка! Роберт знает, как я искал его.

— Она говорит правду, — сказал Лэнгдон. — Именно за этим мы и приехали к вам. Поговорить о краеугольном камне.

Тут решил вмешаться дворецкий:

— Убирайтесь, или я позову полицию!

— Лью, — прошептал Лэнгдон, — мы знаем, где он находится.

Похоже, решимость Тибинга была несколько поколеблена. Реми грозно надвигался на них.

— Вон отсюда! Быстро! Иначе я силой...

— Реми! — прикрикнул Тибинг на своего слугу. — Прошу прощения, но ты должен выйти отсюда на секунду.

У дворецкого просто челюсть отвисла от удивления.

— Но, сэр?.. Я категорически против! Эти люди...

— Я сам ими займусь! — И Тибинг указал на дверь.

В комнате воцарилась напряженная тишина. Реми вышел, точно побитая собака.

Из распахнутых настежь дверей тянуло прохладным ветерком. Тибинг обернулся к Софи и Лэнгдону:

— Вот так-то лучше. И что же вам известно о краеугольном камне?

Засевший в густом кустарнике под окном кабинета Тибинга Сайлас прижимал к груди пистолет и не сводил глаз с освещенных окон. Всего несколько секунд назад, обходя дом, он приметил Лэнгдона и ту самую женщину. Они находились в кабинете и о чем-то оживленно говорили. Не успел он двинуться с места, как в кабинет вошел на костылях какой-то пожилой мужчина и начал кричать на Лэнгдона, а затем потребовал, чтобы оба они убирались вон. *Тогда женщина упомянула о краеугольном камне, и ситуация резко изменилась.* В комнате уже никто не кричал, говорили шепотом. И стеклянные двери поспешили закрыть.

Прятавшийся в тени Сайлас всматривался сквозь стекло. *Краеугольный камень находится где-то здесь, в доме.* Он чувствовал это.

Он придвинулся к окну еще на несколько дюймов, стараясь расслышать, о чем говорят эти трое. Он решил дать им еще пять минут. Если за это время не обнаружится, где спрятано сокровище, Сайлас ворвется в дом и добудет признание силой.

* * *

Лэнгдон почти физически ощущал изумление, охватившее хозяина дома.

— Великий мастер? — недоверчиво произнес тот, не сводя глаз с Софи. — Жак Соньер?

Она молча кивнула.

— Но откуда вы об этом знаете?

— Просто Жак Соньер был моим дедом.

Тибинг так и отпрянул, затем метнул вопросительный взгляд в сторону Лэнгдона. Тот кивнул. Тогда Тибинг вновь обратился к Софи:

— Мисс Невё, вы просто лишили меня дара речи. Если это правда, сочувствую вашей потере. Должен признаться, в ходе исследований я составил список парижан, которые, по моим предположениям, могли иметь отношение к Приорату Сиона. И Жак Соньер входил в этот список наряду со многими другими потенциальными кандидатами. Но чтобы Великий мастер, как вы утверждаете?.. Это просто представить невозможно! — Какое-то время Тибинг молчал, затем покачал головой. — И все равно концы с концами здесь явно не сходятся. Даже если ваш дед и *был* членом Приората и Великим мастером, даже если он сам изготовил краеугольный камень, он бы ни за что *не выдал* вам его местонахождение. Ведь камень открывает дорогу к главному сокровищу братства. И внучка вы ему или нет, вы не могли быть посвящены в эту тайну.

— Месье Соньер оставил это сообщение, уже умирая, — сказал Лэнгдон. — У него не было другой возможности. И выбора тоже.

— А он в них и не нуждался, — возразил ему Тибинг. — В Приорате всегда существовали еще трое sénéchaux, знавших эту тайну. В том-то и заключалась прелесть системы. Назначается новый Мастер, тут же выбирается новый sénéchal, они-то и разделяют тайну краеугольного камня.

— Боюсь, вы не видели передачу целиком, — сказала Софи. — Ночью, помимо моего деда, были убиты еще трое весьма известных парижан. И все — аналогичным способом. И на теле у каждого — следы пыток.

Тибинг разинул рот:

— Так вы думаете, это были...

— Sénéchaux, — закончил за него Лэнгдон.

— Но как? Ведь убийца не мог знать всех четырех высших доверенных лиц Приората Сиона! Да взять хотя бы меня! На протяжении десятилетий я занимался изучением этой организации, но так до сих пор и не знаю имени ни единого члена Приората. Просто представить невозможно, чтобы все три sénéchaux и сам Великий мастер были обнаружены и убиты в один день!

— Сомневаюсь, чтобы информация о них собиралась всего один день, — заметила Софи. — Все это похоже на некий грандиозный план по уничтожению организации. И здесь наверняка были задействованы технические средства, применяемые в борьбе с организованными преступными синдикатами. Если, допустим, судебная полиция вознамерится покончить с какой-то преступной группировкой, полицейские тайно будут наблюдать и прослушивать на протяжении месяцев всех главных подозреваемых, чтобы затем взять их одновременно. Все это очень походит на обезглавливание. Без лидеров любая группа распадается, начинается хаос, вся новая информация предается огласке. Вполне возможно, кто-то долго и пристально наблюдал за Приоратом, а затем совершил нападение в надежде, что лидеры выдадут краеугольный камень.

Похоже, ей не удалось убедить Тибинга.

— Но братья ни за что не заговорили бы. Они дали клятву хранить тайну. Молчать даже под угрозой смерти.

— Вот именно, — сказал Лэнгдон. — Все это означает, что тайны они так и не выдали. И потому были убиты...

Тибинг тихонько застонал.

— Тогда о месте, где находится камень, уже никто никогда не узнает!

— И о местонахождении Грааля — тоже, — добавил Лэнгдон.

У Тибинга от огорчения подкосились ноги, и он грузно опустился в кресло, где и сидел, уставясь невидящим взором в окно.

Софи подошла к нему.

— Если мой дед действительно был тем, кем мы предполагаем, — мягко начала она, — тогда возможно, что он в момент отчаяния все же решился передать тайну человеку, не состоящему в братстве. Кому-то из членов семьи.

Тибинг побледнел.

— Но это значит, есть человек, способный совершить такое нападение... сумевший так много узнать о братстве... — Он умолк, лицо его исказилось от страха. — Только одна сила в мире способна на это. Такого рода операцию мог осуществить лишь старейший враг Приората.

— Церковь? — предположил Лэнгдон.

— Кто же еще? Рим искал Грааль на протяжении веков.

Софи восприняла эту версию скептически.

— Так вы считаете, *Церковь* убила моего деда?

— Если да, то это будет не единственный случай в истории, когда Церковь убивает, чтобы защитить себя, — сказал Тибинг. — Документы, хранящиеся вместе с Граалем, обладают взрывной силой, на протяжении столетий Церковь мечтала уничтожить их.

Лэнгдон усомнился в этом его утверждении. Вряд ли нынешняя Церковь станет убивать людей с целью завладеть какими-то, пусть даже очень важными, документами. Лэнгдон встречался с новым папой и многими его кардиналами и знал, что люди эти глубоко духовные, истинно верующие. Они бы ни за что и никогда не одобрили убийство. *Пусть даже ставки очень высоки.*

Похоже, Софи разделяла его мнение.

— А есть вероятность того, что члены братства были убиты кем-то *вне* Церкви? Кем-то, кто не знает и не понимает, что на самом деле представляет собой Грааль? Ведь сама по себе чаша Христова — это огромная, неизмеримая ценность. Охотники за сокровищами убивали порой и за меньшее.

— По своему опыту знаю, — сказал Тибинг, — человек заходит куда дальше, стремясь защитить свою жизнь, нежели обрести желаемое. В этой атаке на Приорат чувствуется отчаяние.

— Лью, — перебил его Лэнгдон, — ваши аргументы весьма парадоксальны. К чему католическому духовенству *убивать* членов Приората, чтобы найти и уничтожить документы, которые они все равно считают фальшивкой?

Тибинг усмехнулся:

— Гарвардские башни слоновой кости размягчили вас, Роберт. Да, нынешнее римское духовенство Господь наделил искренней и сильной верой. А потому их вера способна противостоять любым нападкам, в том числе и свидетельствам документов, противоречащим тому, что дорого и близко их сердцу. Но весь остальной мир? Как насчет тех, кто смотрит на творящиеся в нем жестокости и спрашивает: где же он, ваш Бог? Или смотрит на скандалы и распри, раздирающие Церковь, и вопрошает: как смеют эти люди претендовать на звание наместников Бога на земле, толковать нам об истинах Христовых и лгать, покрывая своих же священников, совращающих малолеток? — Тибинг перевел дух и продолжил: — Что происходит со всеми этими людьми, Роберт, если есть убедительные научные доказательства, по которым церковная версия истории Христа далека от истинной? И если величайшая из всех в мире историй превратилась просто в самую распродаваемую?

Лэнгдон не ответил.

— Тогда я скажу вам, что произойдет, если вдруг всплывут эти документы, — сказал Тибинг. — Ватикан столкнется с кризисом веры, которого не знал на протяжении всей двухтысячелетней истории христианства.

Повисла долгая пауза. Потом Софи заметила:

— Но если в нападении действительно замешана Церковь, почему это произошло именно сейчас? После долгих лет? Приорат по-прежнему хранит документы Сангрил в тайне. И пока они не представляют непосредственной угрозы Церкви.

Тибинг многозначительно покосился на Лэнгдона:

— Полагаю, Роберт, вы знакомы с последним обетом Приората?

Лэнгдон замер, затем после паузы ответил:

— Да.

— Мисс Невё, — сказал Тибинг, — на протяжении долгих лет между Церковью и Приоратом существовал негласный договор. Церковь обещала не нападать на Приорат, Приорат же, в свою очередь, обязался хранить документы Сангрил в тайне. — Он помолчал, затем продолжил: — Однако в истории Приората всегда существовал план по обнародованию документов. Получив определенные данные, братство собиралось нарушить обет молчания, с триумфом представить документы всему миру и предать самой широкой огласке подлинную историю Иисуса Христа.

Софи молча смотрела на Тибинга. Потом и сама опустилась в кресло.

— И вы считаете, время пришло? Церковь об этом знает?

— Пока это просто догадки и умозаключения, — ответил Тибинг. — Но лишь это может послужить мотивом массированной атаки на Приорат. С целью отыскать документы, пока еще не поздно.

У Лэнгдона возникло тревожное ощущение, что Тибинг прав.

— Вы действительно считаете, что Церковь может пойти на такой риск?

— Почему нет? Особенно если предположить, что Церкви удалось внедрить своих людей в братство и узнать о планах Приората. Только что наступило третье тысячелетие. Закончились две тысячи лет существования человечества, прошедшие под знаком Рыб, а это, как известно, был знак Иисуса. Любой специалист по астрологии скажет вам, что идеалом поведения человека под этим знаком является полное повиновение высшим силам, поскольку сам человек не способен отвечать за свои мысли и поступки. Этот период отличался пылкой религиозностью. Теперь же человечество входит в новый век. Век Аквария, или Водолея, и здесь будут главенствовать совсем другие идеалы. А суть их в том, что человек должен знать *правду*, должен действовать и думать самостоятельно. Это настоящий переворот в идеологии, и он происходит прямо сейчас.

Лэнгдона охватил озноб. Сам он никогда не придавал особого значения астрологическим прогнозам, не слишком-то в них верил. Зато знал, что в Церкви немало людей, следящих за ними самым пристальным образом.

— Церковь называет этот переходный период концом дней.

Софи состроила гримаску удивления:

— Может, Концом Света? Апокалипсисом?

— Нет, — ответил Лэнгдон. — Это очень распространенное заблуждение. Во многих религиях говорится о конце дней. И речь идет вовсе не о Конце Света, но о конце текущего столетия или эры. Рыбы начали править в эру Христа, господство их продолжалось две тысячи лет, теперь с наступлением нового тысячелетия они уступили место Водолею. Мы перешли в эпоху Водолея, а стало быть, наступил конец дней.

— Кстати, — перебил его Тибинг, — многие историки Грааля считают, что если Приорат все же решится обнародовать правду, это станет поворотным, символическим пунктом в истории человечества. Большинство ученых, занимающихся историей Приората, в том числе и я, ожидали, что этот поступок братства совпадет с наступлением нового тысячелетия. Но судя по всему, этого не случилось. Правда, римский календарь не совсем совпадает с астрологическим, так что полностью исключать возможность нельзя. Видимо, у Церкви имеется информация, что дата эта сместилась, отодвинулась на ближайшее будущее. Или же они встревожились, поверив астрологическим прогнозам. Не знаю. Это предположения. Но по какому бы сценарию ни развивались события, ясно одно: у Церкви был и есть мотив предпринять атаку на Приорат. — Тибинг нахмурился. — И поверьте мне, если Церковь найдет Грааль, она его уничтожит. И документы, и останки благословенной Марии Магдалины. — Он еще больше помрачнел. — И тогда, дорогие мои, с потерей документов Сангрил будут потеряны все доказательства. Церковь окончательно победит в многовековой войне. Истину уже никто не узнает.

Софи медленно вытащила из кармана свитера ключ в форме креста и протянула Тибингу.

Он взял, начал разглядывать.

— Бог ты мой! Печать Приората! Откуда это у вас?

— Дед оставил мне. Ночью, перед самой смертью.

Тибинг провел кончиками пальцев по золотому кресту.

— Ключ от какой-то церкви?

Софи собралась с духом:

— Этот ключ обеспечивает доступ к краеугольному камню.

Тибинг резко вскинул голову, безумно расширенные глаза светились недоверием.

— Невероятно! Какую же церковь я пропустил? Ведь я обшарил все, что есть во Франции!

— Это не от церкви, — сказала Софи. — Этот ключ от Депозитарного банка Цюриха.

— Так краеугольный камень в банке? — Тибинг смотрел все так же недоверчиво.

— В сейфе, — сказал Лэнгдон.

— В банковском сейфе? — Тибинг отчаянно затряс головой. — Это невозможно. Краеугольный камень должен быть спрятан под знаком Розы.

— Так и есть, — кивнул Лэнгдон. — Он хранился в шкатулке розового дерева, на крышке — инкрустация в виде розы с пятью лепестками.

Тибинг сидел точно громом пораженный.

— Так вы... видели краеугольный камень?

Софи кивнула:

— Да. Мы заходили в этот банк.

Тибинг приблизился к ним, в глазах его светился неподдельный страх.

— Друзья мои, мы должны что-то делать! Краеугольный камень в опасности! Наш долг — защитить его. Что, если есть другие ключи? Возможно, они похищены у убитых sénéchaux? Ведь Церковь, как и вы, могла получить доступ к тому банку. И тогда...

— Тогда будет слишком поздно, — сказала Софи. — Мы забрали краеугольный камень.

— Что? Вы забрали краеугольный камень из тайника?

— Да не волнуйтесь вы так, — сказал Лэнгдон. — Камень хорошо спрятан.

— Надеюсь, в самом надежном месте?

— Вообще-то, — Лэнгдон не сдержал улыбки, — надежность зависит от того, насколько часто здесь подметают под диваном.

Ветер за стенами Шато Виллет усилился, полы сутаны Сайласа развевались и хлопали, но сам он не покидал своего поста под окном. Он слышал лишь обрывки разговора, но два заветных слова, «краеугольный камень», доносились до него сквозь стекло неоднократно.

Он там.

Слова Учителя были свежи в памяти. *Зайди в Шато Виллет. Забери камень. И чтобы никого не трогать!*

Но вдруг Лэнгдон и его собеседники почему-то перешли в другое помещение и, выходя, выключили в библиотеке свет. Точно пантера в погоне за добычей, Сайлас подкрался к стеклянным дверям. Двери оказались не заперты, он вошел в комнату и бесшумно затворил их за собой. Из соседней комнаты доносились приглушенные голоса. Сайлас достал из кармана пистолет, снял его с предохранителя и двинулся по коридору.

ГЛАВА 63

ейтенант Колле стоял в полном одиночестве у ворот замка Лью Тибинга и смотрел на огромный дом. *Безлюдно. Темно. Прекрасное место для укрытия.* С полдюжины его агентов бесшумно занимали позиции вдоль изгороди. Они могли перемахнуть через нее и окружить дом в считанные секунды. Лэнгдон просто не мог выбрать более удобного места для неожиданной атаки людей Колле.

Колле уже собирался позвонить Фашу, но тот его опередил. Похоже, он был далеко не в восторге от успехов Колле.

— Почему никто не доложил мне, что появилась наводка на Лэнгдона?

— Вы были заняты, говорили по телефону, и я...

— Где именно вы находитесь, лейтенант?

Колле продиктовал ему адрес.

— Имение принадлежит британцу по фамилии Тибинг. Лэнгдон преодолел немалое расстояние, чтобы добраться сюда, машина стоит внутри, на территории. Ворота под сигнализацией, но никаких следов насильного вторжения не наблюдается. Так что, судя по всему, Лэнгдон знаком с хозяином этих владений.

— Я выезжаю, — бросил в трубку Фаш. — Никаких действий без меня не предпринимать! Буду руководить всем лично.

Колле ушам своим не верил.

— Но, капитан, вы же в двадцати минутах езды! А мы должны действовать немедленно! Я его выследил. Вместе со мной нас здесь восемь человек. Четверо вооружены автоматами, у остальных при себе пистолеты.

— Дождитесь меня.

— Но, капитан, а что, если у Лэнгдона там заложник? Что, если он заметил нас и попробует уйти? Нам надо брать его *сейчас!* Мои люди заняли исходные позиции и готовы к операции.

— Лейтенант Колле, я приказываю вам дождаться меня, прежде чем предпринимать какие-то действия. Это приказ, ясно? — И Фаш отключился.

Совершенно потрясенный услышанным, лейтенант Колле выключил мобильник. *Какого черта Фаш просит меня подождать?* Впрочем, ответ лежал на поверхности. Фаш был знаменит не только своим звериным чутьем, но и гордыней. *Фаш хочет присвоить всю славу себе.* Показав фото американца по всем телевизионным каналам, Фаш хотел быть уверенным в том, что и его лицо будет мелькать на экране ничуть не реже. А работа Колле состоит в том, чтобы держать осаду до тех пор, пока на взятие «крепости» не прибудет босс.

Никаких действий Колле предпринять пока не мог, а потому погрузился в размышления. И на ум ему пришло еще одно объяснение. Промедление с арестом подозреваемого могло быть вызвано только одним обстоятельством: неуверенностью в виновности этого самого преступника. *А вдруг Фаш считает, что Лэнгдон совсем не тот человек?* Мысль эта показалась пугающей. Сегодня капитан Фаш из кожи вон лез, чтобы арестовать Лэнгдона, подключил даже Интерпол, а затем и телевидение. Но даже великий и безупречный Безу Фаш не переживет скандала, который поднимется, если он ошибочно обвинил известного американского ученого, показал его лицо по всем каналам, утверждал, что он — подлый убийца. И если теперь Фаш понял, что ошибся, тогда вполне понятен и оправдан его приказ Колле не предпринимать никаких действий. Единственное, чего не хватало в такой ситуации Фашу, так это брать штурмом частные владения ни в чем не повинного англичанина и держать Лэнгдона под прицелом.

Более того, теперь Колле вдруг со всей отчетливостью понял, в чем состоит еще одна странность этого дела. Зачем понадобилось Софи Невё, родной внучке жертвы, помогать подозреваемому в убийстве? Очевидно, агент Невё была твердо убеждена в невиновности Лэнгдона. Кстати, Фаш сегодня выдвигал сразу несколько версий, объясняющих столь непонятное поведение Софи. В том числе и такую: Софи, будучи единственной законной наследницей Соньера, уговорила своего тайного любовника Роберта Лэнгдона убить деда, и все ради денег, которые должна получить по наследству. Возможно, Соньер подозревал об этих ее намерениях, а потому и оставил полиции послание: «P.S. Найти Роберта Лэнгдона». Однако Колле был просто уверен: что-то здесь не так. Не того сорта была эта дамочка, Софи Невё, чтобы оказаться причастной к столь грязной истории.

— Лейтенант! — К нему подбежал один из агентов. — Мы нашли машину.

Колле прошел вслед за агентом ярдов пятьдесят, мимо ворот и дальше вдоль дороги. А потом посмотрел на противоположную ее сторону. Там в кустах, почти неразличимый в тени, был припаркован черный автомобиль «ауди». Судя по номерам, машина была взята напрокат. Колле дотронулся до капота. Еще теплый. Даже горячий.

— Должно быть, именно на этой машине сюда приехал Лэнгдон, — сказал Колле. — Позвоните в компанию по прокату. Выясните, не в угоне ли автомобиль.

— Есть, сэр.

Еще один агент сделал знак Колле подойти поближе к изгороди.

— Вот взгляните-ка, лейтенант, — он протянул Колле бинокль ночного видения, — на ту рощицу, что на холме, в конце аллеи.

Колле нацелил бинокль на холм, подкрутил колесики настройки. Постепенно в фокусе возникли какие-то зеленоватые очертания. Он навел бинокль на изгиб дорожного полотна, затем на рощицу. И, присмотревшись, заметил среди деревьев кузов бронированного фургона. В точности такого же, которому сам чуть раньше, тем же вечером, разрешил выехать с территории Депозитарного банка Цюриха. Он мысленно взмолился о том, чтобы это было просто совпадением, но в глубине души знал — таких совпадений не бывает.

— Вроде бы точно на таком фургоне Лэнгдон с Невё уехали из банка, — сказал агент.

Колле промолчал. Он вспоминал водителя бронированного фургона, которого остановил на выезде. Часы «Ролекс». Его явное нетерпение, стремление побыстрее уехать. *А я не удосужился проверить груз.*

И тут Колле понял, что в банке, сколь ни покажется это невероятным, кто-то укрывал Лэнгдона и Невё. Мало того, этот человек затем помог им бежать. *Но кто? И с какой целью?* Может,
именно по этой причине Фаш приказал не начинать штурм без
него? Может, Фаш понимает, что в эту историю вовлечены не
только Невё и Лэнгдон, но и еще какие-то люди... *И если Лэнгдон
с Невё приехали сюда на бронированном фургоне, кто тогда сидел
за рулем «ауди»?*

За сотни миль к югу чартерный борт номер 58 летел над Тир-
ренским морем. Несмотря на то что полет проходил гладко — тому благоприятствовала погода, — епископ Арингароса то и дело
прижимал ко рту пластиковый пакет. Он был уверен, что ему
вот-вот станет худо. От новостей, полученных из Парижа. Там
все прошло совсем не так, как он ожидал.

Арингароса вертел на пальце золотое кольцо и пытался побороть охватившее его чувство отчаяния и страха. *Все в Париже прошло просто ужасно.* Епископ закрыл глаза и вознес молитву о
том, чтобы у Безу Фаша хватило средств и сил исправить ситуацию.

ГЛАВА 64

ибинг уселся на диван, поставил на колени шкатулку и долго любовался искусно инкрустированной на крышке розой. *Сегодня самая странная и волшебная ночь в моей жизни.*

— Поднимите крышку, — шепотом сказала ему Софи.

Тибинг улыбнулся. *Не надо меня торопить.* Больше десяти лет он искал краеугольный камень, а теперь мечта сбылась, и он хотел насладиться каждой долей секунды этого прекрасного ощущения. Он ласково провел ладонью по полированной крышке, бережно ощупал инкрустацию кончиками пальцев.

— Роза, — прошептал он. *Роза, она же Мария Магдалина, она же чаша Грааля. Роза — это компас, указующий путь.* Он, Тибинг, оказался круглым дураком. Столько лет обходил все церкви и кафедральные соборы Франции, платил за особый доступ, осмотрел сотни арок под окнами в виде розы в поисках краеугольного камня. Le clef de voûte — *краеугольный камень под знаком Розы.*

И вот Тибинг медленно приподнял крышку.

Едва увидев, что лежит в шкатулке, он понял: это и есть краеугольный камень, иначе просто быть не могло. Он разглядывал цилиндр из светлого мрамора, диски, испещренные буквами. Тибинг был уверен, что где-то уже видел похожий предмет.

— Создан по рисункам из дневников да Винчи, — сказала Софи. — Дед очень любил вырезать такие, это было его хобби.

Ну да, конечно! Тибинг видел эти наброски и гравюры. *Ключ к тайне Грааля лежит в этом цилиндре.* Тибинг осторожно достал тяжелый криптекс из шкатулки. Он понятия не имел, как открыть цилиндр, но твердо знал одно: сама его судьба заключена внутри. В моменты неудач Тибинг задавался вопросом: будут ли когда-нибудь вознаграждены его поиски и труды? Теперь же все сомнения исчезли. Казалось, он слышал слова, долетевшие до него из глубины веков... слова, вошедшие в основу легенды о Граале.

Vous ne trouvez pas le Saint-Graal, c'est le Saint-Graal gui vous trouve.

Не вы находите святой Грааль, это святой Грааль находит вас.

И вот сегодня, каким бы невероятным это ни показалось, Грааль сам пожаловал к нему в дом.

Пока Софи с Тибингом сидели над криптексом и рассуждали о сосуде с уксусом, дисках и о том, каков же может быть пароль, Лэнгдон отнес шкатулку палисандрового дерева к хорошо освещенному столику в углу комнаты, чтобы получше рассмотреть ее. Слова, только что произнесенные Тибингом, не давали ему покоя.

Ключ к Граалю спрятан под знаком Розы.

Лэнгдон поднес шкатулку к свету и тщательно осмотрел инкрустацию. И хотя он не был специалистом-краснодеревщиком, не слишком разбирался в инкрустациях, сразу почему-то вспомнил знаменитый кафельный потолок в одном испанском монастыре неподалеку от Мадрида. Здание простояло три века, и вдруг плитки потолка начали отваливаться, и под ними появились священные тексты, выцарапанные монахами по сырой штукатурке.

И Лэнгдон снова присмотрелся к розе.

Под знаком Розы.

Sub Rosa.

Тайна.

Шум в коридоре за спиной заставил Лэнгдона обернуться. Но он не увидел ничего, кроме нечетких теней. Очевидно, слуга Тибинга, проходя мимо, наткнулся на что-то в темноте. Лэнгдон снова занялся шкатулкой. Провел пальцем по гладким линиям инкрустации, проверил, нельзя ли вытащить розу, но все было сработано на совесть, держалась она прочно. Даже лезвие бритвы не вошло бы в зазор.

Открыв шкатулку, он начал обследовать внутреннюю сторону крышки. Гладкая плотная поверхность. Лэнгдон немного повернул ее, свет упал под другим углом, и тут он заметил нечто вроде маленького отверстия на внутренней стороне крышки, в самом ее центре. Тогда Лэнгдон закрыл крышку и снова тщательно осмотрел инкрустацию, но никакой дырочки в ней не было.

Значит, отверстие не сквозное.

Оставив шкатулку на столе, он начал оглядывать комнату и заметил пачку бумаг, соединенных скрепкой. Взяв скрепку, вернулся к шкатулке, открыл ее и снова стал разглядывать дырочку. А затем осторожно разогнул скрепку, вставил один ее конец в отверстие и слегка надавил. Ему почти не понадобилось усилий. Послышался тихий щелчок. Лэнгдон закрыл крышку. И увидел: из инкрустации выдвинулся маленький кусочек дерева, точно фрагмент мозаики. А деревянная роза выскочила из крышки и упала на стол.

Онемев от изумления, Лэнгдон разглядывал то место, где только что красовалась роза. Там, в углублении, виднелись четыре строки текста, вырезанные в дереве, безупречно ровные и четкие. Четыре строчки на совершенно незнакомом ему языке.

Буквы напоминают семитские, подумал Лэнгдон, *но я понятия не имею, что это за язык!*

Тут он уловил за спиной какое-то движение и уже собрался было обернуться, но не успел. Мощнейший удар по затылку, и Лэнгдон рухнул на пол.

Падая, он успел заметить, что над ним навис какой-то бледный призрак и что в руке у этого призрака пистолет. В следующую секунду в глазах потемнело, и он потерял сознание.

ГЛАВА 65

офи Невё хоть и работала в силовых структурах, но до сегодняшнего дня ей не доводилось оказываться под прицелом пистолета. Пистолет, в дуло которого она сейчас смотрела, сжимала бледная рука огромного альбиноса с длинными белыми волосами. Он пожирал ее маленькими красными глазками, и взгляд этот был просто ужасен: преисполнен злобы и ненависти. Одетый в шерстяную сутану, подпоясанную грубой веревкой, альбинос напоминал средневекового монаха. Софи понятия не имела, кто он такой и откуда взялся, но чувствовала: подозрения Тибинга относительно участия в этой истории Церкви оказались не столь уж беспочвенными.

— Вы знаете, за чем я пришел, — произнес монах странным глухим голосом.

Софи с Тибингом сидели на диване, подняв руки, как велел им нападавший. Лэнгдон лежал на полу и тихо стонал. Монах перевел взгляд на криптекс, который Тибинг держал на коленях.

— Вам все равно его не открыть, — с вызовом произнес Тибинг.

— Мой Учитель очень мудр, — ответил монах и подошел ближе, продолжая держать Тибинга и Софи на мушке.

Интересно, подумала Софи, куда запропастился слуга Тибинга? Неужели не слышал, как Роберт рухнул на пол?

— И кто же он, ваш учитель? — спросил Тибинг. — Возможно, мы сможем с ним договориться... за определенную сумму.

— Грааль бесценен. — Монах придвинулся ближе.

— У вас на ноге кровь, — спокойно заметил Тибинг и кивком указал на правую лодыжку монаха, по которой стекала струйка крови. — И вы хромаете.

— Как и вы, — ответил тот и указал на металлические костыли, прислоненные к дивану рядом с Тибингом. — А теперь отдайте мне краеугольный камень.

— Вам известно о краеугольном камне? — удивился Тибинг.

— Не важно, что мне известно. А теперь встаньте, только медленно, и передайте его мне.

— Но мне не так-то просто встать.

— Вот и славно. Желательно, чтобы никто не делал резких движений, это в ваших же интересах.

Тибинг взялся правой рукой за костыль, продолжая сжимать в левой цилиндр. Затем с трудом поднялся, выпрямился и, не выпуская тяжелый цилиндр из руки, неуверенно оперся о костыль.

Монах, продолжая целиться в голову Тибинга, подошел еще ближе, теперь их разделяло всего несколько футов. Софи беспомощно наблюдала за тем, как мертвенно-белая рука потянулась к сокровищу.

— У вас все равно ничего не получится, — сказал Тибинг. — Только достойный может вскрыть этот тайник.

Один Господь Бог решает, кто достойный, а кто — нет, подумал Сайлас.

— Он очень тяжелый, — сказал старик на костылях. Руки его дрожали. — Берите быстрее, или я его уроню! — И он покачнулся.

Сайлас быстро шагнул вперед, намереваясь забрать камень, но в этот момент старик потерял равновесие. Один из костылей выскользнул из руки, и старик начал валиться вправо. *Нет!* Сайлас рванулся вперед, пытаясь подхватить камень, и опустил ствол пистолета. Старик, словно в замедленной съемке, продолжал падать вправо, а потом резко взмахнул левой рукой, и каменный цилиндр выскочил у него из руки и упал на диван. В ту же секунду металлический костыль описал в воздухе широкую дугу и врезался в ногу Сайласа.

Дикая боль пронзила все его тело. Костыль задел подвязку с шипами, они впились в кровоточащую рану. Скорчившись от боли, Сайлас медленно осел на колени, отчего шипы подвязки еще глубже впились в плоть. При падении он, видно, задел спусковой крючок. Грянул оглушительный выстрел, но, по счастью, пуля угодила в потолочное перекрытие. Не успел Сайлас вскинуть пистолет и произвести еще один выстрел, как женщина изо всех сил ударила его ногой в челюсть.

Стоявший у ворот имения лейтенант Колле слышал выстрел. Приглушенный хлопок вверг его в тихую панику. Он уже смирился с тем, что Фаш по приезде получит все лавры за поимку Лэнгдона. Но тут Колле испугался, как бы Фаш не выставил его перед специальной министерской комиссией виновным в пренебрежении долгом офицера и полицейского.

В частном доме воспользовались огнестрельным оружием! А ты торчал у ворот и ждал?..

Колле понимал, что возможность мирного разрешения ситуации миновала. Он также понимал, что, если простоит у ворот хотя бы еще секунду, не предпринимая никаких действий, вся его карьера пойдет прахом. И вот, примериваясь взглядом к железным воротам, Колле принял решение.

Лэнгдон тоже слышал выстрел. В затуманенном сознании он прозвучал словно где-то вдалеке. Он также слышал чей-то крик. Свой собственный?.. Затылок ломило от невыносимой боли, казалось, в черепе кто-то просверливал дырку. Где-то рядом говорили люди.

— Где ты был, черт побери? — орал Тибинг.

В комнату ворвался дворецкий:

— Что случилось? О Господи, Боже ты мой! Кто это? Я вызову полицию!

— Дьявол! Чтобы никакой полиции! Лучше займись делом. Сделай что-нибудь, чтобы утихомирить этого монстра.

— И льда принесите! — крикнула вдогонку Софи.

Тут Лэнгдон снова отключился. Потом опять голоса. Какое-то движение. И он понял, что сидит на диване. Софи прижимает к его голове пакет со льдом. Голова болит просто ужасно. Наконец в глазах у него прояснилось, и он увидел тело на полу. *Это что, галлюцинация?..* Да вроде бы нет. Огромный альбинос в монашеской сутане, руки и ноги связаны, рот заклеен куском скотча. Подбородок разбит, сутана над правым бедром пропитана кровью. И он, похоже, приходит в себя.

Лэнгдон осторожно повернулся к Софи:

— Кто это? Что здесь произошло?

Над ним склонился Тибинг:

— Вас спас от гибели рыцарь, гарцующий на коне по кличке Акме Ортопедик.

Что? Лэнгдон попытался выпрямиться.

Софи нежно дотронулась до его плеча:

— Погодите, не спешите, Роберт.

— Похоже, — заметил Тибинг, — я только что продемонстрировал вашей очаровательной приятельнице преимущества своего плачевного состояния. Калек не следует недооценивать, друг мой.

Сидевший на диване Лэнгдон не сводил глаз с распростертого на полу монаха, пытаясь сообразить, что же все-таки произошло.

— На нем была подвязка, — прошептал Тибинг.

— Что?

Тибинг указал на валявшуюся на полу окровавленную плетеную полоску, утыканную шипами:

— Пояс для самобичевания. Он носил его на бедре. Я хорошо прицелился.

Лэнгдон потер лоб. Он слышал о всяких приспособлениях для самобичевания.

— Но как... вы узнали?

Тибинг усмехнулся:

— Христианство — предмет моих многолетних исследований, Роберт. Есть секты, члены которых носят на рукавах вот такие сердечки. — И он указал костылем на окровавленную сутану монаха. — Видите?

— «Опус Деи»... — прошептал Лэнгдон. И вспомнил недавние разоблачения в средствах массовой информации, антигероями которых стали несколько видных бизнесменов из Бостона, являвшихся членами «Опус Деи». Этих людей обвиняли в том, что под дорогими костюмами-тройками они носят специальные подвязки с шипами. Впрочем, вскоре выяснилось, что это не так. Подобно многим членам «Опус Деи», эти бизнесмены проходили стадию «испытания» и умерщвлением плоти не занимались. Все они оказались истовыми католиками, заботливыми мужьями и отцами, а также верными членами своей религиозной общины. Впрочем, неудивительно, что пресса подняла такой шум — это

стало лишь предлогом для разоблачения более последователь-
ных в своих действиях постоянных членов секты. Таких, как, к
примеру, этот монах, лежащий сейчас на полу перед Лэнгдоном.

Тибинг не сводил глаз с окровавленной подвязки.

— С чего это вдруг секта «Опус Деи» занялась поисками Грааля?

Лэнгдон еще плохо соображал, а потому не ответил.

— Роберт! — воскликнула Софи, подойдя к палисандровой
шкатулке. — Что это? — В руках она держала маленькую розу,
еще недавно красовавшуюся на крышке.

— Она закрывала надпись на шкатулке. Думаю, текст подскажет нам, как открыть криптекс.

Не успели Софи с Тибингом как-то отреагировать на это открытие, как раздался вой сирен и из-за холма на дом начала на-
двигаться волна синих полицейских мигалок.

Тибинг нахмурился:

— Похоже, друзья мои, нам следует принять какое-то решение. И чем быстрее, тем лучше.

ГЛАВА 66

ыбив входную дверь, Колле и его агенты ворвались в замок сэра Лью Тибинга с оружием наготове. И тут же начали обыскивать все комнаты на первом этаже. На полу в гостиной обнаружили отверстие от пули, следы борьбы, пятна крови, использованный рулон скотча и какой-то странный предмет — плетеный ремешок, усеянный шипами. Но ни единой живой души в этих помещениях не оказалось.

Колле уже собирался разделить своих людей на две группы и отправить обыскивать подвал и подсобные помещения за домом, как вдруг сверху послышались голоса.

— Они там!

Перепрыгивая сразу через три ступеньки, Колле с агентами бросились наверх по широкой лестнице и принялись осматривать комнату за комнатой второго этажа. Там находились погруженные во тьму спальни, двери тянулись вдоль длинного коридора, и звук голосов, как показалось, доносился из самой последней комнаты в конце. Агенты крались по коридору, перекрывая все возможные пути к бегству.

Приблизившись к последней спальне, Колле увидел, что дверь в нее распахнута настежь. Голоса внезапно смолкли, их сменил странный звук, напоминавший шум какого-то механизма.

Колле вскинул руку и тем самым дал сигнал. Агенты стали по бокам от двери. Сам он осторожно сунул в проем руку, нащупал выключатель и включил свет. В следующее мгновение он вместе со своими людьми ворвался в комнату. Подбадривая агентов, Колле вопил и целился из своего револьвера... в ничто.

Комната была совершенно пуста. Ни единой живой души.

Шум автомобильного мотора доносился из черной электронной панели на стене, возле кровати. Колле уже видел такие в этом доме. Нечто вроде домофона. Он подскочил и стал осматривать прибор. На панели примерно с дюжину кнопок, под каждой — наклейка с надписью.

КАБИНЕТ... КУХНЯ... ПРАЧЕЧНАЯ... ПОДВАЛ...

Так откуда, черт возьми, этот звук автомобильного мотора?

СПАЛЬНЯ ХОЗЯИНА... СОЛЯРИЙ... АМБАР... БИБЛИОТЕКА...

Амбар! Через несколько секунд Колле был уже внизу, мчался по направлению к задней двери, прихватив по пути одного агента. Мужчины пересекли лужайку за домом и, задыхаясь, подбежали к серому старому амбару. Не успев войти, Колле услышал замирающий рокот автомобильного мотора. Держа пистолет наготове, он толкнул дверь и включил свет.

Амбар представлял собой нечто среднее между складом и мастерской. Справа — газонокосилки, садовый инвентарь, какие-то ящики и мешки. Рядом, на стене, уже знакомая панель домофона. Одна из кнопок вдавлена, под ней маленькая табличка:

КОМНАТА ДЛЯ ГОСТЕЙ 11

Колле, кипя от ярости, отвернулся. *Они заманили нас наверх с помощью этой штуковины!* Впрочем, обыск следовало продолжить. По другую сторону располагались лошадиные стойла. Но никаких лошадей в них не оказалось. Очевидно, владелец предпочитал другую разновидность лошадиной силы: стойла были превращены в отсеки гаража. Коллекция автомобилей впечатляла: черный «феррари», новехонький серебристый «роллс-ройс», антикварная модель спортивного «астон-мартина», роскошный «Порше-356».

Последнее стойло пустовало.

Колле подбежал и увидел на полу масляные пятна. *Но они не могли выехать с территории имения!* Ведь и подъезд к имению, и ворота были заблокированы патрульными машинами.

— Сэр! — Агент указал в конец ряда стойл.

Задняя дверь амбара была открыта. Она выходила на темные невспаханные поля, тонущие в предрассветной мгле. Колле подбежал к двери, пытаясь разглядеть в темноте хоть что-то. Но сколько ни старался, ничего не увидел, кроме смутных очертаний леса вдали. Ни огонька, ни света фар, ничего. Да эту лесистую долину наверняка пересекают дюжины не отмеченных на картах сельских дорог и охотничьих троп. Впрочем, Колле сильно сомневался, чтобы беглецы смогли доехать до леса по такой грязи.

— Пошлите туда людей! — скомандовал он. — Наверняка они застряли где-то поблизости. Эти модные спортивные машины здесь бесполезны.

— Смотрите, сэр! — Агент указал на ключи, висевшие на деревянных крючках. На ярлыках над каждым крючком знакомое название.

«ДАЙМЛЕР»... «РОЛЛС-РОЙС»...
«АСТОН-МАРТИН»... «ПОРШЕ»...

Последний крючок был пуст.

Когда Колле прочел название автомобиля над ним, он понял, что дела его плохи.

ГЛАВА 67

«**Р**ейнджровер» цвета «черный металлик» был оснащен четырьмя ведущими колесами, стандартной коробкой передач, мощными пропиленовыми фарами, навороченным набором задних огней и рулем, расположенным справа.

Лэнгдон был счастлив, что не он сидит за рулем этой машины. Слуга Тибинга Реми, повинуясь указаниям хозяина, ловко вел тяжелый джип по залитым лунным светом полям за Шато Виллет. Не включая фар, он пересек открытое пространство, и вот теперь они спускались по склону холма, с каждой секундой удаляясь все дальше от имения. Реми вел машину по направлению к зубчатой кромке леса, что вставала вдали, на горизонте.

Лэнгдон, сидевший рядом с ним с криптексом в руках, обернулся к Тибингу и Софи, расположившимся на заднем сиденье.

— Как голова, Роберт? — заботливо спросила Софи.

Лэнгдон с трудом выдавил улыбку:

— Спасибо, уже лучше. — Боль была такая, что он едва не стонал.

Тибинг оглянулся через плечо и посмотрел на монаха. Тот, связанный по рукам и ногам, лежал в багажном отделении, за спинкой сиденья. Тибинг держал на коленях конфискованный у монаха пистолет-автомат и походил на англичанина, выехавшего на сафари и позирующего над поверженной добычей.

— А знаете, я рад, что вы заскочили ко мне сегодня, Роберт, — сказал Тибинг и усмехнулся. — Впервые за долгие годы хоть какое-то приключение.

— Вы уж простите, что втянул вас в эту историю, Лью.

— О, ради Бога! Всю жизнь только и ждал, чтобы меня втянули в какую-нибудь историю. — Тибинг смотрел мимо Лэнгдона через ветровое стекло. Впереди темнела полоса густой зелени. Он похлопал Реми по плечу: — Запомни, стоп-сигналы не включать. На крайний случай можешь воспользоваться ручным тормозом. Хочу, чтобы мы поглубже въехали в лес. Рисковать не стоит, а то еще заметят нас.

Реми резко сбавил скорость и осторожно направил «ровер» в прогалину между деревьями. Громоздкая машина, покачиваясь на ухабах, въехала на еле заметную тропинку, и тотчас воцарилась полная тьма — вершины деревьев затеняли лунный свет.

Ни зги не видно, подумал Лэнгдон, напрасно силясь рассмотреть хоть что-то сквозь ветровое стекло. Тьма, как в колодце. Ветки хлестали по бортам автомобиля, и тогда Реми слегка сворачивал в сторону. Наконец ему кое-как удалось выровнять машину, а продвинулись они вглубь ярдов на тридцать, не больше.

— Ты прекрасно справляешься, Реми, — сказал Тибинг. — Отъехали вроде бы достаточно. Роберт, будьте так добры, нажмите вон на ту маленькую синюю кнопочку прямо под вентилятором. Видите?

Лэнгдон нашел кнопку и нажал.

Тропу перед ними высветил длинный приглушенно-желтоватый луч света. По обе стороны тянулся густой кустарник. *Противотуманные фары*, догадался Лэнгдон. Они давали достаточно света, чтобы можно было видеть дорогу. И заехали они в лес довольно далеко, теперь вряд ли их кто может заметить.

— Ну что ж, Реми! — весело промурлыкал Тибинг. — Фары включены. Вверяем свои жизни в твои руки.

— Куда мы едем? — спросила Софи.

— Эта дорога уходит в лес километра на три, — ответил Тибинг. — Делит мои владения пополам, а затем сворачивает к северу. Если не угодим в болото и не наткнемся на поваленное дерево, выедем целыми и невредимыми к шоссе номер пять.

Невредимыми. Голова у Лэнгдона продолжала раскалываться от боли. Чтобы отвлечься, он опустил глаза и начал рассматривать лежавшую на коленях шкатулку. Розу с крышки вставили на место, и Лэнгдону не терпелось вновь снять инкрустацию и еще раз взглянуть на загадочную надпись под ней. Он уже приподнял было крышку шкатулки, но Тибинг остановил его.

— Терпение, Роберт, — сказал он, дотронувшись до его плеча. — Дорога ухабистая, слишком темно. Не дай Бог что-нибудь сломаем. Если уж при свете вы не могли понять, какой это язык, в темноте тем более не разберете. Так что давайте пока оставим изыскания. Время у нас еще будет.

Лэнгдон знал, что Тибинг прав. Кивнул и запер шкатулку.

Тут из багажника донесся стон. Монах очнулся и пытался сбросить путы. Через несколько секунд он уже извивался и барахтался.

Тибинг повернулся и прицелился в него из пистолета.

— Не понимаю, чем вы так возмущены, сэр. Сами ворвались в мой дом, едва не разнесли череп моему дорогому другу. Я имею полное моральное право пристрелить вас, как шелудивого пса, а потом выбросить тело из машины. Пусть себе гниет в лесу.

Монах затих.

— А вы... э-э... уверены, что нам стоило брать его с собой? — спросил Лэнгдон.

— Еще как уверен! — воскликнул Тибинг. — Вас ведь разыскивают за убийство, Роберт. И этот тип — ваш билет на свободу. Видно, полиция просто зациклилась на вашем аресте, проследила до самого моего дома.

— Это моя вина, — сказала Софи. — В бронированном фургоне, очевидно, был передатчик.

— Теперь это не суть важно, — заметил Тибинг. — Меня не слишком удивляет, что полиция вышла на ваш след. Куда больше удивляет и беспокоит другое — что вас нашел этот тип из «Опус Деи». Из вашего рассказа совершенно неясно, как этот человек мог проследить вас до самого моего дома. Ну разве что у него был кто-то свой в полиции или в Депозитарном банке Цюриха.

Лэнгдон задумался. Безу Фаш явно намерен найти козла отпущения, на которого смог бы свалить сегодняшние убийства. Верне напал на них внезапно, хотя, если учесть, что его, Лэнгдона, подозревают сразу в четырех убийствах, понять поступок банкира можно.

— Этот монах работает не один, Роберт, — сказал Тибинг. — И до тех пор, пока вы не будете знать, кто за ним стоит, вы с Софи в опасности. Впрочем, есть и хорошие новости, друг мой. Этот монстр, что лежит у меня за спиной, владеет важной информацией. И тот, кто использует его, должно быть, сейчас здорово нервничает.

Реми прибавил скорость, он понемногу освоился с дорогой. Джип со всплеском врезался в лужу, успешно преодолел небольшой подъем, и вот дорога снова пошла под уклон.

— Роберт, будьте так добры, передайте мне телефон. — Тибинг указал на телефон, закрепленный в приборной доске джипа. Лэнгдон снял его и протянул Тибингу. Тот набрал какой-то номер. Он довольно долго ждал, прежде чем кто-то ответил. — Ричард? Что, разбудил? Ну конечно, разбудил, что за дурацкий вопрос. Извини. Тут у меня возникла небольшая проблема. Что-то я расхворался, и нам с Реми надо на острова, чтобы я мог подлечиться... Да вообще-то желательно прямо сейчас. Прости, что не предупредил заранее. Можешь подготовить «Элизабет» минут за двадцать?.. Знаю, но постарайся. Ладно, пока. Скоро увидимся. — И он отключился.

— Элизабет? — вопросительно протянула Софи.

— Это мой самолет. Стоил чертову уйму денег.

Лэнгдон всем телом развернулся на сиденье и уставился на него.

— А что такого? — усмехнулся Тибинг. — Вам двоим категорически противопоказано оставаться во Франции, пока на хвосте висит полиция. В Лондоне гораздо безопаснее.

Софи тоже обернулась к Тибингу:

— Так вы считаете, мы должны покинуть страну?

— Друзья мои, я обладаю куда большим влиянием в цивилизованном мире, нежели во Франции. Кроме того, считается, что Грааль находится в Великобритании. Если удастся открыть цилиндр, просто уверен, мы обнаружим там карту, которая и укажет путь.

— Помогая нам, вы сильно рискуете, — заметила Софи. — Восстановили против себя французскую полицию.

Тибинг презрительно отмахнулся:

— С Францией покончено. Ведь я приехал сюда на поиски краеугольного камня. Теперь он найден. И мне все равно, увижу я еще раз Шато Виллет или нет.

Софи неуверенно спросила:

— Но как мы проберемся через кордон службы безопасности аэропорта?

Тибинг усмехнулся:

— Я всегда вылетаю из Ле Бурже, аэропорт неподалеку отсюда. Французские врачи действуют мне на нервы, а потому раз в две недели я обычно летаю на север, показаться британским докторам. Ну и, разумеется, плачу за особые привилегии — и на вылете, и там. Как только мы поднимемся в воздух, вы решите, стоит ли представителю посольства США встречать нас в Англии.

Тут Лэнгдон вдруг понял, что ему не слишком хочется иметь дело с посольством. Он думал только о краеугольном камне, загадочной надписи на шкатулке и о том, приведет ли их это к Граалю. Интересно, прав ли Тибинг в том, что касается Британии? Ведь, согласно большинству современных легенд, Грааль был спрятан где-то в Соединенном Королевстве. К тому же и Авалон, мистический остров короля Артура, этот рай кельтских легенд, известный теперь под названием Гластонбери, находится в Англии. Впрочем, главное не Грааль. *Документы Сангрил. Истинная история Христа. Могила Марии Магдалины.* Вот что больше всего интересовало сейчас Лэнгдона. Он вдруг почувствовал, что живет в каком-то ином пространстве, что недосягаем для реального мира.

— Сэр, — спросил Реми, — вы что, действительно подумываете вернуться в Англию навсегда?

— Не беспокойся, Реми, — ответил Тибинг. — То, что я возвращаюсь во владения ее величества, вовсе не означает, что я до конца своих дней буду питаться исключительно сосисками и мерзопакостным картофельным пюре. Надеюсь, ты присоединишься ко мне. Я собираюсь купить великолепную виллу в Девоншире, а все твои вещи мы немедленно переправим морем. Приключение, Реми! Это настоящее приключение!

Лэнгдон не мог сдержать улыбки. Тибинг так красочно расписывал подробности своего триумфального возвращения в Британию, что и он заразился жизнерадостностью и энтузиазмом этого человека.

Глядя в окно, Лэнгдон видел, как проплывают мимо деревья, призрачно желтоватые в свете противотуманных фар. Боковое зеркало покосилось от ударов веток по корпусу автомобиля, и Лэнгдон видел в нем отражение Софи, тихо сидевшей сзади. Он смотрел на нее долго, ощущая умиротворение и радость. Несмотря на все треволнения ночи, Лэнгдон был благодарен судьбе за то, что она свела его с такими замечательными людьми.

Через несколько минут, словно почувствовав на себе его взгляд, Софи наклонилась вперед и положила руки ему на плечи.

— Вы в порядке?

— Да, — ответил Лэнгдон. — Более или менее.

Софи откинулась на спинку сиденья, и Лэнгдон заметил, как на губах ее промелькнула улыбка. А потом вдруг спохватился, что и сам улыбается, только во весь рот.

Лежащий в багажном отделении «рейнджровера» Сайлас еле дышал. Руки завернуты за спину и крепко прикручены к лодыжкам веревкой для белья и скотчем. При каждом толчке на ухабе сведенные плечи пронзала боль. Хорошо хоть подвязку его мучители сняли. Рот был залеплен скотчем, и дышать он мог только носом, ноздри которого постепенно забивались дорожной пылью и выхлопными газами. Он начал кашлять.

— Вроде бы задыхается, — заметил француз-водитель.

Англичанин, ударивший Сайласа костылем, обернулся и посмотрел на него, озабоченно хмурясь.

— К счастью для тебя, мы, британцы, судим о гуманности человека по состраданию, которое он испытывает к врагам, а не к друзьям. — С этими словами англичанин протянул руку и сорвал пластырь, залеплявший рот Сайласа.

Губы его ожгло точно огнем, зато в легкие ворвался воздух. Просто благословение Господне!

— На кого работаешь? — строго спросил англичанин.

— На Господа Бога! — Сайлас громко сплюнул, боль в челюсти, в том месте, куда женщина пнула его ногой, была просто невыносимой.

— Ты из «Опус Деи», — сказал англичанин. И прозвучало это как утверждение, а не вопрос.

— Ничего не знаю, ничего не скажу.

— Зачем «Опус Деи» ищет краеугольный камень?

Сайлас не имел ни малейшего намерения отвечать. Краеугольный камень был ключом к Граалю, а сам Грааль — ключом к защите веры.

Моя работа угодна Господу. Путь наш в опасности.

Связанный по рукам и ногам Сайлас, которого увозили неведомо куда, чувствовал, что сильно подвел епископа и Учителя. Связаться с ними и рассказать, какой скверный оборот приняли события, не было никакой возможности. *Краеугольный камень у моих похитителей! Теперь они первыми доберутся до Грааля! И* Сайлас начал молиться. Боль в теле, казалось, придавала сил.

Чудо, Боже милосердный! Мне нужно чудо! Сайлас не знал и не мог знать, что от чуда его отделяют всего несколько часов.

— Роберт? — Софи снова смотрела на него. — Что за странное у вас выражение лица. О чем вы думаете?

Только теперь Лэнгдон спохватился, что губы у него плотно сжаты, а сердце колотится как бешеное. В голову пришла совершенно невероятная мысль. *Неужели объяснение может быть столь простым?*

— Мне нужен ваш мобильный телефон, Софи.

— Прямо сейчас?

— Мне кажется, я кое-что понял.

— Что?

— Скажу через минуту. Мне нужен телефон.

Софи встревожилась:

— Сомневаюсь, чтобы Фаш прослеживал звонки, но все же постарайтесь говорить недолго. Не больше минуты. — Она протянула ему телефон.

— Как набрать Штаты?

— Радиус действия моей сети не покрывает этого расстояния. Придется звонить через оператора, за дополнительную плату.

Лэнгдон набрал «ноль», зная, что через каких-то шестьдесят секунд получит ответ на вопрос, мучивший его всю ночь.

ГЛАВА 68

ью-йоркский редактор Джонас Фаукман только что улегся спать, когда зазвонил телефон. *Что-то поздновато для звонков,* подумал он и снял трубку.

Оператор спросил:

— Вы готовы оплатить междугородний звонок от Роберта Лэнгдона?

Немного озадаченный Джонас включил настольную лампу.

— Э-э... да, конечно.

В трубке послышался щелчок. .

— Джонас?

— Роберт? Мало того что разбудил меня, так еще заставляешь платить?

— Ради Бога, прости, — сказал Лэнгдон. — Буду краток. Поверь, мне это очень важно. Та рукопись, что я тебе передал. Ты уже...

— Извини, Роберт. Знаю, что обещал переслать ее тебе на этой неделе с редакторскими поправками, но страшно замотался и все такое. В понедельник ты ее точно получишь, обещаю.

— Да нет, дело не в редактуре. Я хотел узнать, рассылал ли ты копии для издательской рекламы без моего ведома?

Фаукман колебался, не зная, как лучше ответить. Последняя рукопись Лэнгдона, исследование в области истории поклонения богине, включала несколько разделов о Марии Магдалине, которые могли вызвать, мягко говоря, недоумение. Хотя весь этот материал был подкреплен документами, там же имелись и ссылки на других авторов, Фаукман не собирался выпускать книгу Лэнгдона без по крайней мере нескольких отзывов видных историков и искусствоведов. Джонас выбрал десять самых известных имен ученых и разослал всем полные копии рукописи с вежливыми сопроводительными письмами, в которых просил написать несколько строк на обложку. По своему опыту Фаукман знал: большинство людей с радостью хватаются за любую возможность увидеть свое имя на обложке книги, пусть даже и чужой.

— Джонас! — окликнул его Лэнгдон. — Так ты рассылал копии рукописи или нет?

Фаукман нахмурился, понимая, что Лэнгдон далеко не в восторге.

— Рукопись готова к изданию, Роберт. Просто хотел удивить тебя шикарной рекламой на обложке.

Пауза.

— И одну копию ты послал в Париж, куратору Лувра?

— Ну и что тут такого? Ведь в твоей рукописи неоднократно упоминаются экспонаты его коллекции, его книги входят в библиографический список, к тому же у парня прекрасная репутация, что немаловажно для продажи книги в другие страны. Соньер не какой-нибудь там дилетант.

Снова молчание на том конце линии.

— Когда ты ее послал?

— Примерно месяц назад. Ну и упомянул, что ты сам скоро будешь в Париже, предложил вам двоим встретиться, поболтать. Кстати, он тебе не звонил? — Фаукман умолк, потер глаза. — Погоди-ка, ты вроде бы должен быть в Париже прямо на этой неделе, верно?

— Я и есть в Париже.

Фаукман резко сел в постели:

— Так ты звонишь мне за мой счет из *Парижа*?

— Вычтешь из моего гонорара, Джонас. Ты получил какой-нибудь ответ от Соньера? Ему понравилась рукопись?

— Не знаю. Ничего от него не получал.

— Ладно, все нормально. Мне надо бежать. Ты многое мне объяснил. Спасибо.

— Послушай, Роберт...

Но Лэнгдон уже отключился.

Фаукман повесил трубку и удрученно покачал головой. *Ох уж эти авторы*, подумал он. *Даже самые умные из них совершенно сумасшедшие.*

* * *

Лью Тибинг, ставший свидетелем этого разговора, высказал предположение:

— Роберт, вы только что говорили, что написали книгу, затрагивающую интересы тайного общества. И ваш редактор послал копию рукописи члену тайного общества?

— Получается, что так, — ответил Лэнгдон.

— Роковое совпадение, друг мой.

Совпадения тут ни при чем, подумал Лэнгдон. Положительный отзыв Жака Соньера на книгу о поклонении женскому божеству означал не только коммерческий успех. Это подразумевало причастность к ее рекламе такой организации, как Приорат Сиона.

— Вот вам вопрос на засыпку, — усмехаясь, сказал Тибинг. — Вы как там высказывались в адрес Приората? Положительно или отрицательно?

Лэнгдон сразу понял истинную подоплеку этого вопроса. Многих историков интересовало, почему Приорат до сих пор держит документы Сангрил в тайне. Кое-кто из них догадывался, что документы могут потрясти основы современного мироустройства.

— Я никак не комментировал позицию Приората.

— Так, значит, вообще не упоминали?

Лэнгдон пожал плечами. По всей вероятности, Тибинг был сторонником опубликования документов.

— Я просто изложил историю братства. Охарактеризовал Приорат как современное общество культа женского начала, как хранителей Грааля и древних документов.

Софи повернулась к нему:

— А о краеугольном камне упоминали?

Лэнгдон поморщился. *Упоминал. И неоднократно.*

— Я говорил о краеугольном камне лишь в качестве примера, характеризуя усердие, с которым Приорат будет защищать документы Сангрил.

Софи была потрясена.

— Думаю, это объясняет слова деда: «P.S. Найти Роберта Лэнгдона».

Но сам Лэнгдон подозревал, что Соньера заинтересовало в его рукописи совсем другое. Впрочем, он предпочитал обсудить это с Софи наедине.

— Так, значит, — сказала Софи, — вы все-таки солгали капитану Фашу.

— О чем это вы? — спросил Лэнгдон.

— Вы сказали ему, что никогда не переписывались с моим дедом.

— Я и не переписывался! Это редактор послал ему копию рукописи.

— Вдумайтесь хорошенько, Роберт. Если капитан Фаш не найдет конверт, в котором ваш редактор переслал ему рукопись, он неизбежно сделает вывод, что ее прислали вы. — Она на секунду умолкла. — Или, что еще хуже, что вы передали ее ему лично, из рук в руки. И опять же солгали.

И вот наконец «рейнджровер» очутился на аэродроме Ле Бурже, и Реми подъехал к небольшому ангару в дальнем конце взлетной полосы. При их приближении из ангара выскочил встрепанный мужчина в помятом комбинезоне цвета хаки, приветственно взмахнул рукой и отворил огромную металлическую дверь. В ангаре стоял изящный реактивный самолет белого цвета.

Лэнгдон не сводил глаз с блестящего фюзеляжа.

— Так это и есть Элизабет?

Тибинг улыбнулся:

— Да. Перемахивает этот чертов Канал* как нечего делать.

Мужчина в хаки поспешил к ним, щурясь от яркого света фар.

— Почти все готово, сэр, — сказал он с сильным английским акцентом. — Прошу прощения за задержку, но вы застали меня врасплох и... — Тут он осекся: из джипа вышли сразу несколько человек. Он вопросительно взглянул на Софи и Лэнгдона, потом — на Тибинга.

— Это мои помощники, — сказал Тибинг. — И у нас очень срочное дело в Лондоне. Так что не будем тратить времени даром. Готовьтесь к отлету немедленно. — С этими словами он достал из машины пистолет и протянул его Лэнгдону.

Увидев оружие, пилот испуганно округлил глаза. Потом подошел к Тибингу и зашептал:

— Но, сэр, вы уж простите, но дипломатические привилегии

____
* Имеется в виду пролив Ла-Манш.

распространяются только на вас и вашего слугу. Я никак не могу взять на борт этих людей.

— Ричард, — ласково улыбнулся ему Тибинг, — две тысячи фунтов стерлингов и этот заряженный пистолет говорят о том, что вам *придется* взять на борт моих гостей. — Он махнул рукой в сторону джипа. — И не забудьте прихватить еще одного, он в багажном отделении.

ГЛАВА 69

Ва турбореактивных двигателя фирмы «Гаррет» с ревом и неукротимой силой уносили самолет «Хокер-731» все выше в небо. За стеклом иллюминатора аэродром Ле Бурже уменьшался с непостижимой быстротой.

Я бегу из своей страны, подумала Софи, и тело ее вжалось в кожаное сиденье. До этого момента она считала, что игра в кошки-мышки с Фашем как-то оправдана. *Просто я пыталась защитить невиновного человека. Пыталась исполнить предсмертную волю моего деда.* Теперь же Софи понимала: возможности оправдаться перед властями больше не существует. Она покидала страну без документов, вместе с человеком, которого разыскивает полиция, мало того, еще и с монахом, захваченным в заложники. Если грань дозволенного и существовала, она только что переступила ее. *Почти со скоростью звука.*

Софи, Лэнгдон и Тибинг сидели у двери в кабину пилота, на ней красовался золотой медальон с надписью: «Элитный дизайн спортивного реактивного самолета «Хокер-731». Кресла с бархатной обивкой были привинчены к рельсам на полу, и их можно было передвигать и устанавливать вокруг прямоугольного стола твердых пород дерева. Получался мини-кабинет для совещаний. Впрочем, вся эта пристойная обстановка не могла скрыть неприглядной сцены в хвостовом отсеке, где на отдельном кресле, рядом с туалетом, сидел слуга Тибинга Реми с пистолетом в руке и, неукоснительно выполняя распоряжение хозяина, караулил монаха, которого бросили у его ног точно багаж.

— Прежде чем мы снова займемся краеугольным камнем, — сказал Тибинг, — я бы хотел кое-что прояснить. — Произнес он это самодовольным менторским тоном — так отец поучает своих детишек. — Прекрасно понимаю, друзья мои, что оказался всего лишь вашим гостем в этом путешествии, и благодарю за оказанную мне честь. И тем не менее как человек, проведший долгие годы в поисках Грааля, считаю своим долгом предупредить: вы ступаете на тропу, откуда нет возврата, не говоря уж о сопряженных с этим путем опасностях. — Он повернулся к Софи. — Мисс Невё, ваш дед передал вам краеугольный камень в надежде, что вы сохраните тайну Грааля?

— Да.

— Насколько я понимаю, вы считаете своим долгом пройти этот путь до конца.

Софи кивнула, хотя думала еще об одной мотивации. *Правда о моей семье.* Несмотря на уверения Лэнгдона, что краеугольный камень не имеет никакого отношения к ее прошлому, Софи чувствовала, что с этой тайной связано нечто глубоко личное. Точно криптекс, вырезанный из камня руками деда, пытался заговорить с ней, предоставить некую компенсацию за пустоту и одиночество, которые она ощущала все эти годы.

— Сегодня погибли ваш дед и еще трое, — продолжил Тибинг, — и они выбрали смерть, чтобы сохранить камень, не отдать его Церкви. Сегодня же секта «Опус Деи» едва не завладела этим сокровищем. Надеюсь, вы понимаете: все это налагает на вас огромную ответственность. В руки вам передали факел. Факел, горевший на протяжении двух тысяч лет, и никак нельзя допустить, чтобы он погас. Факел не должен попасть в чужие руки. — Он сделал паузу, взглянул на шкатулку розового дерева. — Понимаю, в этой ситуации у вас просто не было выбора, мисс Невё, но, учитывая, сколь высоки ставки, вы должны быть готовы взять на себя всю полноту ответственности... Или можете возложить эту ответственность на кого-то другого.

— Дед передал криптекс мне. Уверена, он сделал это не случайно.

Тибинг приободрился, но, похоже, не был до конца уверен.

— Хорошо. Тут нужна очень сильная воля. И еще хотелось бы знать вот что. Понимаете ли вы, что в случае успешного открытия криптекса вы подвергнетесь дальнейшим, еще более серьезным испытаниям?

— Это почему?

— Представьте на секунду, дорогая. Перед вами карта, и на ней указано местоположение Грааля. В этот момент вы становитесь обладательницей истины, способной полностью изменить ход истории. Вы становитесь обладательницей сокровища, за которым человек охотился столетиями. И перед вами встанет вопрос: стоит ли раскрывать правду миру? Это огромная ответственность. Человек, поведавший миру правду, будет превозносим одними и презираем другими. Вопрос в том, достаточно ли у вас сил, чтобы выдержать это испытание.

Софи после некоторого колебания ответила:

— Не уверена, что это будет исключительно *мое* решение.

Тибинг удивленно приподнял брови:

— Вот как? Но чье же, если не обладательницы краеугольного камня?

— Братства, которое успешно охраняло эту тайну на протяжении веков.

— Приората? — скептически произнес Тибинг. — Но разве это возможно? Братство разгромлено. Точнее, *обезглавлено*. Возможно, в *его* рядах появился предатель или шпион. Мы этого не знаем, но факт остается фактом: кто-то раскрыл имена четырех представителей верхушки. И лично я не стал бы доверять человеку, который бы неожиданно появился и назвался представителем братства.

— Так что же вы предлагаете? — спросил Лэнгдон.

— Вам, как и мне, прекрасно известно, Роберт: не для того все эти годы Приорат столь рьяно защищал истину, чтобы она навеки оставалась тайной. Его члены ждали подходящего момента, чтобы поделиться ею с человечеством.

— И вы считаете, такой момент настал? — спросил Лэнгдон.

— Да, просто уверен. Это же совершенно очевидно. Все признаки налицо. И потом, если Приорат не собирался вскоре предать свою тайну огласке, к чему было Церкви нападать на него?

— Но ведь монах еще не рассказал нам о своих целях, — возразила Софи.

— Его цель — это цель Церкви, — сказал Тибинг. — И состоит она в том, чтобы уничтожить документы, разоблачающие ее. Сегодня церковники были близки к своей цели как никогда, и Приорат доверил камень вам, мисс Невё. Задача по спасению

Грааля, вне всякого сомнения, включает и исполнение последнего желания Приората — поделиться этой тайной с миром.

— Лью, — перебил его Лэнгдон, — не слишком ли тяжкую ношу взваливаем мы на плечи Софи, прося ее принять столь ответственное решение всего через несколько часов после того, как она узнала о существовании документов Сангрил?

Тибинг вздохнул:

— Простите, если оказываю на вас давление, мисс Невё. Лично я всегда считал, что документы эти должны быть обнародованы, но окончательное решение принимать только вам. Я просто взял на себя смелость предупредить вас о том, что может последовать за успешным разрешением головоломки под названием «Криптекс».

— Господа, — твердо заявила в ответ Софи, — цитируя ваши же слова: «Не вы находите святой Грааль, это святой Грааль находит вас», я склонна считать, что Грааль «нашел» меня неспроста. А потому я буду знать, что с ним делать, когда придет время.

Мужчины удивленно переглянулись.

— Так что, — сказала она и придвинула к себе шкатулку, — давайте займемся делом.

ГЛАВА 70

ейтенант Колле стоял в просторной гостиной Шато Виллет и с грустью наблюдал за тем, как догорает огонь в камине. Капитан Фаш прибыл несколько минут назад и находился в соседней комнате. Он орал что-то в телефонную трубку, пытаясь скоординировать действия своих людей по поиску исчезнувшего джипа.

Да джип теперь может быть где угодно, подумал Колле.

Он не подчинился приказу Фаша, упустил Лэнгдона во второй раз и был благодарен судьбе за то, что люди из управления судебной полиции обнаружили в полу пулевое отверстие. Это хоть как-то оправдывало действия Колле. Однако Фаш пребывал в самом скверном расположении духа, и Колле чувствовал, что его ждет нешуточная выволочка, когда все утрясется.

К несчастью, все найденные в замке вещественные доказательства не проливали света на то, что здесь произошло и кто был замешан в этих событиях. Черная «ауди» была взята напрокат кем-то под вымышленным именем, расплатились за нее фальшивой кредитной картой, отпечатки пальцев на машине и в салоне не числились в полицейской картотеке.

В комнату ворвался агент, глаза его возбужденно сверкали.

— Где капитан Фаш?

Колле продолжал смотреть на тлеющие угли.

— Говорит по телефону.

— Уже не говорю! — рявкнул Фаш, входя в комнату. — Что там у вас?

— В управление только что звонил Андре Берне из Депозитарного банка Цюриха, — доложил агент. — Сказал, что хочет поговорить с вами лично. Он решил изменить показания.

— Вот как? — фыркнул Фаш.

Только теперь Колле отвел взгляд от камина.

— Берне признает, что Лэнгдон и Невё провели какое-то время в стенах банка.

— Мы и без него это поняли, — сказал Фаш. — Но зачем он солгал? Вот в чем вопрос.

— Сказал, что будет говорить только с вами. Согласен оказывать всяческое содействие.

— В обмен на что?

— В обмен просит, чтоб мы не упоминали его банк в новостях. И еще чтобы помогли ему найти похищенную собственность. Похоже, Лэнгдону с Невё удалось украсть что-то.

— Что именно? — воскликнул Колле. — И как?

Фаш грозно смотрел на агента.

— Что они украли?

— Берне не говорил. Но похоже, он очень заинтересован в возвращении этой собственности. Готов буквально на все.

Из кухни еще один агент окликнул Фаша:

— Капитан! Я только что связался с аэропортом Ле Бурже. Боюсь, у нас плохие новости.

Тридцать секунд спустя Фаш собрался и приготовился выехать из замка Шато Виллет. Он узнал, что Тибинг держал в одном из ангаров Ле Бурже личный реактивный самолет и что самолет этот поднялся в воздух примерно полчаса назад.

Представитель диспетчерской службы Ле Бурже, с которым Фаш говорил по телефону, клялся и божился, что не знает, кто был на борту самолета и в каком направлении он вылетел. Взлет произошел вне расписания, полетный план зафиксирован не был. Слишком много нарушений закона для такого маленького аэропорта. Фаш был уверен, что если как следует надавить, то можно получить ответы на все вопросы.

— Лейтенант Колле, — распорядился Фаш, направляясь к двери, — у меня нет выбора, так что придется оставить вас здесь за главного. И постарайтесь добиться каких-нибудь результатов, хотя бы ради разнообразия.

ГЛАВА 71

Набрав высоту, «хокер» выровнялся и взял курс на Англию. Лэнгдон осторожно снял шкатулку с колен, где держал во время взлета, чтобы не повредить. Поставил ее на стол и увидел, как Софи с Тибингом, сгорая от нетерпения, подались вперед.

Сдвинув защелку и открыв крышку, Лэнгдон обратил их внимание не на испещренные буквами диски криптекса, а на маленькое отверстие на внутренней стороне крышки. Взял авторучку и ее кончиком осторожно вытолкнул инкрустированную розу из углубления, под ней открылся текст. *Под Розой*, подумал он с надеждой, что свежий взгляд на текст внесет какую-то ясность. Но текст по-прежнему выглядел странно:

Лэнгдон рассматривал строчки несколько секунд, и к нему вернулась растерянность, охватившая его, когда он впервые увидел эту загадочную надпись.

— Никак не пойму, Лью, что за тарабарщина такая?

Со своего места Софи еще не видела текста, но неспособность Лэнгдона определить, что это за язык, удивила ее. *Неужели мой дед говорил на столь непонятном языке, что даже специалист по символам не может определить его принадлежность?* Но она быстро поняла, что ничего удивительного в том нет. Это был не первый секрет, который Жак Соньер хранил в тайне от внучки.

Сидевший напротив Софи Лью Тибинг, дрожа от нетерпения, пытался заглянуть через плечо Лэнгдону, который склонился над шкатулкой.

— Не знаю, — тихо пробормотал Лэнгдон. — Сначала мне показалось, это семитский язык, но теперь не уверен. Ведь самые ранние семитские языки использовали неккудот. А здесь ничего подобного не наблюдается.

— Возможно, он еще более древний, — предположил Тибинг.

— А что такое неккудот? — спросила Софи.

Не отводя глаз от шкатулки, Тибинг ответил:

— В большинстве современных семитских алфавитов отсутствуют гласные, вместо них используется неккудот. Это такие крохотные точечки и черточки, которые пишут под согласными или внутри их, чтобы показать, что они сопровождаются гласной. В чисто историческом плане неккудот — относительно современное дополнение к языку.

Лэнгдон по-прежнему сидел, склонившись над текстом.

— Может, сефардическая транслитерация?..

Тибинг был не в состоянии больше ждать.

— Возможно, если вы позволите мне... — И с этими словами он ухватил шкатулку и придвинул к себе. Без сомнения, Лэнгдон хорошо знаком с такими древними языками, как греческий, латынь, языки романо-германской группы, однако и беглого взгляда на текст Тибингу было достаточно, чтобы понять: *этот* язык куда более редкий и древний. Возможно, курсив Раши*, или еврейское письмо с коронками.

Затаив дыхание, Тибинг впился взглядом в надпись. Он довольно долго молчал. Время шло, и уверенность Тибинга испарялась с каждой секундой.

---

* Вид еврейского письма, назван так по имени изобретшего его раввина Раши.

— Честно признаться, — заявил он наконец, — я удивлен. Этот язык не похож ни на один из тех, что мне доводилось видеть прежде!

Лэнгдон сгорбился в кресле.

— Можно мне взглянуть? — спросила Софи.

Тибинг притворился, что не слышал ее слов.

— Роберт, вы вроде бы говорили, что где-то видели нечто подобное раньше?

Лэнгдон нахмурился:

— Да, так мне показалось. Но теперь я не уверен. И все же... этот текст кажется знакомым.

— Лью! — нетерпеливо окликнула Тибинга Софи, недовольная тем, что ее исключили из этой дискуссии. — Может, вы все-таки позволите взглянуть на шкатулку, которую сделал мой дед?

— Конечно, дорогая, — спохватился Тибинг и придвинул шкатулку к ней. Ему совсем не хотелось обижать эту милую молодую даму, хотя он и считал, что «весовые категории» у них разные. Если уж член Британского королевского исторического общества и виднейший гарвардский специалист по символам не могут определить, что это за язык...

— Ага... — протянула Софи несколько секунд спустя. — Мне следовало бы догадаться сразу.

Тибинг с Лэнгдоном дружно подняли головы и уставились на нее.

— Догадаться о чем? — спросил Тибинг.

Софи пожала плечами:

— Ну, хотя бы о том, что дед изберет для надписи на шкатулке именно этот язык.

— Вы хотите сказать, что можете прочесть этот текст? — воскликнул Тибинг.

— Запросто, — усмехнулась явно довольная собой Софи. — Дед научил меня этому языку, когда мне было всего шесть лет. И я довольно бегло говорю на нем. — Она перегнулась через стол и уставилась на Тибинга зелеными насмешливыми глазами. — И честно говоря, сэр, учитывая вашу близость к короне, я немного удивлена, что вы не узнали этого языка.

В ту же секунду Лэнгдон все понял.

Неудивительно, что текст показался знакомым!

Несколько лет назад Лэнгдон посетил музей Фогга в Гарварде.

Гарвардский выпускник Билл Гейтс в знак признательности сделал своей alma mater подарок, передал в музей бесценный экспонат — восемнадцать листов бумаги, приобретенных им на аукционе, из коллекции Арманда Хаммера.

Он не моргнув глазом выложил за этот лот целых тридцать миллионов восемьсот тысяч долларов.

Автором работ был Леонардо да Винчи.

Восемнадцать листов, теперь известных как «Лестерский кодекс» (по имени их прежнего знаменитого владельца, герцога Лестерского), представляли собой уцелевшие фрагменты знаменитых блокнотов Леонардо. То были эссе и рисунки, где описывались весьма прогрессивные для тех времен теории Леонардо по астрономии, геологии, архитектуре и гидрологии.

Лэнгдон никогда не забудет этого похода в музей. После долгого стояния в очереди он наконец созерцал бесценные листы пергамента. Полное разочарование! Разобрать, что написано на страницах, было невозможно. И это несмотря на то что они прекрасно сохранились и были исписаны изящнейшим каллиграфическим почерком, красными чернилами по светло-кремовой бумаге. Текст был абсолютно нечитаем. Сначала Лэнгдон подумал, что не понимает ни слова потому, что да Винчи делал записи на архаичном итальянском. Но, более пристально всмотревшись в текст, он понял, что не видит в нем ни единого итальянского слова.

— Попробуйте с этим, сэр, — шепнула ему женщина-доцент, дежурившая у стенда. И указала на ручное зеркальце, прикрепленное к стенду на цепочке. Лэнгдон взял зеркальце и поднес к тексту.

И все стало ясно.

Лэнгдон так горел нетерпением ознакомиться с идеями великого мыслителя, что напрочь забыл об одном из удивительных артистических талантов гения — способности писать в зеркальном отражении, чтобы никто, кроме него, не мог прочесть эти записи. Историки по сию пору спорят о том, делал ли это да Винчи просто для собственного развлечения, или же для того, чтобы люди, заглядывающие ему через плечо, не крали у него идеи. Видно, это так и останется тайной..

Софи улыбнулась: она обрадовалась, что Лэнгдон наконец понял.

— Что ж, прочту для начала первые несколько слов, — сказала она. — Это английский.

Тибинг все еще недоумевал:

— Что происходит?

— Перевернутый текст, — сказал Лэнгдон. — Нам нужно зеркало.

— Нет, не нужно, — возразила Софи. — Я в этом достаточно хорошо натренировалась. — Она поднесла шкатулку к лампе на стене и начала осматривать внутреннюю сторону крышки. Дед не умел писать задом наперед, а потому пускался на небольшую хитрость: писал нормально, затем переворачивал листок бумаги и выводил буквы в обратном направлении. Софи догадалась, что он, видимо, выжег нормальный текст на куске дерева, а затем прогонял этот кусок через станок до тех пор, пока дерево совсем не истончилось и выжженные на нем буквы не стало видно насквозь. После чего он просто перевернул этот истончившийся кусок и вклеил в крышку.

Придвинув шкатулку поближе к свету, Софи поняла, что догадка ее верна. Луч просвечивал через тонкий слой дерева, и глазам предстал текст уже в нормальном виде.

Вполне разборчивый.

— Английский, — крякнул Тибинг и стыдливо потупил глаза. — Мой родной язык.

Сидевший в хвостовом отсеке Реми Легалудек силился расслышать, о чем идет речь в салоне, но мешал рев моторов. Реми совсем не нравилось, как развивались события. Совсем. Он перевел взгляд на лежавшего у его ног монаха. Тот окончательно затих, больше не барахтался, не пытался высвободиться из пут. Лежал, точно в трансе от отчаяния, а может, мысленно читал молитву, моля Господа об освобождении.

ГЛАВА 72

Находившийся на высоте пятнадцати тысяч футов Роберт Лэнгдон вдруг почувствовал, что реальный физический мир бледнеет, отступает куда-то и что все его мысли заняты исключительно стихотворными строками Соньера, которые вдруг высветились на крышке шкатулки.

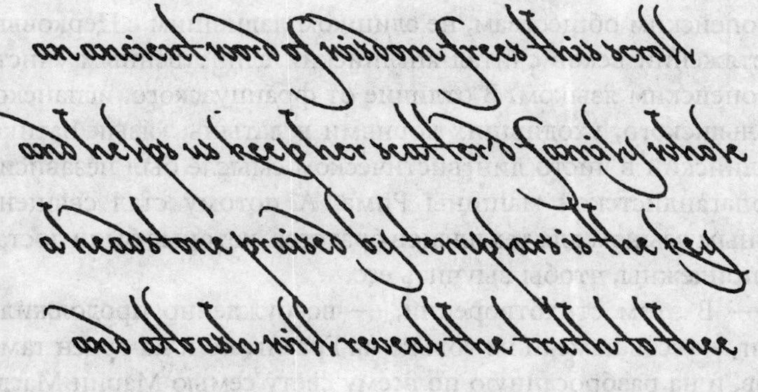

Софи быстро нашла листок бумаги и записала текст в обычном порядке. Закончила, и вот все трое склонились над ним. Содержание строк было загадочно, но разгадка обещала подсказать способ открыть криптекс. Лэнгдон медленно прочел:

— *Мир древний мудрый свиток открывает... собрать семью под кровом помогает... надгробье тамплиеров — это ключ... и этбаш правду высветит, как луч.*

Не успел Лэнгдон задуматься о том, что за тайна спрятана в этом тексте, как почувствовал, что его больше занимает другое.

Размер, которым написан этот короткий стих. *Пятистопный ямб. Почти правильный.*

За долгие годы исследований, связанных с историей тайных обществ Европы, Лэнгдон неоднократно встречался с этим размером, последний раз — в прошлом году, в секретных архивах Ватикана. На протяжении веков этому стихотворному размеру отдавали предпочтение поэты всего мира — от древнегреческого писателя Архилоха до Шекспира, Мильтона, Чосера и Вольтера. Все они предпочитали именно этот размер, который, как считалось, обладал особыми мистическими свойствами. Корни пятистопного ямба уходили в самую глубину языческих верований.

Ямб. Двусложный стих с чередованием ударений в слогах. Ударный, безударный. Инь и ян. Хорошо сбалансированная пара. Пятистопный стих. Заветное число «пять» — пентакл Венеры и священного женского начала.

— Это пентаметр! — выпалил Тибинг и обернулся к Лэнгдону. — И стихи написаны по-английски! La lingua pura!

Лэнгдон кивнул. Приорат, подобно многим другим тайным европейским обществам, не слишком ладившим с Церковью, на протяжении веков считал английский единственным «чистым» европейским языком. В отличие от французского, испанского и итальянского, уходивших корнями в латынь, «язык Ватикана», английский в чисто лингвистическом смысле был независим от пропагандистской машины Рима. А потому стал священным тайным языком для тех членов братства, которые были достаточно прилежны, чтобы выучить его.

— В этом стихотворении, — возбужденно продолжил Тибинг, — есть намеки не только на Грааль, но и на орден тамплиеров, и на разбросанную по всему свету семью Марии Магдалины. Чего нам еще не хватает?

— Пароля, — ответила Софи, не отводя глаз от стихотворения. — Ключевого слова. Похоже, нам нужен некий древний эквивалент слова «мудрость».

— Абракадабра? — предложил Тибинг, лукаво подмигнув ей.

Слово из пяти букв, подумал Лэнгдон. Сколько же существовало на свете древних слов, которые можно было бы назвать «словами мудрости»! То были отрывки из мистических заклинаний, предсказаний астрологов, клятв тайных обществ, молитв

Уитаке, древнеегипетских магических заклинаний, языческих мантр — список поистине бесконечен.

— Пароль, — сказала Софи, — имеет, по всей видимости, отношение к тамплиерам. — Она процитировала строку из стихотворения: — «Надгробье тамплиеров — это ключ».

— Лью, — спросил Лэнгдон, — вы же у нас специалист по тамплиерам, есть идеи?

Тибинг молчал несколько секунд, затем предположил:

— Ну, «надгробье», видимо, означает какую-то могилу. Возможно, имеется в виду камень, которому поклонялись тамплиеры, считая его надгробием Марии Магдалины. Но это вряд ли поможет, поскольку мы не знаем, где находится этот камень.

— А в последней строчке, — сказала Софи, — говорится, что правду откроет этбаш. Я где-то слышала это слово. Этбаш.

— Неудивительно, — вмешался Лэнгдон. — Возможно, вы помните его из учебника по криптологии. Шифр этбаш — старейший из всех известных на земле.

Ну да, конечно, подумала Софи. *Знаменитая система кодирования в древнееврейском.*

В самом начале своего обучения на кафедре криптологии Софи столкнулась с шифром этбаш. Датировался он примерно 500 годом до нашей эры, а в наши дни использовался в качестве классического примера схемы ротационной замены в шифровании. По сути своей шифр этот являлся кодом, основанным на древнееврейском алфавите из двадцати двух букв. Первая буква при шифровании заменялась последней, вторая — предпоследней, и так далее.

— Этбаш подходит великолепно, — заметил Тибинг. — Тексты, зашифрованные с его помощью, находили в каббале, в Свитках Мертвого моря, даже в Ветхом Завете. Еврейские ученые и мистики до сих пор находят тайные послания, зашифрованные с помощью этого кода. И уж наверняка этбаш изучали члены Приората.

— Проблема только в том, — перебил его Лэнгдон, — что мы не знаем, к чему именно применить этот шифр.

Тибинг вздохнул:

— Видно, на надгробном камне выбито кодовое слово. Мы должны найти надгробие, которому поклонялись тамплиеры.

По мрачному выражению лица Лэнгдона Софи поняла, что и это задание кажется невыполнимым.

Этбаш — это ключ, подумала Софи. *Просто у нас нет двери, которая открывается этим ключом.*

Минуты через три Тибинг испустил вздох отчаяния и удрученно покачал головой:

— Я просто в тупике, друзья мои. Дайте мне немного подумать. А пока не мешало бы подкрепиться. И заодно проверить, как там поживают Реми и наш гость. — Он поднялся и направился в хвостовой отсек.

Софи устало проводила его взглядом.

За стеклами иллюминаторов царила полная тьма. Софи вдруг ощутила, что неведомая сила несет ее по необъятному черному пространству, а она и понятия не имеет, где приземлится. Всю свою жизнь, с раннего детства, она занималась тем, что разгадывала загадки деда, и вот теперь у нее возникло тревожное чувство, что эта задачка ей не по зубам.

Здесь есть что-то еще, сказала она себе. *Искусно спрятанное... но оно есть, есть, должно быть!*

И еще ее тревожила мысль: то, что они рано или поздно обнаружат в криптексе, будет не просто картой, где указано местонахождение Грааля. Несмотря на уверенность Тибинга с Лэнгдоном в том, что правда спрятана в каменном цилиндре, Софи, хорошо знавшая деда, считала, что Жак Соньер не из тех, кто так легко расстается со своими секретами.

ГЛАВА 73

испетчер ночной смены Ле Бурже дремал перед черным экраном радара, когда в помещение, едва не выбив дверь, ворвался капитан судебной полиции.

— Самолет Тибинга! — рявкнул Безу Фаш и заметался по небольшому помещению, точно разъяренный бык. — Куда он вылетел?

Диспетчер, призванный охранять тайны личной жизни британца, одного из самых уважаемых клиентов, пытался отделаться невнятным бормотанием. Но с Фашем такие номера не проходили.

— Ладно, — сказал Фаш в ответ на его невразумительные попытки объясниться, — отдаю тебя под арест за то, что позволил частному самолету взлететь без регистрации полетного плана. — Он кивнул своему агенту, тот достал наручники, и диспетчера охватил ужас. Ему сразу вспомнились газетные статьи с дебатами на тему о том, кто такой на самом деле капитан национальной полиции — герой или угроза нации? Теперь он получил ответ на этот вопрос.

— Погодите! — взвизгнул диспетчер, увидев наручники. — Я готов помочь, чем смогу. Сэр Лью Тибинг часто летает в Лондон, где проходит курс лечения. У него есть ангар в аэропорту Биггин-Хилл, в Кенте. Это неподалеку от Лондона.

Фаш жестом приказал агенту с наручниками выйти вон. Тот повиновался.

— Он и сегодня должен приземлиться в Биггин-Хилл?

— Не знаю, — честно ответил диспетчер. — Борт вылетел по обычному маршруту, последний сеанс связи показал, что он летит в направлении Англии. Так что да, скорее всего в Биггин-Хилл.

— Кто на борту, кроме него?

— Клянусь, сэр, я этого не знаю. Наши клиенты подъезжают прямо к своим ангарам, а уж что там грузят или кого — это их личное дело. Кто у них еще на борту, за это отвечают чиновники из паспортно-таможенного контроля той стороны.

Фаш взглянул на наручные часы, затем на самолеты, выстроившиеся в ряд перед терминалом.

— Если они направляются в Биггин-Хилл, то как скоро там приземлятся?

Диспетчер сверился с записями.

— Вообще-то полет недолгий. Его самолет должен приземлиться примерно... в шесть тридцать. Минут через пятнадцать.

Фаш нахмурился и обратился к одному из агентов:

—Зафрахтуйте мне самолет. Я вылетаю в Лондон. И соедините меня с местным отделением полиции в Кенте. Никаких контактов с МИ-5. Не хочу поднимать шума. Только с кентской полицией. Скажите им, чтобы дали разрешение на посадку самолету Тибинга, что я лично о том просил. А потом пусть блокируют его своими силами. Никаких других действий до моего прибытия не предпринимать!

ГЛАВА 74

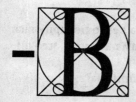ы что-то притихли, — сказал Лэнгдон Софи, когда они остались в салоне вдвоем.

— Просто устала, — ответила она. — И еще эти стихи. Я ничего не понимаю...

Лэнгдон испытывал примерно такие же ощущения. Равномерный гул моторов и легкое покачивание самолета действовали усыпляюще. А голова по-прежнему болела — в том месте, где нанес удар монах. Тибинг все еще находился в хвостовом отсеке, и Лэнгдон решил воспользоваться моментом, раз уж они остались с Софи наедине, чтобы высказать ей кое-какие мысли.

— Мне кажется, отчасти я понял причину, по которой ваш дедушка хотел, чтобы мы с вами объединились. Он хотел, чтобы я кое-что вам объяснил.

— Разве истории о Граале и Марии Магдалине недостаточно?

Лэнгдон колебался, не зная, с чего лучше начать.

— Эта ваша размолвка с ним... Причина, по которой вы не желали с ним общаться целых десять лет. Возможно, он надеялся, что я как-то смогу исправить ситуацию.

Софи нервно заерзала в кресле.

— Но ведь я не говорила вам, что стало причиной нашей ссоры.

Лэнгдон не сводил с нее глаз.

— Вы стали свидетельницей какого-то сексуального ритуала. Я прав?

Софи поежилась.

— Откуда вы знаете?

— Софи, вы сами говорили, что стали свидетельницей сцены, убедившей вас в том, что Жак Соньер является членом тайного общества. И увиденное настолько огорчило и возмутило вас, что с тех пор вы отказывались общаться с дедом. Не нужно обладать гением да Винчи, чтобы догадаться, что именно вы могли там видеть.

Софи изумленно смотрела на него.

— Когда это было? — спросил Лэнгдон. — Весной? Примерно в середине марта, да?

Софи отвернулась к иллюминатору.

— В университете как раз начались весенние каникулы. Я приехала домой несколькими днями раньше.

— Вы хотите рассказать мне об этом?

— Предпочла бы не рассказывать. — Она резко повернулась к Лэнгдону, в глазах ее стояли слезы. — Я сама не знаю, что видела.

— Там присутствовали и мужчины, и женщины?

Помедлив пару секунд, она кивнула.

— И одеты они были в белое и черное?

Она вытерла глаза и снова кивнула:

— Женщины были в платьях из тонкой белой ткани... на ногах золотые сандалии. И в руках они держали золотые шары. Мужчины в черных туниках и черных сандалиях.

Лэнгдон подавил охватившее его волнение — он просто ушам своим не верил. Софи Невё стала невольной свидетельницей священной церемонии, такой, какие проводились две тысячи лет назад.

— А маски? — спросил он, изо всех сил стараясь, чтоб голос звучал спокойно. — На них были маски с признаками обоих полов?

— Да. На всех. Одинаковые, только разного цвета. Белые маски на женщинах, черные на мужчинах.

Лэнгдону приходилось читать описания этой церемонии, и он знал о ее мистических корнях.

— Церемония называется Хиерос гамос, — тихо произнес он. — Очень старый ритуал, ему свыше двух тысяч лет. Египетские священнослужители и жрицы регулярно проводили эту церемонию, восславляющую детородную силу женщины. — Он умолк, подался еще ближе к Софи и добавил: — И если вы действительно стали свидетельницей Хиерос гамос, не будучи специально подготовленной, не понимая ее значения, тогда — да, я могу понять, какое это вызвало потрясение.

Софи не ответила.

— Хиерос гамос — это по-гречески «священный брак».

— Ритуал, который я видела, мало походил на бракосочетание.

— Брак в смысле «единение», Софи.

— Как в сексе?

— Нет.

— Нет? — Она не сводила с него изумленных оливковых глаз.

Лэнгдон замялся:

— Ну... во всяком случае, не в том смысле, как мы понимаем это сегодня. — И далее он объяснил: то, что показалось Софи сексуальным ритуалом, на самом деле не имело ничего общего с эротикой. Это был духовный акт. Ведь с исторической точки зрения совокупление было тем актом, через который мужчина и женщина познают Бога. Древние считали мужчину созданием духовно несовершенным до тех пор, пока он не прошел через плотское познание священного женского начала. Физическое слияние с женщиной было единственным способом сделать мужчину совершенным с духовной точки зрения, помогало ему овладеть «гносисом», то есть знанием божественного. Со времен Исиды сексуальные ритуалы считались для мужчины единственным мостиком между землей и небесами. — Совокупляясь с женщиной, — сказал Лэнгдон, — мужчина достигал такого состояния, при котором сознание оставляло его. И тогда он мог видеть Бога.

Софи окинула его скептическим взглядом:

— Оргазм вместо молитвы?

В ответ Лэнгдон лишь пожал плечами. Следовало признать, что в целом Софи права. С чисто физиологической точки зрения оргазм у мужчины всегда сопровождается секундным помутнением рассудка. Эдаким ментальным вакуумом. Моментом истины, во время которого можно увидеть Бога. Гуру, занимающиеся медитацией, могли достигать такого состояния и без секса и часто описывали нирвану как нескончаемый духовный оргазм.

— Софи, — тихо сказал Лэнгдон, — очень важно помнить, что взгляды древних на секс были диаметрально противоположны нынешним нашим взглядам. Секс порождает новую жизнь, это само по себе чудо, а чудеса может совершать только божество. Именно способность женщины вынашивать в чреве своем дитя, новую жизнь, и сделала ее священной. Божеством. Совокупление расценивалось как единение двух половинок человеческого духа, мужской и женской. Только через совокупление мужчина достигал духовной целостности и ощущения единения с Богом. И то, что вы видели, не имело отношения к сексу, это был чисто духовный акт. Ритуал под названием Хиерос гамос не извращение. Это глубоко духовная церемония.

Последние его слова задели Софи. На протяжении всей ночи она держалась на удивление стойко, и тут вдруг Лэнгдон увидел, что выдержка ее оставляет. На глазах снова выступили слезы, она смахнула их рукавом свитера.

Он дал ей время прийти в себя. Как правило, концепция, рассматривающая секс как часть пути к Богу, всегда вызывала у людей возмущение. Еврейские студенты смотрели на Лэнгдона с ужасом, когда он впервые сообщал им о том, что древние иудейские традиции включали ритуальный секс. *Только в храме, никак иначе.* Древние евреи считали, что в святая святых, храме Соломона, жил не только Бог, но и равная Ему по силе «половинка» женского рода, Шехина. И мужчины, ищущие духовной целостности, приходили в этот храм для свидания со жрицами. С ними они занимались любовью и постигали Бога через физическую близость. Знаменитое древнеиудейское сокращение YHWH, священное имя Бога, происходило от имени Иегова (Jehovah) и обозначения физического единения между мужским началом Jah и женским Havah — так звучало имя «Ева» на языке, предшествующем древнееврейскому.

— Для ранней Церкви, — тихо продолжил Лэнгдон, — использование секса как инструмента для прямого общения с Богом казалось кощунством, подрывало сами основы католицизма. Ведь это подрывало веру в Церковь как единственное связующее звено между человеком и Богом. Ну и по этой причине христианские священники просто из кожи вон лезли, стараясь демонизировать секс, заклеймить его как акт греховный и омерзительный. Кстати, и все остальные религии занимались тем же.

Софи молчала, но Лэнгдон чувствовал, что она начала лучше понимать деда. По иронии судьбы в том же семестре, о котором Лэнгдон вспомнил, ему пришлось затронуть на лекции ту же проблему.

— Удивительно, что у нас по поводу секса столь часто возникают разногласия, не правда ли? — заметил он. — Ведь само наше древнее наследие, сама наша физиология, казалось бы, свидетельствуют о том, что секс — занятие естественное. Весьма приятный путь к духовной полноте и совершенству. И все же современные религиозные источники описывают его как акт позорный, учат нас бояться собственных сексуальных желаний и вожделений, видят в сексе руку дьявола.

Лэнгдон решил не шокировать студентов. Не стал говорить им о том, что в мире существует свыше дюжины тайных обществ — и среди них несколько весьма влиятельных, — которые до сих пор практикуют сексуальные ритуалы и придерживаются древних традиций. Герой фильма «С широко закрытыми глазами» в исполнении Тома Круза с трудом попадает на тайное собрание представителей высшей элиты с Манхэттена и становится свидетелем церемонии Хиерос гамос. К несчастью, создатели фильма превратно истолковали особенности и смысл этого ритуала, но суть была отражена: члены тайного общества собираются и восславляют таинство сексуального единения.

— Профессор Лэнгдон! — Какой-то паренек поднял руку и с надеждой смотрел на преподавателя. — Так вы хотите сказать, что вместо того, чтобы ходить в церковь, мы должны больше заниматься сексом?

Лэнгдон усмехнулся. На крючок его поймать было не так-то просто. Он был наслышан о студенческих вечеринках в Гарварде и знал, что в сексе там недостатка не было.

— Джентльмены, — осторожно начал он, зная, что ступает на скользкую почву, — лично я могу предложить всем вам лишь одно. Я не настолько туп, чтоб отговаривать вас от добрачных связей без презервативов, и не настолько наивен, чтоб полагать, будто все вы тут ангелы с крылышками. А потому готов дать один важный совет касательно половой жизни.

Студенты затихли.

— В следующий раз, когда найдете себе девушку, загляните прежде всего в свое сердце. И решите, можете ли вы подойти к сексу как к мистическому священному акту. Попробуйте отыскать в нем хотя бы искорку божественности, которая позволяет мужчине приблизиться к священному женскому началу.

Девушки, сидевшие в аудитории, заулыбались и закивали.

В рядах молодых людей послышались смешки и не слишком удачные шутки.

Лэнгдон вздохнул. Эти студенты — до сих пор еще мальчишки.

Софи прижалась лбом к прохладному стеклу иллюминатора и невидящим взором смотрела в пространство, пытаясь осмыслить то, что говорил ей Лэнгдон. Теперь она испытывала сожаление. *Целых десять лет.* Перед ее мысленным взором предстали пачки нераспечатанных писем, полученных от деда. *Я должна рассказать Роберту все.* И вот, не отворачиваясь от иллюминатора, Софи наконец заговорила. Тихо. С опаской.

Начав рассказывать о том, что случилось с ней той ночью, она заново, шаг за шагом, переживала те события. Вот она видит свет в окнах дедовского дома в Нормандии... вот входит в дом и не видит там ни души... вот слышит чьи-то голоса внизу... затем обнаруживает потайную дверцу. Бесшумно и медленно спускается в подвал по каменной лестнице. Чувствует в воздухе влажный запах земли. Прохладно... А потом вдруг свет! Да, тогда был март. И вот, стоя на лестнице, в тени, она смотрит, как какие-то незнакомые люди раскачиваются и бормочут заклинания в мерцающем свете свечей.

Это сон, беззвучно твердила Софи. *Я сплю, и мне снится сон. Иначе просто быть не может!..*

Женщины и мужчины, чередование цветов, черное, белое, черное, белое. Платья из тонкой белой ткани колышутся, когда женщины поднимают золотые шары и выкрикивают в унисон: «Я была с тобой в начале, на рассвете всего, что есть свято! Я выносила тебя в чреве своем, прежде чем день настал!»

Вот женщины опускают шары и начинают раскачиваться взад и вперед, точно в трансе. И окружают нечто, лежащее на полу, в центре.

На что они смотрят?

Голоса звучат все громче. Темп ускоряется.

«Женщина, которой ты владеешь, есть любовь!» — хором выкрикивают женщины. И снова поднимают золотые шары.

А мужчины отвечают: *«И жить она будет вечно!»*

Ритм этих заклинаний то убыстряется, то стихает. Потом опять ускоряется и звучит с громовой силой. Участники делают шаг вперед и опускаются на колени.

И тут наконец Софи видит то, что было скрыто от ее глаз.

На низком расписном алтаре в центре круга лежит мужчина. Он обнажен, лежит на спине, на лице черная маска. Но Софи тут же узнает его по родимому пятну на плече. Она едва сдерживает возглас: *Grand-père!* Одного этого зрелища было достаточно, чтобы шокировать Софи сверх всякой меры. Но то был еще не конец.

Деда оседлала голая женщина в белой маске, роскошные серебристые волосы разметались по спине. Тело плотное, далеко от совершенства, и она ритмично, в такт заклинаниям, вращала задом. Занималась любовью с ее дедом!..

Софи хотелось отвернуться и бежать куда глаза глядят, но она не могла. Казалось, каменные своды подвала давят на нее, прижимают к земле, не позволяют шевельнуться. Ритм заклинаний все ускорялся, казалось, участников сотрясает лихорадка. Голоса звучали визгливо, истерически. И вдруг послышался уже совсем невыносимый пронзительный вой, все помещение взорвалось этим криком. Софи было трудно дышать. Только сейчас она заметила, что плачет. Она отвернулась и стала медленно подниматься по ступенькам. А потом выбежала из дома, бросилась в машину и, вся дрожа, помчалась в Париж.

ГЛАВА 75

од бортом чартерного самолета проплывали мерцающие в темноте огоньки Монако, когда епископ Арингароса отключил мобильный после второго за день разговора с Фашем. Потянулся было к сумке, где лежали леденцы от морской болезни, но вдруг ощутил такую слабость, что руки безвольно опустились на колени.

Пусть будет что будет!

Последние новости от Фаша оказались неутешительными, мало того, они окончательно запутывали ситуацию, по мнению Арингаросы. *Что происходит?* Похоже, все вышло из-под контроля. *Во что я втянул Сайласа? Во что вляпался сам?..*

Арингароса медленно побрел к кабине пилота, ноги дрожали и подгибались.

— Мне нужно срочно изменить курс.

Пилот взглянул на него через плечо и рассмеялся:

— Вы, должно быть, шутите, сэр?

— Нет, не шучу. Мне срочно нужно в Лондон.

— Отец, это же чартерный рейс! Не такси.

— Я заплачу. Сколько вы хотите? Лондон лишь в часе лета отсюда, да и курс вам придется менять не слишком кардинально, поэтому...

— При чем здесь деньги! И потом, отец, на борту есть и другие пассажиры.

— Десять тысяч евро. Прямо сейчас.

Пилот обернулся и удивленно уставился на епископа:

— Сколько? Да с каких это пор у священников водятся такие деньги?

Арингароса вернулся к своему креслу, открыл черный портфель, достал пачку облигаций. Снова пошел к кабине и протянул пилоту.

— Что это? — спросил тот.

— Облигации Банка Ватикана на предъявителя. Здесь на десять тысяч евро.

Пилот смотрел с сомнением.

— Это то же самое, что наличные.

— Наличные, они и есть наличные. — И пилот решительно протянул пачку обратно.

Арингароса ощутил такую слабость, что едва не осел на пол.

— Это вопрос жизни и смерти, — прошептал он. — Вы должны помочь мне. Мне срочно необходимо в Лондон.

Тут пилот заметил толстое золотое кольцо у него на пальце.

— Что, настоящие бриллианты?

— С ним я никак не могу расстаться, — пробормотал Арингароса.

Пилот пожал плечами, отвернулся и уставился на приборную доску.

Арингароса не сводил глаз с любимого кольца, сердце у него разрывалось. Он, того и гляди, потеряет все, что с ним связано. После продолжительной паузы он медленно стянул кольцо с пальца и положил на приборную доску перед пилотом.

Затем вышел из кабины и вернулся на свое место. Секунд через пятнадцать он почувствовал, как пилот свернул на несколько градусов к северу.

Но даже это не обрадовало Арингаросу.

А ведь как все начиналось, просто замечательно! Изумительно, изящно разработанный план. И теперь он разваливается, точно карточный домик... и конца этому не видно.

ГЛАВА 76

энгдон видел, как потрясли Софи воспоминания о ритуале в доме деда. Сам же он не переставал удивляться тому, что Софи довелось стать свидетельницей Хиерос гамос, причем не только полного ритуала, но и участия в нем Жака Соньера... Великого мастера Приората Сиона. Компания у него была просто блистательная. *Да Винчи, Боттичелли, Исаак Ньютон, Виктор Гюго, Жан Кокто...*

— Просто не знаю, что вам сказать, — тихо заметил Лэнгдон.

В зеленых глазах Софи блестели слезы.

— Он воспитывал меня как родную дочь.

Только теперь Лэнгдон заметил в ней перемену. Это было видно по глазам. Выражение отсутствующее, она словно ушла в себя. Прежде Софи Невё проклинала своего деда. И только теперь увидела ситуацию в совершенно другом свете.

За стеклом иллюминатора быстро светлело, на горизонте появилась малиново-красная полоска. А земля под ними была по-прежнему погружена во тьму.

— Надо бы подкрепиться, дорогие мои! — В салон вошел Тибинг и, весело улыбаясь, поставил на стол несколько банок колы и коробку крекеров. Затем извинился за столь скудное угощение: просто давно не пополнял припасов на борту. — Наш друг монах все еще отказывается говорить, — добавил он. — Но ничего, ему надо дать время. — Он откусил от крекера большой кусок и уставился на листок со стихотворением. — Итак, милые мои, есть ли идеи? — Он поднял глаза на Софи. — Что пытался сказать этим ваш дедушка? Где, черт побери, надгробный камень, которому поклонялись тамплиеры?

Софи лишь молча покачала головой.

Тибинг снова занялся стихотворением, а Лэнгдон вскрыл банку с колой и отвернулся к иллюминатору. *Надгробье тамплиеров — это ключ.* Он отпил глоток из жестяной банки. *Надгробие, которому поклонялись тамплиеры.* Кола оказалась теплой.

Ночь быстро сдавала позиции, за стеклом становилось все светлее, и Лэнгдон, наблюдавший за этими превращениями, вдруг увидел внизу поблескивающую морскую гладь. *Ла-Манш.* Теперь уже скоро.

Видимо, Лэнгдон в глубине души надеялся, что озарение придет к нему с рассветом, но этого не произошло. Чем светлее становилось за стеклом иллюминатора, тем призрачнее становилась истина. В ушах звучали строки, написанные пятистопным ямбом, заклинания Хиерос гамос и других священных ритуалов, рев самолета.

Надгробие, которому поклонялись тамплиеры.

Самолет летел совсем низко, когда Лэнгдона вдруг осенило. Он со стуком поставил на стол пустую жестянку от колы.

— Вы мне не поверите, — начал он и обернулся к Тибингу и Софи. — Мне кажется, я знаю... про надгробие тамплиеров.

Глаза у Тибинга стали как блюдца.

— Вы знаете, где надгробие?

Лэнгдон улыбнулся:

— Не *где.* Я наконец понял, *что это.*

Софи всем телом подалась вперед.

— Мне кажется, слово «headstone», «надгробие», здесь следует понимать в его прямом изначальном смысле. «Stone head» — «каменная голова», — объяснил Лэнгдон. — И никакое это не надгробие.

— Что за каменная голова? — спросил Тибинг.

Софи тоже была удивлена.

— Во времена инквизиции, Лью, — начал Лэнгдон, — Церковь обвиняла рыцарей-тамплиеров во всех смертных грехах, правильно?

— Да, это так. Священники не уставали фабриковать против них обвинения. В содомии, в том, что они якобы мочились на крест, в поклонении дьяволу — список весьма пространный.

— И в этом списке значилось также идолопоклонничество, верно? Церковь обвиняла тамплиеров в том, что они тайно со-

вершают ритуалы, молятся перед вырезанной из камня головой... символизирующей языческого бога...

— Бафомет! — возбужденно перебил его Тибинг. — О Господи, Роберт, ну конечно же, вы правы! Это и есть камень, которому поклонялись тамплиеры!

Тут Лэнгдон быстро объяснил Софи, что Бафомет был языческим богом плодородия. Считалось, что он наделен невиданной
мужской силой. Бафомета часто изображали в виде головы барана или козла — общепринятых символов плодовитости. Тамплиеры почитали Бафомета, вставали в круг, в центре которого
находилась каменная голова, и хором читали молитвы.

— Бафомет! — радостно рассмеялся Тибинг. — Церемония
была призвана восславить магию сексуального единения, дающего новую жизнь, но папа Климент был убежден, что Бафомет —
это на самом деле голова дьявола. Каменная голова использова-
лась им в качестве главной улики в деле тамплиеров.

Лэнгдон кивнул. Современные верования в *рогатого* дьявола,
или же сатану, уходили корнями к Бафомету и попыткам Церкви представить этого рогатого бога плодородия символом дьявола. И Церковь в этом преуспела, но лишь частично. На традици-
онных американских открытках к Дню благодарения до сих пор
изображают рога — языческий символ плодородия. «Рог изобилия» также был данью Бафомету и возник во времена поклонения Зевсу, который был вскормлен козьим молоком. Рог у козы
отломился и волшебным образом наполнился различными пло-
дами. Бафомет часто появлялся на групповых снимках: какой-
нибудь шутник поднимал над головой друга два пальца в виде
буквы «V», символа рогов. Лишь немногие из шутников догады-
вались о том, что этот жест на деле демонстрирует мужскую силу жертвы насмешек.

— Да, да! — возбужденно твердил Тибинг. — Должно быть, в
стихах речь идет именно о Бафомете. Это и есть тот камень, которому поклонялись тамплиеры.

— Хорошо, — кивнула Софи. — Но если Бафомет и есть тот камень, которому поклонялись тамплиеры, то тут у нас возникает новая проблема. — Она указала на диски криптекса. — В слове «Бафомет» семь букв. А ключевое слово может состоять только из пяти.

Тибинг улыбнулся во весь рот:

— Вот тут-то, моя дорогая, нам и пригодится код этбаш.

ГЛАВА 77

энгдон был потрясен. Сэр Тибинг только что закончил писать по памяти древнееврейский алфавит из двадцати двух букв, или alef-beit, как назывался он в оригинале. Ученый предпочел использовать латинский шрифт вместо букв на иврите, но это не помешало ему прочесть алфавит с безупречным произношением.

A B G D H V Z Ch T Y K L M N S O P Tz Q R Sh Th

— «Алеф, Бет, Гимель, Далет, Хей, Вав, Заин, Хэт, Тэт, Йод, Каф, Ламед, Мэм, Нун, Самех, Аин, Пэй, Цади, Коф, Рейш, Шин и Тав». — Тибинг театрально приподнял бровь и продолжил: — В традиционном написании на древнееврейском гласные не присутствовали. Стало быть, если записать слово «Бафомет» с использованием этого алфавита, мы потеряем три гласные. И у нас получится...

— Пять букв! — выпалила Софи.

Тибинг кивнул и снова принялся писать.

— Ну вот, так пишется слово «Бафомет» на иврите. Я все же вписал маленькими буквами гласные, чтобы было понятнее.

B a P V o M e Th

Разумеется, следует помнить, — добавил он, — что на иврите слова пишутся слева направо, но нам будет проще применить этбаш именно так. Ну и последний этап. Мы должны создать схему замен, переписав алфавит в обратном порядке.

— Есть и более простой способ, — сказала Софи и взяла у Тибинга ручку. — Пригоден для всех типов шифров зеркальной замены, в том числе и для кода этбаш. Маленький фокус, которому меня научили в колледже Холлоуэй. — И Софи переписала первую половину алфавита слева направо, а затем под ним написала и вторую половину, только на этот раз справа налево. — Шифровальщики называют его складным. Так гораздо проще и понятнее.

A	B	G	D	H	V	Z	Ch	T	Y	K
Th	Sh	R	Q	Tz	P	O	S	N	M	L

Тибинг полюбовался ее работой и одобрительно хмыкнул:
— Вы правы. Приятно видеть, что ребята из колледжа Холлоуэй не тратят времени даром.

Глядя на табличку, созданную Софи, Лэнгдон ощутил возбуждение и восторг одновременно. Очевидно, те же самые чувства испытали ученые, впервые применившие код этбаш для расшифровки знаменитой «тайны Шешача». На протяжении многих десятилетий ученых смущали библейские ссылки на город под названием Шешач. Ни на картах, ни в других документах город этот ни разу не фигурировал, а в Библии, в Книге пророка Иеремии, упоминался неоднократно — царь Шешача, город Шешач, народ Шешача. И вот наконец какой-то ученый додумался применить к этому слову код этбаш и получил поразительный результат. Выяснилось, что Шешач на деле был кодовым словом, обозначавшим другой, весьма известный город. Процесс дешифровки был прост.

«Шешач» (Sheshach) пишется на иврите как Sh-Sh-K.
«Sh-Sh-K» по матрице замещения превращалось в «B-B-L».
Это сокращение писалось на иврите как «Babel». Или искаженное от «Вавилон».

И вот таинственный город Шешач превратился в Вавилон, и это стало поводом для лихорадочного переосмысления библейских текстов. В течение нескольких недель с помощью того же кода этбаш ученые обнаружили в Ветхом Завете мириады потайных значений, которые долго оставались скрытыми от их глаз.

— Вот это уже ближе к делу, — прошептал Лэнгдон, не в силах скрыть волнения.

— Мы в каких-то дюймах от разгадки, Роберт, — сказал Тибинг. Потом покосился на Софи и улыбнулся. — Вы готовы?

Она кивнула.

— Ладно. Стало быть, напишем «Бафомет» на иврите без гласных. И получится у нас следующее: B-P-V-M-Th. А теперь с помощью вашей матрицы попробуем превратить его в пятибуквенное слово.

Лэнгдон чувствовал, как бешено бьется у него сердце. *B-P-V-M-Th.* Через стекла иллюминаторов врывались солнечные лучи. Он взглянул на матрицу, составленную Софи, и начал медленно подбирать буквы. *B — это Sh... P — это V...*

Тибинг улыбался во весь рот.

— Применяем код этбаш, и получается у нас... — Тут он вдруг умолк. Лицо побелело. — Господи Боже!

Лэнгдон резко поднял голову.

— Что такое? — встревожилась Софи.

— Вы не поверите... — тихо пробормотал Тибинг. — Особенно вы, дорогая.

— О чем это вы?

— Нет, это просто гениально, — прошептал он. — Просто гениально! — И с этими словами Тибинг схватил листок бумаги и снова начал что-то писать. — Так, будьте любезны туш! Вот вам ваше ключевое слово. — И он придвинул к ним листок бумаги.

Sh-V-P-Y-A

Софи нахмурилась:

— Что это?

Лэнгдон тоже не понимал.

У Тибинга от волнения дрожал голос:

— Это, друзья мои, древнее слово, означающее «мудрость».

Лэнгдон внимательнее присмотрелся к буквам. *Мир древний мудрый свиток открывает.* И он тут же все понял. Он никак такого не ожидал.

— Ну конечно же! — Древнее слово, означающее «мудрость»!

Тибинг рассмеялся:

— Причем в самом буквальном смысле!

Софи посмотрела на буквы, затем перевела взгляд на диски. И мгновенно поняла, что Лэнгдон с Тибингом допустили серьезную промашку.

— Погодите! Это никак не может быть ключевым словом! — возразила она. — На диске криптекса отсутствует буква «Sh». Здесь использован традиционный латинский алфавит.

— Да вы прочтите само слово, — настаивал Лэнгдон. — И не забудьте при этом двух деталей. На иврите символ, обозначающий букву «Sh», также произносится как «эс», в зависимости от ударения. А буква «P» произносится как «эф».

S V F Y A?

Софи окончательно растерялась.

— Гениально! — снова воскликнул Тибинг. — Буква «Vav» из алфавита часто замещает гласный звук «О»!

Софи снова взглянула на загадочные буквы, стараясь выстроить их в должном порядке.

— С...о...ф...и...а...

Только тут она услышала звук собственного голоса и сначала не поверила тому, что произнесла.

— София? Так это можно прочесть как «София»? «Софья»?..

Лэнгдон радостно закивал:

— Да! Именно! И «София» на древнегреческом означает «мудрость». Корень вашего имени, Софи, можно перевести как «слово мудрости».

Внезапно Софи почувствовала, как истосковалась по деду. *Он зашифровал краеугольный камень Приората с помощью моего имени!* В горле ее стоял ком. Все так просто и совершенно. Однако, взглянув на диски криптекса, она поняла, что проблема не разрешена.

— Но подождите... в латинском написании слова «Sophia» не пять, а шесть букв!

Улыбка не исчезла с лица Тибинга.

— Взгляните еще раз на эти стихи. Не случайно ваш дед употребил там слово «древний».

— И что с того?

Тибинг игриво подмигнул ей:

— По-древнегречески слово «мудрость» писалось как «S-O-F-I-A».

ГЛАВА 78

щущая прилив радостного возбуждения, Софи взяла криптекс и начала поворачивать диски с буквами. *Мир древний мудрый свиток открывает.* Лэнгдон с Тибингом, затаив дыхание, наблюдали за ее действиями.

S... O... F...

— Осторожнее! — взмолился Тибинг. — Умоляю вас, дитя мое, действуйте осторожнее!

...I... A.

Софи закончила поворачивать последний диск. Все нужные буквы выстроились в одну линию.

— Ну вот, вроде бы все, — шепнула она и посмотрела на своих спутников. — Можно открывать.

— Помните об уксусе, — нарочито драматическим шепотом предупредил ее Лэнгдон. — Осторожнее.

Софи понимала, что если криптекс сработан по тому же принципу, что и те, с которыми она играла в детстве, открыть его можно очень просто, держа руками за оба конца и легонько потянув. Если диски подогнаны в соответствии с ключевым словом, один конец просто соскользнет, как колпачок, прикрывающий линзы, и тогда она сможет выудить из цилиндра свернутый в рулон листок папируса, обернутый вокруг крохотного сосуда с уксусом. Однако если ключевое слово угадано неверно, то давление, применяемое Софи на концы цилиндра, приведет в действие рычажок на пружинке. Он опустится вниз и надавит на хрупкий стеклянный сосуд, отчего тот разобьется, если потянуть с силой.

Не жми, тяни осторожно, напомнила она себе.

Тибинг с Лэнгдоном не отводили глаз от рук Софи. Вот она взялась за концы цилиндра. Вот начала тянуть. Они долго ломали головы над разгадкой ключевого слова, и Софи уже почти забыла, что' им предстоит найти внутри. *Краеугольный камень Приората.* Если верить Тибингу, он представлял собой карту с указанием местонахождения Грааля, объяснял, что такое надгробный камень Марии Магдалины и сокровище Сангрил...

Ухватившись за концы цилиндра, Софи еще раз убедилась, что все буквы выстроились правильно, в одну линию. А затем осторожно и медленно потянула. Ничего не происходило. Тогда она потянула чуть сильнее. Внезапно что-то щелкнуло, и каменный цилиндр раздвинулся, как телескоп. В руке у нее осталась половинка. Лэнгдон с Тибингом возбужденно вскочили. Сердце у Софи колотилось как бешеное. Она положила крышку на стол и заглянула в образовавшееся отверстие.

Свиток!

Всмотревшись попристальнее, Софи увидела, что тонкая бумага обернута вокруг какого-то предмета цилиндрической формы. *Пузырек с уксусом,* подумала она. Странно, но бумага, в которую он был завернут, не походила на папирус. Скорее, на тонкий пергамент. *Очень странно, ведь уксус не способен растворить пергамент из телячьей кожи, пусть даже очень тонкий.* Она снова заглянула внутрь и только теперь поняла, что никакого пузырька с уксусом там нет. То был совершенно другой предмет. А вот какой — непонятно.

— Что случилось? — спросил Тибинг. — Может, все-таки достанете свиток?

Хмурясь, Софи ухватила пергамент кончиками пальцев и вытянула его вместе с предметом, который был в него завернут.

— Это не папирус, — сказал Тибинг. — Слишком уж тяжелый и плотный.

— Да, знаю. Это телячья кожа.

— А это что за штука? Пузырек с уксусом?

— Нет. — Софи развернула пергаментный свиток и достала загадочный предмет. — Вот смотрите...

Лэнгдон увидел, что находилось в пергаменте, и пал духом.

— Господи, помоги, — пробормотал Тибинг. — Ваш уважаемый дедушка был безжалостным шутником.

Лэнгдон изумленно взирал на стол. *Да, Жак Соньер не собирался облегчать им задачу.*

На столе лежал второй криптекс. По размерам меньше первого. Сделан из черного оникса. Именно он находился внутри первого криптекса. Соньер явно испытывал пристрастие к дуализму. *Два криптекса. Все попарно. Мужчина — женщина. Черное внутри белого.* Целый букет символов. *Белое дает рождение черному.*

Каждый мужчина появляется на свет от женщины.

Белое — женщина.

Черное — мужчина.

Лэнгдон протянул руку и взял со стола маленький криптекс. Выглядел он практически так же, как и первый, за исключением размера и цвета. И внутри что-то булькало. Очевидно, пузырек с уксусом находился именно в маленьком криптексе.

— Ну, Роберт, — заметил Тибинг и придвинул к Лэнгдону кусок пергамента, — думаю, вы будете рады узнать, что мы продвигаемся в верном направлении.

Лэнгдон осмотрел кусок телячьей кожи. На нем витиеватым почерком было выведено еще одно четверостишие. И снова пятистопным ямбом. Очевидно, и этот текст представлял собой шифровку. Но Лэнгдону было достаточно одного взгляда на первую строчку, чтобы убедиться: решение Тибинга лететь в Британию было правильным.

ЛОНДОН, ТАМ РЫЦАРЬ ЛЕЖИТ, ПОХОРОНЕННЫЙ ПАПОЙ.

Из остальных строк стихотворения становилось ясно, что ключ ко второму криптексу может быть найден лишь тогда, когда они посетят могилу этого самого рыцаря в Лондоне.

Лэнгдон с надеждой взглянул на Тибинга:

— Вы имеете хоть малейшее представление, о каком рыцаре идет речь?

— Ни малейшего, — с усмешкой ответил Тибинг. — Зато я точно знаю, где искать его склеп.

Тем временем на земле, в пятнадцати милях от них, шесть полицейских автомобилей мчались по промокшей от дождя дороге к аэропорту Биггин-Хилл в Кенте.

ГЛАВА 79

ейтенант Колле достал из холодильника Тибинга бутылочку перье, отпил глоток и вышел из кухни в коридор. Вместо того чтобы лететь вместе с Фашем в Лондон, где должны были развернуться главные события, он был вынужден сидеть и надзирать за экспертами технической службы, которые наводнили Шато Виллет.

Пока добытые ими вещественные улики ситуацию не проясняли: пуля, застрявшая в деревянном полу; клочок бумаги с какими-то непонятными символами и словами «клинок» и «сосуд»; а также утыканный шипами ремешок, весь в крови. Эксперт объяснил Колле, что эта находка, возможно, указывает на участие в событиях члена консервативной католической группы под названием «Опус Деи». Совсем недавно в одной телевизионной программе разоблачалась их неблаговидная деятельность в Париже, связанная с вербовкой новых братьев.

Колле вздохнул. *Хорошо, что хоть с этой непонятной штуковиной нам разбираться не придется.*

Пройдя через просторный холл, он вошел в огромный бальный зал, где хозяин дома устроил себе кабинет. Там глава экспертной службы напылял на предполагаемых местах отпечатков пальцев специальный состав. Это был добродушного вида толстяк в подтяжках.

— Ну, есть что-нибудь? — осведомился Колле.

Толстяк покачал головой:

— Ничего нового. Отпечатков много, но все соответствуют тем, что найдены в других помещениях дома.

— Ну а те, что на ремешке с шипами?

— Над ними работает Интерпол. Я передал им все, что мы нашли.

Колле указал на два запечатанных пластиковых пакета на столе:

— А здесь что?

Мужчина пожал плечами:

— Да это я так, по привычке. Собираю все, что покажется странным.

Колле подошел к столу. *Странным?*

— Этот англичанин — необычный тип, — ответил эксперт. — Вот посмотрите. — Он порылся в одном из пакетов и протянул Колле снимок.

На снимке был запечатлен главный вход в католический кафедральный собор. Вполне традиционная архитектура, ряд постепенно сужающихся арок вел к маленькой двери в глубине.

— Ну и что тут особенного? — спросил Колле.

— Да вы переверните.

На обратной стороне снимка были записи на английском. И говорилось здесь о том, что продолговатый неф старинного собора символизировал собой чрево женщины. И что это была дань древним языческим верованиям. Да, действительно странная приписка.

— Погодите-ка! Так он считает, что вход в собор как бы символизировал собой женскую...

Эксперт кивнул:

— Да. Все уменьшающиеся своды — это как бы губы влагалища, а нависающие над входом складки — это клитор. — Он вздохнул. — Знаете, сразу захотелось зайти в церковь.

Колле взял второй пакет. Через пластик просвечивал большой глянцевый снимок какого-то старого документа. Заголовок вверху гласил:

«Les Dossiers Secrets — Number 4° lm^1 249».

— А это что? — спросил Колле.

— Понятия не имею. Тут повсюду были разбросаны копии этого документа, вот я и взял одну.

Колле принялся изучать документ.

ПРИОРАТ СИОНА — НАСТОЯТЕЛИ
ВЕЛИКИЕ МАСТЕРА

ЖАН ДЕ ГИЗОР	1188–1220
МАРИ ДЕ СЕН-КЛЕР	1220–1266
ГИЙОМ ДЕ ГИЗОР	1266–1307
ЭДУАРД ДЕ БАР	1307–1336
ЖАННА ДЕ БАР	1336–1351
ЖАН ДЕ СЕН-КЛЕР	1351–1366
БЛАНШ Д'ЭВРЁ	1366–1398
НИКОЛА ФЛАМЕЛЬ	1398–1418
РЕНЕ Д'АНЖУ	1418–1480
ИОЛАНДА ДЕ БАР	1480–1483
САНДРО БОТТИЧЕЛЛИ	1483–1510
ЛЕОНАРДО ДА ВИНЧИ	1510–1519
КОННЕТАБЛЬ ДЕ БУРБОН	1519–1527
ФЕРДИНАНД ДЕ ГОНСАКЕ	1527–1575
ЛУИ ДЕ НЕВЕР	1575–1595
РОБЕРТ ФЛАДД	1595–1637
ДЖ. ВАЛЕНТИН АНДРЕА	1637–1654
РОБЕРТ БОЙЛЬ	1654–1691
ИСААК НЬЮТОН	1691–1727
ЧАРЛЬЗ РЭДКЛИФ	1727–1746
КАРЛ ЛОТАРИНГСКИЙ	1746–1780
МАКСИМИЛЬЯН ЛОТАРИНГСКИЙ	1780–1801
ШАРЛЬ НОДЬЕ	1801–1844
ВИКТОР ГЮГО	1844–1885
КЛОД ДЕБЮССИ	1885–1918
ЖАН КОКТО	1918–1963

Приорат Сиона? Колле задумался.

— Лейтенант? — В комнату заглянул один из агентов. — Тут звонят капитану Фашу, говорят, очень срочно. Никак не могут с ним связаться. Может, вы подойдете?

Колле вернулся на кухню и взял телефонную трубку.

Это был Андре Верне.

Даже изысканный акцент не помогал скрыть возбуждения, звучавшего в голосе банкира.

— Капитан Фаш обещал перезвонить мне, но так до сих пор этого и не сделал!

— Капитан очень занят, — сказал Колле. — Чем могу помочь?

— Я полагал, меня будут держать в курсе событий.

На секунду Колле показалось, что он уже где-то слышал этот голос, но никак не удавалось вспомнить, где именно.

— Месье Верне, временно я возглавляю расследование в Париже. Позвольте представиться, лейтенант Колле.

На противоположном конце провода повисла долгая пауза.

— Простите, лейтенант, но мне поступил срочный звонок. Извините за беспокойство. Перезвоню вам позже. — И мужчина повесил трубку.

А Колле так и замер с трубкой в руке. Его внезапно осенило. *Теперь я точно знаю, где слышал этот голос!* Он даже тихо ахнул.

Водитель бронированного фургона.

С поддельными часами «Ролекс» на руке.

Только теперь Колле понял, почему банкир так быстро повесил трубку. Верне, конечно, запомнил имя остановившего его на выезде офицера. Офицера, которому он так бесстыдно лгал.

Что же делать? События развивались самым непредсказуемым образом. *Верне тоже замешан в этом деле.* Колле понимал, что следует позвонить Фашу. Наконец-то представился случай оправдаться за все сегодняшние промахи.

Он незамедлительно связался с Интерполом и запросил всю информацию, что имелась у них по Депозитарному банку Цюриха и его президенту Андре Верне.

ГЛАВА 80

ристегните ремни, пожалуйста, — объявил пилот Тибинга, как только «Хокер-731» начал снижаться в серой облачной дымке. — Мы приземляемся через пять минут.

Увидев внизу затянутые туманной дымкой холмы Кента, Тибинг почувствовал облегчение и радость. Наконец-то он дома! Англия находилась всего в часе лета от Парижа и все равно казалась оттуда далекой. Утро выдалось сырое, даже дождливое, вокруг ярко, по-весеннему, зеленела трава. *С Францией покончено раз и навсегда. Я возвращаюсь в Англию с победой. Краеугольный камень найден!* Нет, конечно, оставался еще главный вопрос: *куда* приведет их этот камень? *Тайник в Соединенном Королевстве.* В этом Тибинг не сомневался. Где именно, он пока не знал, но уже предвкушал славу первооткрывателя.

Он поднялся из-за стола, где сидели Софи с Лэнгдоном, отошел в дальнюю часть салона и, сдвинув деревянную панель, открыл искусно замаскированный сейф. Набрал комбинацию из нескольких цифр, открыл сейф и достал из него два паспорта.

— Мои с Реми документы, — объяснил он, а затем вытащил толстую пачку пятидесятифунтовых купюр. — А это документы для вас, мои дорогие.

Софи поморщилась:

— Взятка?

— Нет, творческий подход к дипломатии. Маленькая хитрость. Здесь, в провинции, все проще. Офицер таможенного контроля встретит нас у моего ангара и попросит поставить самолет, а затем предъявить документы. А я ему скажу, что путешествую с одной французской знаменитостью, но эта дама предпочитает, чтобы никто не знал о ее визите в Англию, ну, прежде всего пресса. А потом предложу любезному офицеру эти щедрые чаевые, в знак признательности за молчание.

Его слова позабавили Лэнгдона.

— И он примет деньги?

— Так ведь не от кого-нибудь. От постороннего человека он бы никогда не взял. А меня все здесь знают. Я ведь не какой-нибудь там торговец оружием, упаси Господи! Я был посвящен в рыцари. — Тибинг улыбнулся. — Должны же быть хоть какие-то привилегии у рыцарей.

К ним с пистолетом в руке приблизился по проходу Реми.

— Мои действия, сэр?

Тибинг взглянул на слугу:

— Я бы хотел, чтобы вы остались на борту с нашим гостем. До тех пор пока мы за вами не вернемся. Нельзя же тащить его связанным по рукам и ногам через весь Лондон.

Софи забеспокоилась:

— Послушайте, Лью, а что, если французская полиция обнаружит ваш самолет до того, как мы за ними вернемся?

Тибинг расхохотался:

— Можете представить их изумление, когда они найдут здесь Реми!

Софи была удивлена столь легкомысленным подходом.

— Но, Лью, мы же переправили через государственную границу заложника. Это серьезно.

— Мои адвокаты тоже серьезные люди. — Тибинг махнул рукой в сторону хвостового отсека. — Это животное ворвалось в мой дом, едва меня не убило. Вот факты, и Реми с удовольствием их подтвердит.

— Но ведь вы связали его и силой увезли в Лондон! — возразил Лэнгдон.

Тибинг поднял правую руку с таким торжественным видом, точно находился в суде и давал клятву на Библии:

— Ваша честь, простите старого эксцентричного и глупого рыцаря! Он поистине не ведал, что творил. Простите за предубеждение в пользу британской системы правосудия. Теперь я понимаю, мне следовало сдать разбойника французским властям. Но я, видите ли, сноб и не слишком доверяю этим легкомысленным французишкам, не верю, что они способны вершить правосудие справедливо. Этот человек едва меня не убил. Да, я поступил опрометчиво, заставил слугу помочь мне переправить этого типа в Лондон, но в тот момент я находился в стрессовом состоянии. Виноват. Кругом виноват.

Лэнгдон изумленно взирал на своего старого друга:

— А знаете, Лью, они вполне могут это скушать.

— Сэр! — окликнул Тибинга пилот. — Я только что получил сообщение с башни. У них там возникли какие-то технические трудности, и они просят посадить самолет не возле ангара, а на главную полосу, прямо у терминала.

Тибинг летал в Биггин-Хилл на протяжении десяти лет, но ничего подобного прежде не случалось.

— А они объяснили, в чем проблема?

— Нет. Диспетчер выразился как-то туманно. Что-то связанное с утечкой газа у насосной станции. Меня просили припарковаться прямо перед терминалом и передать вам, чтобы все оставались на борту. Просто в целях безопасности. Нам не разрешают выходить из самолета до тех пор, пока не получим добро от местных властей.

Тибингу это не понравилось. *Какая еще, к чертовой матери, утечка?* Насосная станция находилась примерно в полумиле от его ангара.

Реми тоже встревожился:

— Что-то здесь не так, сэр, точно вам говорю.

Тибинг обернулся к Софи и Лэнгдону:

— Вот что, друзья мои. У меня возникло подозрение, что нас там уже кое-кто встречает.

Лэнгдон обреченно вздохнул:

— Это Фаш. Продолжает охотиться на меня. До сих пор считает преступником.

— Или так, — заметила Софи, — или же он просто слишком далеко зашел, чтобы признать свою ошибку.

Но Тибинг не слушал их. Следовало принять какое-то решение, и чем быстрее, тем лучше. *И нельзя забывать о главной цели. Грааль. Мы совсем близко.* Под полом послышался стук, это самолет выпустил шасси.

— Вот что, Лью, — сказал Лэнгдон. — Я сам сдамся властям, постараюсь уладить все законным путем. Не хочу втягивать вас.

— Господи, Роберт! — отмахнулся Тибинг. — Вы что, и вправду считаете, что они позволят всем остальным уйти? Ведь это я переправил вас через границу незаконно. Мисс Невё помогла вам бежать из Лувра, а в хвостовом отсеке самолета у нас находится заложник. Нет уж! Мы слишком крепко повязаны!

— Может, попробовать другой аэропорт? — предложила Софи.

Тибинг отрицательно покачал головой:

— Если сейчас сбежим, то, где бы ни запросили посадки, нас будет встречать целая танковая армия.

Софи понурилась.

Тибинг понимал: если у них и есть шанс по возможности оттянуть конфронтацию с британскими властями, что даст им время найти Грааль, то следует действовать решительно и быстро.

— Я на минуту, — сказал он и заковылял к кабине пилота.

— Что вы собираетесь делать? — спросил его Лэнгдон.

— Немного поторговаться, — ответил Тибинг. А сам подумал: интересно, сколько придется выложить пилоту, чтобы убедить его совершить один категорически запрещенный маневр?

ГЛАВА 81

окер» готовился зайти на посадку.

Саймон Эдвардс, офицер службы безопасности аэропорта Биггин-Хилл, нервно расхаживал по помещению башни, с тревогой поглядывая на блестящую от дождя посадочную полосу. Ему совсем не нравилось, что в субботнее утро его подняли с постели так рано. И еще меньше нравилось, что вскоре ему придется стать свидетелем ареста одного из самых выгодных клиентов аэропорта. Сэр Лью Тибинг платил не только за частный ангар, но и за посадку на территории аэропорта, а летал он часто. Обычно он заранее предупреждал диспетчерские службы о своих планах и строго следовал протоколу при посадке. Тибинг любил, когда все у него шло как по маслу. Построенный по заказу лимузин «ягуар» уже ждал его в ангаре, заправленный под завязку, помытый и отполированный до блеска, а на заднем сиденье лежал свеженький номер «Лондон таймс». Таможенники ждали самолет у входа в ангар, чтобы проверить документы на въезд и багаж, но то была чистая формальность. Как правило, они получали от Тибинга щедрые чаевые и были готовы закрыть глаза на запрещенный для перевозки груз: разные французские деликатесы, приправы и травы, какой-то необыкновенный зрелый рокфор, фрукты. Впрочем, если разобраться, многие таможенные запреты просто глупы, и если бы Биггин-Хилл не угождал своим постоянным клиентам, их легко могли переманить другие аэропорты. Здесь Тибинг получал все, что его душе угодно, а служащие Биггин-Хилл получали от него щедрое вознаграждение.

Эдвардс увидел заходящий на посадку самолет и заволновался еще больше. Слишком уж сэр Тибинг швырялся деньгами, наверное, именно с этим и связаны проблемы с французскими властями, они просто землю роют, чтобы заполучить его. Эдвардсу не говорили, в чем обвиняют его клиента, но он чувствовал: дело серьезное. По просьбе французских властей полиция Кента приказала диспетчерским службам посадить «хокер» Тибинга не как обычно перед ангаром, а на главную полосу и остановить перед входом в терминал. Пилот Тибинга согласился, очевидно, поверил в дурацкую легенду про утечку газа.

Хотя британские полицейские обычно не носят при себе оружия, ситуация потребовала вызова специально вооруженного отряда. И вот теперь в здании аэровокзала разместились восемь полицейских с пистолетами-автоматами. И ждали, когда затихнут моторы приземлившегося самолета. Как только это произойдет, сотрудник наземной службы должен подсунуть под колеса «хокера» специальные «башмаки», чтобы самолет не мог больше двигаться. И тогда в дело предстояло вступить полицейским. Их задача сводилась к тому, чтобы удерживать прибывших на месте до появления французской полиции.

«Хокер» летел уже совсем низко, едва не задевая верхушки деревьев. Саймон Эдвардс сбежал вниз, чтобы наблюдать за приземлением с площадки рядом с посадочной полосой. Полицейские тоже приготовились к встрече, а у дверей уже стоял наготове сотрудник с «башмаками». Вот «хокер», слегка задрав нос, коснулся полосы, из-под шасси взметнулись облачка белого дыма. И самолет помчался по гудронированному полотну, поблескивая белыми, мокрыми от дождя бортами. Но двигался он не к терминалу и тормозить тоже, по всей видимости, не собирался. Прокатил мимо здания аэровокзала и направился прямиком к находившемуся в отдалении ангару Тибинга.

Полицейские в недоумении уставились на Эдвардса.

— Вы вроде бы говорили, что пилот согласился подъехать к терминалу?!

— Да, согласился, — ответил вконец растерявшийся Эдвардс. Несколько секунд спустя Эдвардс оказался в полицейском автомобиле, который, набирая скорость, помчался к ангару. Кавалькада машин находилась ярдах в пятистах, когда «хокер» Тибинга спокойно подкатил к ангару и скрылся из виду. И вот наконец машины подъехали, резко затормозили у открытых дверей ангара, и из них высыпали полицейские с оружием на изготовку.

Эдвардс тоже выпрыгнул.

Шум стоял оглушительный.

Моторы «хокера» все еще ревели, пока пилот разворачивал его внутри ангара, носом к выходу, занимая позицию к будущему вылету. Наконец машина совершила поворот на 180 градусов и подкатила к выходу из ангара. Теперь Эдвардс видел лицо пилота. На нем застыло изумленное выражение — он никак не ожидал такого скопления полицейских автомобилей у входа.

Пилот остановил самолет, выключил моторы. В ангар вбежали полицейские и окружили «хокер». Эдвардс присоединился к инспектору полиции графства Кент, они вместе направились к двери фюзеляжа. Через несколько секунд дверь отворилась.

В ней показался Лью Тибинг, перед ним опустилась управляемая с помощью электронного устройства лестница. Опираясь на костыли, сэр Тибинг изумленно взирал на нацеленные на него автоматы, затем недоуменно поскреб в затылке.

— Как это понимать, Саймон? Я что, выиграл в лотерею для полицейских? — В голосе его не слышалось тревоги, только удивление.

Саймон Эдвардс шагнул вперед, сглотнул стоявший в горле ком.

— Доброе утро, сэр. У нас произошла утечка газа, и мы попросили вашего пилота сесть у терминала. Он согласился.

— Да, да, знаю. Но я приказал ему подъехать именно сюда. Просто я опаздываю к врачу. Я плачу за этот ангар и всякие глупости про утечку газа выслушивать не намерен.

— Боюсь, ваше приземление здесь оказалось для нас несколько неожиданным, сэр.

— Понимаю. Но я действительно опаздываю. Строго между нами, Саймон, от этих новых лекарств у меня началось недержание мочи. Вот я и прилетел, пусть врач посмотрит.

Полицейские обменялись взглядами. Саймон болезненно поморщился:

— И правильно поступили, сэр.

— Вот что, сэр. — Инспектор полиции шагнул вперед. — Вынужден просить вас оставаться на борту примерно в течение получаса.

Тибинг уже начал спускаться по ступенькам.

— Боюсь, это невозможно, — ответил он. — Мне назначено у врача. — Он ступил на землю. — Я не могу пропустить.

Инспектор сделал еще шаг вперед, преграждая Тибингу дорогу:

— Я здесь по просьбе судебной полиции Франции. Они обвиняют вас в укрывательстве и переброске через границу подозреваемых в серьезном преступлении.

Тибинг долго и пристально смотрел на инспектора, а потом громко расхохотался:

— Ну и шутки у вас, однако!

Инспектор не дрогнул.

— Я не шучу, сэр. Все это очень серьезно. Французская полиция также утверждает, что на борту у вас заложник.

Тут в дверях появился слуга Тибинга — Реми.

— Лично я чувствую себя заложником, работая на сэра Лью, но он постоянно твердит, что я могу уйти, когда захочу. — Реми взглянул на наручные часы. — Мы и правда опаздываем, хозяин. — Он кивком указал на «ягуар», стоявший в дальнем углу ангара. Огромный автомобиль цвета эбенового дерева с тонированными стеклами и белыми шинами. — Сейчас подам машину. — С этими словами Реми начал спускаться по лестнице.

— Извините, но я никак не могу позволить вам уехать, — сказал инспектор. — Пожалуйста, вернитесь обратно в самолет, оба. Представители французских властей скоро будут здесь.

Теперь Тибинг не сводил глаз с Саймона Эдвардса.

— Саймон, ради Бога, но это же просто смешно! У нас на борту нет посторонних. Только Реми, пилот и я. Возможно, вы станете посредником в этих переговорах? Можете подняться на борт и убедиться, что там никого нет.

Эдвардс понял, что попал в ловушку.

— Слушаюсь, сэр. Сейчас поднимусь и взгляну.

— Черта с два! — воскликнул инспектор полиции графства Кент. У него были все основания подозревать Саймона Эдвардса в личной заинтересованности. Наверняка он солжет, скажет, что на борту нет посторонних, лишь с одной целью: удержать выгодного для Биггин-Хилл клиента. — Я сам это сделаю.

Тибинг покачал головой:

— Не получится, инспектор. Самолет — это частная собственность, и я вправе потребовать у вас ордер на обыск. А пока не получили его, советую держаться подальше от моего самолета. Так что я предлагаю вполне разумное решение. Инспектировать самолет может мистер Эдвардс.

— Этого не будет!

Тут Тибинг заговорил уже совсем другим, ледяным тоном:

— Увы, инспектор, но у меня нет времени играть в дурацкие игры. Я опаздываю. И потому уезжаю немедленно. Если хотите меня остановить, можете открыть огонь. — Тибинг и Реми обошли инспектора полиции и направились к припаркованному в глубине ангара лимузину.

Инспектор полиции Кента тут же возненавидел Тибинга всеми фибрами души. Все они такие, богачи, ведут себя так, точно законы писаны не для них.

Не пройдет! Инспектор развернулся и прицелился в спину Тибинга.

— Стойте! Иначе стреляю!

— Валяйте! — бросил в ответ Тибинг, не остановившись и даже не обернувшись. — И тогда мои адвокаты сделают из ваших яичек фрикасе на завтрак. А если посмеете без ордера войти в мой самолет, туда же отправится и селезенка.

Но инспектор оказался крепким орешком. Формально Тибинг прав, полиции действительно необходим ордер на обыск частного самолета. Но поскольку борт вылетел из Франции и поскольку распоряжения эти отдал не кто иной, как всевластный Безу Фаш, инспектор полиции графства Кент был уверен, что карьера его будет складываться удачнее, если лично он обнаружит, кого прячет на борту Тибинг.

— Остановите их! — приказал он своим людям. — А я обыщу самолет.

Полицейские бросились с автоматами наперевес и оттеснили Тибинга и Реми от лимузина.

Тибинг обернулся:

— Последний раз предупреждаю, инспектор. Даже думать не смейте о том, чтоб войти в мой самолет. Вы очень об этом пожалеете.

Игнорируя эти угрозы, инспектор решительно зашагал к лестнице. Поднялся, заглянул в салон. Затем вошел. *Что за чертовщина?*

За исключением перепуганного пилота в кабине на борту не было ни единой живой души. Абсолютно никого. Инспектор быстро проверил туалет, хвостовой и багажный отсеки, даже под кресла не поленился заглянуть. Никого. Никто там не прятался.

О чем, черт побери, только думал этот Безу Фаш? Похоже, Лью Тибинг говорил правду.

Инспектор полиции графства Кент стоял в салоне и буквально кипел от злости. *Вот дерьмо!* Кровь бросилась ему в лицо. Сердитый и раздраженный сверх всякой меры, он выглянул из двери и увидел Лью Тибинга со слугой, которые стояли под прицелом возле лимузина.

— Пропустите их! — скомандовал инспектор. — Пусть едут. Произошла какая-то ошибка.

Тибинг метнул в его сторону злобный взгляд:

— Ждите звонка от моих адвокатов. А на будущее запомните: французской полиции нельзя доверять!

Реми распахнул перед Тибингом заднюю дверцу длиннющего лимузина, помог хозяину-калеке занять заднее сиденье. Затем прошел вдоль автомобиля, уселся за руль и включил мотор. Полицейские бросились врассыпную — «ягуар» вылетел из ангара на большой скорости.

— Прекрасно разыграно, просто как по нотам, — сказал Тибинг, когда машина, набирая скорость, помчалась к выезду из аэропорта. Потом обернулся и всмотрелся в тускло освещенное углубление под передним рядом сидений. — Как вам там, удобно, друзья мои?

Лэнгдон ответил кивком. Они с Софи, скорчившись, примостились на полу рядом со связанным альбиносом. Во рту у пленника был кляп.

Чуть раньше, когда «хокер» въехал в ангар, пилот заглушил двигатели, а Реми отворил дверцу и сбросил лестницу. Полицейские машины приближались с воем сирен, а Софи с Лэнгдоном вытащили связанного монаха и поволокли в дальний темный угол ангара, где спрятали за лимузином. Затем пилот вновь включил моторы и начал разворачиваться. Он успел завершить маневр как раз к тому моменту, когда в ангар ворвались полицейские.

Теперь же лимузин мчался к Кенту, и Лэнгдон с Софи перебрались на заднее сиденье, оставив монаха на полу. Они уселись напротив Тибинга. Англичанин одарил их лучезарной улыбкой и открыл бар, встроенный в спинку переднего сиденья.

— Чем вас угостить? Может, желаете выпить? Закуски? Чипсы? Орешки? Сельтерская?

Софи и Лэнгдон отказались.

Тибинг усмехнулся и закрыл бар.

— В таком случае вернемся к могиле несчастного рыцаря...

ГЛАВА 82

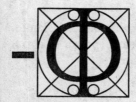

лит-стрит? — спросил Лэнгдон, не сводя с Тибинга глаз. *Покойник зарыт на Флит-стрит?* Пока Тибинг вроде бы не собирался высказывать соображений по поводу того, где находится «могила рыцаря», которая, если верить четверостишию, должна дать ключевое слово к открытию второго, маленького, криптекса.

Тибинг лукаво усмехнулся и обратился к Софи:

— Мисс Невё, позвольте этому парню из Гарварда еще раз взглянуть на стишок.

Софи порылась в кармане и достала черный криптекс, завернутый в кусок пергамента. Шкатулку палисандрового дерева и большой белый криптекс было решено оставить в самолете, в сейфе, а с собой взять только компактный и загадочный черный криптекс. Софи развернула пергамент и протянула его Лэнгдону.

На борту самолета Лэнгдон успел прочесть четверостишие несколько раз, но понять, где находится могила рыцаря, так и не удалось. И вот он снова начал медленно перечитывать строки в надежде, что теперь значение их разгадать будет проще.

Лондон, там рыцарь лежит, похороненный папой.
Гнев понтифика он на себя навлек.
Шар от могилы найди, Розы цветок.
На плодоносное чрево сие есть намек.

Вроде бы с первого взгляда все достаточно ясно. Есть некий рыцарь, похороненный в Лондоне. Рыцарь, сделавший нечто, повлекшее гнев Церкви. Рыцарь, на чьей могиле не хватает некоего шара. Шар должен присутствовать. Ну и последние строки, где упоминалось о Розе и плодоносном чреве, были прямой аллюзией с Марией Магдалиной — Розой, выносившей семя Христа.

Несмотря на достаточную прямолинейность содержания, Лэнгдон никак не мог понять, кто этот рыцарь и где он погребен. Более того, даже если они отыщут его надгробие, получится, что они искали недостающий на нем предмет. *«Шар от могилы найди...»*

— Какие будут соображения? — спросил Тибинг, и в голосе знаменитого историка Лэнгдон отметил некий оттенок превосходства, точно он знал то, что неведомо им. — Мисс Невё?..

Софи отрицательно покачала головой.

— Эх, что бы вы без меня делали! — сказал Тибинг. — Ладно, так и быть, поделюсь. Все очень просто. Первая строчка — это и есть ключ. Прочтите еще раз вслух, пожалуйста.

Лэнгдон прочитал:

— «Лондон, там рыцарь лежит, похороненный папой».

— Вот именно. Рыцарь, которого похоронил папа. — Он взглянул на Лэнгдона. — О чем это вам говорит?

Тот пожал плечами:

— Рыцарь, похороненный папой? Рыцарь, на похоронах которого присутствовал папа?

Тибинг громко расхохотался:

— О, это круто, как теперь принято говорить! Вы большой оптимист, Роберт. Взгляните на вторую строчку. Этот самый рыцарь, очевидно, сделал что-то такое, чем навлек на себя немилость Церкви. Подумайте еще раз хорошенько. Вспомните, как развивались отношения между Церковью и орденом тамплиеров. Рыцарь, которого похоронил папа?..

— Рыцарь, которого папа убил? — предположила Софи.

Тибинг улыбнулся и похлопал ее по колену:

— А вот это уже гораздо ближе к делу, дорогая. Рыцарь, *похороненный* папой. Или убитый им.

Лэнгдон вспомнил о трагической дате в истории тамплиеров, несчастливой пятнице 13-го числа 1307 года, когда папе Клименту удалось уничтожить тысячи рыцарей-тамплиеров.

— Но в таком случае могил рыцарей должно быть великое множество.

— А вот и нет! — воскликнул Тибинг. — Многие из них были сожжены на столбах, а затем тела несчастных без всяких церемоний сбрасывали в Тибр. Но в нашем стихотворении говорится о *могиле*. И могила эта в Лондоне. А в Лондоне похоронено всего несколько рыцарей. — Он замолчал и заглянул Лэнгдону прямо в глаза, словно надеялся, что тот за него продолжит. — Ну, Роберт, ради Бога! Церковь, построенная в Лондоне военным подразделением Приората! Церковь ордена тамплиеров!

— Церковь Темпла? — удивленно протянул Лэнгдон. — Но разве там есть склеп?

— С десяток самых мрачных могил, какие вам только доводилось видеть.

Лэнгдон никогда не бывал в Темпле, хотя и неоднократно сталкивался с упоминаниями об этой церкви, работая над историей Приората. Эта церковь, некогда являвшаяся в Соединенном Королевстве эпицентром всех активных действий Приората и тамплиеров, была названа Темплом в честь храма царя Соломона (Solomon's Temple). Отсюда же произошло и название рыцарского ордена, из-под развалин этого же храма им удалось извлечь документы Сангрил, дававшие власть над Римом. Существовало немало легенд о том, как в Темпле рыцари исполняли странные тайные ритуалы, ничуть не похожие на христианские.

— Так церковь Темпла находится на Флит-стрит?

— Да нет, довольно далеко от Флит-стрит. На Иннер-Темпл-лейн, — ответил Тибинг. Глаза его лукаво искрились. — Хотелось бы, чтоб вы попотели еще немного, прежде чем я расскажу.

— Спасибо.

— Кто-нибудь из вас хоть раз там бывал?

Софи и Лэнгдон ответили отрицательно.

— Что ж, я не удивлен, — сказал Тибинг. — Эту церковь найти не так-то просто, она прячется за более высокими домами. Лишь немногие знают, где она находится. Странное местечко, доложу я вам! Прямо мороз по коже. И архитектура типично языческая.

— Языческая? — удивилась Софи.

— Да это пантеон язычества! — воскликнул Тибинг. — Церковь *круглая*. При строительстве тамплиеры пренебрегли традиционной для христианства крестообразной формой и построили церковь в виде правильного круга. Это символизировало солнце.

И не где-нибудь там, в Риме, что было бы еще понятно! В самом центре Лондона!

Софи не сводила с Тибинга глаз.

— Ну а остальные строки стихотворения?

Тут энтузиазма у историка поубавилось.

— Не знаю, не уверен. Непонятно. Во всяком случае, нам прежде всего следует самым тщательным образом осмотреть каждую из десяти могил. Если повезет, на одной мы должны увидеть место, где прежде был шар.

Только теперь Лэнгдон почувствовал, как они близки к разгадке. Если отсутствующий шар подскажет им ключевое слово, они смогут открыть второй криптекс. Он не представлял, что же там внутри.

Лэнгдон снова взглянул на стихотворные строки. Напоминают кроссворд. *Слово из пяти букв, говорящее о Граале?..* На борту самолета они перепробовали немало слов и вариаций этих самых слов: «Граал», «Граль», «Мария», «Иисус», «Сарра», но цилиндр так и не открылся. *Нет, все они слишком очевидны.* Вероятно, существует какое-то иное слово из пяти букв, и связано оно с Розой и осемененным чревом. Сам факт, что загадка поставила в тупик такого специалиста, как Лью Тибинг, уже говорил о многом.

— Сэр Лью? — обратился к хозяину Реми. Он смотрел на них в зеркальце заднего вида. — Вы вроде бы говорили, что Флитстрит находится неподалеку от моста Блэкфрайарз?

— Да, поезжай по набережной Виктории.

— Извините. Но я не уверен, что знаю дорогу. Ведь мы обычно ездим только в больницу.

Тибинг выразительно закатил глаза и тихо проворчал:

— Нет, ей-богу, иногда я чувствую себя нянькой при малом ребенке. Прошу прощения. — С этими словами он оставил Софи и Лэнгдона и начал неуклюже пробираться к водительскому месту, чтобы поговорить с Реми через опущенную перегородку.

Софи обернулась к Лэнгдону и тихо заметила:

— А ведь никто не знает, что мы с вами в Англии, Роберт.

Лэнгдон понимал, что она права. Полиция Кента проинформирует Фаша, что в самолете беглецы не обнаружены, и тогда тот будет думать, что они остались во Франции. *Мы теперь невидимки.* Благодаря трюку, придуманному Тибингом, они получили самое драгоценное — время.

— Фаш так легко не сдастся, — продолжала меж тем Софи. — Слишком зациклился на вашем аресте.

Лэнгдон старался не думать о Фаше. Софи обещала сделать все, что в ее силах, чтобы доказать невиновность Лэнгдона, когда все это закончится. Но он уже начал опасаться, что дело совсем не в ложных обвинениях. *Фаш вполне может оказаться участником этого заговора.* И хотя Лэнгдон представить не мог, какая связь существует между судебной полицией Франции и поисками Грааля, он чувствовал: слишком много было сегодня совпадений, указывающих на личную заинтересованность и осведомленность Фаша. *Фаш очень религиозен. И он хочет повесить эти убийства на меня.* Но Софи спорила с Лэнгдоном, доказывая, что Фаш заинтересован лишь в его аресте. Ведь, в конце концов, против него немало улик. Мало того, что имя Лэнгдона было выцарапано на полу в Лувре, мало того, что о встрече с ним упоминалось в календаре Соньера. Выяснилось также, что Лэнгдон солгал о своей рукописи, а потом еще и ударился в бега. *Между прочим, по предложению Софи.*

— Роберт, мне действительно жаль, что вы оказались замешанным во все это, — сказала Софи и положила ему руку на колено. — И все же я рада, что вы здесь.

В последнем комментарии усматривался скорее прагматический, нежели романтический оттенок, но Лэнгдон вдруг ощутил, что их связывает нечто большее, и устало улыбнулся Софи.

— От меня больше проку, когда я как следует высплюсь.

Какое-то время Софи молчала.

— Мой дед велел доверять вам. Я рада, что хоть раз послушалась его.

— Но мы с ним даже не были знакомы.

— Это не важно. Мне кажется, вы сделали для меня все, о чем он только мог мечтать. Помогли найти краеугольный камень, объяснили, что такое Сангрил, рассказали о смысле того ритуала в подвале. — Она на секунду умолкла. — И знаете, сегодня я вдруг почувствовала себя ближе к деду, чем была все эти долгие годы. Он очень бы этому порадовался.

В отдалении, на горизонте, в туманной дымке начал вырисовываться Лондон. Некогда над этим пейзажем доминировали Биг-Бен и Тауэрский мост, но теперь их сменило «Око Миллениума» — колоссальное ультрасовременное колесо обозрения высотой в добрые пятьсот футов, с которого открывался захватывающий вид на город. Как-то раз Лэнгдон даже хотел прокатиться на колесе, но вид кабинок-капсул не внушил доверия. Они напомнили ему маленькие саркофаги, и он предпочел остаться на земле и любоваться видами с продуваемой всеми ветрами набережной Темзы.

Тут он почувствовал, что рука Софи легонько сжала его колено. Глаза ее возбужденно блестели.

— Как думаете, что следует сделать с документами Сангрил, если, конечно, мы найдем их? — спросила она шепотом.

— То, что думаю я, значения не имеет, — ответил Лэнгдон. — Дед передал криптекс вам, стало быть, вам и решать. Делайте то, что подсказывает вам сердце.

— Мне хотелось бы знать ваше мнение. Ведь, очевидно, вы написали в своей книге нечто такое, что привлекло внимание деда, вызвало доверие к вам. Поэтому он и назначил вам встречу. А такое с ним случалось крайне редко.

— Может, он просто хотел сказать, что все написанное мной ошибочно.

— Тогда зачем дед велел мне найти вас, если не одобрял ваших идей? Скажите, в той рукописи вы высказывались в пользу того, что документы Сангрил следует предать огласке? Или же сжечь на костре?

— Ни то ни другое. Я не высказывал суждений об этом. В рукописи речь идет лишь о символах священного женского начала, прослеживается вся их иконография на определенном отрезке времени. И не мне решать, должен ли Грааль оставаться для всех тайной или же документы следует обнародовать.

— Но раз вы пишете об этом книгу, значит, все же хотите поделиться информацией?

— Существует огромная разница между чисто гипотетическим обсуждением альтернативной истории Христа и... — Он умолк.

— И чем?

— И представлением миру тысяч древних документов в качестве научного доказательства того, что Новый Завет лжет.

— Но вы же сами говорили мне, что Новый Завет — фальшивка.

Лэнгдон улыбнулся:

— Софи, всякая вера на этой земле основана на фабрикации. Это подпадает под само определение веры как таковой. Что есть вера, как не принятие того, что мы лишь считаем непреложной истиной, того, что мы просто не в силах доказать?.. В любой религии Бог описывается через метафоры, аллегории и преувеличения разного рода. В любой — от древних египтян до современных воскресных школ. Метафора есть не что иное, как способ помочь нашему сознанию принять неприемлемое. Проблемы возникают, когда мы начинаем воспринимать метафоры буквально.

— Так вы за то, чтобы документы Сангрил оставались спрятанными?

— Я историк. Историк всегда против уничтожения документов. И мне бы очень хотелось, чтобы у теологов было больше информации для исследования и понимания необыкновенной жизни Иисуса Христа.

— Значит, вы против и того и другого?

— Разве? Библия является главным путеводителем в жизни миллионов людей. Точно так же, как Коран, Тора и Пали являются путеводными звездами для людей других верований. Если вдруг окажется, что найденные нами документы противоречат священным историям исламских или языческих верований, буддийской и иудаистской веры, должны ли мы обнародовать их?.. Должны ли размахивать флагом и говорить буддистам, что у нас есть железные доказательства того, что Будда появился вовсе не из цветка лотоса? Или что Иисуса родила вовсе не девственница путем непорочного зачатия? Ведь истинно верующие всегда понимали, что истории эти — сплошная метафора.

Софи посмотрела на него скептически.

— А мои друзья, люди глубоко верующие, считают, что Христос *действительно* ходил по воде, *действительно* умел превращать воду в вино, *действительно* родился от непорочной девы.

— Но это лишь подтверждает мои высказывания, — заметил Лэнгдон. — Религиозная аллегория постепенно стала частью реальности. Плотно и неразрывно вплетена в нее. И помогает миллионам людей жить в этой реальности, мириться с ней и становиться лучше.

— А тут вдруг выяснится, что эта их реальность — фальшь. Что они заблуждались.

Лэнгдон усмехнулся:

— Ну, заблуждались они не больше, чем какая-нибудь помешанная на математике шифровальщица, свято верящая в воображаемое число «i» лишь на том основании, что оно помогает разгадывать коды.

Софи нахмурилась:

— Это нечестно!

Они помолчали.

— Так о чем вы там спрашивали? — сказал Лэнгдон.

— Уже не помню.

Он улыбнулся:

— Всегда срабатывает безотказно.

ГЛАВА 83

а часах Лэнгдона с Микки-Маусом было почти половина восьмого, когда он вместе с Софи и Тибингом вышел из лимузина на Иннер-Темпл-лейн. Обсаженная деревьями дорожка, пролегавшая между зданий, привела их в маленький двор перед церковью Темпла. Деревянная крыша блестела от дождя, где-то наверху ворковали голуби.

Одна из древнейших церквей Лондона была сложена из кайенского камня. Низенькая, круглой формы, с выступающим с одной стороны нефом, она походила скорее на крепость или военный форпост, нежели на место, где поклоняются Богу. Освященная 10 февраля 1185 года Гераклием, патриархом Иерусалимским, церковь Темпла благополучно пережила восемь веков политических баталий, выстояла во время великого лондонского пожара и Первой мировой войны, но сильно пострадала от бомб, сбрасываемых люфтваффе в 1940-м. После войны была восстановлена полностью.

Простота круга, подумал Лэнгдон, любуясь зданием, которое видел впервые. Архитектура проста, даже примитивна, без всяких изысков, и сооружение напоминает скорее римский замок Сант-Анджело, нежели изысканный пантеон. И выступающая по правую руку «коробка» нефа просто мозолит глаза, хотя и не скрывает изначальной языческой формы сооружения.

— Для субботней службы еще слишком рано, — заметил Тибинг и заковылял к входу. — Так что, думаю, нам никто не помешает.

Вход в церковь представлял собой каменную нишу, в которой виднелась массивная деревянная дверь. Слева от нее висела казавшаяся здесь совершенно неуместной доска объявлений с расписанием концертов и церковных служб.

Тибинг нахмурился:

— Откроется для посетителей не раньше чем через два часа. — Он подошел к двери и подергал ручку. Дверь не поддавалась. Тогда, приложив ухо к деревянной обшивке, он прислушался. Потом отошел с хитроватой ухмылкой на лице и, указав на доску объявлений, сказал: — А ну-ка, Роберт, будьте так любезны, посмотрите, кто тут проводит службы на этой неделе?

Мальчик-служка уже почти закончил пылесосить пол, когда в дверь церкви постучали. Он не стал обращать внимания на этот стук. У отца Харви Ноулза были свои ключи, утренняя служба должна была начаться не раньше чем через два часа. Наверное, какой-то любопытный турист или нищий.

Но тут стук из тихого перерос просто в громовой, дверь содрогалась, точно кто-то бил по ней металлической палкой. Юноша выключил пылесос и, сердито хмурясь, направился к двери. Снял задвижку, и дверь тотчас же распахнулась. На пороге стояли трое.

— Так и есть, туристы, — тихо проворчал он. — Мы открываемся только в девять тридцать.

Вперед выступил пожилой мужчина на костылях, по всей видимости, лидер странной группы.

— Я сэр Лью Тибинг, — представился он по-английски с безупречным аристократическим акцентом. — Как видите, я сопровождаю мистера Кристофера Рена Четвертого с супругой. — Тут он сделал шаг в сторону, и взору служки предстала симпатичная пара. У женщины милые мягкие черты лица, роскошные рыжевато-каштановые волосы. Мужчина высокий, темноволосый. Служке показалось, что он где-то уже видел это лицо.

Юноша растерялся. Он знал, что сэр Кристофер Рен — один из самых известных благотворителей церкви Темпла. Именно он субсидировал все реставрационные работы после великого лондонского пожара. Служка также знал, что сэр Кристофер Рен скончался в начале восемнадцатого века.

— Э-э... а-а... большая честь познакомиться с вами...

Мужчина на костылях нахмурился:

— Хорошо, что не на торгах работаете, молодой человек. Как-то вы не слишком убедительны. Где отец Ноулз?

— Сегодня суббота. Он появится позже.

Калека нахмурился еще больше:

— Вот она, благодарность. Он уверял нас, что непременно будет здесь. Но похоже, придется нам обойтись без него. Много времени это не займет.

Однако служка по-прежнему преграждал им вход в церковь.

— Простите, сэр, но я не совсем понял. Что не займет много времени?

Мужчина прищурился, подался вперед и зашептал, точно не хотел смущать спутников:

— Вы, очевидно, здесь новичок, молодой человек. Каждый год потомки сэра Кристофера Рена приносят щепоть праха своего великого предка, чтоб развеять его в этом святилище. Понятное дело, особой радости столь долгое путешествие никому не доставляет, но что тут можно поделать?

Служка проработал в церкви Темпла уже два года, но ни разу не слышал об этом обычае.

— Все же будет лучше, если вы подождете до девяти тридцати. Церковь закрыта, я еще не закончил уборку.

Мужчина на костылях сердито сверкнул глазами:

— А известно ли вам, молодой человек, что этот храм до сих пор стоит где стоял лишь благодаря тому джентльмену, что находится в кармане у этой дамы?

— Простите, не понял...

— Миссис Рен, — сказал калека, — будьте так добры, продемонстрируйте этому непонятливому молодому человеку драгоценную реликвию, прах.

Женщина поколебалась, затем, точно очнувшись от транса, полезла в карман свитера и вынула какой-то небольшой цилиндр, завернутый в тряпицу.

— Вот видите? — рявкнул мужчина на костылях. — И теперь вы или пойдете нам навстречу и позволите исполнить волю покойного — развеять его прах в церкви, или же я сообщу отцу Ноулзу о том, как с нами здесь поступили.

Служка растерялся. Ему было известно, как строго соблюдает отец Ноулз все церковные традиции... И что гораздо важнее, он знал, насколько нетерпимо относится настоятель ко всему, что может бросить тень на его приход, выставить его в неблаговидном свете. Возможно, отец Ноулз просто забыл о том, что сегодня с утра к ним должны прийти члены этой знаменитой семьи. Если так, то сам он рискует куда больше, если выставит этих людей вон, нежели если просто впустит их. *Да и потом, они ведь сказали, что всего на минутку. И какой может быть от этого вред?*

Когда служка наконец отступил и пропустил троицу в церковь, он мог поклясться: в этот момент мистер и миссис Рен выглядели не менее растерянными, чем он сам. Юноша неуверенно вернулся к своим обязанностям, продолжая украдкой следить за гостями.

Они вошли в церковь, и Лэнгдон, слегка улыбнувшись, тихо заметил Тибингу:

— Смотрю, сэр Лью, вы превратились в заправского лжеца.

Тибинг украдкой подмигнул ему:

— Клуб при оксфордском театре. Там до сих пор помнят моего Юлия Цезаря. Уверен, никто не смог бы сыграть первую сцену третьего акта с большей убедительностью.

Лэнгдон удивился:

— Мне всегда казалось, Цезарь погибает в этой сцене.

Тибинг фыркнул:

— Именно! И когда я падаю, моя тога распахивается, и я должен пролежать на сцене в таком вот виде целых полчаса. Причем совершенно неподвижно. Уверяю вас, никто не справился бы с этой ролью лучше.

Лэнгдон поежился. *Жаль, что пропустил этот спектакль.*

Посетители прошли прямоугольным проходом к арке, за которой, собственно, и открывался вход в церковь. Лэнгдона удивил аскетизм убранства. Алтарь располагался там же, где и в обычной Христианской церкви вытянутой формы, мебель же и прочие предметы обстановки — самые простые, строгие, лишенные традиционной резьбы и декора.

Тибинг хмыкнул:

— Типично английская церковь. Англосаксы всегда предпочитали более прямолинейный и простой путь общения с Богом. Чтобы ничто не отвлекало их от несчастий.

Софи указала на широкий проход в круглую часть церкви.

— Здесь прямо как в крепости, — прошептала она.

Лэнгдон с ней согласился. Даже отсюда стены постройки выглядели необыкновенно внушительными и толстыми.

— Рыцари ордена тамплиеров были воинами, — напомнил им Тибинг. Стук его алюминиевых костылей эхом разносился под каменными сводами. — Эдакое религиозно-военное сообщество. Церкви служили им форпостами и банками одновременно.

— Банками? — удивилась Софи.

— Господи, конечно! Именно тамплиеры разработали концепцию современного банковского дела. Путешествовать с золотом для европейской знати было опасно, и вот тамплиеры разрешили богачам помещать золото в ближайшей к ним церкви Темпла. А получить его можно было в любой такой же церкви Европы. Всего-то и требовалось, что правильно составить документы. — Он подмигнул. — Ну и, разумеется, тамплиерам за это полагались небольшие комиссионные. Чем вам не банкомат? — Тибинг указал на маленькое окошко с витражным стеклом. Через него слабо просвечивали лучи солнца, вырисовывая фигуру рыцаря в белых доспехах на розовом коне. — Аланий Марсель, — сказал Тибинг. — Был Мастером Темпла в начале тринадцатого века. По сути же он и его последователи занимали кресло первого барона Англии в парламенте.

— Первого барона? — удивился Лэнгдон.

Тибинг кивнул:

— По мнению некоторых ученых, власти и влияния у Мастера Темпла было в те времена больше, чем у самого короля.

Они вошли в круглый зал, и Тибинг покосился на служку. Тот усердно пылесосил пол чуть поодаль.

— Знаете, — шепнул Тибинг Софи, — ходят слухи, что Грааль некогда хранился в этой церкви. Правда, недолго, всего одну ночь, когда тамплиеры перевозили его из одного укрытия в другое. Здесь стояли четыре сундука с документами Сангрил и саркофаг Марии Магдалины, можете себе представить?.. Прямо мурашки по коже.

И у Лэнгдона пробежали по спине мурашки, когда он вошел в просторное помещение. Он окинул его взглядом — стены из светлого камня, украшенные резьбой. Прямо на него смотрели горгульи, демоны, какие-то монстры, а также человеческие лица, искаженные мукой. Под резьбой, прямо у стены, была установлена каменная скамья, огибавшая помещение по кругу.

— Прямо как в древнем театре, — прошептал Лэнгдон.

Тибинг, приподняв костыль, указал в глубь помещения. Сначала влево, потом вправо. Но Лэнгдон и без него уже увидел.

Десять каменных рыцарей.

Пятеро слева. Пятеро справа.

На полу лежали вырезанные из камня статуи рыцарей в человеческий рост. Рыцари в доспехах, со щитами и мечами, выглядели настолько естественно, что Лэнгдона на миг пронзила ужасная мысль: они прилегли отдохнуть, а кто-то подкрался, покрыл их штукатуркой и замуровал живьем, во сне. Было ясно, что фигуры эти очень древние, немало пострадали от времени, и в то же время каждая по-своему уникальна: разные доспехи, разное расположение рук и ног, разные знаки на щитах. И лица тоже не похожи одно на другое.

Лондон, там рыцарь лежит, похороненный папой.

С замирающим сердцем Лэнгдон приблизился к фигурам.

Это и есть то самое место.

ГЛАВА 84

еми Легалудек остановил лимузин неподалеку от церкви Темпла в узеньком, заваленном мусором и заставленном помойными баками проходе между домами. Выключил мотор и осмотрелся. Вокруг ни души. Тогда он выбрался из машины, подошел к задней дверце, открыл ее и скользнул внутрь, к лежавшему на полу монаху.

Тот, почувствовав присутствие Реми, вышел из транса и приоткрыл красные глаза. В них светилось скорее любопытство, нежели страх. Весь вечер Реми поражался спокойствию и выдержке связанного по рукам и ногам человека в сутане. Немного побрыкавшись в джипе, монах, по всей видимости, смирился со своим уделом, отдав судьбу в руки неких высших сил или провидения.

Реми ослабил узел галстука, затем расстегнул высокий, туго накрахмаленный воротничок рубашки и впервые за долгие годы почувствовал, что может дышать свободно и полной грудью. Он открыл бар и налил себе в стаканчик водки «Смирнофф». Выпил залпом и налил еще.

Скоро я стану свободным и богатым.

Пошарив в баре, Реми нашел открывалку для винных бутылок, щелкнул кнопкой на рукоятке. Из нее выскочило острое лезвие. Нож предназначался для срезания фольги с горлышек бутылок, но сейчас он должен был послужить другим, необычным целям. Реми обернулся и, сжимая в руке сверкающее лезвие, уставился на Сайласа.

Теперь красные глаза светились страхом.

Реми улыбнулся и подобрался к монаху поближе. Тот скорчился и забился в своих путах, как птица в силке.

— Да тихо ты! — прошептал Реми, подняв лезвие.

Сайлас не верил, что Бог мог оставить его. Даже физические муки, боль в затекших руках и ногах он умудрился превратить в духовное испытание. *Христос терпел и нам велел. Всю ночь я молился об освобождении.* И вот теперь, увидев нож, он крепко зажмурился.

Страшная боль так и пронзила спину в верхней ее части. Сайлас вскрикнул, не желая верить в то, что ему предстоит умереть здесь, на полу в лимузине, так и не оказав достойного сопротивления. *Ведь я исполнял работу, угодную Господу Богу. Учитель говорил, что защитит меня!..*

Сайлас почувствовал, как по спине и плечам разливается приятная теплота, и подумал, что это его собственная кровь, потоком льющаяся из раны. Теперь острая боль пронзила бедра, и он непроизвольно дернулся, это сработал защитный механизм плоти против боли.

Вот и мышцам ног стало горячо, и Сайлас еще крепче зажмурился, решив, что в последний миг жизни лучше уж не видеть своего убийцу. Он представил себе епископа Арингаросу, еще совсем молодого. Представил стоящим возле маленькой церквушки в Испании, которую они построили вместе своими руками. *Начало моей жизни.*

Все тело жгло точно огнем.

— Вот, выпейте, — прошептал мужчина во фраке с сильным французским акцентом. — Поможет восстановить кровообращение.

Сайлас изумленно приоткрыл глаза. Над ним склонялся человек, в руке стаканчик с какой-то жидкостью. На полу, рядом с ножом, на котором не было и капли крови, валялся огромный моток скотча.

— Выпейте, — повторил мужчина. — Вам, должно быть, больно, мышцы совсем занемели. А теперь в них поступает кровь.

Сайлас проглотил содержимое стаканчика. Жидкость обожгла глотку. На вкус водка показалась просто ужасной, но он сразу почувствовал себя лучше. И его охватило чувство благодарности к этому незнакомому человеку. Последние сутки судьба была не слишком благосклонна к Сайласу, но теперь Бог одним взмахом своей волшебной палочки преобразил все вокруг.

Бог меня не забыл.

Сайлас знал, как назвал бы это епископ Арингароса.

Божественное провидение.

— Я и раньше хотел освободить вас, — сказал слуга, — но это было просто невозможно. Сначала в Шато Виллет прибыла полиция, потом все эти события в Биггин-Хилл. Только сейчас выпал удобный момент. Надеюсь, вы понимаете, Сайлас?

Монах вздрогнул от неожиданности.

— Откуда вам известно мое имя?

Слуга ответил улыбкой.

Сайлас осторожно сел, растирая затекшие мышцы, мысли его путались. Он верил и не верил в свое счастье.

— Вы... и есть Учитель?

Реми покачал головой и усмехнулся:

— Хотелось бы иметь столько власти, но увы. Нет, я не Учитель. Как и вы, я всего лишь его слуга. Учитель очень хорошо отзывается о вас. Кстати, я Реми.

Сайлас удивился еще больше:

— Что-то я не пойму... Если вы работаете на Учителя, как мог Лэнгдон принести краеугольный камень к вам в дом?

— Это не мой дом. Он принес его в дом самого знаменитого в мире историка, специалиста по Граалю. Сэру Лью Тибингу.

— Но ведь и вы живете там. Странно, что...

Реми снова улыбнулся, похоже, его мало волновало это совпадение.

— Что ж, поступок этот был вполне предсказуем. Роберт Лэнгдон завладел краеугольным камнем, и ему была нужна помощь. Куда ему было бежать, где найти убежище и совет, как не в доме Лью Тибинга? Кстати, именно поэтому, узнав, что я живу там, Учитель и обратился ко мне. — Он на секунду умолк. — Откуда еще, по-вашему, сам Учитель так много знает о Граале?

Только теперь до Сайласа, что называется, дошло, и он был потрясен до глубины души. Учитель завербовал слугу, работающего в доме сэра Лью Тибинга. А стало быть, имеющего доступ ко всем его исследованиям. Гениально!..

— Больше пока сказать ничего не могу. — С этими словами Реми протянул Сайласу заряженный «хеклер-и-кох». Затем скользнул к водительскому месту и достал из бардачка маленький, величиной с ладонь, револьвер. — Прежде мы с вами должны сделать одно очень важное дело.

* * *

Капитан Фаш сошел с трапа приземлившегося в Биггин-Хилл транспортного самолета и недоверчиво выслушивал довольно сбивчивый рассказ инспектора полиции Кента о том, что произошло в ангаре Тибинга.

— Я сам лично обыскивал его самолет, — твердил инспектор. — И на борту никого не было. — Голос его повысился до визга. — Мало того, если сэр Тибинг посмеет выдвинуть против меня какие-то обвинения, я...

— Пилота допросили?

— Ну разумеется, нет! Он француз, а наше законодательство...

— Отведите меня к самолету.

Фаш оказался в ангаре, и ему потребовалось всего секунд шестьдесят, чтобы обнаружить пятнышко крови на полу, рядом с тем местом, где стоял лимузин Тибинга. Затем Фаш подошел к самолету и громко стукнул кулаком по фюзеляжу.

— Капитан судебной полиции Франции! Откройте дверь!

Испуганный пилот отпер дверь и начал спускаться по трапу.

Фаш поднялся ему навстречу. Три минуты спустя у него с помощником имелось полное признание пилота, в том числе и описание связанного по рукам и ногам монаха-альбиноса. Кроме того, он узнал, что Лэнгдон с Софи оставили какой-то предмет в сейфе Тибинга на борту. Вроде бы деревянную шкатулку. И хотя пилот твердил, будто понятия не имеет, что находится в этой шкатулке, он сказал, что на протяжении всего полета Лэнгдон возился с ней.

— Откройте сейф, — скомандовал Фаш.

Пилот испуганно отпрянул:

— Но я не знаю цифрового кода!

— Скверно. А я-то как раз собирался оставить вам лицензию...

Пилот буквально ломал руки от отчаяния.

— Я знаком кое с кем из местных сотрудников. Из технического персонала. Может, сейф удастся просверлить?

— Даю вам полчаса.

Фаш прошел в хвостовой отсек и налил себе выпить. Для крепкого спиртного, пожалуй, рановато, но он не спал всю ночь. Опустился в мягкое, обитое бархатом кресло и закрыл глаза, пытаясь осмыслить происходящее. *Промах полиции Кента может очень дорого мне стоить.* Теперь надо бросить все силы на поиски черного лимузина марки «Ягуар».

Тут зазвонил мобильный, и Фаш раздраженно подумал: «Ни секунды покоя!»

— Алло?

— Я на пути в Лондон. — Это был епископ Арингароса. — Прибываю примерно через час.

Фаш резко выпрямился в кресле.

— Я думал, вы летите в Париж.

— Я очень обеспокоен новыми обстоятельствами. Пришлось изменить планы.

— Не следовало бы.

— Сайлас у вас?

— Нет. Его взяли в заложники, а потом увезли прямо из-под носа кентской полиции.

В голосе Арингаросы отчетливо слышался гнев.

— Но вы же уверяли меня, что перехватите их!

Фаш понизил голос:

— Вот что, епископ. С учетом вашей ситуации я бы не советовал испытывать сегодня мое терпение. Постараюсь найти Сайласа и всех остальных как можно скорее. Когда вы приземляетесь?

— Минутку. — Арингароса прикрыл микрофон ладонью, затем заговорил снова: — Пилот запрашивает разрешение на посадку в Хитроу. Я у него единственный пассажир, но мы вышли за рамки полетного плана и расписания.

— Передайте, чтобы летел в Биггин-Хилл в Кенте. Даю ему на это право. О разрешении на посадку можете не беспокоиться. Если, когда вы приземлитесь, меня на месте не будет, оставлю вам машину.

— Спасибо.

— Как я уже упоминал чуть раньше, епископ, вам следует усвоить вот что: вы не единственный, кому грозит опасность потерять все!

ГЛАВА 85

*ар от могилы найди...*

Все каменные рыцари, обретшие вечный покой в церкви Темпла, лежали на спине, их головы покоились на прямоугольных «подушках» из камня. По коже Софи пробежали мурашки. Упоминание о шаре в стихотворении вновь оживило образы той странной и страшной ночи в замке деда.

Хиерос гамос. Шары.

Интересно, подумала Софи, свершались ли подобные ритуалы в этом храме? Округлой формы помещение, казалось, было создано для языческих церемоний. Единственная каменная скамья вдоль стен огибала пол по кругу, оставляя центр пустым. *Похоже на древний театр*, так, кажется, сказал Роберт. Она представила, как может выглядеть это помещение ночью. Кругом люди в масках напевают заклинания при свете факелов, все собрались здесь созерцать «священное единение» двух начал, что происходит в центре круга.

Отогнав воспоминания, Софи вместе с Лэнгдоном и Тибингом зашагала к первой группе рыцарей. Несмотря на настойчивые просьбы Тибинга осматривать все самым тщательным образом, она, снедаемая нетерпением, первой начала обходить ряд надгробий по левую сторону.

Разглядывая каменных рыцарей, Софи отмечала различие и сходство между ними. Каждый рыцарь лежал на спине, но у троих ноги были вытянуты, а у двух остальных — скрещены. Впрочем, эта странность, похоже, не имела никакого отношения к отсутствующему шару. Разглядывая одеяния, Софи заметила, что у двоих рыцарей поверх доспехов были туники, а на троих красовались длинные плащи. И снова никакой связи с шаром. Тогда Софи обратила внимание на еще одно, последнее и самое очевидное различие: положение рук. Двое рыцарей сжимали в руках мечи, двое молились, а третий лежал с вытянутыми вдоль тела руками. Софи довольно долго разглядывала руки, а затем пожала плечами, не в силах отыскать даже намека на загадочный отсутствующий шар.

Придерживая рукой карман, где лежал тяжелый криптекс, она обернулась к Лэнгдону с Тибингом. Мужчины, медленно продвигаясь вдоль ряда, дошли только до третьего рыцаря, но и им, похоже, повезло не больше, чем ей. Не в силах ждать, она отвернулась и двинулась ко второй группе рыцарей.

Пересекая помещение по диагонали, Софи мысленно декламировала стихотворные строки. Она успела повторить их столько раз, что они намертво врезались в память.

Лондон, там рыцарь лежит, похороненный папой.
Гнев понтифика он на себя навлек.
Шар от могилы найди, Розы цветок.
На плодоносное чрево сие есть намек.

Дойдя до второй группы, Софи увидела, что она идентична первой. И здесь рыцари лежали в разных позах, в доспехах и с оружием.

Все, за исключением последнего, десятого.

Она подбежала к нему и остановилась как вкопанная.

Ни каменной подушки. Ни доспехов. Ни туники. Ни меча.

— Роберт! Лью! — окликнула она, и голос ее эхом разнесся под сводами. — Смотрите, тут кое-чего не хватает!

Мужчины подняли головы и немедленно направились к ней.

— Шара? — возбужденно воскликнул Тибинг. Металлические костыли выбивали мелкую дробь по каменным плитам пола. — Здесь не хватает шара, да?

— Не совсем, — ответила Софи. И, сосредоточенно хмурясь, продолжала разглядывать десятое надгробие. — Похоже, здесь не хватает самого рыцаря.

Мужчины подошли и с недоумением уставились на десятую могилу. Здесь вместо рыцаря, лежащего на полу, находился каменный гроб. Он был трапециевидной формы, сужался к изножью и был прикрыт сверху конической остроконечной крышкой.

— Почему же этого рыцаря не выставили напоказ? — спросил Лэнгдон.

— Поразительно... — пробормотал Тибинг, поглаживая подбородок. — Совсем забыл об этой странности. Не был здесь уже много лет.

— Похоже, этот гроб, — заметила Софи, — был вырезан из камня примерно в то же время и тем же скульптором, что и фигуры остальных девяти рыцарей. Так почему именно этот рыцарь покоится в гробу?

Тибинг покачал головой:

— Одна из загадок этой церкви. Насколько я помню, никто еще не нашел сколь-нибудь приемлемого объяснения.

— Господа! — К ним с недовольной миной подошел мальчик-служка. — Вы уж извините, не хочу мешать. Но вы сами говорили, что желаете развеять прах. А вместо этого ходите здесь, как на экскурсии.

Тибинг нахмурился и обернулся к Лэнгдону:

— По всей видимости, мистер Рен, ваша филантропическая деятельность не заслуживает того, чтоб нас оставили в покое хоть на минуту. А потому доставайте прах, и покончим со всем этим. — Затем он обернулся к Софи: — Миссис Рен?

Софи включилась в игру, начала нарочито медленно вытягивать из кармана завернутый в пергамент криптекс.

— А теперь, — сурово заметил в адрес служки Тибинг, — может, оставите нас в покое хотя бы на минуту?

Но служка не двинулся с места. Он не сводил глаз с Лэнгдона.

— Где-то я вас видел...

— Мистер Рен приезжает сюда каждый год, — фыркнул Тибинг. — Так что ничего удивительного.

А может, испугалась вдруг Софи, *мальчишка видел Лэнгдона по телевизору, во время передачи из Ватикана в прошлом году?*

— Мы с мистером Реном никогда не встречались, это точно, — ответил служка.

— А вот и ошибаетесь, — спокойно возразил Лэнгдон. — Мы с вами виделись не далее как в прошлом году. Правда, отец Ноулз нас тогда не познакомил, но я сразу узнал вас, как только увидел. Да, понимаю, это похоже на вторжение незваных гостей, и все же прошу дать нам еще несколько минут. Я проделал слишком долгий путь с одной целью — развеять щепоть праха среди этих священных могил. — Последние слова Лэнгдон произнес с особой убедительностью.

На лице служки застыло упрямое выражение. Похоже, он не собирался сдаваться.

— Это вам не *могилы.*

— А что же, по-вашему? — спросил Лэнгдон.

— Конечно, могилы, — подхватил Тибинг. — О чем вы толкуете, не пойму.

Служка покачал головой:

— В могилах лежат тела усопших. А это их изображения в камне. Скульптуры реальных людей. И никаких тел под этими фигурами нет.

— Нет, это захоронение! — упрямо возразил Тибинг.

— Так написано в устаревших исторических книжках. Когда-то это считалось захоронением, но после реставрации в 1950 году выяснилось, что все не так. — Он многозначительно взглянул на Лэнгдона. — И мне всегда казалось, что уж кто-кто, а мистер Рен *должен* это знать. Ведь именно его семья установила этот факт.

Повисло неловкое молчание.

Но через несколько секунд тишину прервал громкий стук в дверь.

— Должно быть, отец Ноулз, — сказал Тибинг. — Может, пойдете и посмотрите?

Служка ответил подозрительным взглядом, но все же двинулся к входной двери, оставив Тибинга, Лэнгдона и Софи у каменных рыцарей.

— О чем это он, Лью? — прошептал Лэнгдон. — Как это так — никаких тел?..

Тибинг растерялся.

— Не знаю... Мне всегда казалось, это именно то место. Не думаю, что он понимает, о чем говорит.

— Можно еще раз взглянуть на стихотворение? — спросил Лэнгдон.

Софи достала из кармана криптекс, осторожно протянула ему.

Лэнгдон развернул пергамент и, не выпуская криптекс из рук, перечитал стихотворение.

— Да, здесь совершенно определенно упоминается могила. А не просто скульптурное изображение в камне.

— Может, в стихах ошибка? — предположил Тибинг. — Может, Жак Соньер совершил ту же ошибку, что и я?

Лэнгдон задумался, потом покачал головой:

— Вы же сами говорили, Лью. Церковь построена тамплиерами, военным подразделением Приората. Что-то подсказывает мне: уж кто-кто, а Великий мастер Приората должен знать, похоронены здесь рыцари или нет.

Тибинг недоумевал:

— Но это самое подходящее место! — Он снова склонился над каменными рыцарями. — Должно быть, мы что-то упустили!

Служка вошел в пристройку, ведущую к двери, и с удивлением отметил, что отца Ноулза там нет.

— Отец Ноулз! — окликнул он. *Я же слышал, как кто-то открыл дверь*, подумал он и двинулся дальше.

На пороге стоял высокий худой мужчина во фраке. Стоял, почесывая затылок, и казался растерянным. Только сейчас служка с досадой понял, что, впустив странную троицу, забыл запереть входную дверь. И вот теперь в церковь забрел с улицы какой-то тип, судя по обличью, хочет узнать, когда здесь можно обвенчаться.

— Извините, — крикнул служка, решительно шагая ко входу, — но мы закрыты!

В этот миг за его спиной послышался шорох одежды, и не успел служка обернуться, как чья-то сильная рука зажала ему рот, заглушив крик. Паренек скосил глаза и заметил, что рука эта невероятно белая и что от обидчика его попахивает спиртным.

Тощий мужчина во фраке достал маленький, словно игрушечный, револьвер и прицелился в служку.

Парнишка почувствовал, что по ногам потекла теплая жидкость, и только тогда сообразил, что обмочился от страха.

— Слушай меня внимательно, — прошептал человек во фраке. — Сейчас ты тихо выйдешь из церкви и убежишь. Будешь долго бежать не останавливаясь. Усек?

Служка кивнул, говорить он не мог.

— А если попробуешь вызвать полицию... — Тут худощавый господин поднес ствол к самому его носу. — Я тебя найду!

В следующую секунду служка уже летел по церковному двору точно птица и не собирался останавливаться.

ГЛАВА 86

есшумно, точно призрак, Сайлас зашел за спину своей жертве. Софи Невё почувствовала его присутствие, но было уже поздно. Не успела она обернуться, как Сайлас вдавил дуло револьвера ей в спину, затем обхватил могучей рукой и притянул к себе. Софи испуганно вскрикнула. Тибинг с Лэнгдоном одновременно обернулись, на их лицах застыло выражение удивления и ужаса.

— Что?.. — выдохнул Тибинг. — Что вы сделали с моим Реми?

— Это вам знать ни к чему, — спокойно ответил Сайлас. — От вас требуется одно: оставить меня здесь с краеугольным камнем.

На первом этапе Реми поставил перед ним простую и ясную задачу: *Войдешь в церковь, заберешь краеугольный камень и выйдешь. И чтобы никаких убийств, никакой борьбы.*

Крепко прижимая к себе Софи, Сайлас медленно опустил руку. Она скользнула по груди девушки, потом поползла ниже, к талии, еще ниже, и вот наконец оказалась в кармане ее вязаного свитера и принялась там шарить. Затем переместилась во второй карман. Уткнувшись носом в ее длинные шелковистые волосы, Сайлас сквозь алкогольные пары собственного дыхания улавливал слабый аромат духов.

— Где он? — прошептал Сайлас на ухо Софи. *Прежде краеугольный камень находился у нее в кармане свитера. Куда же подевался сейчас?*

— Он здесь! — громко и резко прозвучал голос Лэнгдона.

Сайлас обернулся. И увидел, что Лэнгдон держит в руке маленький черный криптекс, поводя им из стороны в сторону, как матадор, дразнящий быка.

— Положи на пол! — скомандовал Сайлас.

— Прежде отпусти Софи. Пусть они с Тибингом выйдут из церкви, — ответил Лэнгдон. — А уж потом мы с тобой как-нибудь разберемся.

Сайлас оттолкнул Софи и, целясь в Лэнгдона, начал приближаться к нему.

— Ни шагу больше, — сказал Лэнгдон. — Пусть они сначала выйдут из церкви.

— Ты не в том положении, чтобы командовать.

— Не согласен. — Лэнгдон поднял криптекс высоко над головой. — Вот как шмякну его сейчас об пол! И пузырек внутри разобьется.

Не то чтобы Сайласа испугала эта угроза, нет. Но его охватила неуверенность. Этого он никак не ожидал. Прицелился Лэнгдону в голову и, стараясь, чтоб не дрогнули голос и рука, произнес:

— Ты никогда не разобьешь этот камень. Тебе не меньше моего нужен Грааль.

— А вот и нет. Тебе он нужен значительно больше. Ты уже доказал, что готов убить ради него.

Прятавшийся футах в сорока от них, за рядом скамей у арки, Реми Легалудек вдруг ощутил прилив страха. Все шло далеко не так гладко, как они задумали, к тому же Сайлас явно растерялся и не знал, как исправить ситуацию. Следуя приказу Учителя, Реми запретил Сайласу стрелять.

— Отпусти их! — снова потребовал Лэнгдон, поднимая руку с криптексом еще выше над головой и глядя прямо в глаза Сайласу.

Красные глазки монаха гневно сверкнули. Реми похолодел от ужаса. Он боялся, что Сайлас не выдержит и выстрелит в Лэнгдона. И тогда криптекс пропал! *Криптекс не должен, не может упасть на пол!*

Криптекс был для Реми пропуском в мир свободы и богатства. Чуть больше года назад он был просто пятидесятипятилетним слугой, жившим в стенах замка Шато Виллет и исполнявшим любую прихоть своего хозяина, чудаковатого калеки сэра

Лью Тибинга. Но однажды ему сделали чрезвычайно соблазнительное предложение. Служение сэру Лью Тибингу, выдающемуся историку и лучшему в мире специалисту по Граалю, оказывается, могло принести Реми все, о чем только он мог мечтать. С тех пор каждая минута, каждая секунда пребывания в Шато Виллет приближали его к исполнению заветной мечты.

Я как никогда близок к цели, думал Реми, засевший за скамьей в церкви Темпла и не сводивший глаз с краеугольного камня в руке Роберта Лэнгдона. Если Лэнгдон его уронит, все потеряно.

Можно ли ему показаться им? Учитель это строго запретил. Согласно их уговору, истинное лицо Реми Легалудека должно быть известно только одному человеку на свете. Ему, Учителю.

— Вы уверены, что Сайлас сумеет выполнить задание? — всего полчаса назад спросил Реми Учителя, после того как тот отдал распоряжение отобрать краеугольный камень. — Мне кажется, тут могу справиться только я.

Учитель был решительно против:

— Сайлас уже сослужил нам добрую службу. Обезглавил Приорат. Так что и камень как-нибудь раздобудет. Вы должны оставаться неизвестным. Если кто-то из них увидит и узнает вас, вы подлежите уничтожению, а убийств уже и без того было достаточно. Так что не смейте открывать им лицо.

Лицо мое скоро изменится, подумал Реми. *Того, что обещали заплатить, будет достаточно, чтобы изменить не только жизнь, но и внешность.* Теперь хирурги даже отпечатки пальцев могут переделать, так сказал ему Учитель. Скоро он будет свободен. Еще один мужчина будет подставлять свое неузнаваемое красивое лицо лучам солнца где-нибудь на пляже.

— Понял, — ответил Реми. — Буду руководить Сайласом, оставаясь в тени.

— К вашему сведению, Реми, — сказал Учитель, — могила, которую они разыскивают, находится вовсе не в церкви Темпла. Так что не бойтесь. Они ищут не там, где надо.

Реми удивился:

— А вы знаете, где эта могила?

— Разумеется. Но об этом позже. Пока вы должны действовать быстро и решительно. Если эти люди узнают об истинном местонахождении могилы и выйдут из церкви раньше, чем вы завладеете краеугольным камнем, Грааль для нас потерян навеки.

Лично он, Реми, плевать хотел на этот Грааль, но Учитель сказал, что не заплатит ничего до тех пор, пока он не будет найден. При мысли о том, какую сумму обещал выплатить ему Учитель, Реми чувствовал, что у него кружится голова. *Треть от двадцати миллионов евро! Более чем достаточно, чтобы исчезнуть навсегда.* Реми уже представлял себе, в каких городах на Лазурном берегу побывает, где проведет остаток дней, купаясь в лучах солнца и позволяя другим, хотя бы ради разнообразия, прислуживать ему.

И вот теперь в церкви Темпла, видя, как Лэнгдон угрожает разбить краеугольный камень, Реми понял: счастливое будущее может и не наступить. Он забыл о наставлениях Учителя. Мысль о том, что он может разом потерять все, заставила приступить к решительным действиям. Револьвер, зажатый в руке, казался игрушечным, но и он смертельно опасен, особенно если стрелять с близкого расстояния.

Реми вышел из тени своего укрытия и прицелился прямо в голову Тибинга.

— Я долго ждал, чтобы рассчитаться с тобой за все, старик!

У сэра Льо Тибинга едва не остановилось сердце при виде того, как верный слуга Реми целится ему в голову. *Что он делает, черт побери?* Тибинг сразу узнал свой миниатюрный револьвер «Медуза» — обычно он держал его запертым в бардачке лимузина, так, на непредвиденный случай.

— Реми? — изумленно выдавил Тибинг. — Что происходит?

Лэнгдон с Софи тоже, похоже, были потрясены до глубины души.

Реми обошел Тибинга и приставил дуло к его спине. Затем передвинул чуть ниже, под левую лопатку, напротив места, где находится сердце.

Тибинг невольно съежился от страха.

— Все очень просто! — рявкнул Реми, глядя на Лэнгдона через плечо Тибинга. — Клади камень на пол, иначе я его пристрелю.

Лэнгдона точно парализовало.

— Но что толку вам от этого криптекса? — спросил он наконец. — Вы же все равно не сможете его открыть.

— Вот придурки! — злорадно усмехнулся Реми. — Разве не заметили, что я всю ночь только и делал, что слушал ваши рассуждения о стишках? А стало быть, могу поделиться тем, что слышал, с другими людьми. Которые, кстати, знают больше вашего. Вы даже ищете не там! Могила-то находится совсем в другом месте!

Тибинг ощутил прилив паники. *О чем это он?*

— Зачем вам Грааль? — спросил Лэнгдон. — Чтобы уничтожить его, да? До того, как наступит конец дней?

— Сайлас, возьми краеугольный камень у мистера Лэнгдона! — распорядился Реми.

Монах приблизился, а Лэнгдон отступил, по-прежнему сжимая криптекс в высоко поднятой руке и словно прикидывая, как его лучше разбить об пол.

— Да я скорее разобью его, — пригрозил Лэнгдон, — чем отдам таким мерзавцам!

Тибинг испугался. Еще секунда — и мечта всей его жизни разлетится в прах. Все будет кончено.

— Нет, Роберт, нет! — закричал он. — Не делайте этого! Ведь в руках у вас Грааль! Реми ни за что меня не убьет. Мы знакомы вот уже больше десяти...

Реми поднял ствол вверх и выстрелил в потолок. Крохотный револьвер грохнул так, что уши заложило, эхо от выстрела разнеслось под каменными сводами.

Все застыли.

— Я сюда пришел не в игрушки играть, — сказал Реми. — Следующий выстрел ему в спину. Отдайте камень Сайласу. Ну, живо!

Лэнгдон нехотя протянул криптекс монаху. Сайлас шагнул вперед и взял его, красные глазки радостно и мстительно сверкали. Он сунул криптекс в карман сутаны и отступил, продолжая держать Лэнгдона и Софи на мушке.

Тибинг почувствовал, как Реми еще крепче обхватил его сзади за шею и повлек за собой к выходу из церкви. Револьвер по-прежнему больно упирался в спину.

— Отпустите его! — крикнул Лэнгдон.

— А мы с мистером Тибингом отправляемся на прогулку, — сказал Реми, продолжая двигаться к двери. — Если вызовете полицию, он умрет. Если попробуете хоть как-то вмешаться, тоже умрет. Понятно?

— Возьмите лучше меня, — сказал Лэнгдон, голос у него сел от волнения. — Отпустите Лью!

Реми расхохотался:

— Да на кой вы мне сдались? Нас с сэром Лью связывают годы дружбы! К тому же он может оказаться полезен.

Сайлас тоже начал отступать к двери, держа на прицеле Софи и Лэнгдона. Костыли Тибинга стучали по полу.

Дрожащим голосом Софи спросила:

— На кого вы работаете?

Вопрос вызвал у Реми усмешку.

— Вы бы очень удивились, если б узнали, мадемуазель Невё!

ГЛАВА 87

амин в просторной гостиной Шато Виллет дав-
но остыл, но Колле продолжал расхаживать воз-
ле него, читая полученные из Интерпола факсы.
Информация оказалась весьма неожиданной.
Согласно официальным документам, Андре
Верне был просто образцовым гражданином.
По линии полиции за ним не числилось ни одного правонаруше-
ния, даже за неправильную парковку его ни разу не штрафовали.
Он учился в престижной частной школе, затем — в Сорбонне и
получил диплом экономиста в области международных финан-
сов. Интерпол также сообщал, что имя Верне время от времени
упоминалось в газетах, но всегда только в самом позитивном
смысле. Ему же принадлежали заслуги в области разработки наиболее совершенной системы безопасности, что сделало Депозитарный банк Цюриха несомненным лидером в применении уль-
трасовременных электронных технологий. Судя по кредитным
картам, личные интересы Верне были сосредоточены на приоб-
ретении редких и дорогих альбомов по изобразительному искусству, дорогого вина и дисков с записями классической музыки,
главным образом Брамса. Коим он и наслаждался, прослушивая
на какой-то исключительно дорогой и совершенной стереосисте-
ме, приобретенной несколько лет назад.

Ничего, вздохнул Колле.

Единственной сколь-нибудь интересной информацией Интерпола был набор отпечатков пальцев слуги мистера Тибинга.
Шеф научно-технического отдела как раз читал это сообщение,
удобно расположившись в мягком кресле гостиной.

Колле взглянул на него.

— Есть что-нибудь?

Шеф пожал плечами:

— Отпечатки принадлежат Реми Легалудеку. Так, ничего серьезного, но ряд мелких преступлений за ним числится. Вроде бы его в свое время вышибли из университета за то, что перекидывал телефонные звонки на чужие номера, чтобы не платить... позже попадался на мелких кражах. В магазинах и универсамах. Пойман с поличным на подделке больничного счета за срочную трахеотомию. — Он посмотрел на Колле и усмехнулся. — Страдает аллергией на арахисовое масло.

Колле кивнул и вспомнил, как однажды полиции пришлось проводить расследование в ресторане, не указавшем в меню, что соус чили готовился у них на основе арахисового масла. Один не подозревавший об этом посетитель скончался прямо за столом от анафилактического шока, едва отведав заказанное блюдо.

— Возможно, этот Легалудек просто отсиживался здесь, опасаясь преследований полиции. — Эксперт усмехнулся. — Но сегодня ночью везение его кончилось.

Колле вздохнул:

— Ладно. Отправьте эту информацию капитану Фашу.

Эксперт уже поднялся с кресла, чтобы выполнить распоряжение, но тут в комнату ворвался агент научно-технической службы.

— Лейтенант! Мы кое-что обнаружили! В амбаре!

Судя по выражению лица агента, Колле сделал единственно возможное, как ему казалось, предположение:

— Труп?

— Нет, сэр. Нечто более... — тут он замялся, — я бы сказал, неожиданное.

Колле, потирая усталые глаза, пошел вслед за агентом к амбару. Едва войдя в просторное помещение, где царил полумрак, агент указал в центр — там стояла высокая деревянная лестница, прислоненная к стогу сена и уходившая наверх, к потолочным балкам.

— Вроде бы лестницы здесь раньше не было, — заметил Колле.

— Не было, сэр. Это я ее поставил. Мы занимались отпечатками возле «роллс-ройса», тут я ее и приметил. Лежала на полу. Я бы и значения не придал, а потом вдруг вижу: ступеньки у нее старые и все в грязи. Стало быть, этой лестницей часто пользовались. Стал искать место, где она могла стоять, потом нашел, возле стога. Ну и поставил, а потом полез наверх посмотреть.

Колле оглядел лестницу, стояла она под наклоном. *Значит, кто-то часто по ней поднимался?..* Отсюда, снизу, чердак амбара выглядел заброшенным. Впрочем, под этим углом видно было плохо.

Наверху, над лестницей, возникла голова. Это был старший агент научно-технического отдела.

— Вам определенно это будет любопытно, лейтенант! — крикнул он. И поманил Колле наверх рукой в перчатке из латекса.

Устало кивнув, Колле шагнул к подножию старой лестницы и полез наверх. Сколочена она была по старому образцу, резко сужаясь кверху. Добравшись почти до конца, Колле едва не потерял равновесие, уж очень узкими стали ступеньки. Амбар внизу теперь напоминал темную яму, и у него закружилась голова. Но он преодолел дурноту и вскоре оказался наверху, агент уже протягивал ему руку в перчатке. Колле ухватился за нее и поднялся на деревянную платформу.

— Это здесь. — Агент указал в дальний угол чердака, где, следовало отметить, царила безупречная чистота. — Обнаружен только один набор отпечатков. Вскоре определят их принадлежность.

Колле, щурясь, всматривался в полумрак. *Что за чертовщина?* У дальней стены примостился стол с целым комплектом современного компьютерного оборудования. Монитор с плоским экраном и микрофонами, две стереоколонки, набор дисков и многоканальное звукозаписывающее устройство. Вероятно, все это оборудование было подключено к автономной системе питания.

Кому понадобилось работать на такой верхотуре? Колле двинулся к компьютеру.

— Вы осмотрели систему?

— Это пост прослушивания.

Колле резко повернулся к агенту:

— Прослушивания?

Агент кивнул:

— Да, и оборудованный по самому последнему слову техники. — Он указал на длинный стол, заваленный деталями электронных устройств, какими-то справочниками, инструментами, проводами, паяльниками и прочими приспособлениями. — Человек, устроивший это гнездо, знал свое дело. Тут много приборов, не уступающих по сложности и эксплуатационным характеристикам нашим. Миниатюрные микрофоны, аккумуляторы, чипы высокой емкости.

Колле был потрясен.

— Вот полный набор, — сказал агент и протянул ему устройство размером с карманный калькулятор, не больше. От него отходил проводок длиной в фут, с чуть утолщенным концом, обернутым, как показалось лейтенанту, тончайшей фольгой. — Это аудиозаписывающая система с жестким диском высокой емкости и самозаряжающейся батарейкой. А кусочек фольги на конце — не что иное, как комбинация микрофона и многозарядной батареи на фотоэлементах.

Колле был прекрасно знаком этот приборчик. Подобные микрофоны для секретной прослушки не так давно стали настоящим прорывом в области высоких технологий. Такой вот жесткий диск, к примеру, можно было укрепить где-нибудь за настольной лампой, вмонтировать микрофон в основание этой лампы и слегка подкрасить, чтобы сливался с общим фоном. Если микрофон размещали таким образом, что на него каждый день хотя бы на протяжении нескольких часов падали лучи света, то система не нуждалась в дополнительном питании. «Жучки», подобные этим, позволяли вести прослушку практически без ограничений.

— Способ приема? — спросил Колле.

Агент указал на изолированный провод, выходящий из процессора. Он тянулся по стене, затем исчезал в крохотном отверстии под крышей амбара.

— Простые радиоволны, — пояснил агент. — На крыше установлена маленькая антенна.

Колле знал, что такие записывающие системы устанавливали обычно в офисах. Активировались они от звука человеческого голоса, чтобы использовать жесткий диск максимально экономно, и запись разговоров велась весь день, а передача сигналов на контрольную панель осуществлялась, как правило, вечерами, чтобы избежать обнаружения. После передачи диск самовосстанавливался, и вся процедура повторялась на следующий день.

Взгляд Колле упал на полку, где стояли, выстроившись в ряд, несколько сотен аудиокассет, каждая маркирована датой и еще какими-то цифрами. *Кто-то потратил на это немало времени.* Он обернулся к агенту:

— Есть предположения, кого именно прослушивали?

— Знаете ли, лейтенант, — ответил тот, подошел к компьютеру и включил его, — тут наблюдается очень странная вещь...

ГЛАВА 88

энгдон с Софи прошли через турникет на станции метро «Темпл» и двинулись по эскалатору в глубину мрачного лабиринта туннелей и платформ. Лэнгдон чувствовал себя опустошенным. И еще его грызло чувство вины.

Я втянул в эту историю Лью, и теперь ему угрожает нешуточная опасность.

Участие в заговоре Реми оказалось неожиданным и в то же время многое объясняло. Совершенно очевидно, что охотникам за Граалем нужен был свой человек в доме Тибинга. *А сам Тибинг был нужен им по той же причине, что и мне.* На протяжении многих веков люди, располагающие знаниями о Граале, как магнит притягивали к себе не только разного рода ученых, но и воров и жуликов всех мастей. Тот факт, что Тибинг был их мишенью уже давно, ничуть не утешал Лэнгдона. *Нам надо найти его. Помочь! Вытащить из беды!*

Лэнгдон с Софи дошли почти до конца платформы на пересечении «Дистрикт» и кольцевой, где стояла телефонная будка. Они собирались позвонить в полицию вопреки предупреждениям Реми не делать этого. Лэнгдон тяжело опустился на массивную скамью рядом с телефоном-автоматом. Его терзали сомнения.

— Лучший способ помочь Лью, — сказала Софи, набирая номер, — это немедленно уведомить лондонские службы. Немедленно! Вы уж мне поверьте.

Лэнгдон не слишком одобрял эту идею, но, похоже, Софи была права, другого способа просто не существовало. В данный момент Тибингу ничто не грозит. Даже если Реми и его наемники знают, где могила рыцаря, им все равно нужен Тибинг — помочь разгадать загадку о шаре. Лэнгдона куда больше беспокоило другое: что произойдет, когда карта с указанием на местонахождение Грааля будет найдена? *Вот тогда Лью действительно станет для них обузой.*

Если у Лэнгдона и есть шанс помочь Лью и снова увидеть краеугольный камень, важно сначала найти могилу рыцаря. *К несчастью, у Реми большое преимущество во времени.*

«Притормозить» Реми — вот задача Софи.

А найти настоящую могилу — задача Лэнгдона.

Софи пустит на поиски Реми и Сайласа лондонскую полицию, это заставит преступников искать укрытие. Или, что еще лучше, их арестуют. План Лэнгдона был менее четкий. Первым делом надо сесть в метро и доехать до ближайшего Королевского колледжа, где можно найти обновленную базу электронных данных по теологии. *Это универсальный исследовательский инструмент*, так, во всяком случае, уверяли Лэнгдона. *Дает прямые и быстрые ответы на любые религиозно-исторические вопросы.* Интересно, что же ответит эта самая база данных на вопрос о рыцаре, похороненном папой?

Он поднялся и начал расхаживать взад-вперед по платформе в ожидании, когда подойдет поезд.

В конце концов Софи дозвонилась из автомата до полиции Лондона.

— Подразделение Сноу-Хилл, — ответил ей диспетчер. — Чем могу помочь?

— Хочу сообщить о похищении человека. — Софи знала, как вести такие разговоры.

— Ваше имя, пожалуйста.

— Агент Софи Невё, судебная полиция Франции, — после секундной паузы ответила Софи.

Должность произвела желаемое впечатление.

— Одну минутку, мэм. Сейчас соединю вас с детективом.

Пока шло соединение, Софи размышляла о том, пригодятся ли лондонской полиции ее описания захватчиков Тибинга. *Мужчина во фраке.* Куда уж проще, вряд ли по улицам Лондона средь бела дня расхаживает много мужчин во фраках. А если даже Реми и переоделся, он ведь не один, а в сопровождении монаха-альбиноса. *Такого не пропустишь.* Кроме того, они с заложником, а потому вряд ли воспользуются общественным транспортом. Интересно, много ли лимузинов марки «Ягуар» колесит по Лондону?..

Софи показалось, что соединяют ее с детективом целую вечность. *Ну давайте же!* В трубке раздавалось лишь пощелкивание и какие-то глухие шумы.

Прошло пятнадцать секунд.

И вот наконец в трубке зазвучал мужской голос:

— Агент Невё?

Софи была потрясена. Она сразу узнала эти низкие ворчливые нотки.

— Агент Невё? — повторил капитан Фаш. — Где вы, черт побери?

Софи потеряла дар речи. Очевидно, капитан Фаш попросил диспетчера лондонской полиции уведомить его, если поступит звонок от Софи.

— Послушайте, — теперь Фаш говорил по-французски, — вчера вечером я совершил ужасную ошибку. Роберт Лэнгдон не виновен. Все обвинения против него сняты. И все равно вы оба в данный момент в опасности. Вам нужно немедленно обратиться в местное отделение полиции.

Софи не знала, что ответить. Фаш совсем не тот человек, чтобы извиняться за промахи.

— И не надо напоминать мне, — продолжил Фаш, — что Жак Соньер доводился вам дедом. Я готов закрыть глаза на ваше неподчинение вчера в связи с эмоциональным стрессом, в котором вы пребывали. Но в данный момент вам с Лэнгдоном абсолютно необходимо обратиться в ближайшее отделение полиции. Ради вашей же безопасности.

Он знает, что я в Лондоне? Что еще известно Фашу? Голос его звучал на фоне каких-то странных звуков, словно рядом сверлили или работал некий механизм. Софи также слышала непрерывные пощелкивания на линии.

— Вы пытаетесь установить, откуда я звоню, капитан?

— Мы с вами должны объединиться, агент Невё, — убедительно и твердо произнес Фаш. — В противном случае оба можем потерять слишком много. Вчера я ошибся в своих суждениях, и если выяснится, что я ложно обвинял и преследовал американского профессора и шифровальщицу нашей же службы, моей карьере конец. На протяжении последних нескольких часов я пытался вызволить вас из очень опасной ситуации.

Софи обдало теплым ветерком, к платформе приближался поезд. Она намеревалась на него успеть. Очевидно, и Лэнгдон хотел того же. Он поднялся со скамьи и двинулся к телефонной будке.

— Вам нужен человек по имени Реми Легалудек, — сказала Софи. — Слуга Тибинга. Он только что захватил Тибинга в заложники, в церкви Темпла, и...

— Агент Невё! — воскликнул Фаш, и в этот момент на станцию с грохотом вкатил поезд. — Такие вопросы обсуждать по телефону нельзя! Вы с Лэнгдоном должны приехать как можно скорее. Ради вашего же блага! Это приказ!

Софи повесила трубку и в последний момент успела вскочить в вагон вместе с Лэнгдоном.

ГЛАВА 89

режде блиставший безупречной чистотой салон «хокера» был завален теперь металлической стружкой и насквозь провонял пропаном. Безу Фаш выгнал вон всех сотрудников и сидел в одиночестве за столом. На столе стояли стакан виски и тяжелая деревянная шкатулка, найденная в сейфе Тибинга.

Фаш провел пальцем по инкрустированной розе, затем осторожно приподнял крышку. Внутри лежал каменный цилиндр из дисков, на которых были выбиты буквы. Все пять дисков были расположены так, что прочитывалось слово «СОФИЯ». Фаш долго смотрел на это слово, затем достал цилиндр из бархатного гнездышка и осмотрел уже более тщательно, дюйм за дюймом. Потом осторожно потянул за концы. Цилиндр распался на две части. Внутри было пусто.

Фаш убрал его обратно в шкатулку и долго и рассеянно смотрел из иллюминатора в ангар, размышляя о недавнем разговоре с Софи и информации, полученной от сотрудников научно-технического отдела из Шато Виллет. Звонок мобильного телефона вывел его из состояния задумчивости.

Звонил оператор диспетчерской службы судебной полиции. Он многословно извинялся за то, что оторвал капитана от дел. Но президент Депозитарного банка Цюриха буквально достал их своими звонками. И даже когда ему сказали, что Фаш отправился в Лондон по важному делу, все равно продолжал названивать. Фаш раздраженно буркнул в трубку, чтобы его соединили.

— Месье Верне, — сказал Фаш, не дав возможности банкиру даже поздороваться, — извините, но я не мог позвонить вам раньше. Был страшно занят. Я сдержал свое обещание, и название вашего банка пока ни разу не упоминалось в средствах массовой информации. Так что вас, собственно, беспокоит?

Голос Верне дрожал от волнения. Он рассказал Фашу о том, что Лэнгдон с Софи умудрились забрать из банка маленькую деревянную шкатулку, а затем убедили его помочь им скрыться.

— Когда я услышал по радио, что они преступники, — продолжил Верне, — то остановил фургон и потребовал, чтобы они немедленно вернули шкатулку. Но они напали на меня, отбили фургон и скрылись.

— Так, стало быть, вас волнует судьба деревянной шкатулки, — сказал Фаш. Взглянул на инкрустированную розу, затем поднял крышку и снова увидел белый каменный цилиндр. — Не могли бы вы сказать, что именно находилось в этой самой шкатулке?

— Это не столь важно, — ответил Верне. — Лично мне куда важнее репутация моего банка! Нас еще ни разу не грабили! *Никогда!* И мы разоримся, если общественность узнает, что я не могу обеспечить защиту имущества наших клиентов.

— Так вы говорите, агент Невё и Роберт Лэнгдон имели при себе ключ и знали код доступа? В таком случае почему утверждаете, что они *украли* эту шкатулку?

— Да потому, что они убийцы! Убили нескольких человек, в том числе и деда Софи. А стало быть, раздобыли ключ и пароль преступным путем.

— Мистер Верне, мои люди проверили ваше прошлое, круг ваших интересов. И убедились, что вы человек высокой культуры и прекрасно образованны. К тому же вы человек чести. Как, впрочем, и я. А стало быть, даю вам слово офицера, начальника судебной полиции Франции, что ваша шкатулка, как и репутация банка, в надежных руках.

ейтенант Колле изумленно рассматривал компьютер, установленный на чердаке амбара в Шато Виллет.

— Так вы считаете, прослушка всех указанных здесь людей велась с помощью этой системы?

— Да, — кивнул агент. — И данные собирались больше года.

Колле перечитал список.

КОЛЬБЕР СОСТАК —	председатель Конституционного совета.
ЖАН ШАФФЕ —	куратор музея Жё-де-Пом.
ЭДУАРД ДЕСРОШЕ —	старший архивариус библиотеки Миттерана.
ЖАК СОНЬЕР —	куратор музея Лувр.
МИШЕЛЬ БРЕТОН —	глава DAS (французской разведки).

Агент указал на экран:

— Особенно их интересовал номер четыре.

Колле молча кивнул. Уж он-то сразу заметил это имя. *Жака Соньера прослушивали.* Затем он снова пробежал глазами весь список. *Но как удалось поставить на прослушку всех этих известных людей?*

— Вы прослушали хоть что-то из этих аудиофайлов?

— Несколько. Вот самый последний. — Агент защелкал клавиатурой. Микрофон ожил.

— «Capitaine, un agent du Département de Cryptographie est arrivé».

Колле просто ушам своим не верил.

— Но это же я! Мой голос! — Он вспомнил, как сидел за столом в кабинете Жака Соньера и сообщал Фашу по рации о прибытии Софи Невё.

Агент кивнул:

— Большая часть разговоров, которые мы вели в Лувре во время расследования, была доступна некоему третьему лицу.

— Вы послали людей на поиски «жучка»?

— В этом нет необходимости. Я знаю, где он находится. — Агент подошел к столу, где лежали какие-то заметки и распечатки. Порылся в бумагах, нашел страничку и протянул Колле. — Вам это знакомо, не правда ли?

Колле изумился. В руках у него была фотокопия старинной схемы с изображением неизвестного механизма. Он не смог прочесть сделанные от руки по-итальянски подписи и пояснения к рисунку, но в том и не было необходимости. Он сразу понял, что это такое. Двигающаяся и открывающая рот фигурка средневекового французского рыцаря.

Того самого рыцаря, что стоял на столе у Соньера!

Колле взглянул на поля, где красовались какие-то примечания, написанные красным маркером и по-французски. Похоже, то были пояснения, где и как лучше всего разместить в рыцаре «жучок».

ГЛАВА 91

айлас сидел на пассажирском сиденье «ягуара», припаркованного рядом с церковью Темпла. Ладони были влажны от пота — так крепко он сжимал в руках краеугольный камень. Он ждал, когда Реми закончит связывать Тибинга веревкой, найденной в багажном отделении лимузина.

Наконец Реми справился с пленным, подошел к передней дверце и уселся за руль рядом с Сайласом.

— Ну как, надежно? — спросил его Сайлас.

Реми усмехнулся, сбросил с волос капли дождя и посмотрел через опущенную перегородку. В глубине салона, в тени, виднелся скорчившийся на полу Лью Тибинг.

— Куда денется!..

Но тут Сайлас услышал сдавленные крики и возню и понял, что Реми залепил рот Тибингу куском уже однажды использованного для этой цели скотча.

— Ferme ta gueule!* — прикрикнул Реми, оглянувшись, и надавил одну из кнопок на панели управления. Поднялась непрозрачная перегородка, тут же отделившая их от остальной части салона. Тибинг исчез, голоса его больше не было слышно.

Реми покосился на Сайласа и проворчал:

— Успел по горло наслушаться его нытья!

Несколько минут спустя, когда лимузин мчался по улицам Лондона, зазвонил мобильник Сайласа. *Учитель!* Он торопливо нажал кнопку:

* Заткнись! *(фр.)*

— Алло?

— Сайлас! — прозвучал голос со знакомым французским акцентом. — Слава Богу, наконец-то слышу тебя. Это значит, ты в безопасности.

Сайлас тоже обрадовался. Он уже давно не слышал голос Учителя, а сама операция шла совершенно не по плану. Теперь же вроде бы все постепенно налаживалось.

— Краеугольный камень у меня.

— Прекрасная новость! — сказал Учитель. — Реми с тобой?

Сайлас удивился. Оказывается, Учитель знал и Реми.

— Да. Это Реми меня освободил.

— По моему приказу. Сожалею, что тебе пришлось так долго переносить тяготы плена.

— Физические неудобства ничто. Самое главное, что камень теперь у нас.

— Да. И я хотел бы, чтобы его как можно скорее доставили мне. Время не ждет.

Сайлас и мечтать не мог о таком счастье. Наконец-то он увидит самого Учителя!

— Да, сэр. Слушаюсь, сэр. Буду счастлив исполнить ваше приказание.

— Вот что, Сайлас. Я бы хотел, чтобы камень доставил мне Реми.

Реми? Сайлас сник. Какая несправедливость! И это после всего того, что он сделал для Учителя? Он вправе рассчитывать на награду. Наградой могло бы послужить доброе слово при личной встрече. *А теперь получается, все лавры достанутся Реми?..*

— Чувствую, ты разочарован, — сказал Учитель. — А это, в свою очередь, означает, что ты не понял истинных моих намерений. — Тут Учитель понизил голос до шепота: — Поверь, я предпочел бы получить краеугольный камень именно из твоих рук. Рук слуги Божьего, а не какого-то там преступника. Но Реми следует заняться, и немедленно. Он ослушался меня, совершил огромную ошибку, которая поставила всю нашу операцию под угрозу.

Сайлас похолодел и покосился на Реми. Похищение Тибинга вовсе не входило в их планы. Теперь возникла новая проблема. Совершенно непонятно, что делать с этим старикашкой.

— Мы с тобой слуги Господа нашего Бога, — продолжал нашептывать Учитель. — Мы не можем, не имеем права отклоняться от избранного пути. — На противоположном конце линии повисла многозначительная пауза. — Лишь по этой причине я прошу именно Реми привезти мне камень. Ты меня понимаешь?

Сайлас уловил гневные нотки в голосе Учителя. Он был удивлен, что Учитель не понимает его. *Ведь рано или поздно он должен показать свое лицо,* подумал Сайлас. *Реми сделал то, что должен был сделать. Он спас краеугольный камень.*

— Понимаю, — с трудом выдавил Сайлас.

— Вот и хорошо. Вы не должны мотаться по улицам, это слишком рискованно. Скоро полиция начнет искать лимузин, а я не хочу, чтоб вы попались. Скажи, у «Опус Деи» есть резиденция в Лондоне?

— Конечно.

— И тебя там примут?

— Как брата.

— Тогда немедленно поезжай туда и оставайся там. Я позвоню тебе, как только получу камень и решу все вопросы.

— Вы тоже в Лондоне?

— Делай, что тебе говорят, и все будет прекрасно.

— Слушаюсь, сэр.

Учитель вздохнул, точно ему предстояло заняться страшно неприятным делом.

— А теперь я хотел бы поговорить с Реми.

Сайлас протянул Реми мобильник. Теперь он знал, что этот телефонный разговор может оказаться последним для Реми Легалудека.

Реми взял мобильник и подумал о том, что этот несчастный уродливый монах понятия не имеет, какая плачевная ему уготована судьба.

Учитель просто использовал тебя, Сайлас.

А твой епископ оказался лишь жалкой пешкой в этой игре.

Реми не уставал удивляться умению Учителя убеждать. Епископ Арингароса пожертвовал ради него всем. *Здорово он его охмурил, ничего не скажешь. Епископ слишком хотел верить в то, что слышит, вот в чем его беда.* И хотя Учитель не слишком нравился Реми, он вдруг почувствовал прилив гордости. Еще бы, ведь он сумел завоевать доверие такого человека, сделать для него так много. *Я честно заработал свои деньги.*

— Слушай меня внимательно, — сказал Учитель. — Отвезешь Сайласа к резиденции «Опус Деи», высадишь в нескольких кварталах оттуда. Потом поезжай к Сент-Джеймсскому парку. Это рядом с парламентом и Биг-Беном. Можешь припарковать лимузин на Хорсгардз-Парейд*. Там и поговорим.

И голос в трубке замолк.

ГЛАВА 92

оролевский колледж, основанный королем Ге-
оргом IV в 1829 году, представлял собой само-
стоятельное учебное заведение при Лондонском
университете с факультетом теологии и религиозных исследований и располагался в здании
неподалеку от парламента. Он мог похвастаться
не только стопятидесятилетним опытом исследований и обучения студентов, но и созданием в 1982 году подразделения под названием «Исследовательский институт системной теологии», ос-
нащенного самой полной и технически совершенной в мире ба-
зой электронных данных по изучению различных религий.

Шел на улице дождь. Лэнгдон переступил порог библиотеки
и почувствовал, как у него от волнения сжимается сердце. Главная исследовательская лаборатория оказалась именно такой, какой ее описывал Тибинг. Большое, прямоугольной формы помещение, главным предметом обстановки которого был круглый
деревянный стол. За таким столом король Артур со своими рыцарями мог бы чувствовать себя вполне комфортно, если бы не
наличие двенадцати компьютеров с плоскими экранами. В дальнем конце помещения находился стол справок. Дежурная библиотекарша как раз наливала в чайник воду, готовясь к долгому
рабочему дню.

— Славное выдалось утро, не правда ли? — в типично английской манере приветствовала она посетителей. Оставила чайник и
подошла. — Могу чем-нибудь помочь?

— Да, спасибо, — ответил Лэнгдон. — Позвольте представиться...

— Вы Роберт Лэнгдон. — Она одарила его приветливой улыбкой. — Я вас сразу узнала.

На секунду им овладел страх. Он подумал, что по распоряжению Фаша его фото показали и по британскому телевидению. Но улыбка библиотекарши успокоила. Лэнгдон еще не привык к своей известности. Но если и есть на земле люди, способные узнать его, то они, несомненно, должны работать на факультете истории религий.

— Памела Геттем, — представилась библиотекарша и протянула руку. Умное лицо с тонкими чертами, приятный голос. На шее висели очки на цепочке в роговой оправе и с толстыми стеклами.

— Рад познакомиться, — сказал Лэнгдон. — А это мой друг, Софи Невё.

Женщины поздоровались, и Геттем снова обратила все свое внимание на Лэнгдона:

— А я не знала, что вы к нам приезжаете.

— Да мы и сами не знали. Все вышло спонтанно. Если вас не затруднит, окажите нам помощь в поиске некоторых сведений.

Геттем несколько растерялась.

— Видите ли, как правило, мы предоставляем услуги только по официальным запросам. И сами назначаем время. Разве что вы являетесь гостем кого-то из наших профессоров?

Лэнгдон покачал головой:

— Увы, мы прибыли без приглашения. Просто один мой друг очень высоко о вас отзывался. Сэр Лью Тибинг, знаете такого? Знаменитый историк, член Британской королевской...

— О Господи, да, конечно! — Библиотекарша просияла. — Что за человек! Какой ученый! Просто фантастика, легенда! Всякий раз, когда приходит сюда, поиск направления один — Грааль, Грааль, Грааль. Нет, ей-богу, порой мне кажется, он скорее умрет, чем сдастся. — Она игриво подмигнула Лэнгдону. — Впрочем, время и деньги — вот роскошь, которую могут позволить себе люди, подобные сэру Тибингу, вы согласны? Он настоящий донкихот от науки!

— Так мы можем рассчитывать на вашу помощь? — спросила Софи. — Поверьте, это очень важно!

Геттем оглядела пустое помещение и заговорщицки подмигнула им обоим:

— Что ж, не могу утверждать, что как раз сейчас я очень заня-та, верно? Не думаю, что, занявшись вами, серьезно нарушу на-ши правила. Что именно вас интересует?

— Мы пытаемся найти в Лондоне одно старинное захороне-ние.

Геттем посмотрела на них с сомнением:

— Но у нас около двадцати тысяч таких захоронений. Нельзя ли поточнее?

— Это могила рыцаря. Имени мы не знаем.

— Рыцаря... Что ж, это значительно сужает круг поисков. Мо-гилы рыцарей не на каждом шагу встречаются.

— У нас не так много информации об этом рыцаре, — сказа-ла Софи. — Это все, что мы знаем. — И она протянула библио-текарше листок, на котором записала две первые строчки стихо-творения.

Не желая показывать все четверостишие постороннему чело-веку, Софи с Лэнгдоном решили разделить его на две части. Двух первых строк было достаточно для определения личности рыца-ря. Софи называла это «усеченным шифрованием». Когда разве-дывательная служба перехватывает шифровку, содержащую ка-кие-либо важные данные, ее обычно делят на части, и каждый криптограф работает над своей. Придумано это на тот случай, ес-ли кто-то из них расколется. Ни один шифровальщик не владеет всем объемом секретной информации.

Впрочем, в данном случае эти меры предосторожности были, пожалуй, излишними. Даже если бы библиотекарша и увидела стихотворение целиком, узнала, где находится могила рыцаря и что за шар на ней отсутствует, без криптекса эта информация все равно была бы бесполезна.

По глазам знаменитого американского ученого Геттем сразу поняла, что сведения об этой загадочной могиле чрезвычайно для него важны. Да и зеленоглазая женщина, сопровождавшая его, тоже заметно волновалась.

Немного озадаченная библиотекарша надела очки и взгляну-ла на протянутый листок.

Лондон, там рыцарь лежит, похороненный папой.
Гнев понтифика он на себя навлек.

Она посмотрела на них.

— Что это? Гарвардские шутники раскопали на какой-то мусорной свалке?

Лэнгдон с трудом выдавил смешок:

— Ну, можно сказать и так.

Геттем поняла: он что-то недоговаривает. Тем не менее загадка заинтересовала ее. Ей и самой было любопытно разобраться.

— Итак, в этом стишке говорится о том, что некий рыцарь сделал нечто, вызвавшее недовольство Церкви. Однако папа был милостив к нему и разрешил похоронить здесь, в Лондоне.

Лэнгдон кивнул:

— Примерно так. Наводит на какие-либо мысли?

Геттем подошла к компьютеру.

— Ну, сразу не скажу. Но давайте посмотрим, что можно выкачать из базы данных.

За последние два десятилетия Исследовательский институт системной теологии при Королевском колледже использовал компьютерную методику поиска параллельно с переводом с разных языков для обработки и систематизации огромного собрания различных текстов. В их число входили энциклопедии религии, биографии религиозных деятелей, Священные Писания на десятках языков, исторические хроники, письма Ватикана, дневники священнослужителей — словом, все, что могло иметь отношение к вопросам веры. Теперь же эта внушительная коллекция существовала в виде битов и байтов, а не бесконечных страниц с текстами, и данные стали гораздо доступнее.

Усевшись перед компьютером, библиотекарша положила рядом листок с двустишием и принялась печатать.

— Попробуем задействовать поисковую систему с помощью нескольких ключевых слов. А дальше видно будет.

— Спасибо.

Геттем напечатала:

Лондон, рыцарь, папа

Затем щелкнула клавишей «Поиск», и огромная машина тихо загудела, сканируя данные со скоростью пятьсот мегабайт в секунду.

— Я попросила систему показать мне документы, где в полном тексте содержатся все эти три слова. Конечно, она выдаст много лишней информации, но начинать, думаю, лучше всего с этого.

На экране уже ползли первые строчки:

Портреты папы. Собрание картин сэра Джошуа Рейнолдса. «Лондон юниверсити пресс».

Геттем покачала головой:

— Очевидно, это не то, что нам нужно. Посмотрим дальше.

«Лондонский период в творчестве Александра Попа*» Дж. Уилсона Найта**.

Снова не то.

Система продолжала работать, и данных поступало великое множество. Дюжины текстов, во многих из них шла речь о британском писателе восемнадцатого века Александре Попе, в чьих сатирических стихах содержалось немало упоминаний о рыцарях и Лондоне.

Геттем перевела взгляд на нумерационное поле в нижнем углу экрана. Выдавая информацию, компьютер автоматически подсчитывал процент данных, подлежащих переработке, уведомляя пользователя о том, на какой объем информации он может рассчитывать. Поле казалось практически необозримым.

Приблизительное количество ссылок: 2692

— Нам следует как-то сузить круг поиска, — заметила Геттем. — Это вся информация о захоронении, которой вы располагаете? Может, есть что-то еще?

Лэнгдон покосился на Софи. Та колебалась.

Они явно что-то скрывают, поняла Геттем. *И это не гарвардские глупости.* Она была наслышана о прошлогоднем визите Лэнгдона в Рим. Этот американец умудрился получить доступ в самую труднодоступную библиотеку в мире — в архивы Ватика-

---

* Поп, Александр (1688—1744) — английский поэт и философ. Фамилия Роре в переводе также означает «папа» — глава Римской католической церкви.

** Фамилия Найт происходит от английского Knight — «рыцарь».

на. Интересно, подумала она, какие секреты мог узнать там Лэнгдон и не связаны ли нынешние поиски захоронения в Лондоне с информацией, полученной в Ватикане? Геттем слишком долго проработала в библиотеке, а потому знала: когда люди приезжают в Лондон на поиски рыцарей, это означает, что их интересует только одно — *Грааль*.

Библиотекарша улыбнулась и поправила очки.

— Вы друзья сэра Лью Тибинга, вы прибыли в Англию и ищете рыцаря. — Она сложила ладони. — Отсюда я делаю вывод, что вас, по всей видимости, интересует Грааль.

Лэнгдон с Софи обменялись удивленными взглядами.

Геттем засмеялась:

— Друзья мои, наша библиотека — базовый лагерь для всех охотников за Граалем. И Лью Тибинг является одним из них. И если бы мне платили хоть по шиллингу за каждый поиск, связанный с такими ключевыми словами, как «Роза», «Мария Магдалина», «Сангрил», «Меровинги», «Приорат Сиона», ну и так далее и тому подобное, я бы, наверное, давно разбогатела. Все просто помешались на тайнах. — Она сняла очки и посмотрела им прямо в глаза. — Мне нужна дополнительная информация.

Гости молчали, но Геттем безошибочно уловила их готовность расстаться с тайной, слишком уж важен был для них результат поисков.

— Вот, — буркнула Софи Невё, — это все, что мы знаем. — И, взяв у Лэнгдона ручку, она дописала на листке бумаги две строки и протянула его библиотекарше.

Шар от могилы найди, Розы цветок.
На плодоносное чрево сие есть намек.

Геттем едва сдержала улыбку. *Так, значит, действительно Грааль*, подумала она, *раз речь идет о Розе и плодоносном чреве*.

— Пожалуй, я смогу помочь вам, — сказала она. — Могу ли я спросить, откуда у вас это стихотворение? И почему следует искать именно шар?

— Спросить вы, конечно, можете, — ответил с улыбкой Лэнгдон, — но история эта очень длинная, а мы ограничены во времени.

— Вежливый способ сказать «не ваше это дело»?

— Послушайте, Памела, — сказал Лэнгдон, — мы навеки у вас в долгу, если вы поможете понять, кто такой этот рыцарь и где похоронен.

— Что ж, хорошо, — ответила Геттем и снова уселась за компьютер. — Я постараюсь. Если все завязано на Граале, попробуем использовать другие ключевые слова. Введу их как дополнение и снова включу программу поиска. Это позволит ограничиться текстами, связанными с миром Грааля.

И она набрала:

Поиск:
рыцарь, Лондон, папа, могила

А затем, чуть ниже, допечатала:

Грааль, Роза, Сангрил, сосуд

— Сколько примерно времени это займет? — спросила Софи.

— Несколько сот терабайтов с множественными перекрестными ссылками? — Памела, сощурившись, прикинула в уме и щелкнула клавишей «Поиск». — Минут пятнадцать, не больше.

Лэнгдон с Софи промолчали, но она поняла: эти пятнадцать минут кажутся им вечностью.

— Чаю? — спросила библиотекарша и подошла к столику, на котором стоял чайник. — Лью всегда просто обожал мой чай.

ГЛАВА 93

езиденция «Опус Деи» в Лондоне представляла собой скромное кирпичное здание по адресу Орм-Корт, 5, напротив располагались улица Норт-Уок и парк Кенсингтон-гарденз. Сайлас никогда не был здесь, но, приближаясь к зданию, с каждым шагом ощущал все большую уверенность и спокойствие. Добираться Сайласу пришлось пешком. Несмотря на то что дождь лил как из ведра, Реми высадил его из машины за несколько кварталов — не хотел, чтобы лимузин показывался на центральных улицах. Но Сайлас не возражал против пешей прогулки. Дождь очищает.

По совету Реми он стер с оружия отпечатки пальцев, а затем избавился от него, бросив в канализационный колодец. И был рад, что избавился. На душе сразу полегчало. Ноги все еще побаливали от веревок, но Сайлас научился терпеть и куда более сильную боль. Он думал о Тибинге, которого Реми оставил связанным в лимузине. Британцу сейчас наверняка приходится ой как не сладко.

— Что будешь с ним делать? — спросил он Реми перед тем, как тот высадил его из машины.

Реми пожал плечами:

— Это Учителю решать. — Но в его голосе Сайлас услышал приговор.

Он уже подходил к зданию «Опус Деи», когда дождь усилился, превратившись в настоящий ливень. Сутана промокла насквозь, влажная ткань прилипала к свежим ранам, они заныли с новой силой. Но Сайлас ничего не имел против. Он был готов очиститься от грехов, совершенных за последние сутки. Свою работу он сделал.

Сайлас пересек двор и, подойдя к двери, не слишком удивился, увидев, что она не заперта. Он отворил ее и шагнул в скромно обставленную прихожую. И едва ступил на ковер, как сработало электронное устройство и где-то наверху звякнул колокольчик. То было обычное явление для зданий, обитатели которых большую часть дня проводили за молитвами у себя в комнатах. Сайлас услышал, как скрипнули над головой деревянные половицы.

Через минуту к нему спустился мужчина в монашеской сутане.

— Чем могу помочь?

Глаза у него были добрые, но смотрел он как-то странно, мимо Сайласа.

— Спасибо. Я Сайлас. Член «Опус Деи».

— Американец?

Сайлас кивнул:

— Я здесь всего на один день. Хотелось бы передохнуть. Это возможно?

— Какие могут быть вопросы. На третьем этаже пустуют две комнаты. Могу принести вам чаю и хлеба.

— Огромное спасибо. — Только теперь Сайлас почувствовал, как зверски проголодался.

Он поднялся наверх и оказался в скромной комнате с одним окном. Снял промокшую насквозь сутану, опустился на колени прямо в нижнем белье. Услышал, как в коридоре раздались шаги — это монах подошел и поставил поднос возле двери. Сайлас помолился, потом поел и улегся спать.

Тремя этажами ниже зазвонил телефон. Ответил послушник «Опус Деи», впустивший Сайласа в обитель.

— Вас беспокоит полиция Лондона, — услышал он мужской голос. — Мы пытаемся разыскать монаха-альбиноса. Получили информацию, что он может быть у вас. Вы его видели?

Монах был потрясен.

— Да, он приходил. А что случилось?

— Он и сейчас у вас?

— Да. Наверху. Молится. Что он натворил?

— Пусть остается там, где есть, — строго приказал мужчина. — Никому ни слова. Я высылаю за ним своих людей.

ГЛАВА 94

ент-Джеймсский парк — это зеленый островок в самом центре Лондона, расположенный неподалеку от Вестминстерского и Букингемского дворцов. Теперь он открыт для всех желающих, но некогда король Генрих VIII обнес парк изгородью и развел там оленей, на которых охотился вместе с придворными. В теплые солнечные дни лондонцы устраивают пикники прямо под раскидистыми ивами и кормят пеликанов, обитающих в пруду. Кстати, дальние предки этих пеликанов некогда были подарены Карлу II русским послом.

Сегодня Учитель никаких пеликанов здесь не увидел, уж слишком ветреная и дождливая выдалась погода, но зато с моря прилетели чайки. Лужайки парка были покрыты сотнями белых птиц, все они смотрели в одном направлении, терпеливо пережидая сокрушительные порывы влажного ветра. Несмотря на утренний туман, отсюда открывался прекрасный вид на знаменитое здание парламента и Биг-Бен. А если посмотреть выше, через пологие лужайки и пруд с утками, сквозь изящное кружево плакучих ив, становились видны шпили здания, где, как знал Учитель, и находилась могила рыцаря. Именно по этой причине он назначил свидание Реми здесь.

Вот Учитель приблизился к передней дверце лимузина, и Реми услужливо распахнул ее перед ним. Но Учитель медлил, достал плоскую фляжку с коньяком, отпил глоток. Потом вытер губы платком, уселся рядом с Реми и захлопнул дверцу.

Реми торжественно приподнял руку с зажатым трофеем, краеугольным камнем.

— Чуть не потеряли.

— Ты прекрасно справился, — сказал Учитель.

— Мы справились вместе! — поправил его Реми. И передал камень Учителю.

Тот долго разглядывал его и улыбался.

— Ну а оружие? Отпечатки, надеюсь, стерты?

— Да. И я положил его обратно в бардачок.

— Отлично! — Учитель отпил еще один глоток коньяку и протянул фляжку Реми. — За наш успех! Конец уже близок.

Реми с благодарностью принял угощение. Правда, коньяк показался солоноватым на вкус, но ему было все равно. Теперь они с Учителем стали настоящими, полноправными партнерами. Он чувствовал: перемены в его жизни близки. *Теперь уже никогда больше не буду слугой.* Реми смотрел через набережную на пруд с утками, Шато Виллет казался далеким, как сон.

Отпив еще глоток, Реми почувствовал, как по жилам разлилось приятное тепло. Однако вскоре теплота эта превратилась в жжение. Реми ослабил узел галстука, ощущая неприятный привкус во рту, и протянул фляжку Учителю.

— Мне, пожалуй, хватит, — с трудом выдавил он.

Учитель забрал фляжку и сказал:

— Надеюсь, ты понимаешь, Реми, что оказался единственным человеком, знающим меня в лицо. Я оказал тебе огромное доверие.

— Да, — ответил слуга. Его сотрясал мелкий озноб, и он снова ослабил узел галстука. — И эту тайну я заберу с собой в могилу.

Помолчав, Учитель заметил:

— Я тебе верю. — Затем убрал в карман фляжку и краеугольный камень. Потянулся к бардачку, открыл его, достал крохотный револьвер «Медуза». На мгновение Реми охватил страх, но Учитель просто сунул револьвер в карман брюк.

Что он делает? И зачем? Реми прошиб холодный пот.

— Я обещал тебе свободу, — сказал Учитель, и на этот раз в голосе его прозвучало сожаление. — Но с учетом всех обстоятельств это лучшее, что я могу для тебя сделать.

Реми почувствовал, как у него распухло горло и стало нечем дышать. Хватаясь обеими руками за горло, он вдруг согнулся пополам, спазмы в трахее перешли в приступы рвоты. Он хотел крикнуть, но издал лишь слабый сдавленный стон. Теперь понятно, почему коньяк показался солоноватым.

Я умираю! Он меня убил!..

Еще не веря до конца в эту чудовищную мысль, Реми обернулся к сидевшему рядом Учителю. Тот спокойно смотрел куда-то вперед через ветровое стекло. В глазах у Реми помутилось, он судорожно хватал ртом воздух. *Я для него в лепешку разбивался! Как он только мог, как смел?* Реми не знал, чем было вызвано решение Учителя убрать его. То ли он задумал это с самого начала, то ли ему не понравились действия Реми в церкви Темпла. Лега-лудеку не суждено было узнать об этом. Животный страх и ярость — вот какие чувства владели им сейчас. Он попытался наброситься на Учителя, но тело не слушалось. *Я поверил тебе, я все поставил на карту!*

Реми пытался поднять кулак, чтоб ударить по клаксону, но лишь пошатнулся и сполз вниз по сиденью. Так и лежал на боку возле Учителя, хватаясь за опухшее горло. Дождь припустил еще сильнее. Реми уже ничего не видел, но краем затухающего сознания цеплялся за прекрасное видение. И перед тем как окружающий мир для него померк, увидел водную гладь под солнцем, услышал, как с ласковым шепотом набегает на берег Ривьеры прибой.

Учитель вышел из лимузина, огляделся и с удовлетворением отметил, что вокруг ни души. *У меня не было выбора,* сказал он себе и даже немного удивился: теперь он не испытывал никаких сожалений о содеянном. *Реми сам выбрал такую судьбу.* Все это время Учитель опасался, что Реми придется устранить, когда операция будет завершена. Но глупец сам приблизил свою кончину, повел себя в церкви Темпла совершенно недопустимым образом. Неожиданное появление Роберта Лэнгдона в Шато Виллет имело как положительную, так и отрицательную сторону. Лэнгдон доставил краеугольный камень, избавив от необходимости разыскивать бесценное сокровище, но он же навел полицию на их след. Реми оставил множество отпечатков не только по всему дому, но и на чердаке амбара, где был установлен пост прослушивания, на котором он же и дежурил. И теперь Учитель радовался своей предусмотрительности. Он сделал все возможное, чтобы между ним и Реми не усматривалось никакой связи, способной

разоблачить их совместную деятельность. Никто ни в чем не заподозрил бы Учителя, разве только в том случае, если бы Реми
вдруг проболтался. Но теперь и эта опасность устранена.

Еще один конец обрублен, подумал Учитель и направился к задней дверце лимузина. *Полиция никогда не поймет, что произошло... и нет в живых свидетеля, который его выдаст.* Он осторожно огляделся по сторонам, убедился, что никто за ним не следит,
открыл дверцу и забрался в просторное хвостовое отделение салона.

Несколько минут спустя Учитель уже пересекал Сент-
Джеймсский парк. *Теперь остались только двое. Лэнгдон и Невё.* С
ними будет куда сложнее. Но ничего, справиться можно. Сейчас
не до них, надо срочно заняться криптексом.

С торжеством оглядывая парк, он видел впереди свою цель.
Лондон, там рыцарь лежит, похороненный папой. Едва услышав
эти стихи, Учитель сразу же понял: он знает ответ. А в том, что
другие до сих пор не вычислили его, нет ничего удивительного.
*У меня преимущество, пусть даже и получено оно не совсем чест-
ным путем.* Учитель на протяжении нескольких месяцев прослушивал все разговоры Соньера, и однажды Великий мастер упомянул об этом знаменитом рыцаре, почитаемом им не меньше,
чем Леонардо да Винчи. То, что в стихотворении говорится
именно об этом рыцаре, не вызывало никаких сомнений, хотя и
следовало отдать должное остроумию Соньера. Учителя заботи-
ло совсем другое. Как поможет могила узнать последнее ключевое слово, до сих пор оставалось загадкой.

Шар от могилы найди...

Учитель помнил снимки знаменитого захоронения, главную
его отличительную черту. *Изумительной красоты шар.* Эта огромная сфера венчала надгробие и по своим размерам не уступа-
ла ему. Наличие шара радовало Учителя и одновременно вызывало беспокойство. С одной стороны, это указатель, с другой —
если верить стихам, ключевое слово как-то связано с шаром, который *должен* быть на могиле... но теперь отсутствует. И тогда,
возможно, это совсем не тот шар. Чтобы прояснить ситуацию,
он собирался самым тщательным образом осмотреть надгробие.

Дождь лил как из ведра, и он засунул криптекс поглубже в
правый карман, чтобы не намок. В левом кармане лежал револь-

вер «Медуза». Через несколько минут он уже входил в храм, расположенный едва ли не в самом изумительном здании Лондона конца девятого века.

В этот же момент епископ Арингароса вышел прямо под дождь из маленького самолета. И, шлепая по лужам и приподнимая полы сутаны, двинулся к зданию аэровокзала в Биггин-Хилл. Он надеялся, что его встретит сам капитан Фаш. Но вместо него навстречу поспешил молодой офицер британской полиции с зонтиком.

— Епископ Арингароса? Капитану Фашу пришлось срочно уехать. Попросил меня встретить вас и проводить. Сказал, чтобы я отвез вас в Скотланд-Ярд. Он считает, что там вам будет безопаснее.

Безопаснее? Арингароса покосился на тяжелый портфель с облигациями Банка Ватикана. Он почти забыл, какое при нем сокровище.

— Да, благодарю вас.

Арингароса уселся в полицейский автомобиль. *Интересно, где же сейчас Сайлас?* Через несколько минут он получил ответ по полицейскому сканеру.

Орм-Корт, дом 5.

Арингаросе был прекрасно известен этот адрес.

Это же лондонская резиденция «Опус Деи».

— Везите меня туда, немедленно! — сказал он водителю.

ГЛАВА 95

энгдон не сводил глаз с экрана компьютера с того самого момента, как там начали появляться результаты поиска.

Пять минут. Всего две ссылки. Обе не имели отношения к делу.

Он уже начал беспокоиться.

Памела Геттем находилась в соседней комнате. Лэнгдон с Софи допустили оплошность, спросили, принято ли в библиотеке пить, помимо чая, еще и кофе. И вот теперь, судя по запаху, доносившемуся до них, можно было догадаться, что их собираются напоить растворимым «Нескафе».

И тут компьютер громко просигналил.

— Похоже, выдал еще что-то! — крикнула Памела из соседней комнаты. — Что там за название?

Лэнгдон впился глазами в экран.

Аллегория Грааля в средневековой литературе: Трактат о сэре Гавейне и Зеленом рыцаре

— Какая-то аллегория Зеленого рыцаря! — крикнул он библиотекарше.

— Не то, — ответила Геттем. — В Лондоне похоронено не так много мифологических зеленых гигантов. Можно даже считать, что ни одного.

Лэнгдон с Софи терпеливо сидели перед монитором в ожидании продолжения. Но когда экран ожил снова, информация оказалась для них неожиданной.

Die Opern von Richard Wagner

— Оперы Вагнера? — спросила Софи.

Геттем заглянула в комнату с пакетиком от кофе в руке.

— А вот это действительно странное сочетание. Разве Вагнер был рыцарем?

— Нет, — ответил Лэнгдон, чувствуя, что заинтригован. — Зато он был известным масоном. — *Наряду с Моцартом, Бетховеном, Шекспиром, Гершвином, Гудини и Диснеем.* О связях масонов с орденом тамплиеров, Приоратом Сиона и Граалем было написано множество книг. — Мне бы хотелось получить более подробную распечатку. Как вывести на экран весь текст?

— Да не нужен вам весь текст, — откликнулась библиотекарша. — Просто выделите название и нажмите на него мышкой. И компьютер выдаст вам отдельные строки из общего контекста, где встречаются выделенные ключевые слова.

Лэнгдон ничего не понял из ее объяснений, но выделил название и послушно щелкнул мышкой.

На мониторе высветилось несколько строк.

...мифологический **рыцарь** по имени Парсифаль, который...
...метафорический **Грааль**, поиск которого спорен...
...**Лондонская** филармония в 1855...
...оперная антология Ребекки **Поп**, включает «Диву»...
...**могила** Вагнера находится в Германии...

— Опять совсем не та Поп, — шутливо и разочарованно заметил Лэнгдон. Тем не менее его потрясла простота использования системы. Ключевых слов в контексте оказалось достаточно, чтобы напомнить ему об опере Вагнера «Парсифаль», в которой отдавалась дань Марии Магдалине как продолжательнице рода Иисуса Христа. В ней рассказывалась история молодого рыцаря, отправившегося на поиски истины.

— Наберитесь терпения, — посоветовала Геттем. — Дайте машине время. Пусть себе работает.

На протяжении нескольких следующих минут компьютер выдал еще несколько ссылок на Грааль, в том числе и текст о трубадурах, знаменитых странствующих менестрелях Франции. Лэнгдон знал, что общий корень в таких словах, как «minstrel» и «minister», не является случайным совпадением. Трубадуры были странствующими слугами, или «ministers», Церкви Марии Магдалины и использовали музыку, чтобы поведать в песенных балладах историю этой женщины. По сей день восславляют они добродетели «Госпожи нашей», загадочной и прекрасной дамы, истовому служению которой отдали себя целиком.

Тут компьютер выдал новую информацию:

Рыцари, плуты (валеты), папы и пятиконечные звезды: История святого Грааля в картах таро

— Неудивительно, — сказал Лэнгдон, обернувшись к Софи. — Некоторые из наших ключевых слов созвучны с названиями отдельных карт. — Он снова щелкнул мышкой. — Не уверен, что ваш дедушка, Софи, играя с вами в карты, когда-либо упоминал об этом. Но игра — это как бы «карточный» пересказ истории о пропавшей Невесте и ее порабощении «злой» Церковью.

Софи окинула его удивленным взглядом:

— Я и понятия не имела.

— В том и состоял смысл. С помощью этой метафорической игры последователи Грааля тайно обменивались посланиями, скрываясь от всевидящего ока Церкви. — Лэнгдон часто задавался вопросом, многим ли современным игрокам в карты известна истинная подоплека четырех мастей. Пики, червы, трефы и бубны — все это были символы, тесно связанные с Граалем и позаимствованные у четырех мастей карт таро: мечей, кубков, скипетров и пятиконечных звезд.

Пики были мечами — клинок. Символ мужчины.

Червы произошли от кубков — сосуд. Символ женщины.

Трефы были скипетрами — царская кровь. Символ продолжения рода.

Бубны были пятиконечными звездами — богиня. Символ священного женского начала.

Лэнгдон уже начал опасаться, что компьютер больше ничего не выдаст, но четыре минуты спустя на экране высветились следующие строки:

Тяготы гения:
Биография современного рыцаря

— «Тяготы гения»! — крикнул Лэнгдон библиотекарше. — «Биография современного рыцаря»! Как прикажете это понимать?

Геттем снова высунулась из-за двери:

— Насколько современного? И только не говорите мне, что это ваш сэр Руди Джулиани*. Лично я считаю, он до рыцаря не дотягивает.

У Лэнгдона возникла другая догадка. Он почему-то решил, что это биография недавно посвященного в рыцари сэра Мика Джаггера. Но момент был не слишком подходящим для обсуждения современной британской политики посвящения в рыцари.

— Так, давайте посмотрим, что тут у нас имеется. — И он прочел обрывки текста с ключевыми словами:

...почетный **рыцарь**, сэр Исаак Ньютон...
...в **Лондоне** в 1727-м, и...
...его **могила**
в Вестминстерском аббатстве...
...Александр **Поп**, друзья и коллеги...

— Я так понимаю, понятие «современный» весьма относительно, — сказала Софи Памеле. — Это отрывок из какой-то старой книги. О сэре Исааке Ньютоне.

Геттем, по-прежнему стоя в дверях, покачала головой:

— И что толку? Ведь Ньютон был похоронен в Вестминстерском аббатстве, этом центре английского протестантизма. И католик папа вряд ли мог присутствовать на похоронах. Вам с молоком и сахаром?

Софи кивнула.

— А вам, Роберт? — спросила Геттем.

Сердце у Лэнгдона билось все быстрее. Он отвел взгляд от экрана и поднялся.

— Сэр Исаак Ньютон и есть наш рыцарь.

Софи удивилась:

* По всей видимости, имеется в виду мэр Нью-Йорка Рудольфо Джулиани.

— О чем это вы?

— Ньютон похоронен в Лондоне, — принялся объяснять Лэнгдон. — Он создатель радикально новой науки, и за это его прокляла Церковь. И еще он был Великим мастером тайной организации, Приората Сиона. Чего же еще?..

— Чего еще? — воскликнула Софи и указала на листок со стихотворением. — А как насчет рыцаря, похороненного папой? Вы ведь слышали, что сказала мисс Геттем. Никакой папа Ньютона не хоронил.

Лэнгдон потянулся к мышке.

— Кто тут говорил о папе, главе Католической церкви? — Он выделил слово «папа», щелкнул мышкой. И на экране появился уже весь отрывок полностью.

> На похоронах сэра Исаака Ньютона,
> память которого почтили монархи
> и представители высшего сословия,
> распорядителем был Александр Поп,
> друзья и коллеги произносили трогательные
> панегирики, прежде чем бросить на гроб
> по горсти земли.

Лэнгдон обернулся к Софи:

— Итак, нужного нам папу мы получили со второй попытки. — Он выдержал паузу. — И это есть не кто иной, как мистер Поп. Александр.

Лондон, там рыцарь лежит, похороненный Попом...

Софи медленно поднялась со стула.

Жак Соньер, мастер двойных загадок и словесных игр, снова доказал, что человеком он был на удивление умным и изобретательным.

ГЛАВА 96

айлас проснулся словно от толчка.

Он не знал, что его разбудило и сколько он проспал. *Мне снился сон?* Он сел на соломенном тюфяке и прислушался к звукам в резиденции «Опус Деи», но тишину нарушало лишь тихое бормотание в комнате этажом ниже — там кто-то молился вслух. Эти знакомые звуки сразу успокоили Сайласа. Но тут внезапно он снова ощутил тревогу.

Поднявшись в чем был, прямо в нижнем белье, он подошел к окну. *Неужели кто-то меня выследил?* Но двор был пуст. Он прислушался. Тишина. *С чего это я так разнервничался?* За всю свою многотрудную жизнь Сайлас научился доверять интуиции. Только интуиция спасала его на улицах Марселя, когда он был еще ребенком. Задолго до тюрьмы... задолго до того, как у него благодаря епископу Арингаросе началась совсем другая жизнь. Он высунулся из окна и только теперь заметил смутные очертания стоявшего за изгородью автомобиля. На крыше полицейская мигалка. В коридоре скрипнула половица. Кто-то подергал ручку его двери.

Сайлас отреагировал мгновенно. Метнулся в сторону и оказался за дверью как раз в тот момент, когда она с грохотом распахнулась. В комнату ворвался полицейский с пистолетом. Не успел он сообразить, где находится Сайлас, как тот ударил дверь плечом и сбил с ног второго полисмена, который как раз входил. Первый, резко развернувшись, приготовился стрелять, но тут Сайлас нырнул прямо ему под ноги. Грохнул выстрел, пуля просвистела над головой Сайласа, а тот даром времени не терял:

больно пнул ногой стрелявшего прямо в голень. Ноги у того подкосились, и он, рухнув на пол, пребольно ударился головой о деревянные половицы. Второй полицейский, оказавшийся у двери, уже поднимался на ноги, но Сайлас подлетел и ударил его коленом в пах. Потом перепрыгнул через согнувшегося пополам от боли человека и выбежал в коридор.

Почти голый, в одном белье, Сайлас несся вниз по лестнице. Он понимал, что его предали. Но кто? Вот и прихожая, и он увидел, как в нее через распахнутую дверь вбегают другие полицейские. Сайлас повернулся и бросился бежать по коридору. *Там женская половина. В каждом здании «Опус Деи» есть такое отделение.* Сайлас проскочил через кухню, до смерти перепугав поваров и посудомоек. Еще бы: огромный голый альбинос мчался как бешеный, сшибая на своем пути котелки и тарелки. Вот он оказался в темном и узком коридорчике за бойлерной и увидел впереди спасительный свет, дверь открывалась на улицу.

Сайлас выскочил под проливной дождь, спрыгнул с высокого крыльца, но слишком поздно заметил выбегающего из-за угла здания полицейского. Мужчины столкнулись, при этом Сайлас успел подставить широкое бледное плечо, оно с сокрушительной силой ударило полицейского прямо в грудь. Офицер рухнул на мостовую, увлекая Сайласа за собой. Монах оказался сверху. При падении полицейский выронил из рук пистолет, оружие отлетело в сторону. Сайлас слышал, как из здания с криками выбегает кто-то еще. Он изловчился, перекатился на спину и успел схватить пистолет прежде, чем из дверей показались другие полицейские. Грянул выстрел, Сайласа точно огнем ожгло. Пуля угодила в подреберье. И тогда, ослепленный яростью, он открыл огонь по трем полицейским. Из его ран фонтанчиками била кровь.

Но тут над ним нависла чья-то тень, появившаяся, казалось, из ниоткуда. Дьявольски сильные руки впились ему в плечи мертвой хваткой и встряхнули. Мужчина проревел ему прямо в ухо:

— Сайлас, нет!

Монах развернулся и выстрелил. И только тут встретился взглядом со своей жертвой. Епископ Арингароса упал, Сайлас издал вопль ужаса.

<h1 style="text-align:center">ГЛАВА 97</h1>

 Вестминстерском аббатстве похоронены или помещены в раку около трех тысяч человек. Все колоссальное внутреннее пространство собора занято могилами королей, государственных деятелей, ученых, поэтов и музыкантов. Их надгробия, угнездившиеся в каждой нише и каждом алькове, не отличаются той помпезностью и великолепием, которыми отмечены королевские мавзолеи. Это прежде всего саркофаг с прахом королевы Елизаветы I, который покоится здесь в отдельной часовне, а также более скромные захоронения, прямо в полу, под металлическими плитами, надписи на которых стерлись за века от бесконечного хождения посетителей. И уж чьи останки нашли там последнее упокоение, оставалось теперь только гадать.

Построенное в стиле других величественных соборов Европы, Вестминстерское аббатство не считается ни кафедральным собором, ни просто церковью для прихожан. Оно всегда носило другой статус — «особой королевской церкви». Здесь не только хоронили монархов, здесь проводилась их коронация. Первая, коронация Вильгельма Завоевателя, состоялась на Рождество, в 1066 году. А затем этот великолепный храм стал свидетелем и других бесконечных королевских, государственных и религиозных церемоний, от канонизации Эдуарда Исповедника до свадьбы принца Эндрю и Сары Фергюсон, пышных похорон Генриха V, королевы Елизаветы I и леди Ди.

Однако сейчас Роберта Лэнгдона не интересовало ни одно историческое событие, произошедшее в стенах аббатства, кроме похорон английского рыцаря, сэра Исаака Ньютона.

Лондон, там рыцарь лежит, похороненный Попом.

Пройдя под величественным порталом в северный поперечный неф, Лэнгдон с Софи были встречены охранниками, те вежливо заставили их пройти через недавно появившееся в аббатстве новшество — металлоискатель в виде высокой арки, теперь такие установлены в большинстве исторических зданий Лондона. Они благополучно миновали арку, не вызвав никаких подозрений, и двинулись к центру собора.

Едва переступив порог Вестминстерского аббатства, Лэнгдон ощутил, что весь остальной мир для него точно исчез. Ни шума дорожного движения. Ни шелеста дождя. Тишина просто оглушала, и еще казалось, воздух слегка вибрирует, точно это величественное здание нашептывает что-то самому себе.

Взгляды Софи и Лэнгдона, как и почти каждого здешнего посетителя, тут же устремились вверх, туда, где над их головами воспарял к небесам необъятный купол. Колонны из серого камня вздымались, точно калифорнийские мамонтовые деревья, и терялись где-то в глубине, в тени. Вершины их поднимались на головокружительную высоту, а основания уходили в каменный пол. Публике открывался широченный проход северного нефа, он был подобен глубокому каньону в обрамлении скал из цветного стекла. В солнечные дни лучи отбрасывали на пол целую палитру мерцающих бликов. Сегодня же шел дождь, на улице было серо и пасмурно, и в этом необъятном пространстве сгустился полумрак... отчего аббатство стало походить на склеп, чем оно, в сущности, и являлось.

— Да здесь почти никого, — шепнула Софи.

Лэнгдон ощутил нечто похожее на разочарование. Он надеялся увидеть в соборе куда больше людей. *Чем больше людей, тем лучше.* Ему не хотелось повторения того, что произошло в заброшенной церкви Темпла. Ведь в толпе туристов человек чувствует себя в большей безопасности. Последний раз он был здесь летом, в самый разгар туристического сезона, но теперь в Лондоне дождливое апрельское утро. И вместо любопытных толп и разноцветных бликов на полу Лэнгдон видел под ногами лишь голые плиты и альковы, утопающие в тени.

— Мы только что прошли через металлоискатели, — напомнила Софи. Очевидно, она ощутила, как напряжен Лэнгдон. — А стало быть, те немногие люди, что находятся здесь, никак не могут быть вооружены.

Лэнгдон кивнул, но слова Софи его не успокоили. Чуть раньше он хотел вызвать сюда же и лондонскую полицию, но опасения Софи относительно заинтересованности в этом деле Фаша остановили его. Она не слишком верила в то, что капитан судебной полиции отказался от преследования подозреваемого. *Первым делом мы должны найти криптекс*, сказала тогда Софи. *Это ключ ко всему.*

И разумеется, она оказалась права.

Ключ к тому, чтобы вернуть Лью живым и здоровым.

Ключ к тайне Грааля.

Ключ к тому, чтобы узнать, кто стоит за всем этим.

К сожалению, единственная возможность найти этот ключ представилась здесь и сейчас... у могилы Исаака Ньютона. Человек, завладевший криптексом, должен был появиться у этой могилы, чтобы расшифровать последнее ключевое слово. Если только... если только он не успел сделать это раньше и уйти. Но Софи с Лэнгдоном не теряли надежды.

Продвигаясь вдоль левой стены собора, они попали в узкий боковой проход за длинным рядом пилястров. У Лэнгдона не выходил из головы Лью Тибинг, он так и видел его связанным, с кляпом во рту, на заднем сиденье лимузина. Тот, кто приказал в одночасье перебить всю верхушку Приората Сиона, вряд ли остановится перед убийством любого другого человека, вставшего у него на пути. Какая жестокая ирония судьбы кроется в том, что Тибинг, тоже получивший столь почетный в Британии титул рыцаря, стал заложником во время поисков могилы своего же соотечественника, сэра Исаака Ньютона.

— Где же она? — спросила Софи, озираясь по сторонам.

Могила. Лэнгдон понятия не имел.

— Надо найти какого-нибудь служку и спросить.

Все лучше, думал Лэнгдон, чем блуждать по всему аббатству. Оно являло собой бесчисленное множество мавзолеев, миниатюрных часовен и ниш для захоронения, куда свободно можно было войти. Как и в Большой галерее Лувра, вход тут был только один, тот самый, через который они сюда попали. Так что войти просто, а вот выбраться почти невозможно. Один из коллег Лэнгдона называл аббатство «настоящей ловушкой для туристов». К тому же выстроено оно было в архитектурных традициях своего времени, а именно: в виде гигантского креста. Однако в отличие от многих церквей вход здесь располагался сбоку, а не в центре, в удлиненной части нефа. Кроме того, у аббатства имелось множество пристроек. Один неверный шаг, проход не под той аркой, и посетитель рисковал заблудиться в лабиринте внешних переходов, окруженных высокими стенами.

— Служки здесь ходят в красных сутанах, — сказал Лэнгдон и двинулся к центру. В дальнем конце южного трансепта виднелся золоченый алтарь, возле него Лэнгдон увидел нескольких человек, стоявших на четвереньках. Он знал, что подобные сцены в Уголке поэтов* не редкость, и все равно позы этих людей неприятно поразили его. *Ерзают, как полотеры, только вместо обычного пола под плитами тела усопших.*

— Что-то никого здесь не видно, — сказала Софи. — Может, попробуем сами найти могилу?

Не говоря ни слова, Лэнгдон провел ее еще на несколько шагов вперед и указал вправо.

Софи ахнула — перед ней во всем своем величии и великолепии открылся вид на внутреннюю часть здания. Она казалась необъятной.

— Ага, теперь понимаю, — протянула она. — Да, нам действительно нужен проводник.

А в это время чуть дальше, в ста ярдах от них, за скрытой от глаз Софи и Лэнгдона ширмой для хора, к внушительной гробнице сэра Исаака Ньютона приблизился одинокий посетитель. Учитель остановился и оглядывал надгробие минут десять, не меньше.

На массивном саркофаге из черного мрамора стояла скульптура великого ученого в классическом костюме. Он гордо опирался на внушительную стопку собственных трудов — «Математические начала натуральной философии», «Оптика», «Богословие», «Хронология» и прочие. У ног Ньютона два крылатых мальчика разворачивали свиток. Прямо за его спиной высилась аскетически простая и строгая пирамида. И хотя пирамида выглядела здесь довольно неуместно, не она сама, но геометрическая фигура, находившаяся примерно в середине ее, привлекла особо пристальное внимание Учителя.

---

* Часть Вестминстерского аббатства, где похоронены такие известные поэты и писатели, как Дж. Чосер, А. Теннисон, Ч. Диккенс и др.

Шар.

Учитель не переставал ломать голову над загадкой Соньера. *Шар от могилы найди...* Массивный шар выступал из пирамиды в виде барельефа, на нем были изображены всевозможные небесные тела — созвездия, знаки Зодиака, кометы, звезды и планеты. А венчало его аллегорическое изображение богини Астрономии под целой россыпью звезд.

Бесчисленные сферы.

Прежде Учитель был уверен: стоит только найти могилу, и определить отсутствующий шар, или сферу, будет легко. Он разглядывал карту небесных тел. Какой же планеты здесь не хватает? Возможно, в каком-то созвездии недостает одного астрономического тела? Он понятия не имел. Учитель не удержался от мысли о том, что разгадка проста и очевидна, лежит буквально на поверхности, как в случае с «рыцарем, похороненным папой». *Какой именно шар я ищу?* Вряд ли для разгадки и обнаружения Грааля требуются углубленные знания астрономии.

Шар от могилы найди, Розы цветок. На плодоносное чрево сие есть намек.

Но тут Учителя отвлекла группа туристов. Он быстро убрал криптекс обратно в карман и раздраженно наблюдал за тем, как посетители, проходя мимо небольшого столика, кладут пожертвования в чашу. Затем они, вооружившись угольными карандашами и листами толстой бумаги, двинулись дальше. Возможно, собирались посетить Уголок поэтов и воздать должное Чосеру, Теннисону и Диккенсу, отполировав подошвами полы над их захоронениями.

Оставшись один, Учитель шагнул еще ближе к памятнику и принялся осматривать его дюйм за дюймом, от постамента до верхушки. Начал он с когтистых лап, на которых стоял саркофаг, потом еще раз оглядел фигуру Ньютона, стопку его научных трудов, двух ангелочков со свитком — при ближайшем рассмотрении оказалось, что там выведены какие-то математические формулы. Взгляд скользил все выше. Вот и пирамида с гигантским шаром-барельефом, вот наконец и «потолок» ниши, усеянный звездами.

Какой же шар должен быть здесь... и отсутствует?.. Он бережно дотронулся до лежавшего в кармане криптекса, словно пытался найти ответ в самом прикосновении к этому искусно обработанному Соньером кусочку мрамора. *От Грааля меня отделяют всего каких-то пять букв!*

Он глубоко вздохнул, вышел из-за ширмы и бросил взгляд на длинный неф, ведущий к главному алтарю. Вдалеке на фоне позолоты ярко-малиновым пятном выделялась сутана местного служки, которого подзывали взмахами рук два человека... показавшиеся очень знакомыми.

Так и есть! Лэнгдон и Невё.

Учитель тихо отступил на два шага и вновь скрылся за ширмой. *Быстро же они!..* Он не сомневался, что Лэнгдон с Невё рано или поздно поймут, о какой могиле идет речь в стихотворении, и явятся к памятнику Ньютону, но никак не ожидал, что это произойдет так скоро. Еще раз глубоко вздохнув, Учитель прикинул свои шансы. К трудностям и неприятным сюрпризам ему было не привыкать.

Как бы там ни было, а криптекс у меня.

Он снова сунул руку в карман, дотронулся до второго предмета, вселявшего в него чувство уверенности. Револьвер «Медуза». Как он и ожидал, детекторы, установленные у входа, сработали, когда он проходил под аркой. Однако оба охранника тут же отступили, как только Учитель, возмущенно посмотрев на них, показал им удостоверение личности. Высокое звание требовало почтительного отношения.

Поначалу Учитель надеялся разгадать загадку криптекса самостоятельно и избежать дальнейших осложнений. Но с появлением Лэнгдона и Софи у него возник новый план. События могли принять еще более благоприятный оборот. С «шаром» у него пока ничего не получилось, так что пусть помогут, с их-то опытом. Раз Лэнгдон сумел расшифровать стихи и понять, о какой могиле идет речь, есть шанс, что и о шаре ему кое-что известно. Может, он и ключевое слово уже знает, и тогда надо лишь заставить его поделиться этой информацией. Как следует надавить и...

Только не здесь, разумеется.

В каком-нибудь тихом укромном месте.

И тут Учитель вспомнил маленькое объявление, которое видел по пути к аббатству. Он тут же понял: лучшего места не найти, надо только придумать, как заманить их туда.

Весь вопрос в том, какую использовать приманку.

ГЛАВА 98

энгдон с Софи медленно двигались по северному проходу, держась при этом в тени, за колоннадой, отделявшей их от открытого пространства нефа. Они прошли достаточно далеко, но так до сих пор и не могли как следует разглядеть могилу Ньютона. Саркофаг размещался в глубокой нише и открывался взору лишь под определенным углом.

— По крайней мере там — никого, — шепнула Софи.

Лэнгдон кивнул. Неф перед нишей был абсолютно пуст, ни души.

— Я подойду, — шепнул он в ответ, — а вы спрячьтесь здесь, на тот случай, если...

Но Софи уже вышла из тени и решительно направилась к нише.

— ...если кто-то следит за нами, — закончил Лэнгдон, догоняя ее. И вздохнул.

Лэнгдон и Софи пересекли огромное пространство по диагонали и сразу же смолкли при виде представшей перед ними величественной гробницы. Саркофаг черного мрамора... статуя Ньютона, опирающегося на стопку книг... два крылатых мальчика... огромная пирамида... и... *и огромной величины шар.*

— Вы знали об этом? — совершенно потрясенная, прошептала Софи.

Лэнгдон покачал головой. Он тоже не ожидал ничего подобного.

— Вроде бы на нем высечены созвездия, — сказала Софи.

Они приблизились, и сердце у Лэнгдона упало. Памятник Ньютону был сплошь усеян шарами — звездами, кометами, планетами. *Шар от могилы найди...* Все равно что искать иголку в стоге сена.

— Астрономические тела, — протянула Софи. — И тут их бесчисленное множество.

Лэнгдон нахмурился. Единственным связующим звеном между планетами и Граалем могла быть, как ему казалось, пятиконечная звезда Венеры, но он уже пробовал применить это кодовое слово, «Venus», на пути к церкви Темпла.

Софи направилась к саркофагу, Лэнгдон же, напротив, отступил на несколько шагов и осмотрелся, не следит ли кто за ними.

— «Богословие», — слегка склонив голову, Софи читала названия книг на корешках, — «Хронология», «Оптика», «Математические начала натуральной философии». — Она обернулась к Лэнгдону. — Вам что-нибудь это говорит?

Лэнгдон подошел поближе, прищурился.

— «Математические начала»... Насколько я помню, речь там идет о гравитационном притяжении планет... которые, следует признать, представляют собой шары, или сферы. Но при чем здесь это... как-то не слишком вяжется.

— Ну а знаки Зодиака? — спросила Софи, указывая на созвездия на шаре. — Помните, вы рассказывали мне о созвездиях Рыб и Водолея?

Конец дней, подумал Лэнгдон.

— Конец эры Рыб и начало эпохи Водолея служили для Приората Сиона своего рода отправной точкой отсчета. Именно в этот переломный момент истории они намеревались открыть миру документы Сангрил. — *Но новое тысячелетие уже настало, и никаких намеков на то, что они собираются осуществить намерение, раскрыть миру всю правду.*

— Возможно, — сказала Софи, — что о планах Приората обнародовать правду говорится в последних строках стихотворения?

...Розы цветок. На плодоносное чрево сие есть намек. Лэнгдон вздрогнул. Прежде он как-то не придавал значения этим последним словам.

— Вы же сами говорили мне, — продолжила Софи, — что планы Приората раскрыть всю правду о «Розе» и ее плодоносном чреве непосредственно связаны по времени с расположением планет. Или, если угодно, тех же шаров.

Лэнгдон кивнул, перед ним будто забрезжил свет. Да, это возможно. Однако интуиция подсказывала, что астрономические явления не могут служить ключом. Ведь ответы на все предшествующие загадки, заданные Великим мастером Приората, носили ярко выраженный символический характер: «Мона Лиза», «Мадонна в гроте», имя СОФИЯ, наконец. А в движении планет по своим орбитам нет ничего символического, здесь действуют точные законы. Кроме того, Жак Соньер уже доказал, что является искуснейшим шифровальщиком, и Лэнгдон был уверен, что последнее ключевое слово, эти заветные пять букв, открывающие доступ к тайне Грааля, должны быть не только символичны, но и кристально ясны и просты. Решение лежит буквально на поверхности, весь вопрос только...

— Смотрите! — возбужденно воскликнула Софи и схватила его за руку. По тому, как сильно ее пальцы впились в его локоть, Лэнгдон понял: она напугана. И страх этот может быть вызван лишь одним: к ним приближается кто-то посторонний. Но, проследив за направлением ее взгляда, он увидел, что Софи точно завороженная с ужасом смотрит на черный мраморный саркофаг. — Здесь кто-то был, — прошептала она. И указала на темное пятно прямо у слегка выдвинутой вперед ноги памятника.

Лэнгдон не разделял ее тревоги. Какой-то забывчивый турист оставил на саркофаге, прямо у ноги Ньютона, угольный карандаш. *Ерунда.* И Лэнгдон уже потянулся, чтобы поднять его, но тут на отполированную до блеска черную мраморную поверхность упал свет, и он похолодел. Понял, чего испугалась Софи.

На крышке саркофага, у ног Ньютона, поблескивали еле заметные буквы, выведенные угольным карандашом.

Тибинг у меня.
Ступайте через Чептер-Хаус,
южный выход, и дальше — в сад.

Лэнгдон с бешено бьющимся сердцем дважды перечитал послание.

Софи обернулась и внимательно оглядела неф.

Послание неприятно удивило и в то же время вселило надежду. *Это означает, что Тибинг жив,* сказал себе Лэнгдон. Но появилась еще одна хорошая новость.

— Они пока что тоже не знают ключевого слова, — сказал он Софи.

Та кивнула. В противном случае к чему этим людям назначать встречу, выдавать свое местонахождение?

— Может, они хотят обменять Тибинга на ключевое слово?

— Или это ловушка.

Лэнгдон покачал головой:

— Не думаю. Ведь сад находится за стенами аббатства. Место очень людное. — Как-то раз Лэнгдону довелось побывать в знаменитом саду аббатства, очень уютном, маленьком, засаженном фруктовыми деревьями, цветами и травами. Последние прижились здесь еще с тех времен, когда монахи занимались разведением лекарственных растений, других методов лечения они не признавали. Сад был знаменит также старейшими в Британии и до сих пор плодоносящими фруктовыми деревьями и являлся излюбленным местом прогулок туристов, которые могли пройти в него прямо с улицы, минуя аббатство. — Думаю, назначая встречу в таком людном месте, они демонстрируют тем самым полное доверие. И мы будем в безопасности.

Но Софи еще сомневалась.

— Так вы хотите сказать, он находится вне стен аббатства, и значит, там нет металлоискателей?

Лэнгдон нахмурился. Эту деталь он упустил.

Он вновь окинул взглядом помпезный памятник и пожалел, что до сих пор ни одной стоящей идеи о ключевом слове ему в голову не пришло. Как же тогда торговаться? *Я сам втянул в эту историю Лью и готов пойти на что угодно ради его освобождения.*

— В записке сказано, что надо пройти через Чептер-Хаус к южному выходу, — заметила Софи. — Может, оттуда открывается вид на сад? Тогда, перед тем как выйти, мы сможем оценить ситуацию, посмотреть, не угрожает ли нам опасность.

Неплохая идея. Лэнгдон вспомнил, что Чептер-Хаус представляет собой просторное восьмиугольное помещение, где некогда, до постройки нынешнего здания, собирался британский парламент. Он давно не был здесь, но помнил, что туда можно пройти прямо из аббатства. Вот только где этот проход? Отойдя на несколько шагов от захоронения Ньютона, Лэнгдон начал осматриваться.

И вот совсем рядом, в противоположной стороне от того места, где они вошли в собор, он увидел широкий темный проход, а над ним вывеску:

ЗДЕСЬ МОЖНО ПРОЙТИ В:
Монастырь
Дом настоятеля
Колледж-холл
Музей
Дарохранительницу
Часовню Сент-Фейт
Чептер-Хаус

Лэнгдон с Софи так торопились, что, когда проходили под темными сводами с вывеской, не заметили еще одного объявления, набранного более мелким шрифтом и извещавшего о том, что часть указанных помещений закрыта на реставрацию.

Они вышли в открытый двор, обнесенный высокими стенами. Дождь лил не переставая. Над головой неслись серые тучи, и уныло посвистывал ветер, точно некий сказочный гигант дул в узкое горлышко бутылки. Они забежали под навес, что тянулся по всему периметру двора. Крыша нависала низко, и Лэнгдон ощутил хорошо знакомое беспокойство, которое всегда охватывало его в замкнутом пространстве. Такие крытые переходы называли клостерами, и Лэнгдон мысленно отметил, что, наверное, от этого латинского корня и произошло название его болезни — клаустрофобия.

Но он постарался отмахнуться от этих неприятных мыслей и вместе с Софи поспешил к концу туннеля, ориентируясь по стрелкам-указателям. Ведь именно там, если верить им, находился Чептер-Хаус. Теперь дождь хлестал под углом, заливая пол и стены, в тесном проходе было холодно и сыро. Навстречу им пробежала пара, торопившаяся укрыться от непогоды в соборе. И теперь поблизости не было видно ни единой живой души, никто не желал осматривать достопримечательности сада под таким дождем и ветром.

Впереди и слева, примерно в сорока ярдах от них, замаячила арка, а за ней открывался переход в другое помещение. Это был тот самый вход, который они искали, но доступ к нему был перегорожен низеньким забором, а вывеска рядом гласила:

ЗАКРЫТО НА РЕСТАВРАЦИЮ
Дарохранительница
Часовня Сент-Фейт
Чептер-Хаус

За забором виднелся длинный и пустынный коридор, заставленный строительными лесами и заваленный тряпками и ведрами. Сразу за забором Лэнгдон увидел два входа: справа — в дарохранительницу, слева — в часовню Сент-Фейт. Однако вход в Чептер-Хаус находился гораздо дальше, в самом конце длинного прохода. Даже отсюда Лэнгдон видел, что тяжелые деревянные двери распахнуты настежь, а просторное помещение залито сероватым светом, проникавшим из высоких окон, которые выходили в сад.

Ступайте через Чептер-Хаус, южный выход, и дальше — в сад.

— Раз мы прошли по восточному проходу, — сказал Лэнгдон, — то южный выход в сад должен находиться вон там. Прямо, а потом направо.

Софи перешагнула через низенький заборчик и двинулась вперед.

Они углубились в длинный темный коридор, и звуки ветра и дождя за спиной постепенно стихли. Чептер-Хаус представлял собой своего рода пристройку — ответвление от основного помещения, где некогда проводились заседания парламента.

— Какой огромный... — прошептала Софи, когда они приблизились к залу.

Лэнгдон уже успел позабыть, насколько огромно это помещение. У него просто захватило дух, когда он посмотрел отсюда, от входа, на высоченные окна в дальнем конце восьмиугольника: они поднимались к потолку и равнялись по высоте пятиэтажному зданию. Из них, совершенно определенно, был хорошо виден сад.

Едва переступив порог, Софи и Лэнгдон прищурились. После царившего в переходах и коридорах полумрака их ослепил лившийся из окон дневной свет. Они углубились в помещение примерно футов на десять и стали озираться в поисках южного выхода в сад. Но двери не оказалось.

Какое-то время они стояли неподвижно, в полной растерянности.

Скрип тяжелой двери за спиной заставил их обернуться. Вот дверь захлопнулась с громким стуком, щелкнул засов. Спиной к выходу стоял мужчина и спокойно целился в них из маленького револьвера. Низенький, полный, он опирался на пару алюминиевых костылей.

На секунду Лэнгдону показалось, что все это ему снится.

Лью Тибинг...

ГЛАВА 99

ью Тибинг, злобно сощурившись, целился в Софи и Лэнгдона из револьвера «Медуза».

— Вот что, друзья мои, — начал он. — С тех самых пор, как вчера ночью вы вошли в мой дом, я по мере моих слабых сил делал все возможное, чтобы оградить вас от неприятностей. Но ваше упрямство поставило меня в весьма сложное положение.

По выражению лиц Софи и Лэнгдона он понял: они просто в шоке и такого предательства никак не ожидали. Однако Тибинг был уверен: очень скоро они поймут, что цепь событий неминуемо должна была привести именно к такой развязке.

Мне так много хочется сказать вам обоим... но, увы, боюсь, вы не все поймете.

— Поверьте, — продолжил Тибинг, — у меня не было ни малейшего намерения вовлекать вас в эту историю. Вы сами пришли в мой дом. Вы сами искали встречи со мной.

— Лью? — наконец удалось выдавить Лэнгдону. — Что, черт побери, происходит? Мы считали, что вы в опасности. Мы здесь, чтобы помочь вам!

— Ни секунды не сомневался, что вы придете, — ответил Тибинг. — Нам надо многое обсудить.

Лэнгдон и Софи, точно загипнотизированные, не могли оторвать глаз от нацеленного на них револьвера.

— Это просто чтобы вы слушали меня внимательно, — пояснил Тибинг. — Если бы я хотел причинить вам вред, оба вы уже давно были бы мертвы. Когда вчера ночью вы вошли в мой дом, я сделал все ради спасения ваших жизней. Я узнал, что Приорат в конце концов принял решение не рассказывать миру правду. Вот почему наступление нового тысячелетия обошлось без разоблачений, вот почему с приходом конца дней ничего не случилось.

Лэнгдон собрался было возразить.

— Изначально Приорат, — продолжил Тибинг, — взял на себя священную обязанность обнародовать документы Сангрил с приходом конца дней. На протяжении веков такие люди, как да Винчи, Боттичелли и Ньютон, рисковали всем, чтобы сохранить эти документы и выполнить свою священную миссию. И вот теперь, когда настал момент истины, Жак Соньер неожиданно изменил решение. Человек, наделенный высочайшими полномочиями в христианском мире, пренебрег своим долгом. Он, видите ли, решил, что еще не время. — Тибинг обернулся к Софи. — Он пренебрег Граалем. Он подвел Приорат Сиона. Он предал память тех, кто на протяжении поколений приближал этот священный момент.

— Вы?! — воскликнула Софи и так и впилась взором яростно сверкающих зеленых глаз в Тибинга. — Так это вы ответственны за убийство моего деда?..

Тибинг насмешливо фыркнул:

— Ваш дед и его ближайшие приспешники предали священный Грааль!

Волна гнева захлестнула Софи. *Он лжет, лжет!*

— Ваш дед с потрохами продался Церкви, — спокойно парировал Тибинг. — Очевидно, священники оказывали на него определенное давление, чтобы держал язык за зубами.

Софи покачала головой:

— Церковь никак не могла повлиять на моего деда!

Тибинг холодно усмехнулся:

— Но, дорогая моя, нельзя не учитывать, что у Церкви имеется огромный опыт по этой части. На протяжении двух тысячелетий она угнетала и уничтожала тех, кто угрожал ей разоблачением. Со времен императора Константина Церкви весьма успешно удавалось скрывать правду об истинных отношениях Марии Магдалины и Иисуса. А потому вовсе не удивительно, что и сейчас священники нашли способ и дальше держать мир в неведении. Да, Церковь больше не устраивает крестовых походов ради избиения неверных, но от этого влияние ее ничуть не ослабло. Не стало менее агрессивным. — Он выдержал многозначительную паузу. — Мисс Невё, кажется, ваш дедушка хотел рассказать вам всю правду о вашей семье.

Софи была потрясена.

— Откуда вы знаете?

— Это не столь существенно. Важно другое. Важно, чтобы вы поняли наконец следующее. — Тут он снова многозначительно умолк, вздохнул, а потом добавил: — Гибель вашей матери, отца, брата и бабушки была далеко не случайной.

Слова эти потрясли Софи. Она потеряла дар речи. Хотела что-то сказать, но мешал ком в горле.

Лэнгдон покачал головой:

— О чем это вы?

— Но ведь это же все объясняет, Роберт! Все сходится. История имеет свойство повторяться. У Церкви уже имелся прецедент. Она не остановилась перед убийством, когда надо было скрыть историю с Граалем. Настала смена тысячелетий, и убийство Великого мастера, Жака Соньера, должно послужить в назидание другим. Держите язык за зубами, иначе следующими будете вы, Роберт и Софи.

— Но они погибли в автокатастрофе, — пробормотала Софи. Сердце ее заныло от тоски и боли. — Произошел *несчастный случай*!

— Сказочка на ночь, чтобы дитя оставалось в счастливом неведении, — сказал Тибинг. — Да вы вдумайтесь хорошенько. Уцелели лишь два члена семьи, Великий мастер Приората и его внучка. Для того чтобы обеспечить контроль Церкви над братством, лучшей парочки просто не сыскать. Могу лишь догадываться, какому террору подвергла Церковь вашего деда в эти последние годы. Они наверняка угрожали убить вас, его единственную внучку, если он посмеет опубликовать документы Сангрил. Вот и пришлось Жаку Соньеру, обладавшему немалым влиянием, отговорить Приорат.

— Но послушайте, Лью, — перебил его Лэнгдон, лишь сейчас он немного пришел в себя. — Сознайтесь, ведь у вас нет никаких доказательств, что Церковь имеет какое-либо отношение к этим смертям. Как и к тому, что священники как-то повлияли на решение Приората молчать и впредь.

— Доказательства? — парировал Тибинг. — Какие еще вам нужны доказательства, что на Приорат повлияли? Новое тысячелетие настало, а весь мир по-прежнему пребывает в неведении! Разве это не доказательство?

Слова Тибинга эхом разносились под высокими сводами, а в ушах Софи звучал совсем другой голос. Голос деда. *Софи, я хочу рассказать тебе правду о твоей семье.* Только сейчас она почувствовала, что ее сотрясает мелкая дрожь. Неужели дедушка хотел рассказать ей именно это? О том, что всю ее семью убили? А что действительно известно ей об этой катастрофе, унесшей жизни четырех самых близких людей? Да ничего, лишь общие детали. Даже в газетах описание этого несчастного случая выглядело довольно туманным. Был ли то несчастный случай? Или утешительная сказочка на ночь? И вдруг Софи вспомнила, как истово оберегал ее дед буквально от всего на свете. Не оставлял одну ни на секунду, когда она была девочкой. Даже когда Софи стала взрослой и поступила в университет, она незримо ощущала присутствие деда. Казалось, он следит за каждым ее шагом. Может, за ней действительно тайком наблюдали специально приставленные члены Приората?

— Так вы подозреваете, что Соньером манипулировали, — сказал Лэнгдон, окидывая Тибинга недоверчивым взглядом. — Значит, это вы убили его?

— Ну, на спусковой крючок я не нажимал, — ответил тот. — Соньер умер давным-давно, в тот миг, когда Церковь отняла у него семью. Он был скомпрометирован. Зато теперь он свободен от угрызений совести, что одолевали его при одной мысли о том, что он оказался не способен выполнить свой священный долг. А теперь давайте рассмотрим альтернативы. Что-то следует предпринять. Должен ли весь мир оставаться в неведении и дальше? Следует ли разрешать Церкви и впредь вбивать лживые идеи в головы людей через свои книжки? Следует ли разрешать Церкви распространять свое влияние, влияние, что достигается путем убийств, обмана и преследований? Нет, с этим следует покончить! И это должны сделать мы. Мы должны исполнить за Соньера его долг, исправить его ужасную ошибку. — Он на секунду умолк. — Мы трое. Мы должны действовать заодно.

Софи просто ушам своим не верила.

— Да как только вы могли подумать, что мы станем помогать вам?

— Да просто потому, моя дорогая, что именно *вы* стали причиной отказа Приората обнародовать документы. Любовь деда к вам сделала его слабым, неспособным противостоять Церкви. Его сковывал страх потерять единственного родного и близкого человека. И он уже никогда не сможет поведать правду, поскольку вы отвергли его, связали ему руки, заставили ждать. Теперь поведать правду миру — ваш долг. Вы должны сделать это в память о Жаке Соньере.

Роберт Лэнгдон давно оставил попытки разобраться в истинных мотивах Тибинга. Его волновало лишь одно: как вывести отсюда Софи живой и невредимой. Прежде его мучило чувство вины перед Тибингом, теперь же он терзался из-за Софи.

Это я завез ее в Шато Виллет. Мне и отвечать.

Лэнгдон не слишком верил в то, что Тибинг способен хладнокровно застрелить их здесь, в Чептер-Хаус. Теперь он понимал: на совести Тибинга немало невинных жертв. К тому же возникло неприятное подозрение, что выстрелы, которые могут прогреметь здесь, в этом помещении с толстыми каменными стенами, вряд ли будут услышаны снаружи, особенно в такой дождь. *А Лью просто свалит всю вину на нас.*

Лэнгдон покосился на Софи, на ней лица не было. *Церковь уничтожила всю ее семью, чтобы Приорат молчал?* Как-то не слишком верилось, что современная Церковь на подобное способна. Должно существовать какое-то иное объяснение.

— Давайте отпустим Софи, — произнес Лэнгдон, глядя прямо в глаза сэра Лью. — А мы с вами обсудим это наедине.

Тибинг издал фальшивый смешок:

— Боюсь, что просто не могу себе позволить проявить такую неосмотрительность. Однако предлагаю следующее. — Продолжая целиться в Софи, он свободной рукой достал из кармана криптекс. Подержал немного на ладони, точно взвешивая, затем протянул криптекс Лэнгдону. — В знак доверия, Роберт.

Тот не двинулся с места. *Чтобы Лью добровольно отдал нам краеугольный камень? Этого просто быть не может!*

— Берите же, — сказал Тибинг.

Лэнгдон видел лишь одну причину, по которой Тибинг мог расстаться с камнем.

— Так вы его открыли. Достали карту...

Тибинг отрицательно помотал головой:

— Ах, Роберт! Если бы я действительно мог решить эту загадку, меня бы здесь давно не было. Отправился бы за Граалем и не стал впутывать вас. Нет, я не знаю ответа. Спокойно в этом признаюсь. Истинный рыцарь должен быть честен перед лицом священного Грааля. Он должен понимать и чтить посланные ему свыше знаки. Стоило мне увидеть, как вы входите в аббатство, и я тут же все понял. Вы здесь по одной причине: хотите помочь. Мне слава ни к чему. Я служу великому господину, и проявления гордыни тут неуместны. Истина. Правда. Человечество заслуживает того, чтобы знать правду. Грааль соединил нас. Он ждет, хочет, чтобы его тайну наконец раскрыли. И мы должны работать вместе.

Несмотря на заверения Тибинга, на все эти красивые слова об истине и доверии, револьвер оставался нацеленным на Софи. И тогда Лэнгдон шагнул вперед и взял из рук Тибинга холодный цилиндр. Внутри тихо булькнула жидкость, Лэнгдон снова отступил на несколько шагов. Диски цилиндра оставались в том же положении. Криптекс никто не открывал.

Лэнгдон смотрел прямо в глаза Тибингу:

— А что, если я сейчас просто разобью его об пол?

Тибинг зашелся в приступе смеха.

— Мне сразу следовало понять, еще в церкви Темпла, что все ваши угрозы уничтожить криптекс не более чем дешевая уловка. Роберт Лэнгдон не способен разбить краеугольный камень. Вы же историк, Роберт. Вы держите ключ к тайнам двухтысячелетней истории, потерянный ключ от Грааля. Вы должны слышать, как к вам взывают души всех рыцарей, сожженных на кострах. Они защищали эту тайну. Хотите, чтобы их жертва оказалась напрасной? Нет, вы должны отомстить за них. Должны присоединиться к великим людям, которыми так всегда восхищались, — Леонардо да Винчи, Боттичелли, Ньютону, каждый из которых счел бы за честь оказаться сейчас на вашем месте. Тайна этого криптекса взывает ко всем нам. Рвется на свободу. Время пришло. Час пробил. Сама судьба привела нас к этому великому моменту.

— Я ничем не могу помочь вам, Лью, поскольку и понятия не имею, как его открыть. Могилу Ньютона видел каких-то несколько минут. И даже если бы знал ключевое слово... — Тут Лэнгдон умолк, сообразив, что наговорил лишнего.

— Так вы мне не скажете? — выдохнул Тибинг. — Должен признаться, я разочарован, Роберт. И удивлен. Удивлен тем, что вы не понимаете, в каком долгу оказались передо мной. Если бы мы с Реми устранили вас с самого начала, как только вы вошли в Шато Виллет, это значительно упростило бы мою задачу. А я рисковал всем, черт знает на что только не шел, лишь бы обойтись с вами, как подобает благородному человеку.

— Это вы называете благородством? — Лэнгдон выразительно покосился на ствол револьвера.

— Во всем виноват Соньер, — поспешил вставить Тибинг. — Это он и его sénéchaux солгали Сайласу. В противном случае я получил бы краеугольный камень без всяких осложнений. Откуда мне было знать, насколько далеко зайдет Великий мастер в стремлении обмануть меня, передать камень своей не имеющей никакого к нему отношения внучке? — Тибинг с упреком взглянул на Софи. — Созданию настолько никчемному, что ей потребовался в качестве няньки и поводыря крупнейший специалист по символам. — Тибинг снова обернулся к Лэнгдону. — К счастью, Роберт, ваше участие все изменило. Оказалось для меня даже в какой-то степени спасительным. Камень мог остаться запертым в том банке навеки, а вы заполучили его и доставили мне прямо по адресу.

Что же теперь делать? Может, согласиться? — думал Лэнгдон. *Ведь как бы там ни было, а нас с Тибингом действительно многое объединяет.*

Теперь в голосе Тибинга звучали нотки самодовольства:

— Когда я узнал, что Соньер, умирая, оставил вам последнее послание, я сразу понял: вы завладели ценной информацией Приората. Что это: краеугольный камень или же сведения о том, где его искать, — я не знал, мог только гадать. Но когда полиция села вам на хвост, я был почти уверен: вы непременно придете ко мне.

— А если бы не пришли? — огрызнулся Лэнгдон.

— Ну, у меня уже созревал план, как протянуть вам руку помощи. Короче, так или иначе, но краеугольный камень *должен* был оказаться в Шато Виллет. И тот факт, что вы привезли его прямехонько ко мне, лишь подтверждает: я был прав.

— Что?! — возмущенно воскликнул Лэнгдон.

— Сайлас должен был проникнуть в Шато Виллет и отобрать у вас камень. И таким образом вывести вас из игры, не причинив вреда. А заодно отвести от меня все подозрения. Однако стоило мне увидеть, как сложна загадка, все эти коды Соньера, я решил подключить вас к поискам решения, хотя бы на время. А с камнем можно было и подождать. Сайлас мог отобрать его и позже.

— В церкви Темпла, — протянула Софи, и в голосе ее звучали гнев и отвращение к предателю.

Все мало-помалу встает на свои места, подумал Тибинг. Церковь Темпла представлялась идеальным местом, где можно было беспрепятственно отобрать камень у Софи и Лэнгдона. К тому же завлечь их туда не составляло труда, тому способствовали намеки на захоронение в Лондоне в стихах Соньера. Реми получил четкие распоряжения оставаться в укрытии до тех пор, пока Сайлас не отберет краеугольный камень. Но увы, угроза Лэнгдона разбить криптекс об пол заставила Реми запаниковать. *Если бы тогда этот придурок Реми не высунулся,* злобно думал Тибинг и вспомнил инсценировку собственного похищения, *все могло сложиться иначе. Ведь Реми был единственным связующим со мной звеном, и он посмел показать свое лицо!*

К счастью, хоть Сайлас не знал, кем на самом деле был Тибинг. Монаха ничего не стоило обвести вокруг пальца, заставить поверить в то, что Реми действительно связывает заложника на заднем сиденье лимузина. Когда подняли звуконепроницаемую перегородку между водительским креслом и остальной частью салона, Тибинг позвонил Сайласу, сидевшему рядом с водителем. Заговорил с ним с сильным французским акцентом, убеждая, что это не кто иной, как Учитель, и велел Сайласу укрыться в лондонской резиденции «Опус Деи». Ну а затем было достаточно одного звонка в полицию, чтобы устранить уже не нужного монаха.

Обрубить лишние концы.

С другим «концом» оказалось сложнее. *Реми.*

Тибингу стоило немалых усилий уговорить себя, что другого выхода просто нет. Реми не раз доказывал ему свою преданность и надежность. *Но поиски Грааля всегда требовали жертв.* И решение напрашивалось само собой. В мини-баре лимузина стояла небольшая фляжка с коньяком и баночка арахиса. Пудры на дне этой самой баночки оказалось достаточно, чтобы вызвать у Реми смертельный приступ удушья. Он ведь страдал аллергией на арахис в любом его виде. И вот когда Реми припарковал лимузин на Хорсгардз-Парейд, Тибинг выбрался из машины, подошел к передней дверце и уселся рядом с Реми. А несколько минут спустя снова вышел, забрался на заднее сиденье и уничтожил все улики. А затем отправился завершать свою миссию.

До Вестминстерского аббатства было недалеко, и хотя металлические костыли Тибинга и спрятанный в кармане маленький револьвер «Медуза» заставили сигнализацию сработать на входе, охранники не посмели остановить Тибинга. *Неужели заставлять его снять скобы, отбросить костыли и проползать под аркой металлоискателя? Он и без того несчастный калека.* Мало того, Тибинг продемонстрировал охранникам веское доказательство своей благонадежности, а именно — документ, подтверждающий, что ему пожаловано звание рыцаря. Бедняги едва не сшибли друг друга с ног в стремлении угодить инвалиду-лорду, пропустить его в собор.

Теперь же, глядя на растерянных Лэнгдона и Невё, Тибинг с трудом удерживался от хвастливых признаний в том, как хитроумно подключил «Опус Деи» к разработанному им плану по разоблачению всей Христианской церкви. Нет, с этим можно и подождать. Прямо сейчас следует заняться делом.

— Mes amis, — произнес Тибинг на безупречном французском, — vous ne trouvez pas le Saint-Graal, c'est le Saint-Graal qui vous trouve*. — Он улыбнулся. — Нам по пути. Сам Грааль нашел и объединил нас.

Ответом ему было молчание.

Тогда он заговорил с ними шепотом:

— Послушайте. Неужели не слышите? Это голос самого Грааля взывает к нам через века. Он молит, чтобы мы спасли его, вырвали из лап Приората. Вам выпала уникальная возможность. На всем белом свете не найдется трех таких людей, как мы, способных разгадать последнее ключевое слово и открыть криптекс. — Тибинг на секунду умолк, глаза его горели. — Мы должны дать друг другу клятву верности. Клятву узнать всю правду и поведать о ней миру.

---

* Друзья мои, не вы находите святой Грааль, это святой Грааль находит вас *(фр.)*.

Глядя прямо в глаза Тибингу, Софи заговорила ледяным тоном:

— Никогда не стану клясться в верности убийце моего деда. Могу поклясться ему разве что в одном: сделаю все возможное, чтобы вы отправились за решетку.

Тибинг помрачнел и после паузы произнес:

— Жаль, что вы так настроены, мадемуазель. — Затем обернулся и наставил револьвер на Лэнгдона. — Ну а вы, Роберт? Вы со мной или против меня?

ГЛАВА 100

пископу Мануэлю Арингаросе к физическим страданиям было не привыкать, но жгучая рана от пули в груди поразила его в самую душу. То ныла не плоть, то страдало уязвленное сердце.

Он открыл глаза, но слабость и дождь замутняли зрение. *Где я?* Он чувствовал, как чьи-то сильные руки обхватили его за плечи, тащат куда-то его безвольное тело, точно тряпичную куклу, черные полы сутаны развеваются на ветру.

С трудом подняв руку, он протер глаза и увидел, что это Сайлас. Огромный альбинос тянул его по грязному тротуару и взывал о помощи душераздирающим голосом. Красные глаза слепо смотрели вперед, слезы градом катились по бледному, забрызганному кровью лицу.

— Сын мой, — прошептал Арингароса, — ты ранен?

Сайлас опустил глаза, лицо его исказилось от боли.

— Я так виноват перед вами, отец! — Похоже, ему даже говорить было больно.

— Нет, Сайлас, — ответил Арингароса. — Это я должен просить у тебя прощения. Это моя вина. — *Учитель обещал мне, что никаких убийств не будет, а я велел тебе во всем ему подчиняться.* — Я слишком поторопился. Слишком испугался. Нас с тобой предали. — *Учитель никогда и ни за что не отдаст нам Грааль.*

Сайлас подхватил его и нес уже на руках, епископ впал в полузабытье. Он вернулся в прошлое, видел себя в Испании. Скромное, но достойное начало: он вместе с Сайласом строил маленькую католическую церковь в Овьедо. Видел он себя и в Нью-

Йорке, где возносил хвалу Создателю, организовав строительство штаб-квартиры «Опус Деи» на Лексингтон-авеню.

Пять месяцев назад епископ Арингароса получил пугающее известие. Дело всей его жизни оказалось под угрозой. Он до мельчайших подробностей помнил все детали, помнил встречу в замке Гандольфо, круто изменившую его жизнь... С того страшного известия все и началось.

...Арингароса вошел в Астрономическую библиотеку Гандольфо с высоко поднятой головой, будучи уверен, что здесь ему воздадут по заслугам, увенчают лаврами, поблагодарят за огромную работу, что он вел как представитель католицизма в Америке.

Но встретили его лишь трое.

Секретарь Ватикана. Тучный. С кислой миной.

И два высокопоставленных итальянских кардинала. С ханжескими физиономиями. Чопорные и самодовольные.

Секретарь? — удивился Арингароса.

Секретарь, ведавший в Ватикане юридическими вопросами, пожал епископу руку и указал на кресло напротив:

— Присаживайтесь, пожалуйста.

Арингароса уселся, чувствуя: что-то не так.

— Я не большой любитель светской болтовни, епископ, — начал секретарь, — а потому позвольте сразу перейти к делу и объяснить, зачем вас сюда вызвали.

— Да, конечно. Я весь внимание, — ответил Арингароса и покосился на двух кардиналов, которые, как показалось, окинули его презрительно-оценивающими взглядами.

— Думаю, вам хорошо известно, — сказал секретарь, — что его святейшество и все остальные в Риме в последнее время весьма обеспокоены политическими последствиями, которые вызывает подчас весьма противоречивая деятельность «Опус Деи».

Арингароса ощетинился. Ему уже не раз доводилось выслушивать аналогичные упреки от нового понтифика, который, к разочарованию Арингаросы, слишком активно ратовал за либеральные изменения в Церкви.

— Хочу заверить вас, — поспешно добавил секретарь, — что его святейшество вовсе не намерен что-то менять в управлении вашей паствой.

Надеюсь, что нет!

— Тогда зачем я здесь?

Толстяк вздохнул:

— Не знаю, как бы поделикатнее выразиться, епископ, я не мастак по этой части. А потому скажу прямо. Два дня назад совет секретарей Ватикана провел тайное голосование по отделению «Опус Деи» от Ватикана.

Арингароса был уверен, что неправильно его понял.

— Простите?..

— Короче говоря, ровно через шесть месяцев «Опус Деи» уже не будет входить в прелатуру Ватикана. Вы станете самостоятельной Церковью. Понтифик хочет отделиться от вас. Не желает быть скомпрометированным. Он согласился с решением секретариата, все соответствующие бумаги вскоре будут подписаны.

— Но это... невозможно!

— Напротив, очень даже реально. И необходимо. Его святейшество крайне недоволен вашей агрессивной политикой в плане вербовки новообращенных и практикуемым у вас «укрощением плоти». — Он сделал паузу. — А также вашей политикой в отношении женщин. Если уж быть до конца откровенным, «Опус Деи» стала для Ватикана помехой и источником постоянно растущего недоумения.

Епископ Арингароса был оскорблен до глубины души.

Недоумения?

— «Опус Деи» — единственная католическая организация, постоянно и быстро приумножающая свои ряды! Одних только священников свыше одиннадцати тысяч ста человек!

— Это правда. Нас это очень беспокоит, — вставил один из кардиналов.

Арингароса вскочил:

— Вы лучше спросите его святейшество, была ли «Опус Деи» источником недоумения в 1982 году, когда мы помогли Банку Ватикана!

— Ватикан всегда будет благодарен вам за это, — ответил секретарь кислым тоном. — Однако кое-кто абсолютно уверен, что ваши финансовые вливания стали единственной причиной, по которой вы получили статус прелатуры.

— Это неправда! — Возмущению Арингаросы не было предела.

— Как бы там ни было, расстаться мы хотим по-хорошему. Мы даже выработали специальную схему, согласно которой вам будут возвращены долги. Вся сумма будет выплачена в пять приемов.

— Откупиться от меня захотели? — воскликнул Арингароса. — Сунуть деньги, чтобы я тихо ушел? И это когда «Опус Деи» является единственным здравым голосом во всем этом хаосе...

Тут его перебил один из кардиналов:

— Простите, я не ослышался? Вы сказали «здравым»?

Арингароса оперся о стол, голос его звенел:

— А вы когда-нибудь задавались вопросом, почему католики покидают Церковь? Да проснитесь наконец, кардинал! Люди потеряли к ней всякое уважение. Строгость веры уже никто не блюдет. Сама доктрина превратилась в линию раздачи, как в каком-нибудь дешевом буфете! Чего желаете? На выбор: крещение, отпущение грехов, причастие, месса. Любая комбинация, берите и проваливайте, на остальное плевать! Разве эта ваша Церковь исполняет главную свою миссию — духовного наставника и проводника?

— Законы третьего века, — возразил второй кардинал, — никак не применимы для современных последователей Христа. Эти законы и правила в нынешнем обществе просто не работают.

— Зато прекрасно работают у нас, в «Опус Деи»!

— Епископ Арингароса, — начал секретарь, подпустив в голос строгости. — Лишь из уважения к своему предшественнику, который поддерживал вашу организацию, понтифик согласился подождать шесть месяцев. И предоставил «Опус Деи» право добровольно выйти из-под опеки Ватикана. Предлагаю вам сформулировать все пункты расхождения во взглядах с Ватиканом и утвердиться в качестве самостоятельной христианской организации.

— Я отказываюсь! — торжественно заявил Арингароса. — И готов повторить это ему лично!

— Боюсь, его святейшество не захочет больше с вами встречаться.

Арингароса снова поднялся:

— Он *не посмеет* уничтожить прелатуру, взятую под покровительство его предшественником!

— Мне очень жаль. — Секретарь не сводил с него немигающих глаз. — Господь дает, Господь же и забирает.

Арингароса покидал замок Гандольфо с чувством растерянности и даже страха. Вернувшись в Нью-Йорк, он несколько дней безвылазно просидел в своих апартаментах, с грустью размышляя о будущем христианства.

И вот через несколько недель ему позвонили, и этот звонок изменил все. Звонивший говорил с французским акцентом и представился Учителем, звание в прелатуре вполне распространенное. Он сказал, что знает о планах Ватикана отмежеваться от «Опус Деи».

Но как он это узнал? — недоумевал Арингароса. Он был уверен, что лишь несколько представителей верхушки Ватикана знали о грядущем отделении «Опус Деи». Как бы там ни было, слово вылетело. А когда речь заходила о распространении слухов, не было в мире более тонких стен, нежели те, что окружали Ватикан.

— У меня повсюду глаза и уши, епископ, — шептал в трубку Учитель. — И благодаря им я много чего знаю. А с вашей помощью надеюсь узнать, где прячут священную реликвию, которая принесет вам огромную, неизмеримую власть. Власть, которая заставит Ватикан склониться перед вами. Власть, которая поможет спасти саму Веру. — Он выдержал паузу. — И делаю я это не только для «Опус Деи». Но для всех нас.

Господь отбирает... но Господь же и дает. Арингароса почувствовал, как в сердце зажегся лучик надежды.

— Расскажите мне о вашем плане.

Епископ Арингароса был без сознания, когда распахнулись двери госпиталя Святой Марии. Сайлас, изнемогая от усталости, шагнул в приемную. Упал на колени на плиточный пол и воззвал о помощи. Все находившиеся в приемной люди дружно ахнули от страха и неожиданности, увидев полуголого альбиноса, который склонился над священником в окровавленной сутане.

Врач, помогавший Сайласу положить впавшего в забытье епископа на каталку, пощупал у раненого пульс и озабоченно нахмурился:

— Он потерял слишком много крови. Надежды почти никакой.

Но тут веки у Арингаросы дрогнули, он пришел в себя и стал искать взглядом Сайласа.

— Дитя мое...

Сердце у Сайласа разрывалось от гнева и отчаяния.

— Отец, даже если на это уйдет вся жизнь, я найду мерзавца, который предал нас! Я убью его!

Арингароса лишь покачал головой. И погрустнел, поняв, что его собираются увозить.

— Сайлас... если ты до сих пор ничему от меня не научился, пожалуйста, прошу... запомни одно. — Он взял руку Сайласа, крепко сжал в своей. — Умение прощать... это величайший Божий дар...

— Но, отец...

Арингароса закрыл глаза.

— Ты должен молиться, Сайлас.

ГЛАВА 101

оберт Лэнгдон стоял под куполом Чептер-Хаус и смотрел прямо в дуло нацеленного на него револьвера Лью Тибинга.

Вы со мной, Роберт, или против меня? Эти слова рыцаря сэра Лью до сих пор звучали у него в ушах.

Лэнгдон понимал: сколько-нибудь определенного ответа дать он не может. Если ответит «да», он предаст Софи. Ответ «нет» означал, что у Тибинга просто не будет иного выбора, кроме как пристрелить их обоих.

Мирная профессия преподавателя не могла научить Лэнгдона решать спорные вопросы под прицелом револьвера. Зато она научила его находить ответы на самые парадоксальные вопросы. *Когда на вопрос не существует правильного ответа, есть только один честный выход из ситуации.*

Ни да, ни нет.

Молчание.

И Лэнгдон, не отводя взгляд от криптекса, сделал шаг назад.

Не поднимая глаз, он молча отступал, каждый шаг гулким эхом отдавался в огромном пустом помещении. *Нейтральная полоса.* Он надеялся, что Тибинг поймет: единственным в данный момент выходом может быть согласие помочь при разгадке криптекса. Надеялся, что его молчание скажет Софи: он ее не предаст, не оставит.

Необходимо выиграть хотя бы немного времени. Чтобы подумать.

Подумать. Он был уверен: именно этого и ждет от него Тибинг. *Вот почему он отдал мне криптекс. Чтобы я почувствовал, что́ стоит на кону. И принял решение.* Англичанин рассчитывал на то, что прикосновение к творению Великого мастера заставит Лэнгдона осознать значимость кроющейся в нем тайны. Пробудит непреодолимое любопытство истинного ученого, перед которым меркнут все остальные соображения. Заставит понять, что если тайна краеугольного камня останется неразгаданной, то это будет огромная потеря для истории.

Лэнгдон был уверен: у него осталась единственная возможность спасти Софи, и связана она с разгадкой последнего ключевого слова. Тут возможен торг. *Если Тибинг поймет, что я способен достать из цилиндра карту, тогда он может пойти на уступки.* И Лэнгдон продолжал медленно отступать к высоким окнам... а все мысли и воспоминания его были сосредоточены на астрономических символах и фигурах, украшающих могилу Ньютона.

Шар от могилы найди, Розы цветок.
На плодоносное чрево сие есть намек.

Повернувшись спиной к Тибингу и Софи, он продолжал двигаться к высоким окнам в стремлении отыскать в их цветных витражах хотя бы искорку вдохновения. Но ничего не получалось.

Надо представить себя на месте Соньера, понять ход его рассуждений, думал он, всматриваясь через окно в сад. *Что, по его мнению, могло быть шаром, украшавшим надгробный памятник Ньютону?* Перед глазами на фоне потоков дождя мелькали звезды, кометы и планеты, но Лэнгдон мысленно отмел их почти сразу. Соньер точными науками не занимался. Он был типичным гуманитарием, хорошо знал искусство и историю. *Священное женское начало... сосуд... Роза... запрещенная Мария Магдалина... свержение богини... Грааль.*

В легендах Грааль зачастую представал в образе жестокой любовницы, танцующей где-то вдалеке, в тени, нашептывающей тебе на ухо, соблазняющей, зовущей и исчезающей, точно призрак, стоит тебе сделать хотя бы шаг.

Глядя на пригибаемые ветром верхушки деревьев, Лэнгдон, казалось, ощущал ее невидимое присутствие. Знаки разбросаны повсюду. Вот из тумана выплыл искусительный образ — ветви старой английской яблони, сплошь усыпанные бело-розовыми цветами. В каждом пять лепестков, и сияют они свежестью и красотой, подобно Венере. Богиня в саду. Она танцует под дождем, напевает старинные песни, выглядывает из-за ветвей, смотрит из розовых бутонов, словно для того, чтобы напомнить Лэнгдону: плод знаний здесь, совсем рядом, стоит только руку протянуть.

Стоявший в отдалении Тибинг следил за каждым движением Лэнгдона точно завороженный.

Как я и надеялся, думал Тибинг. *Он купился. Он ищет разгадку.*

До настоящего момента Лью подозревал, что Лэнгдону удалось найти ключ к тайне Грааля. Не случайно Тибинг привел свой план в действие в ту самую ночь, когда Лэнгдон должен был встретиться с Жаком Соньером. Прослушивая разговоры куратора, Тибинг узнал, что именно Соньер настаивал на этой встрече. А потому напрашивался один вывод. *В таинственной рукописи Лэнгдона было нечто, затрагивавшее интересы Приората. Лэнгдон узнал правду наверняка чисто случайно. И Соньер боялся, что эта правда всплывет.* Тибинг был уверен: Великий мастер Приората вызвал Лэнгдона с одной целью — заставить его молчать.

Но правду скрывали уже достаточно долго! Хватит!

Тибинг понял: надо действовать быстро. Нападение Сайласа преследовало две цели. Во-первых, остановить Соньера, не дать ему возможности убедить Лэнгдона хранить молчание. Во-вторых, завладеть краеугольным камнем. Когда он окажется у Тибинга, Лэнгдон будет в Париже. И если понадобится, Тибинг сможет привлечь его.

Организовать нападение Сайласа на Соньера не составило особого труда. Слишком много уже успел узнать Тибинг о тайных страхах куратора. Вчера днем Сайлас позвонил Соньеру в Лувр и представился священником парижского прихода.

— Прошу прощения, месье Соньер, но я должен переговорить с вами, и немедленно. Не в моих правилах нарушать тайну исповеди. Но этот случай... похоже, исключение. Я только что исповедовал человека, который утверждает, что убил нескольких членов вашей семьи.

Соньер воспринял эти слова с изрядной долей недоверия.

— Моя семья погибла в автомобильной катастрофе, — устало ответил он. — Полиция пришла к однозначному заключению.

— Да, это действительно была автокатастрофа, — сказал Сайлас. — Человек, с которым я говорил, утверждает, что заставил их машину съехать с дороги в реку.

Соньер молчал.

— Месье Соньер, я никогда не позвонил бы вам, но этот человек... он косвенно дал понять, что и вам грозит опасность. — Сайлас выдержал многозначительную паузу. — И еще он говорил о вашей внучке Софи.

Упоминание о Софи сыграло решающую роль. Куратор приступил к действиям. Попросил Сайласа немедленно приехать к нему прямо в Лувр. Свой кабинет он считал самым безопасным местом для такой встречи. Затем бросился звонить Софи, чтобы предупредить об опасности. На встречу с Лэнгдоном пришлось махнуть рукой.

И теперь, глядя на стоявших в разных концах помещения Лэнгдона и Софи, Тибинг не мог удержаться от мысли, что ему все же удалось разделить этих компаньонов. Софи Невё пребывала в полной растерянности, Лэнгдон же был целиком сосредоточен на разгадке ключевого слова. *Он осознает важность нахождения Грааля, ее судьба его теперь не занимает.*

— Он ни за что не откроет его для вас, — холодно произнесла Софи. — Даже если сможет.

Тибинг, продолжая держать Софи под прицелом, покосился в сторону Лэнгдона. Теперь сомнений у него почти не осталось, оружие применять придется. Ему не слишком это нравилось, но он знал, что без колебаний спустит курок, если потребуется. *Я сделал все возможное, предоставил ей достойный выход из ситуации. Грааль для меня значит больше, чем жизни каких-то двух человек.*

В этот момент Лэнгдон отвернулся от окна.

— Могила... — медленно произнес он, и в глазах его замерцал огонек. — Мне кажется, я знаю, где и что искать на памятнике Ньютону. Да, думаю, я разгадал ключевое слово!

Сердце у Тибинга бешено забилось.

— Где, Роберт? Скажите же мне!

— Нет, Роберт! — в ужасе воскликнула Софи. — Не говорите! Вы же не собираетесь помогать ему, верно?..

Лэнгдон решительно зашагал к ним с зажатым в руке криптексом.

— Ничего не скажу, — тихо и многозначительно произнес он, глядя прямо в глаза Тибингу. — До тех пор, пока вы ее не отпустите!

Тибинг помрачнел:

— Мы так близки к цели, Роберт. Не смейте играть со мной в эти игры!

— Какие там игры, — отмахнулся Лэнгдон. — Просто дайте ей уйти, и все. А я отведу вас к могиле Ньютона. И там мы вместе откроем криптекс.

— Я никуда не пойду, — сказала Софи, зеленые глаза ее сузились от ярости. — Криптекс мне дал дед. И не вам его открывать.

Лэнгдон резко повернулся к ней, в глазах его мелькнул страх.

— Софи, пожалуйста! Вы в опасности. Я пытаюсь помочь вам!

— Как? Раскрыв тайну, защищая которую мой дед пожертвовал собственной жизнью? Он доверял вам, Роберт. И я тоже вам доверяла!

В синих глазах Лэнгдона мелькнул страх, и Тибинг не мог сдержать улыбки, увидев, что эта парочка готова разругаться раз и навсегда. Все попытки Лэнгдона проявить благородство, похоже, ничуть не действовали на эту дамочку. *Он стоит на пороге открытия величайшей в истории тайны, но его больше волнует судьба совершенно никчемной девчонки, доказавшей свою полную неспособность приблизить разгадку.*

— Софи... — продолжал умолять Лэнгдон. — Софи, вы должны уйти.

Она покачала головой:

— Не уйду. До тех пор пока вы не отдадите мне криптекс. Или просто не разобьете его об пол.

— Что? — изумился Лэнгдон.

— Роберт, мой дед предпочел бы видеть криптекс уничтоженным, нежели в руках убийцы. Его убийцы! — Казалось, Софи вот-вот разрыдается, но этого не произошло. Теперь она смотрела прямо в глаза Тибингу. — Ну, стреляйте же! Не собираюсь оставлять вещь, принадлежавшую деду, в ваших грязных лапах!

Что ж, прекрасно. Тибинг прицелился.

— Нет! — крикнул Лэнгдон и угрожающе приподнял руку с зажатым в ней камнем. — Только попробуйте, Лью, и я разобью его!

Тибинг расхохотался:

— Блефуете? Но это могло произвести впечатление только на Реми. Не на меня. Так и знайте.

— Вы это серьезно, Лью?

Еще бы. И нечего меня пугать. Теперь я точно знаю: вы лжете. Вы понятия не имеете, где искать ответ на надгробии Ньютона.

— Неужели это правда, Роберт? Неужели вы знаете, где искать ответ?

— Знаю.

Глаза выдали Лэнгдона. Тибинг окончательно уверился: он лжет. И все это в отчаянной попытке спасти Софи. Нет, он положительно разочаровался в Роберте Лэнгдоне.

Я одинокий рыцарь в окружении жалких и слабых духом. Ничего, как-нибудь сам разгадаю кодовое слово.

Теперь Лэнгдон с Софи ничем не могли угрожать Тибингу. И Граалю — тоже. Пусть решение, принятое им, дорогого стоит, но он выполнит его с чистой совестью. Главное — убедить Лэнгдона отдать камень, тихо положить его на пол, чтобы он, Тибинг, мог спокойно забрать сокровище.

— В знак доверия, — сказал Тибинг и отвел ствол револьвера от Софи, — положите камень, давайте поговорим спокойно.

Лэнгдон понял: Тибинг разгадал его уловку.

Он уловил решимость в глазах Лью и понял: настал критический момент. *Стоит мне положить криптекс на пол, и он убьет нас обоих.* На Софи он в этот миг не смотрел, но чувствовал, как отчаянно взывает о помощи ее измученное сердце. *Роберт, этот человек не достоин Грааля. Пожалуйста, не отдавайте ему! Не важно, что это будет стоить жизни нам обоим.*

Лэнгдон уже принял решение несколько минут назад, когда стоял у окна в одиночестве и смотрел в сад.

Защитить Софи.

Защитить Грааль.

Он едва не закричал: *Но как? Я не знаю как!..*

Угнетенное состояние духа, в котором он пребывал, вдруг обернулось моментом озарения. Ничего подобного с ним прежде не случалось. *Правда у тебя прямо перед глазами! И дело не в кодовом слове. Сам Грааль взывает к тебе. Грааль нельзя отдавать в руки недостойного.*

Находясь в нескольких ярдах от Лью Тибинга, он отвесил тому почтительный поклон и начал медленно опускать руку с криптексом.

— Да, Роберт, вот так, — прошептал Тибинг, продолжая целиться в него. — Кладите его на пол, не бойтесь...

Тут Лэнгдон вдруг резко поднял голову к бездонному куполу Чептер-Хаус. Затем пригнулся еще ниже, заглянул в ствол револьвера, нацеленного прямо на него.

— Вы уж простите, Лью.

И тут Лэнгдон выпрямился во весь рост и одним молниеносным движением вскинул руку вверх и запустил криптекс прямо к потолку.

Лью Тибинг даже не почувствовал, как палец нажал спусковой крючок. «Медуза» разрядилась с оглушительным грохотом. В тот же момент Лэнгдон резко подпрыгнул, точно собрался взмыть в воздух, и пуля угодила в пол прямо у его ног. Тибинг разрывался между желанием прицелиться, выстрелить еще раз и поднять глаза вверх, к куполу. Он посмотрел вверх.

Краеугольный камень!

Казалось, само время застыло, все внимание Тибинга было сосредоточено на взлетевшем к куполу криптексе. Вот он достиг самой высокой точки... словно повис на долю секунды в воздухе... а затем перевернулся и полетел вниз, стремительно приближаясь к каменному полу.

В нем, в этом маленьком хрупком предмете, были сосредоточены все надежды и мечты Тибинга. *Криптекс не может упасть! Мне его не поймать!* Тибинг среагировал чисто инстинктивно. Он отбросил револьвер и рванулся вперед, роняя костыли и протягивая пухлые белые руки с отполированными ногтями. Он весь вытянулся, и в последнюю секунду ему все же удалось поймать криптекс.

Но равновесия Лью не удержал, упал лицом вниз вместе с зажатым в ладони цилиндром. Тибинг понимал, чем грозит это падение. Рука со стуком ударилась об пол, криптекс выскользнул и полетел на каменные плиты.

Раздался жуткий хруст бьющегося стекла.

На секунду Тибингу показалось, что он умер. Он хватал ртом воздух и не мог дышать. Он лежал, распластавшись на холодном

полу, и смотрел на свои пустые руки и отлетевший в сторону цилиндр. Он отказывался верить своим глазам. И лишь когда в воздухе распространился едкий запах уксуса, Тибинг наконец понял, что все пропало. Едкая жидкость сжирала то, что хранилось
в криптексе.

Его охватила паника. *НЕТ!* Он схватил криптекс. Уксус выте-
кал на ладонь. И Тибинг словно видел погибающий папирус. *Ну
и дурак же ты, Роберт! Теперь тайна потеряна навсегда!*

Тибинг был готов разрыдаться. *Грааль пропал. Все кончено.*
Ему еще не верилось, что Лэнгдон мог сотворить такое. И Тибинг
попробовал раздвинуть диски цилиндра в отчаянной попытке
спасти то, что могло остаться от тонкого папирусного свитка.
Потянул за концы цилиндра, и он, к его изумлению, раскрылся.

Лью тихо ахнул и заглянул внутрь. Пусто, если не считать нескольких осколков тончайшего стекла. Никакого папирусного
свитка. Ни его частичек. Тибинг повернулся и взглянул на Лэнгдона. Рядом с ним стояла Софи и целилась в Тибинга из револьвера.

Сэр Лью растерянно перевел взгляд на мраморный цилиндр и
только тут заметил, что диски выстроились в определенном порядке. И составляют слово из пяти букв: APPLE — ЯБЛОКО.

— Шар, от которого вкусила Ева, — холодно произнес
Лэнгдон, — чем навлекла на себя гнев Господень. Первородный
грех. Символ падения священного женского начала.

В этот момент Тибинга, что называется, озарило. Ну конечно
же! Шар, который должен был украшать могилу Исаака Ньютона, представлял собой не что иное, как яблоко, которое, упав с
ветки на голову ученому, навело его на мысль о законе всемирно-
го тяготения. *Плод его труда! На плодоносное чрево сие есть намек!*

— Роберт, — пробормотал совершенно потрясенный Тибинг, —
так вы открыли его, вам удалось... Где же карта?

Лэнгдон не моргнув глазом сунул руку во внутренний карман
твидового пиджака и осторожно достал оттуда туго свернутый
листок папируса. Затем медленно развернул и взглянул на него,
находясь всего в нескольких ярдах от Тибинга. Какое-то время
рассматривал, а затем его лицо озарила улыбка.

Он знает! Тибингу казалось, что у него разрывается сердце.

— Скажите мне! — взмолился он. — Скажите же, пожалуйста!
Ради Бога, умоляю! Пока еще не слишком поздно!..

Тут в коридоре раздались чьи-то тяжелые шаги, они приближались. Лэнгдон спокойно свернул свиток и убрал обратно в карман.

— Нет! — в отчаянии выкрикнул Тибинг, пытаясь подняться на ноги.

Дверь с грохотом распахнулась, и в Чептер-Хаус, точно разъяренный бык на арену, ворвался Безу Фаш. Маленькие, гневно горящие глазки высматривали цель и наконец остановились на лежавшем на полу Тибинге. Фаш с облегчением перевел дух, сунул пистолет в кобуру под мышкой и повернулся к Софи.

— Слава Богу, агент Невё, теперь я вижу — вы с мистером Лэнгдоном в безопасности. Вы должны были прийти в полицию, как я просил.

Тут в помещение ворвались британские полицейские, схватили Тибинга и надели на него наручники.

Софи была потрясена. Она никак не ожидала увидеть здесь Фаша.

— Как вы нас нашли?

Фаш указал на Тибинга:

— Он допустил ошибку. Продемонстрировал охранникам аббатства свое удостоверение личности. А все соответствующие службы уже были проинформированы полицией по радио, что мы разыскиваем этого человека.

— Она в кармане у Лэнгдона! — взвизгнул вдруг Тибинг. — Карта с указанием, где спрятан Грааль!

Но полицейские уже подхватили Тибинга под руки и повлекли к выходу. Он поднял голову и снова воззвал к Лэнгдону:

— Роберт! Скажите мне: где?!

Тибинга как раз тащили мимо, и Лэнгдон заглянул ему прямо в глаза.

— Только достойным дано знать, где находится Грааль. Вы сами этому меня учили, Лью.

ГЛАВА 102

ад парком Кенсингтон-гарденз сгустился туман, и Сайлас, хромая, добрел до ложбинки среди кустарника и укрылся там от посторонних глаз. Опустился на колени прямо на мокрую траву и только тогда почувствовал, как бежит из раны в боку теплая струйка крови. Но он даже не пытался остановить ее. Стоял и смотрел прямо перед собой.

Туман изменил все до неузнаваемости. Казалось, Сайлас находится в раю.

Он молитвенно воздел руки и следил за тем, как их ласкают капли дождя, смывают кровь и пальцы приобретают привычную белизну. Дождь все сильнее барабанил по спине и плечам, и ему казалось, что тело его растворяется, тает, сливается с туманом.

Я призрак.

Вот над головой тихо прошелестел ветерок, он принес сырой земляной запах возрождающейся жизни. Сайлас молился каждой клеточкой своего тела. Он молил о прощении. Молил о милосердии. Но жарче всего молился о своем наставнике, епископе Арингаросе... о том, чтобы Господь не забирал его к себе прежде времени. *У него осталось так много дел на этом свете.*

Туман стремительно обволакивал Сайласа, и внезапно он ощутил себя легким, точно пушинка, которую могло унести малейшее дуновение ветра. Он закрыл глаза и начал произносить последнюю свою молитву.

Откуда-то из тумана пришел к нему голос Мануэля Арингаросы.

Наш Бог велик и милосерден, нашептывал он.

И боль в сердце Сайласа начала стихать: он понял, что епископ, как всегда, прав.

ГЛАВА 103

ишь к вечеру над Лондоном показалось солнце, и крыши, дороги, тротуары и трава начали подсыхать. Безу Фаш, пошатываясь от усталости, вышел из полицейского участка после допроса и остановил такси. Сэр Лью Тибинг с пеной у рта настаивал на полной своей невиновности, и из его маловразумительных рассуждений о Граале, секретных документах и таинственных братствах Фаш сделал вывод, что хитрый старик подготавливает почву для адвокатов. Чтобы те построили тактику защиты на его временном умопомешательстве.

Как же, подумал Фаш, *сумасшедший он!* Для сумасшедшего Тибинг проявил незаурядную изобретательность в формулировке версии, которая могла свидетельствовать о его невиновности. Для этого он использовал «Опус Деи» и Ватикан, которые, как выяснилось, были здесь совершенно ни при чем. Всю грязную работу за него выполняли какой-то фанатик-монах и отчаявшийся священник. Мало того, хитрец Тибинг установил прослушивающее устройство в таком месте, куда калеке забраться было просто не под силу. Разговоры прослушивал его слуга Реми — единственный человек, благодаря которому удалось установить личность Тибинга и его причастность к этому делу. Надо сказать, Реми очень своевременно ушел в мир иной — скончался от анафилактического шока.

Вряд ли все это дело рук человека, страдающего умопомешательством, подумал Фаш.

Информация, полученная от Колле из замка Шато Виллет, подтверждала, что изобретательности у Тибинга мог бы поучиться сам Фаш. Чтобы спрятать «жучки» в одном из важных парижских учреждений, британский историк прибег к помощи древних греков. *Троянский конь.* Многие чиновники, объекты интереса Тибинга, получали роскошные подарки в виде разных антикварных изделий, другие любили посещать аукционы, на которых Тибинг размещал весьма привлекательные лоты. В случае же с Соньером пришлось поступить по-другому. Куратору прислали приглашение на обед в Шато Виллет, где предстояло обсудить возможность создания в Лувре на средства Тибинга нового отдельного «Крыла да Винчи». Приглашение сопровождалось с виду вполне невинной припиской, в которой сэр Лью выражал любопытство по поводу созданного Соньером робота-рыцаря. *Не откажите в любезности, привезите с собой, очень хотелось бы взглянуть.* Очевидно, Соньер пошел англичанину навстречу, и рыцарь-робот был оставлен на время обеда под присмотром Реми Легалудека. Времени у того было вполне достаточно, чтобы снабдить эту игрушку еще одной незаметной деталью.

Сидевший на заднем сиденье такси Фаш устало закрыл глаза. *Не забыть бы заехать еще в одно место перед возвращением в Париж.*

Палату в госпитале Святой Марии заливали яркие лучи весеннего солнца.

— Вы нас всех удивили, — улыбнувшись, заметила медсестра. — Можно сказать, вернулись с того света.

Епископ Арингароса слабо улыбнулся в ответ:

— Господь всегда меня хранил.

Сестра закончила перевязку и оставила епископа одного. Солнце приятно грело лицо. А прошлая ночь была самой темной и ужасной в его жизни.

Он думал о Сайласе, чье тело было найдено в парке.

Пожалуйста, прости меня, сын мой...

Теперь Арингароса жалел о том, что привлек Сайласа к выполнению своего плана. Вчера вечером ему звонил капитан Безу Фаш. Он подозревал епископа в соучастии в убийстве монахини, которое произошло в церкви Сен-Сюльпис. И Арингароса понял, что события той ночи приняли непредсказуемый оборот. А узнав из выпуска новостей еще о четырех убийствах, он просто пришел в ужас. *Что же ты натворил, Сайлас! Как только посмел!* Затем он попытался связаться с Учителем, но безуспешно. И только тогда епископ понял: его просто использовали. Что единственный способ предотвратить дальнейшее развитие ужасных событий — это сознаться во всем Фашу. Так и произошло, и с того момента Арингароса вместе с Фашем пытались перехватить Сайласа, хотели опередить Учителя, пока тот не отдал монаху приказ убить кого-то еще.

Ощущая слабость и ломоту во всем теле, Арингароса устало закрыл глаза. По телевизору передавали последние новости об аресте известного британского ученого, рыцаря сэра Лью Тибинга. *Учитель нас всех переиграл.* Очевидно, Тибинг пронюхал что-то о планах Ватикана отмежеваться от «Опус Деи». И для осуществления уже своих планов выбрал епископа Арингаросу. *Да и кто еще стал бы охотиться за Граалем с таким слепым упорством и усердием? Вряд ли человек, которому есть что терять. К тому же, если верить легендам, Грааль приносил новому своему обладателю невиданные прежде власть и могущество.*

Лью Тибинг чрезвычайно изобретательно скрывал свое истинное лицо. Говорил с сильным французским акцентом, притворялся глубоко набожным человеком, требовал в качестве вознаграждения то, в чем он вовсе не нуждался, а именно — деньги. И Арингароса оказался слишком заинтересованным лицом, чтобы заподозрить неладное. Сумма в двадцать миллионов евро была просто ничто в сравнении с возможностью заполучить Грааль, а финансовая сторона дела была благополучно разрешена выплатой Ватиканом в качестве отступных «Опус Деи» этих самых миллионов. *Слепой видит то, что хочет видеть.* Но самым оскорбительным в мошеннической афере Тибинга стало то, что он потребовал выплаты в виде облигаций Банка Ватикана на предъявителя. С тем чтобы, если вдруг что-то пойдет не так, все нити расследования привели в Рим.

— Рад видеть, что вам уже лучше, святой отец.

Арингароса сразу узнал хрипловатый голос, но лицо человека, появившегося в дверях, было ему незнакомо — он представлял себе его совершенно иным. Строгие грубоватые черты, черные, гладко прилизанные волосы, толстая шея, выпирающая из воротничка рубашки под черным костюмом.

— Капитан Фаш? — неуверенно спросил Арингароса.

Сострадание и забота, которые проявил к нему капитан вчера ночью, как-то не вязались с обликом этого сурового человека.

Капитан приблизился к постели и опустил на стул знакомый Арингаросе тяжелый черный портфель.

— Полагаю, это принадлежит вам?

Арингароса взглянул на портфель, туго набитый облигациями, и тут же смущенно отвел взгляд, ему было стыдно.

— Да... благодарю вас. — Какое-то время он молчал, теребя пальцами край простыни, затем решился: — Капитан, я долго раздумывал над всем этим... И хочу попросить вас об одном одолжении.

— Да, разумеется. Слушаю вас.

— Семьи тех людей в Париже, которых Сайлас... — Тут он умолк, проглотил подкативший к горлу комок. — Понимаю, никакие в мире деньги не могут возместить ужасной утраты. Однако если вы окажете мне такую любезность и разделите средства, лежащие в этом портфеле, между ними... между семьями убитых...

Темные глазки Фаша какое-то время пристально изучали епископа.

— Благородный поступок, милорд. Обещаю, я прослежу за тем, чтобы ваше пожелание было исполнено должным образом.

Повисла томительная пауза.

На экране телевизора высокий худощавый офицер французской полиции давал интервью на фоне старинного особняка. Фаш узнал его и впился глазами в экран.

— Лейтенант Колле, — в голосе британской корреспондентки Би-би-си слышались укоризненные нотки, — прошлой ночью ваш непосредственный начальник публично обвинил двух совершенно ни в чем не повинных людей в убийстве. Будут ли Роберт Лэнгдон и Софи Невё предъявлять официальные претензии вашему ведомству? Во что обойдется капитану Фашу эта ошибка?

Лейтенант Колле ответил ей усталой, но спокойной улыбкой:

— По своему опыту знаю, что капитан Безу Фаш ошибается чрезвычайно редко. Этот вопрос я пока с ним не обсуждал, но если хотите знать мое личное мнение... Полагаю, преследование агента Невё и мистера Лэнгдона было продиктовано стремлением обмануть истинного убийцу, усыпить его подозрения и затем схватить.

Репортеры обменялись удивленными взглядами.

Колле продолжил:

Д Э Н   Б Р А У Н

— Являлись ли мистер Лэнгдон и агент Невё добровольными участниками этого плана, не знаю, не могу сказать. Капитан Фаш редко делится подобной информацией с подчиненными, что, как мне кажется, вполне объяснимо. Единственное, о чем могу заявить твердо и со всей ответственностью: на данный момент капитан уже арестовал истинного подозреваемого. А мистер Лэнгдон и агент Невё невиновны.

Фаш обернулся к Арингаросе, на губах его играла еле заметная улыбка.

— Толковый все же малый этот Колле.

Прошло еще несколько секунд. Фаш провел рукой по голове, приглаживая и без того прилизанные волосы, затем взглянул на Арингаросу:

— Прежде чем вернуться в Париж, милорд, хотелось бы внести ясность в один вопрос. Речь идет о вашем несанкционированном перелете в Лондон. Чтобы изменить курс, вы подкупили пилота. Известно ли вам, что подобные действия подпадают под статью международного закона о перевозках?

— Просто я был в отчаянии, — прошептал Арингароса.

— Да, это понятно. То же самое подтвердил и пилот в беседе с моими людьми. — Фаш запустил руку в карман и достал толстое золотое кольцо с пурпурным аметистом.

У Арингаросы даже слезы на глаза навернулись, когда он принял кольцо от Фаша и надел на палец.

— Вы так добры ко мне! — Он взял Фаша за руку, слегка сжал ее в своей. — Спасибо вам.

Тот лишь отмахнулся и подошел к окну. Стоял и смотрел на раскинувшийся перед ним город, и мысли его были где-то далеко. Затем снова обернулся к епископу, в голосе его звучали нотки озабоченности:

— Скажите, милорд, куда вы потом отправитесь?

Примерно тот же вопрос задали Арингаросе, когда накануне ночью он покидал замок Гандольфо.

— Полагаю, мои пути столь же неисповедимы, как и ваши.

— Да уж, — буркнул в ответ Фаш. И после паузы добавил: — Думаю, скоро подам в отставку.

Арингароса улыбнулся:

— Немного веры — и человек способен творить настоящие чудеса, капитан. Совсем немного веры...

ГЛАВА 104

асовня Рослин, часто называемая собором Кодов, находилась в семи милях к югу от Эдинбурга, в Шотландии. Построена она была на месте древнего храма Митры. Рыцари-тамплиеры, основавшие часовню в 1446 году, щедро украсили ее вырезанными в камне символами. Точнее, совершенно сумбурным набором символов, взятых из иудейской, христианской, египетской, масонской и языческой традиций.

Часовня располагалась точно на меридиане, тянущемся с севера на юг через Гластонбери. Эта линия Розы традиционно отмечала остров короля Артура Авалон и считалась точкой отсчета в британской геометрии, связанной со священными символами. Именно от этой линии Розы, в оригинале «Roslin», и произошло название самой часовни.

Шпили часовни Рослин отбрасывали на землю длинные зазубренные тени. Уже вечерело, когда Роберт Лэнгдон и Софи Невё остановили взятую напрокат машину в парке, у подножия утеса, на котором стоял храм. Во время недолгого перелета из Лондона в Эдинбург им удалось немного отдохнуть, хотя ни один из них не смог заснуть в предвкушении того, что их ждало впереди. Глядя на строгие очертания часовни, вырисовывающиеся на фоне неба, Лэнгдон вдруг почувствовал себя Алисой, падающей в кроличью нору. *Должно быть, мне снится сон.* Однако текст последнего послания Соньера со всей определенностью указывал на это место.

Грааль под древним Рослином вас ждет.

Лэнгдону почему-то казалось, что карта Грааля должна представлять собой некую схему, или диаграмму, рисунок, где местонахождение Грааля помечено крестиком. Судя по всему, им придется изрядно поломать голову, чтобы раскрыть последнюю тайну Приората. Соньер зашифровал ее тем же образом. В виде простого на первый взгляд стишка. В описании часовни Рослин упоминалось несколько самых характерных архитектурных ее особенностей.

Несмотря на кажущуюся простоту последнего послания Соньера, Лэнгдон чувствовал себя несколько неуверенно. Слишком уж известным было это место, часовня Рослин. На протяжении веков каменный храм сопровождали разнообразные легенды и домыслы о Граале, сводившиеся к тому, что сокровище должно находиться именно в часовне. В последние десятилетия об этом уже перестали говорить шепотом. Напротив, стали кричать на каждом углу, после того как с помощью некоего мощного радара удалось обнаружить, что под зданием находится просторное подземное помещение. И этот загадочный «сейф» не только держал на себе всю постройку. У него, похоже, не было ни входа, ни выхода. Археологи запрашивали разрешения начать пробиваться с помощью взрывов в скале к таинственной камере, но Фонд Рослин категорически запретил все работы такого рода в священном месте. И это только подогрело слухи и спекуляции. Что пытается скрыть от общественности Фонд Рослин?

Часовня стала местом самого активного паломничества. Искатели приключений, охотники за тайнами утверждали, будто их притягивает сюда мощным магнитным полем; многие говорили, что пришли искать скрытый где-то на склоне холма вход в подземелье. Но большинство признавали, что приехали сюда просто побродить по священным землям и побольше узнать о Граале.

Сам Лэнгдон никогда здесь не был, но всякий раз посмеивался, когда ему говорили, что именно часовня Рослин — последнее прибежище Грааля. Нет, по всей видимости, часовня на какое-то время приютила Грааль в далеком прошлом... Столь же очевидно, что сейчас там его нет, просто быть не может. Слишком уж много внимания было привлечено к часовне последние десятилетия. К тому же рано или поздно люди найдут способ пробиться в подземелье.

Серьезные ученые, занимавшиеся Граалем, дружно сходились в одном: Рослин — это своего рода ловушка, специально подстроенная Приоратом, чтобы навести охотников за Граалем на ложный след. Однако сейчас, прочитав последнее послание, спрятанное в краеугольном камне, Лэнгдон уже не был так в этом уверен. Весь этот день его мучил и преследовал один вопрос: *Зачем Соньер потратил столько усилий, чтобы привести нас к столь очевидной цели?*

Ответ напрашивался только один.

Есть в Рослин нечто такое, чего мы еще не знаем и не понимаем.

— Роберт! — окликнула его стоявшая возле машины Софи. — Так вы идете или нет? — В руках она держала шкатулку палисандрового дерева, которую любезно отдал ей Фаш. Внутри находились оба криптекса, вновь собранные и помещенные в ячейки. Папирус со стихами занял место в меньшем из них, но, разумеется, пузырька с уксусом там уже не было.

Пройдя по длинной, выложенной гравием дорожке, Лэнгдон с Софи оказались возле знаменитой западной стены часовни. Обычные посетители считали, что странно выступающая стена — это недостроенная часть храма. На самом деле, насколько было известно Лэнгдону, история ее была более интригующей.

Западная стена храма царя Соломона.

Рыцари ордена тамплиеров, создававшие часовню, решили выстроить ее по точному образу и подобию храма царя Соломона в Иерусалиме. Снабдить выступающей западной стеной, узким прямоугольным святилищем и подземным помещением, копией Святая Святых — места, где некогда девять тамплиеров нашли бесценное сокровище. Лэнгдон был вынужден признать: само это сходство служило очевидным намеком на то, что на земле Шотландии тамплиеры выстроили более современное хранилище для Грааля.

Вход в часовню Рослин оказался скромнее, чем он ожидал. Маленькая деревянная дверь на двух петлях, рядом дощечка из дуба с надписью:

РОСЛИН

Лэнгдон объяснил Софи, что это старинное написание, что само слово происходит от названия меридиана «линия Розы», что именно на этом меридиане и стоит часовня. А затем добавил, что ученые, специалисты по Граалю, считают, что «линия Розы» означает также потомство Марии Магдалины.

Часовня вскоре должна была закрыться для посетителей, а потому Лэнгдон решительно толкнул дверь. Лицо обдало теплым ветерком, точно нутро древнего храма устало выдохнуло в конце долгого дня. Арки над входом украшала резьба в виде пятилистников.

Розы. Чрево богини.

Войдя вместе с Софи в часовню, Лэнгдон окинул помещение пристальным и жадным взглядом, точно пытался сразу вобрать все. Он много читал об искусной резьбе по камню, украшавшей внутреннее убранство храма, но видеть ее собственными глазами — совсем другое дело.

Рай символов — так как-то назвал этот храм один из коллег Лэнгдона.

Казалось, на стенах не было и дюйма свободного пространства, все сплошь покрывали символы. Христианские кресты, иудейские звезды, масонские печати, кресты ордена тамплиеров, роги изобилия, пирамиды, астрологические знаки, растения, овощи, пятиконечные звезды и розы. Рыцари-тамплиеры были искуснейшими резчиками по камню, даром что основали союз каменщиков, возводили свои церкви по всей Европе. Но Рослин по праву считалась образчиком их выдающегося мастерства. Сразу было видно, что работали они здесь с особой любовью и тщанием. Мастера не оставили ни единого камня без рисунка. Часовня Рослин была храмом всех религий... всех традиций, но прежде всего она была храмом, прославляющим Природу и священное женское начало.

Внутри почти никого, лишь небольшая группа туристов, столпившихся вокруг молодого экскурсовода, дающего какие-то пояснения. Он вел их привычным, изведанным маршрутом, невидимой тропой, соединяющей шесть ключевых архитектурных точек внутренней части здания. За столетия целые поколения посетителей протоптали эти прямые линии, соединяющие точки, и на полу образовался огромный символ.

Звезда Давида, подумал Лэнгдон. *Нет, это не совпадение.* Известная также под названием Соломоновой печати, эта фигура некогда была тайным символом древних звездочетов-священников, а позже была принята в качестве символа власти царями иудейскими — Давидом и Соломоном.

Церковный служка заметил Лэнгдона и Софи и, несмотря на позднее время, приветливо улыбнулся и сделал жест, приглашающий их осмотреть храм.

Лэнгдон кивнул в знак благодарности и двинулся дальше. А Софи так и осталась у дверей, и по ее лицу было видно, что она растеряна и удивлена.

— В чем дело? — спросил Лэнгдон.

Софи оглядывала часовню.

— Мне кажется... я здесь уже бывала.

Лэнгдон удивился:

— Но вы говорили, что никогда даже *не слышали* о часовне Рослин.

— Не слышала... — Она неуверенно осмотрелась. — Должно быть, дедушка привозил меня сюда, когда я была еще совсем маленькой. Не знаю. Не помню. Но все так знакомо. — Софи продолжала оглядывать внутреннее убранство часовни. И кивнула. — Да, точно. — Она указала вперед. — Эти две колонны. Я их точно видела.

Лэнгдон проследил за направлением ее взгляда и увидел в дальнем конце помещения две покрытые искусной резьбой колонны. Белые каменные кружева отливали красновато-золотистыми отблесками, на них через окно падали последние лучи заходящего солнца. Сами колонны, расположенные в том месте, где обычно находится алтарь, являли собой довольно странную пару. Та, что слева, была покрыта резьбой из простых вертикальных линий, правую же по спирали украшал сложный цветочный узор.

Софи направилась к ним, и Лэнгдон поспешил следом. Приблизившись к колоннам, Софи решительно заявила:

— Да, я совершенно уверена, что видела их!

— Не сомневаюсь, что видели, — заметил Лэнгдон. — Но вовсе не обязательно здесь.

Она обернулась к нему:

— О чем это вы?

— Эти колонны имеют массу архитектурных двойников по всему свету. Их копии производили неоднократно на протяжении веков.

— Копии Рослин? — недоверчиво воскликнула Софи.

— Нет. Самих колонн. Помните, чуть раньше я говорил о том, что часовня Рослин является копией храма царя Соломона. И эти две колонны представляют собой точную копию тех, что некогда украшали вход в храм Соломона. — Лэнгдон указал на левую колонну. — Вот эта называется Боаз, или Масонская колонна. А та, что справа, — Джачин, или Колонна подмастерья. — Он помолчал, затем добавил: — Вообще-то в каждом масонском храме имеются две такие колонны.

Лэнгдон уже рассказывал Софи о тесных исторических связях ордена тамплиеров с современными тайными масонскими обществами. В последнем стихотворении Жака Соньера как раз содержалось прямое указание на мастеров-масонов, которые украсили Рослин искусной резьбой по камню. Говорилось в нем и о потолке часовни, украшенном резьбой в виде звезд и планет.

— Я никогда не была в масонском храме, — призналась Софи, разглядывая колонны, — но почти уверена, что видела эти колонны именно здесь. — И она начала озираться, словно в попытке отыскать что-то еще, что могло освежить память.

Туристы уходили, и экскурсовод с приветливой улыбкой поспешил навстречу Лэнгдону и Софи. Это был красивый молодой человек лет двадцати семи в ботинках на толстой подошве. Волосы длинные и светлые, как солома.

— А мы уже закрываемся. Могу я вам чем-то помочь?

Как насчет того, чтобы помочь нам найти Грааль? — подумал Лэнгдон.

— Код! — вдруг выпалила Софи, и лицо ее оживилось. — Здесь должен быть код!

Молодой человек улыбнулся:

— Да, он здесь есть, мэм.

— На потолке, — пробормотала она, указывая на стену справа. — Где-то вон там...

— Как вижу, вы здесь не впервые, — заметил светловолосый красавец.

Код, подумал Лэнгдон. Он совсем забыл об этой архитектурной особенности часовни. Помимо всего прочего, часовня Рослин была знаменита сводчатой аркой, из которой выступали сотни каменных блоков. Каждый блок был украшен каким-то одним символом, на первый взгляд взятым произвольно, но вместе они создавали некое пространное шифрованное послание, разгадать которое еще никому не удавалось. Одни считали, что этот код может открыть доступ в подземелье. Другие полагали, что здесь зашифрована истинная история Грааля. На протяжении веков криптографы бились над ним — и все напрасно. Даже сегодня Фонд Рослин предлагал щедрое вознаграждение тому, кто сумеет разгадать значение этих символов, но оно по-прежнему оставалось тайной.

— Буду рад показать вам...

Однако Софи не слышала, что говорит молодой человек.

Мой первый код, думала она, направляясь, точно в трансе, к сводчатой арке. Отдав шкатулку розового дерева Лэнгдону, она на какое-то время позабыла о Граале, Приорате Сиона, обо всех тайнах, с которыми довелось столкнуться накануне. И вот теперь, когда она увидела этот сводчатый потолок, усыпанный символами, на нее нахлынули воспоминания. Она вспомнила, как и при каких обстоятельствах побывала здесь впервые, и ощутила тягостную грусть.

Она совсем еще маленькая девочка... прошел лишь год после гибели ее семьи. Дед привез ее в Шотландию на короткие каникулы. Перед тем как отправиться домой, в Париж, они решили осмотреть часовню Рослин. Был уже вечер, и часовня оказалась закрыта. Но каким-то образом они все же попали в нее.

— А скоро домой, дедуля? — взмолилась Софи. Она очень устала.

— Скоро, милая, скоро. — Голос деда звучал почему-то грустно. — Просто у меня тут одно небольшое дельце. Может, подождешь в машине?

— Очень важное дело, да?

Дед кивнул:

— Я скоро. Обещаю.

— А можно мне еще раз посмотреть на аркин код? Это так интересно!

— Ну не знаю. Мне нужно выйти на минутку. Ты не испугаешься здесь одна?

— Ничего я не испугаюсь! — фыркнула она. — Еще даже не стемнело!

Он улыбнулся:

— Ну ладно, так и быть. — И подвел ее к высокой сводчатой арке, которую показывал чуть раньше.

Софи плюхнулась на каменный пол, улеглась на спину и начала разглядывать удивительные рисунки над головой.

— Да я запросто разгадаю этот код! Ты и вернуться не успеешь!

— Тогда поспеши. — Дед наклонился, поцеловал ее в лоб и направился к ближайшей боковой двери. — Я выйду только на минутку. Дверь оставлю открытой. Если что понадобится, позови. — С этими словами он вышел в мягкий вечерний свет.

Софи лежала на полу и разглядывала знаки. Глаза слипались. Через несколько минут буквы стали расплываться, а потом и вовсе померкли. Она уснула.

Проснулась Софи от холода.

— Grand-père?..

Ответа не последовало. Софи поднялась, отряхнула платье. Боковая дверь была открыта. На улице стемнело. Она вышла и увидела деда. Он стоял на крыльце небольшого дома из грубого камня, что находился невдалеке от часовни, и разговаривал с кем-то. Софи не видела с кем, человек был скрыт от нее застекленной дверью.

— Дедуля! — снова окликнула она.

Дед обернулся и махнул ей рукой, призывая подождать еще немного. Затем сказал что-то собеседнику и послал воздушный поцелуй. А потом подошел к ней, и Софи заметила в его глазах слезы.

— Почему ты плачешь, дедуля?

Он поднял ее с пола, крепко прижал к себе.

— Ах, Софи! Нам с тобой в этом году пришлось сказать «прощай» многим людям. И это тяжко.

Софи вспомнила о катастрофе, о том, как прощалась с мамой и папой, бабушкой и маленьким братиком.

— Ну а сейчас ты прощался с кем-то другим, да?

— С очень близким и дорогим другом, которого люблю, — ответил он сдавленным голосом. — И боюсь, не увижу ее еще очень и очень долго.

Лэнгдон оглядывал стены часовни, и у него возникло дурное предчувствие, что они вновь в тупике. Софи отошла посмотреть код на арке и оставила Лэнгдону шкатулку розового дерева с указанием местонахождения Грааля, но этот последний ключ ничуть не помог. Хотя стихотворение Соньера совершенно четко указывало на часовню Рослин, теперь Лэнгдон вовсе не был уверен, что они попали по адресу. Ведь там были слова «сосуд» и «меч», а этих символов он здесь не видел.

Грааль под древним Рослином вас ждет.
Сосуд и меч там охраняют вход.

И Лэнгдон снова почувствовал, что от него ускользает какая-то небольшая, но важная деталь этой загадки.

— Вы уж извините за любопытство, — произнес экскурсовод, не сводя глаз со шкатулки розового дерева в руках Лэнгдона. — Но эта шкатулка... могу я спросить, откуда она у вас?

Лэнгдон устало усмехнулся:

— О, это очень долгая история.

Молодой человек колебался, не зная, с чего начать. И не отводил взгляда от шкатулки.

— Странно... но, знаете, у моей бабушки точно такая же... для драгоценностей.

Лэнгдон был уверен, что молодой человек ошибается. Такая шкатулка может быть только *одна*, изготовленная вручную для хранения краеугольного камня Приората.

— Возможно, они просто похожи, но...

Разговор их прервал громкий стук боковой двери. Софи, не говоря ни слова, вышла из часовни и теперь спускалась по пологому склону холма к стоявшему чуть поодаль каменному строению. *Куда это она направилась?* И вообще она как-то странно себя ведет с тех пор, как они зашли в часовню. Лэнгдон обернулся к своему собеседнику:

— Вы знаете, чей это дом?

Молодой человек несколько растерянно кивнул:

— Это дом приходского священника. Там же живет и куратор часовни, по совместительству она у нас глава трастового Фонда Рослин. — Он замялся. — И еще она приходится мне бабушкой.

— Ваша бабушка возглавляет Фонд Рослин?

Молодой человек снова кивнул:

— Я живу с ней в этом доме, помогаю приглядывать за часовней, провожу экскурсии. — Он пожал плечами. — Провел здесь всю жизнь. Бабушка вырастила и воспитала меня в этом доме.

Лэнгдона беспокоила Софи, и он направился за ней к дому, но на полпути вдруг резко остановился. В ушах звучали слова молодого человека.

Бабушка вырастила и воспитала меня в этом доме.

Лэнгдон взглянул на удалявшуюся фигурку Софи, затем перевел взгляд на шкатулку розового дерева, которую по-прежнему держал в руках. *Нет, этого просто быть не может!* Он повернулся к молодому человеку:

— Так, вы говорите, у вашей бабушки есть точно такая же шкатулка?

— Да. Просто копия.

— А откуда она у нее?

— Дедушка сделал, специально для нее. Он умер, когда я был еще младенцем, но бабушка его помнит. Много о нем рассказывает. Он был настоящим умельцем. Золотые руки.

Лэнгдон чувствовал, что нащупал какую-то нить.

— Вы сказали, вас воспитала бабушка. Могу ли я спросить, что произошло с вашими родителями?

Похоже, этот вопрос удивил молодого человека.

— Они умерли, когда я был совсем маленьким. В один день с дедом.

Сердце у Лэнгдона бешено забилось.

— В автомобильной катастрофе?

В оливково-зеленых глазах экскурсовода промелькнуло удивление.

— Да. В автокатастрофе. Тогда погибла вся семья. Я потерял деда, родителей и... — Тут он умолк и опустил глаза.

— И сестру, — закончил за него Лэнгдон.

Дом из грубого камня был в точности таким, каким запомнила его Софи. Настала ночь, и дом так и манил уютом и теплом. Из приоткрытой застекленной двери доносился восхитительный запах свежеиспеченного хлеба, в окошках мерцал золотистый свет. Софи приблизилась и вдруг услышала внутри чьи-то сдавленные рыдания.

Заглянув в прихожую, она увидела пожилую женщину. Та стояла спиной к двери, но Софи поняла, что слышала именно ее плач. У женщины были длинные роскошные волосы, в которых серебрилась седина. Софи с замиранием сердца шагнула на крыльцо. Теперь она видела: женщина держит в руках фотографию мужчины в рамочке. Нежно и с грустью поглаживает изображенное там лицо.

И лицо это было так хорошо знакомо Софи!

Grand-père...

Очевидно, женщина услышала печальное известие о его смерти не далее как вчера ночью.

Тут под ногой Софи скрипнула половица, женщина резко обернулась и встретилась глазами с Софи. Та хотела бежать, но ноги не слушались. Женщина лихорадочно переводила взгляд с лица Софи на снимок и обратно. Затем она поставила фотографию на полочку и подошла к двери. Они с Софи стояли и смотрели друг на друга сквозь стеклянную перегородку. Казалось, прошла целая вечность. Неуверенность, удивление, надежда — вот какие чувства отражались на лице пожилой дамы... И наконец их, точно волной, смыло радостное озарение.

Она распахнула дверь, выбежала на крыльцо, протянула руки, начала гладить и ощупывать мягкими ладонями лицо Софи. Та стояла точно громом пораженная.

— О, дитя мое... милая моя, родная!

Софи не узнавала ее, но сразу же почувствовала, кто эта женщина. Пыталась что-то сказать, но губы не слушались.

— Софи!.. — зарыдала женщина, покрывая ее поцелуями.

Наконец Софи все же удалось выдавить шепотом:

— Но... дедуля, он же говорил, вы все...

— Знаю, знаю. — Обняв Софи за плечи, женщина смотрела на нее такими знакомыми глазами. — Мы с твоим дедушкой были вынуждены говорить много разных ужасных вещей. И делали это лишь потому, что считали: иначе нельзя. Мне так жаль... Но это было ради твоей же безопасности, Принцесса.

Услышав это последнее слово, Софи тут же вспомнила о деде. Долгие годы он называл ее именно так — Принцесса. Казалось, звук его голоса эхом разносится по каменистым склонам, отлетает от стен и башен Рослина. Проникает сквозь землю и гулом отдается в неведомых пустотах.

Женщина продолжала обнимать Софи, слезы градом катились по ее лицу.

— Твой дед так хотел рассказать тебе всю правду! Но потом вы поссорились. Он очень переживал, изо всех сил старался помириться. Ему так много надо было тебе объяснить! Так много объяснить!.. — Она поцеловала Софи в лоб, затем шепнула на ушко: — Больше никаких секретов, Принцесса. Пришла пора узнать всю правду о твоей семье.

Софи с бабушкой сидели на крыльце, плача от радости и переживаний, и тут через лужайку к ним бросился светловолосый молодой человек. В глазах его светилась надежда.

— Софи?..

Софи кивнула, смахнула слезы и поднялась. Лицо молодого человека не было ей знакомо, но, когда они обнялись, она почувствовала, что он всегда был ей родным, что в жилах их бежит одна кровь...

Вскоре и Лэнгдон присоединился к ним. Софи до сих пор не верилось, что лишь вчера она чувствовала себя такой одинокой в огромном мире. И вот теперь в чужой стране, в незнакомом месте, в окружении трех самых близких ей людей она поняла, что наконец обрела настоящий дом.

ГЛАВА 105

очь опустилась на Рослин.

Лэнгдон в одиночестве стоял на крыльце. И улыбался, прислушиваясь к доносившимся из-за застекленной двери смеху и болтовне. Кружка крепкого бразильского кофе помогла преодолеть навалившуюся сонливость, но он знал — это ненадолго. Слишком уж он устал за последние два дня.

— Вы так тихо от нас ускользнули, — услышал он голос за спиной.

Лэнгдон обернулся. В дверях стояла бабушка Софи, серебристые волосы мерцали в лунном свете. Теперь он знал, что последние двадцать восемь лет она носила имя Мари Шовель.

Лэнгдон устало улыбнулся в ответ:

— Просто подумал: надо же дать членам семьи возможность вдоволь наговориться после столь долгой разлуки. — Он видел в окно, как Софи что-то рассказывает брату.

Мари подошла и остановилась рядом.

— Мистер Лэнгдон, как только я услышала об убийстве Жака, тут же страшно испугалась за Софи. И, увидев ее сегодня у дверей дома, испытала невероятное облегчение. У меня просто нет слов, чтобы выразить вам свою благодарность.

Лэнгдон не знал, что ответить. И хотя чуть раньше он предоставил Софи возможность поговорить с бабушкой наедине, Мари попросила его остаться и послушать. *Мой муж безоговорочно вам доверял, мистер Лэнгдон. Стало быть, и я могу доверять.*

Лэнгдон остался и вместе с Софи в немом удивлении выслушал историю о ее покойных родителях. Сколь ни покажется это невероятным, но оба они принадлежали к роду Меровингов и являлись прямыми потомками Марии Магдалины и Иисуса Христа. Но в целях безопасности были вынуждены сменить фамилии Плантар и Сен-Клер. В жилах их детей текла царская кровь, и потому они находились под защитой и опекой Приората Сиона. Когда родители погибли в автокатастрофе, причина которой так и осталась до конца невыясненной, Приорат встревожился. Это могло означать, что об их происхождении узнал кто-то еще.

— И вот нам с твоим дедушкой, — продолжила рассказ Мари, и в голосе ее звучала боль, — пришлось принять очень важное и трудное решение. Причем немедленно, сразу после того, как нам позвонили и сообщили, что машина твоих родителей найдена в реке. — На ее глазах выступили слезы. — Мы должны были ехать в той машине вместе, все шестеро. Но к счастью, в самый последний момент планы изменились, и твои родители поехали без нас. Мы с Жаком не знали, что в действительности произошло на той горной дороге... был ли то и вправду несчастный случай. — Мари не сводила с Софи глаз. — Мы знали лишь одно: нам следует защитить своих внуков — вот так и было принято это решение. Жак сообщил в полицию, что в машине находилась еще и я вместе с твоим маленьким братиком. И что тела наши, очевидно, унесло водой. А затем нам обоим пришлось скрыться. Приорат все организовал. Жак, будучи человеком слишком известным, даже своего рода знаменитостью, не мог позволить себе такую роскошь — бесследно исчезнуть. Было решено, что Софи, старшая из детей, останется с ним в Париже, будет расти и воспитываться под присмотром Жака и защитой Приората. — Голос ее упал до шепота. — Разделение семьи — это самое трудное, что нам довелось испытать в жизни. Мы с Жаком виделись, но редко и нерегулярно и всегда тайком... Есть у Приората определенные правила, которые следовало соблюдать.

Тут Лэнгдон понял, что Мари собирается перейти к подробностям, не предназначенным для ушей человека постороннего. И поспешил выйти на крыльцо. И вот теперь, всматриваясь в смутные очертания Рослина, он не мог не думать о тайне, которую скрывает эта часовня. *А что, если Грааль действительно спрятан там? И если да, то что тогда означают слова «сосуд» и «меч», упомянутые в стихотворении?..*

— Давайте отнесу, — сказала Мари и кивком указала на руку Лэнгдона.

— О, благодарю вас. — И Лэнгдон отдал ей пустую кружку из-под кофе.

— Нет, я имела в виду то, что у вас в другой руке, мистер Лэнгдон.

Только сейчас Лэнгдон спохватился, что держит в левой руке кусок папируса со стихотворением Соньера. Он снова достал его из криптекса, в надежде заметить то, что, возможно, пропустил раньше.

— Да, конечно, простите.

Мари взяла папирус и улыбнулась:

— Знаю одного человека из банка в Париже, который бы дорого дал за то, чтобы вернуть шкатулку розового дерева. Андре Верне был близким другом Жака, а Жак, в свою очередь, полностью ему доверял. Андре был готов буквально на все, лишь бы сохранить доверенный ему Жаком на хранение предмет.

В том числе и пристрелить меня, подумал Лэнгдон, но решил не говорить этого. А также умолчать о том, что сломал бедняге нос. При упоминании о Париже он подумал о трех sénéchaux, убитых накануне ночью.

— Ну а Приорат? Что же с ним теперь будет?

— Колесики и винтики уже пришли в движение, мистер Лэнгдон. Братству пришлось немало пережить за долгие века, как-нибудь переживет и это. Всегда найдутся люди, готовые подхватить упавшее на землю знамя.

Лэнгдон подозревал, что бабушка Софи связана с Приоратом самым тесным образом. Среди членов Приората всегда были женщины. Четырем из них даже удалось стать Великими мастерами. Хотя sénéchaux традиционно становились мужчины, женщинам тоже доводилось занимать в Приорате более высокую ступень. И даже получить самые главные посты, минуя эту ступень.

Лэнгдон вспомнил о Тибинге и Вестминстерском аббатстве. Казалось, после всех этих событий прошла целая вечность.

— Скажите, а Церковь оказывала на вашего мужа какое-либо давление? Убеждала не публиковать документы Сангрил?

— О Господи, нет, конечно. Конец дней — это выдумка какого-то параноика. В доктрине Приората нет ни единого намека на дату обнародования этих документов. Вообще-то Приорат придерживался мнения, что Грааль навеки следует сохранить в тайне.

— Навеки? — Лэнгдон был поражен.

— Эта тайна предназначена для спасения наших собственных душ, а не самого Грааля. Красота Грааля как раз и состоит в его неземной бесплотной природе. — Теперь Мари Шовель тоже смотрела на часовню Рослин. — Для некоторых Грааль — это сосуд, отпив глоток из которого, можно приобщиться к вечной жизни. Для других — погоня за потерянными документами и их тайной. А для большинства, как я подозреваю, это просто великая идея... блистательное и недосягаемое сокровище, которое даже в сегодняшнем мире всеобщего хаоса служит путеводной звездой. Спасает и вдохновляет нас.

— Но если документы Сангрил так и останутся неопубликованными, тайна Марии Магдалины будет потеряна навсегда, — сказал Лэнгдон.

— Отчего же? Да вы только посмотрите вокруг! Ее история присутствует в изобразительном искусстве, музыке, литературе. И с каждым днем о ней вспоминают все чаще. Этот маятник не остановить. Мы начинаем осознавать, какие опасности кроются в нашем прошлом... понимать, что многие пути ведут к саморазрушению. Мы начинаем чувствовать необходимость возродить священное женское начало. — Она на секунду умолкла. — Вы упоминали, что пишете книгу о символах священного женского начала. Это так?

— Да.

Она улыбнулась:

— Так закончите ее побыстрее, мистер Лэнгдон. Спойте ее песню. Миру нужны новые трубадуры.

Лэнгдон молчал, пытаясь осознать всю значимость этой просьбы. Молодой месяц вставал над зубчатой кромкой леса на горизонте. Он снова взглянул на часовню. И почувствовал, что просто сгорает от ребяческого желания узнать ее тайны. *Не смей спрашивать,* приказал он себе, *время еще не пришло.* Он покосился на папирус в руке Мари Шовель.

— Спрашивайте, мистер Лэнгдон, — с усмешкой сказала Мари. — Вы честно заслужили это право.

Лэнгдон ощутил, что краснеет.

— Вы ведь хотите знать, находится ли Грааль в часовне Рослин, верно?

— А вы можете сказать?

Мари вздохнула с притворным раздражением:

— Ох уж эти мужчины! Просто не могут оставить Грааль в покое! — И она рассмеялась, явно довольная собой. — С чего вы взяли, что Грааль там?

Лэнгдон указал на папирус в ее руке.

— В стихотворении вашего мужа говорится о Рослин, это несомненно. Правда, там еще упоминаются сосуд и меч, а этих символов я в часовне не видел.

— Сосуд и меч? — переспросила Мари. — Ну и как они, по-вашему, выглядят?

Лэнгдон чувствовал: она с ним играет. Но решил принять условия игры и вкратце описал символы.

— Ах, ну да, конечно, — протянула она. — Меч, он же клинок, символизирует все мужское. Думаю, его можно изобразить вот так... — И Мари указательным пальцем начертила на ладони Лэнгдона такую фигуру:

— Да, — кивнул Лэнгдон. Мари изобразила наименее известную, «закрытую» разновидность символа меча, но Лэнгдону она была знакома.

— И обратный знак, представляющий женское начало, — сказала она и начертила на его ладони:

— Правильно, — сказал Лэнгдон.

— И вы говорите, что не заметили среди символов часовни Рослин ничего подобного?

— Не заметил.

— Ну а если я вам покажу, отправитесь наконец спать?

Не успел Лэнгдон ответить, как Мари Шовель спустилась с крыльца и направилась к храму. Он поспешил следом. Войдя в часовню, Мари включила свет и указала в центр пола:

— Вот, пожалуйста, мистер Лэнгдон. Вот вам меч, вот и сосуд.

Лэнгдон смотрел на каменные плиты. И ничего не видел.

— Но здесь...

Мари вздохнула и двинулась по знаменитой тропинке, протоптанной на каменных плитах тысячами людских ног. Лэнгдон проследил за ней взглядом и снова увидел гигантскую звезду, которая ему ничего не говорила.

— Но это звезда Давида, и... — Он вдруг умолк, так и не закончив фразы, ошеломленный своим открытием.

Сосуд и меч.

Сплетены воедино.

Звезда Давида... священное единение мужчины и женщины... печать Соломона... обозначение Святого Святых, двух разных и священных начал... вот что это такое.

Лэнгдону потребовалась добрая минута, чтобы подобрать нужные слова:

— Значит, в стихотворении действительно говорится о часовне Рослин. Да, все сходится. Просто идеально.

Мари улыбнулась:

— Возможно.

Это замечание несколько насторожило его.

— Стало быть, Грааль находится в подземелье, у нас под ногами?

Она рассмеялась:

— Лишь в чисто духовном, символическом смысле. Согласно древнему решению Приората, Грааль непременно должен был вернуться во Францию и упокоиться там навеки. На протяжении веков сокровище в целях предосторожности перевозили из одной страны в другую, из одного тайника в другой. Но Жак, став Великим мастером Приората, поставил перед собой задачу вернуть Грааль во Францию. И построить там усыпальницу, достойную этой святыни.

— И он преуспел?

Лицо ее стало серьезным.

— Мистер Лэнгдон, с учетом того, что вы сделали для меня и моей семьи, могу со всей определенностью ответить на ваш вопрос: Грааля здесь нет.

Лэнгдон не отставал:

— Но краеугольный камень должен обозначать место, где находится Грааль в *данный момент*. Почему тогда все указывает на Рослин?

— Возможно, вы неверно истолковали стихотворение. Помните, Грааль всегда окружали тайны. Он просто притягивал их. Как и мой покойный муж.

— Но чего же яснее? — не уступал Лэнгдон. — Мы с вами стоим над подземельем, отмеченным знаками сосуда и меча, под потолком, усыпанным звездами, в окружении работ искусных мастеров-масонов. Все здесь говорит, просто вопиет о Граале!

— Прекрасно. Только дайте-ка мне еще раз взглянуть на стихотворение. — Она развернула папирус и громко и выразительно прочла вслух:

Грааль под древним Рослином вас ждет.
Сосуд и меч там охраняют вход.
Украшенная мастерской рукой,
Нашла она под звездами покой.

Мари закончила читать. Губы ее тронула легкая улыбка.

— Ах, Жак!..

Лэнгдон не сводил с нее глаз.

— Так вы поняли — где?..

— Как вы только что убедились, рассматривая этот пол, мистер Лэнгдон, на свете существует немало способов увидеть по-иному самое простое и очевидное.

Лэнгдон силился понять, но не получалось. Все, что выдумывал и сочинял Жак Соньер, имело двойное значение, но смысл последнего его послания от этого не становился яснее.

Мари подавила зевок.

— Должна вам признаться, мистер Лэнгдон. Лично меня никогда не посвящали в тайну местонахождения Грааля. Но я была замужем за очень влиятельным человеком... и женская интуиция меня никогда не подводила. — Лэнгдон хотел было что-то сказать, но она ему не позволила. — Мне очень жаль, что после всех испытаний, выпавших на вашу долю, вы уедете из Рослина, так и не получив конкретных ответов на вопросы. И однако, что-то подсказывает мне: вы рано или поздно найдете то, что ищете. Проснетесь в один прекрасный день и сразу все поймете. — Она улыбнулась. — А когда поймете... верю, вы, как никто другой, будете способны сохранить это в тайне.

У дверей послышались чьи-то шаги.

— Ах вот вы где! — воскликнула Софи и вошла.

— Я уже собиралась уходить, — сказала Мари и приблизилась к внучке. — Спокойной тебе ночи, Принцесса! — Она поцеловала Софи в лоб. — И не слишком задерживай мистера Лэнгдона, он тоже устал.

Лэнгдон с Софи проводили взглядами одиноко бредущую к дому Мари. И вот Софи подняла на него оливково-зеленые глаза, и он прочел в них целую бурю эмоций.

— Такого я никак не ожидала.

Да и я тоже, усмехнулся Лэнгдон. Он видел: Софи просто ошеломлена свалившимся на нее известием о семье. То, что она узнала сегодня, перевернуло всю ее жизнь.

— Вы как, в порядке? Понимаю, это трудно осознать сразу... Она еле заметно улыбнулась:

— Теперь у меня есть семья. И это главное. Есть с чего начать. Ну а осознать, кто мы такие и откуда... на это потребуется время.

Лэнгдон промолчал.

— Вы останетесь с нами? — спросила Софи. — Ну хотя бы на несколько дней?

Лэнгдон вздохнул. Больше всего на свете ему хотелось именно этого.

— Вам нужно освоиться, побыть с родными. Утром я возвращаюсь в Париж, Софи.

Во взгляде ее мелькнуло разочарование, но, похоже, она поняла: так будет лучше для всех. Они долго молчали. Наконец Софи взяла его за руку и вывела из часовни. Они двинулись к небольшому холму неподалеку от Рослина. Облака расступились, на небо снова выплыл молодой месяц и залил все вокруг голубоватым призрачным светом. Софи и Роберт молча стояли, взявшись за руки, и любовались сказочным шотландским пейзажем.

На небе высыпали звезды, на западе, низко над горизонтом, нависла самая яркая из них. Лэнгдон сразу узнал ее и не сдержал улыбки. Венера. Древняя прекрасная богиня светила ровным серебристым светом.

Ночь принесла с собой прохладу, откуда-то с севера, с болотистой низины, потянуло пронизывающим ветерком. Лэнгдон украдкой посмотрел на Софи. Глаза ее были закрыты, на губах играла умиротворенная улыбка. Лэнгдон и сам чувствовал, как тяжелеют у него веки. Он осторожно сжал ее руку в своей.

— Софи...

Она медленно открыла глаза. Лицо ее казалось таким прекрасным в лунном свете. Потом она одарила его немного сонной улыбкой:

— Привет.

И тут вдруг Лэнгдон почувствовал горечь при мысли о том, что завтра возвращается в Париж, но уже без нее.

— Я уеду рано, вы еще, наверное, будете спать, — сказал он и осекся. В горле встал ком. — Простите. Я не слишком умею...

Тут Софи приложила ему к щеке мягкую и теплую ладонь. А потом, подавшись вперед всем телом, нежно поцеловала.

— Когда мы теперь увидимся?

Лэнгдон почувствовал, что тонет в ее прекрасных оливково-зеленых глазах.

— Когда? — Он на секунду задумался. Странно, но она сумела прочитать его мысли, он задавал себе тот же вопрос. — Ну... э-э... вообще-то в следующем месяце я еду читать лекции. На конференцию во Флоренцию. Целую неделю проведу там.

— Это что, приглашение?

— Мы будем жить просто роскошно. Для меня забронирован номер в «Брунелески».

Софи кокетливо улыбнулась:

— Не слишком ли много себе позволяете, а, мистер Лэнгдон?

Он слегка поморщился. Действительно, вышло не слишком ловко.

— Вообще-то я имел в виду...

— Больше всего на свете мне хотелось бы встретиться с тобой во Флоренции, Роберт. Но только при одном условии. — Тон ее стал суровым. — Чтобы никаких музеев, церквей, никаких надгробий, предметов старины и искусства! Договорились?

— Во Флоренции? Но там же совершенно нечем больше заняться!

Софи снова подалась вперед и поцеловала его, на этот раз — в губы. Они слились в объятии, сначала нежном, затем страстном. Когда она наконец отстранилась, Лэнгдон прочел в ее глазах обещание.

— Хорошо, — кивнул он и хрипло добавил: — Договорились.

ЭПИЛОГ

оберт Лэнгдон проснулся словно от толчка. Ему снился сон. Он протер глаза и увидел: через спинку стула переброшен халат с монограммой «ОТЕЛЬ «РИТЦ», ПАРИЖ». Через шторы слабо просвечивал свет. *Утро сейчас или вечер?..*

Лэнгдону было тепло и уютно. Он славно выспался, последние два дня почти не вылезал из постели. Он медленно сел и только сейчас понял, что его разбудило... Странная, совершенно неожиданная мысль. На протяжении нескольких дней он пытался разобраться в обрушившейся на него информации и вот теперь вдруг вспомнил то, что не учитывал прежде.

Возможно ли это?

Какое-то время он сидел совершенно неподвижно. Затем выбрался из постели, пошел в ванную, отделанную мрамором. Включил душ и подставил плечи под упругие струи воды. Нет, эта мысль положительно его заворожила. Невозможно.

Двадцать минут спустя Лэнгдон вышел из отеля «Ритц» на Вандомскую площадь. Близилась ночь. Отсыпаясь, он совершенно потерял счет времени... однако мозг работал на удивление четко. Лэнгдон обещал себе, что непременно забежит в кафе на первом этаже отеля выпить чашку кофе с молоком, но ноги, казалось, сами вынесли его на улицу, в сгущающиеся парижские сумерки.

Шагая к востоку по рю де Пти Шамп, Лэнгдон ощущал нарастающее возбуждение. Затем он свернул к югу, на рю Ришелье, где воздух насквозь пропах сладким ароматом жасмина, льющимся из сада Пале-Рояль. Он продолжал идти, пока не заметил впереди то, что искал. Знаменитую королевскую аркаду из гладко отполированного черного мрамора. Зайдя под нее, начал осматривать плиточный пол и через несколько секунд увидел то, что ожидал: несколько бронзовых медальонов, вмонтированных в плиты и выстроившихся в идеально прямую линию. Каждый диск был пяти дюймов в диаметре и обозначен буквами «N» и «S».

Nord. Sud.*

Он повернулся к югу и двинулся по линии, прочерченной медальонами. Шел и не сводил глаз с тротуара. На углу «Комеди-Франсез» увидел под ногой еще один медальон. *Да, так и есть!*

Еще много лет назад Лэнгдон узнал о том, что улицы Парижа маркированы 135 бронзовыми дисками, вмонтированными в тротуары, плиты дворов и в проезжую часть улиц, и что линия эта пересекает город с севера на юг. Как-то раз он даже прошел вдоль этой линии, от Сакре-Кёр, а затем к югу, через Сену, к старинной Парижской обсерватории. Там и понял значение этой «тропы».

Первый земной меридиан.

Первая нулевая долгота в мире.

Древняя линия Розы Парижа.

Торопливо шагая по рю де Риволи, Лэнгдон чувствовал, что как никогда близок к цели. Еще один квартал и...

Грааль под древним Рослином вас ждет.

Все сходится!.. Происхождение слова «Рослин», упомянутого в стихах Соньера... сосуд и меч... надгробие, украшенное старыми мастерами...

Так вот о чем хотел поговорить со мной Соньер! Да, почти наверняка. О том, что я, сам того не понимая, нащупал истину.

И Лэнгдон пустился бежать по линии Розы, что неумолимо вела его к заветной цели. Войдя в длинный туннель Пассажа Ришелье, он вдруг почувствовал, как волоски на руках встали дыбом от волнения. Он знал, что в конце туннеля стоит самый загадочный из всех парижских монументов, построенный по распоряжению Сфинкса — Франсуа Миттерана, человека, который, если верить слухам, был не чужд тайным обществам.

В другой жизни.

---

* Север. Юг *(фр.)*.

Запыхавшийся Лэнгдон выбежал из туннеля и оказался в знакомом уже дворе. И сразу остановился как вкопанный. А затем медленно, словно не веря в чудо, поднял глаза и увидел ее.

Пирамида Лувра.

Она светилась и переливалась в темноте.

Но любовался он ею всего секунду. Его больше интересовало то, что находилось справа. Он развернулся и двинулся уже невидимой тропинкой, по линии Розы, через двор прямо к Карузель де Лувр, гигантскому кругу из стекла, обнесенному по периметру низенькой живой изгородью из аккуратно подстриженного кустарника. Именно здесь когда-то проводились в Париже языческие празднества, связанные с поклонением богине... веселые и буйные ритуалы, восславлявшие ее плодовитость и щедрость.

Лэнгдон перешагнул через кустарник, ступни утопали в густой траве, и ему показалось, что он входит в иной мир. В центре круга находился один из самых необычных монументов Франции. В землю точно врастала стеклянная призма, гигантская перевернутая пирамида, которую он видел несколько дней назад.

La Pyramide Inversée.

Лэнгдон с замиранием сердца подошел к самому краю и посмотрел вниз, на необъятный подземный комплекс музея, светящийся янтарной подсветкой. И рассматривал он не только огромную перевернутую пирамиду, но и то, что находилось прямо под ней. Сооружение, о котором он, Лэнгдон, упоминал в своей рукописи.

Он смотрел и сам до конца еще не верил, что это возможно. Снова взглянул на Лувр, и на миг показалось, что необъятные крылья здания обнимают его со всех сторон... бесконечные залы и галереи, где собраны величайшие в мире произведения искусства.

Да Винчи... Боттичелли...

Украшенная мастерской рукой...

Он снова посмотрел вниз, через стекло.

Я должен туда спуститься!

Выйдя из круга, Лэнгдон поспешил через двор к огромной пирамиде, где располагался вход в музей. Оттуда выходили последние посетители. Толкнув вращающуюся дверь, Лэнгдон очутился в холле и сразу же бросился вниз, начал спускаться по спиралеобразной лестнице внутрь пирамиды. Воздух становился все прохладнее. И вот, оказавшись в самом низу, он вошел в длинный туннель, тянувшийся к перевернутой пирамиде.

В конце туннеля оказался просторный зал. Прямо перед ним свисала с потолка, сверкая и переливаясь каждой гранью, перевернутая пирамида. Изящный контур из стекла в виде латинской буквы «V».

Сосуд!

Лэнгдон окинул ее взором от вершины до самого кончика, повисшего на высоте около шести футов над полом. И там, прямо под ним, стояло еще одно сооружение. Совсем крохотное.

Миниатюрная пирамида. Высотой в каких-то три фута, не более. Единственный маленький предмет в этом поражающем воображение колоссальном комплексе.

В своей рукописи, в главе, посвященной знаменитой коллекции Лувра из предметов культа богине, Лэнгдон упомянул об этой крохотной пирамиде лишь вскользь. *Это миниатюрное сооружение выступает из пола точно вершина айсберга... верхушка гигантского пирамидообразного склепа, находящегося под землей, эдакой потайной камеры...*

Купаясь в лучах мягкой подсветки, две пирамиды как бы указывали друг на друга. Их оси вытянулись по одной прямой, их кончики почти соприкасались.

Сосуд наверху. Меч снизу.

Сосуд и меч там охраняют вход.

Лэнгдону показалось, будто он слышит голос Мари Шовель. *Рано или поздно вы найдете то, что ищете.*

Он стоял под древней линией Розы в окружении работ старых мастеров. Только теперь, как ему казалось, он понял истинное значение и смысл стихотворения Великого мастера. Посмотрел наверх и увидел: через стеклянный купол просвечивает звездное небо.

Нашла она под звездами покой.

Точно духи нашептывали ему из темноты, забытые слова тихим эхом отдавались под сводами. *Поиски Грааля — это стремление преклонить колени перед прахом Марии Магдалины. Это путь к молитве перед светлым ликом отверженной.*

И, повинуясь невнятному зову, Роберт Лэнгдон упал на колени.

На секунду ему почудилось, что он слышит женский голос. Голос мудрости, он доносился через века... шептал из бездны, из самых глубин земли.

Литературно-художественное издание

Браун Дэн

Код да Винчи

Роман

Ответственный редактор *Л.А. Кузнецова*
Редактор *Е.М. Кострова*
Художественный редактор *О.Н. Адаскина*
Технический редактор *О.В. Панкрашина*

Подписано в печать с готовых диапозитивов заказчика 30.05.06.
Формат 60×90^1/$_{16}$. Бумага офсетная. Печать офсетная. Усл. печ. л. 34.
С.: Детектив(У). Доп. тираж 5000 экз. Заказ 1624.

Общероссийский классификатор продукции
ОК-005-93, том 2; 953000 — книги, брошюры

Санитарно-эпидемиологическое заключение
№ 77.99.02.953.Д.001056.03.05 от 10.03.05 г.

ООО «Издательство АСТ»
170002, Россия, г. Тверь, пр. Чайковского, д. 19А, оф. 27/32
Наши электронные адреса:
WWW.AST.RU E-mail: astpub@aha.ru

Издано при участии ООО «Харвест».
Лицензия № 02330/0056935 от 30.04.04.
Республика Беларусь, 220013, Минск,
ул. Кульман, д. 1, корп. 3, эт. 4, к. 42.

Открытое акционерное общество
«Полиграфкомбинат им. Я. Коласа».
Республика Беларусь, 220600, Минск, ул. Красная, 23.

Браун, Д.

Б87   Код да Винчи : [роман] / Дэн Браун; пер. с англ. Н.В. Рейн. — М.: АСТ, 2006. — 542, [2] с.

ISBN 5-17-038831-4 (ООО «Издательство АСТ»)
(С.: Детектив(У)(кино 1, пазлы))

ISBN 5-17-038830-6 (ООО «Издательство АСТ»)
(С.: Детектив(У)(кино 2, огонь))

ISBN 5-17-038829-2 (ООО «Издательство АСТ»)
(С.: Детектив(У)(кино 3, лицо без маски))

ISBN 5-17-027386-X (С.: Детектив(У))

Секретный код скрыт в работах Леонардо да Винчи...

Только он поможет найти христианские святыни, дающие немыслимые власть и могущество...

Ключ к величайшей тайне, над которой человечество билось веками, наконец может быть найден...

УДК 821.111(73)
ББК 84 (7Сое)-44